新・明解 Pythonで学ぶ アルゴリズムと データ構造

柴田望洋
BohYoh Shibata

SB Creative

はじめに

こんにちは。

本書は、Pythonで実装した豊富なプログラム例を通じて、アルゴリズムとデータ構造の基礎を身につけるためのテキストです。

Pythonそのものの学習だけではなく、アルゴリズムとデータ構造の学習が必要なのは、次のような問題にぶつかった際に、**問題を簡単に解決する能力が要求される**からです。

- データの集まりの中に、ある特定の値が入っているかどうかを調べたい。
- 配列の要素を小さいほうから順に並べたい。
- 常に50音順に並ぶように、データの集合を構造化したい。

本書は、基本的なアルゴリズムとデータ構造に始まって、目的とするデータを見つける**探索**、データの並びを一定の順序で並びかえる**ソート**、そして、**スタック・キュー・再帰的アルゴリズム・線形リスト・2分探索木**などを学習します。

学習にあたっては、高度な数学の知識は不要ですが、論理的な思考能力は必要です。そのため本書では、**難しい理論や概念を視覚的なイメージで理解できるように、213点もの図表を示しています**。すべての解説を見開きの2ページ単位とすることによって、図表やプログラムと対比しながら解説を読み進めていただけるように工夫しています。

本書は、アルゴリズムやデータ構造を、ただ“紹介する”だけの本ではありません。アルゴリズムやデータ構造の基礎を学習した上で、それを使った実用的なプログラムを作る技術を身につけるための本です。本書に示している136編ものプログラムは、アルゴリズムやデータ構造を紹介するための、単なる“サンプル”ではなく、実際に動作するものばかりです。すべてのプログラムを読破すれば、かなりのコーディング力が身につくでしょう。

本書を活用して、アルゴリズムとデータ構造の基礎的な知識や、それらを用いたプログラムの技術等を習得していただければ幸いです。

2019年11月
柴田 望洋

本書の構成

本書は、基礎的なアルゴリズムとデータ構造を学習するためのテキストです。章の構成は、次のとおりです。

第1章　基本的なアルゴリズム
第2章　データ構造と配列
第3章　探索
第4章　スタックとキュー
第5章　再帰的アルゴリズム
第6章　ソート
第7章　文字列探索
第8章　線形リスト
第9章　木構造と2分探索木

おおむね難易度の低いほうから高いほうへと並んでいますので、章の順序に沿って学習を進めていただくとよいでしょう。

▶　第1章と第2章は、それ以降のすべての章の基礎です。また、第3章の「線形探索」は、それ以降の多くの章で応用されます。第4章の「スタック」の知識は、第5章と第6章で必要です。
　なお、第3章の「ハッシュ法」では第8章の「線形リスト」の知識が必要となり、第6章の「ヒープソート」では第9章の「木構造」の知識が必要となります。

以下、本書を読み進める上で、知っておくべきこと・注意すべきことをまとめています。

▪ 数字文字ゼロの表記について

数字のゼロは、中に斜線が入った文字 “Ø” で表記して、アルファベット大文字の “O” と区別しやすくしています。ただし、章・節・図表・ページなどの番号や年月表示などのゼロは、斜線のない0で表記しています。

なお、数字の1（いち）、小文字のl（エル）、大文字のI（アイ）、記号文字の|（たてせん）も、識別しやすい文字を使って表記しています。

▪ 逆斜線記号\と円記号¥の表記について

Pythonのプログラムで用いられる逆斜線記号\は、環境によっては円記号¥に置きかえられます。必要に応じて、すべての\を¥に読みかえるようにしましょう。

▪ スクリプトプログラムについて

本書は、136編のスクリプトプログラムを参照しながら学習を進めていきます。ただし、掲載プログラムを少し変更しただけのプログラムなどは、一部あるいはすべてを割愛しています。具体的には、本書に示すのは1Ø4編で、32編は割愛しています。

すべてのプログラムは、以下のホームページからダウンロードできます。

柴田望洋後援会オフィシャルホームページ　http://www.bohyoh.com/

なお、掲載を割愛しているプログラムリストに関しては、（'chap99/****.py'）という形式で、フォルダ名を含むファイル名を本文中に示しています。

▪ Pythonに関する基礎知識について

本書で学習するアルゴリズムやデータ構造がおおむね理解できても、プログラムの実装が理解できないのでしたら、Pythonそのものの知識が不足しているということです。もしそうでしたら、いったん入門書に戻ってから学習を進めていただくとよいでしょう。

なお、明らかな誤りが書かれているテキストがあるので注意が必要です。たとえば、次のような解説です。

---

[1] 変数には記憶寿命（記憶域期間）がある。

[2] 論理演算子andと演算子とor演算子は、TrueあるいはFalseの論理値を生成する。

[3] 代入演算子は右結合の演算子である。

[4] 関数の引数の受渡しは「値渡し」あるいは「参照渡し」で行われる。

簡単に解説します。

[1] Pythonでは、（他の一部の言語とは異なり）関数への出入りに伴ってオブジェクトが生成されたり破棄されたりすることはありません。当然、記憶寿命（記憶域期間）といった概念が存在し得る余地は、まったくありません（この点は**Column 1-14**：p.34で学習します）。

[2] 論理式“x and y”や“x or y”の評価で得られるのは、TrueやFalseではなく、xもしくはyです（**Column 8-2**：p.290で学習します）。また、そのことを利用したコーディングは、Pythonの世界では常識的なことです（たとえば**List 8-5 [A]**：p.294などです）。

[3] 代入文で使われる=は演算子でありません。“a = b = 1”が“a = (b = 1)”とみなされるという解説を見受けますが、そもそも“a = (b = 1)”は、エラーとなるため動作しません（**Column 2-1**：p.46で学習します）。また、=が右結合の演算子ではないことを知らなければ、落とし穴に陥る可能性があります（**Column 8-3**：p.305）。

[4] Pythonでは、関数間の引数の受渡しは、「実引数が仮引数に代入される」という極めてシンプルな規則に基づいて行われます。また、引数がイミュータブルな型であるかどうかで、見かけ上の挙動が変わるものの、引数の型や性質に応じて、「値渡し」と「参照渡し」が使い分けられる、といったこともありません（**Column 2-6**：p.64で学習します）。

これらの点すべてを誤って解説しているテキストがあります。また、ここに指摘した点以外にも、気になる解説がいろいろと見受けられます。

目次

第１章

基本的なアルゴリズム

本章では、「アルゴリズム」の定義や、各種の基礎的なアルゴリズムを学習します。

- アルゴリズムの定義
- 流れ図／フローチャート
- 決定木
- 構造化プログラミング（整構造プログラミング）
- 順次構造／選択構造／繰返し構造
- 前判定繰返しと後判定繰返し
- 繰返しの過程における条件判定
- 繰返しの中断とスキップ
- 無限ループ
- 多重ループ
- 終了条件と継続条件
- ド・モルガンの法則
- ３値の最大値
- ３値の中央値
- ２値の交換
- ２値のソート
- 約数の列挙
- 連続する整数の総和とガウスの方法

1-1 アルゴリズムとは

本節では、短く単純なプログラムを題材として、《アルゴリズム》とは何かを、その定義を含めて学習していきます。

3値の最大値

まず最初に、**"そもそもアルゴリズム**（*algorithm*）**とは何か？"** を、短く単純なプログラムを例に考えていきましょう。題材として取り上げる **List 1-1** は、**三つの値の《最大値》を求めるプログラム**です。

変数 `a`, `b`, `c` に代入されるのは、キーボードから読み込んだ整数値です。それら3値の最大値が、変数 `maximum` に求められて表示されます。

まずは、プログラムを実行して、動作を確認しましょう。

List 1-1 chap01/max3.py

```
# 三つの整数値を読み込んで最大値を求めて表示

print('三つの整数の最大値を求めます。')
a = int(input('整数aの値：'))
b = int(input('整数bの値：'))
c = int(input('整数cの値：'))

maximum = a                          ←1
if b > maximum: maximum = b          ←2
if c > maximum: maximum = c          ←3

print(f'最大値は{maximum}です。')
```

実行例

```
三つの整数の最大値を求めます。
整数aの値：1⏎
整数bの値：3⏎
整数cの値：2⏎
最大値は3です。
```

変数 `a`, `b`, `c` の最大値を `maximum` に求めるのが、1～3の箇所です。その手順は、次のようになっています。

1 **`maximum` に `a` の値を代入する。**

2 **`b` の値が `maximum` よりも大きければ、`maximum` に `b` の値を代入する。**

3 **`c` の値が `maximum` よりも大きければ、`maximum` に `c` の値を代入する。**

これら三つの文は、**順番に**実行されます。このような、一つずつ順番に処理が実行される構造は、**順次**（じゅんじ）（*concatenation*）構造と呼ばれます。

*

さて、プログラムの1は**代入文**です。Python の代入文は、**単純文**の一種です。

残る2と3は、**if 文**です。Python の `if` 文は、単純文ではなく、**複合文**の一種です。

`if` と `:` で囲まれた式（本書では**判定式**と呼びます）の評価結果に応じて、プログラム実行の流れを変更する `if` 文は、**選択**（せんたく）（*selection*）構造と呼ばれます。

Column 1-1 キーボードからの文字列と数値の読込み

次に示すのは、キーボードから名前を文字列として読み込んで、挨拶を表示する対話的なプログラムです（'chap01/input1.py'）。

```
# 名前を読み込んで挨拶
print('お名前は：', end='')
name = input()
print(f'こんにちは{name}さん。')
```

```
お名前は：福岡 太郎⏎
こんにちは福岡 太郎さん。
```

input 関数は、キーボードから文字列を読み込んで**返却**します（**Fig.1C-1**）。読込みは改行に相当するエンターキーまでの1行分ですが、返却する文字列には、末尾の改行文字は含まれません。

実行例の場合、呼出し式 input() を評価すると、読み込んだ文字列型（str 型）の '福岡 太郎' が得られ、その文字列が変数 *name* に代入されます。

なお、図に示すように、input 関数は、実引数として文字列を与えた、input(**文字列**) の形式でも呼び出せます。この形式では、画面に「文字列」が表示され（このとき改行文字は出力されません）、それから文字列の読込みが行われます。

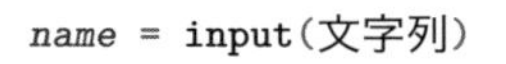

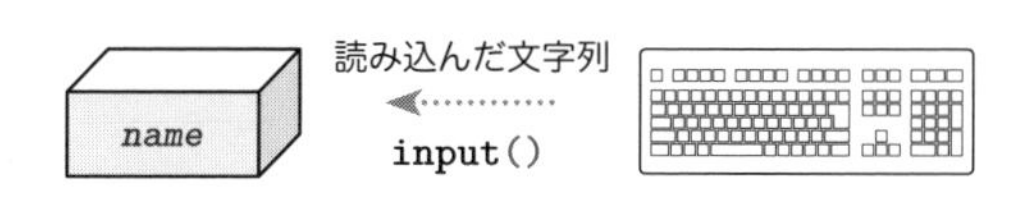

- 文字列が与えられれば、その文字列を表示。
- 改行文字（エンターキー）までを読み込む。
- 末尾の改行文字を除去した文字列を返却する。

Fig.1C-1 キーボードからの読込み

そのため、網かけ部の2行は、以下の1行にまとめられます（'chap01/input2.py'）。

```
name = input('お名前は：')
```

さて、**List 1-1** で必要なのは、文字列ではなくて整数です。input 関数が返却する文字列を整数に変換する（たとえば、str 型の文字列 '3' を int 型の整数値 3 に変換する）のが、引数に受け取った値を int 型の整数値に変換する **int 関数**です。**Fig.1C-2** に示すように、int(**文字列**) と呼び出すと、文字列を整数値に変換した値が返却されます。

なお、2進、8進、10進、16進の整数を表す文字列の整数への変換は、int(**文字列 , 基数**) で行い、文字列から float 型の実数値への変換は、**float 関数**を呼び出す float(**文字列**) で行います。

なお、数値に変換できない文字列を与えて呼び出す式（たとえば int('H2O') や float('5X.2')）は、エラーになります。

式	結果	形式	説明
int('17')	17	int(文字列)	10 進整数とみなして変換
int('0b110', 2)	6	int(文字列 , 基数)	指定された基数の整数とみなして変換
int('0o75', 8)	61		
int('13', 10)	13		
int('0x3F', 16)	63		
float('3.14')	3.14	float(文字列)	浮動小数点数とみなして変換

Fig.1C-2 文字列から整数への変換

3値の最大値を求める手続きを図で表したのが **Fig.1-1** です。プログラムの構造や流れなどを表す図には、いろいろな種類があり、ここでは**流れ図**＝**フローチャート**（*flowchart*）と呼ばれる図を使っています。

▶ フローチャートの主要な記号は、p.12 でまとめて学習します。

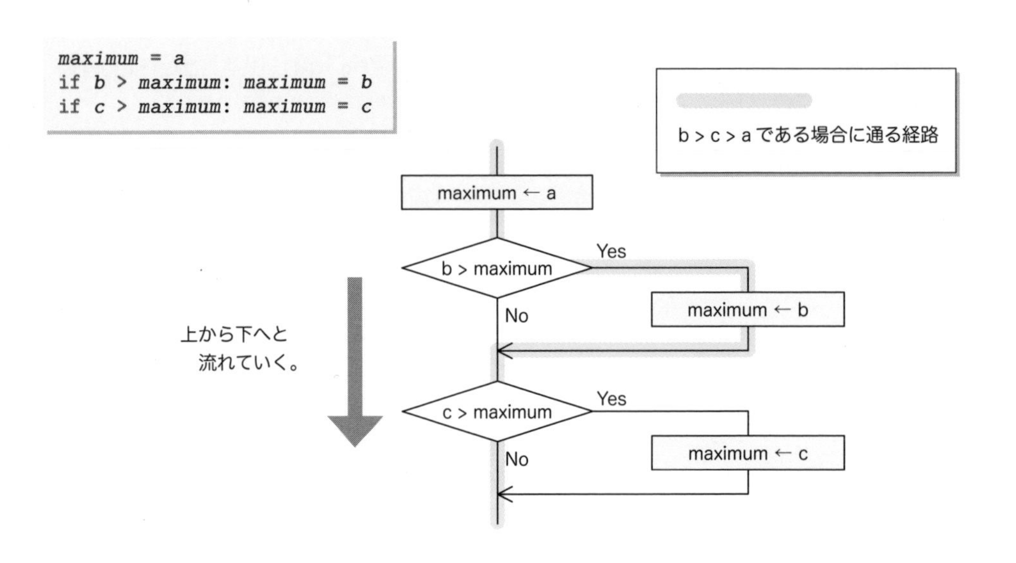

Fig.1-1　3値の最大値を求めるアルゴリズムの流れ図

プログラムの流れは、── に沿って上から下へと向かい、その過程で □ 内の処理が実行されます。

ただし、◇ を通過する際は、その中に記された《**条件**》の評価結果に応じて、Yes と No の**いずれか一方**をたどります。

そのため、`b > maximum` や `c > maximum` の判定が成立すれば（判定式 `b > maximum` あるいは判定式 `c > maximum` を評価した値が真であれば）、Yes と書かれた**右側**に進み、そうでなければ No と書かれた**下側**に進みます。

*

プログラムの流れは、二つの分岐のいずれか一方を通るため、`if` 文によるプログラムの流れの分岐は、**双岐選択**と呼ばれます。

なお、□ 内の矢印記号 ← は、値の代入を表します。たとえば “`maximum` ← a” は、

『変数 a の値を変数 `maximum` に代入せよ。』

という指示です。

p.2の実行例のように、変数a, b, cに対して1, 3, 2を入力すると、プログラムの流れはフローチャート上の青い線　　　の経路をたどります。

それでは、他の値を想定して、フローチャートをなぞってみましょう。

変数a, b, cの値が、1, 2, 3や3, 2, 1であっても、正しく最大値を求められます。また、三つの値が5, 5, 5とすべて等しかったり、1, 3, 1と二つが等しくても、正しく最大値を求められます（**Fig.1-2**）。

	a	b	c	d	e
	a = 1	a = 1	a = 3	a = 5	a = 1
	b = 3	b = 2	b = 2	b = 5	b = 3
	c = 2	c = 3	c = 1	c = 5	c = 1
	maximum	maximum	maximum	maximum	maximum
maximum = a	1	1	3	5	1
if b > maximum: maximum = b	3	2	3	5	3
if c > maximum: maximum = c	3	3	3	5	3

Fig.1-2　3値の最大値を求める過程における変数maximumの値の変化

三つの変数a, b, cの値が、6, 10, 7や-10, 100, 10であっても、フローチャート内の**青い線**をたどります。すなわち、b＞c＞aであれば、**必ず同じ経路をたどります。**

Column 1-2　if文の構文

if文やwhile文などの複合文内の冒頭部は、ifやwhileなどのキーワードで始まって、コロン:で終わります。この部分は**頭部**（ヘッダ）（*header*）と呼ばれます。頭部の末尾のコロン:は、『この後にスイートが続きますよ。』という目印です。

Fig.1C-3に示すのが、if文の構文の概略です。

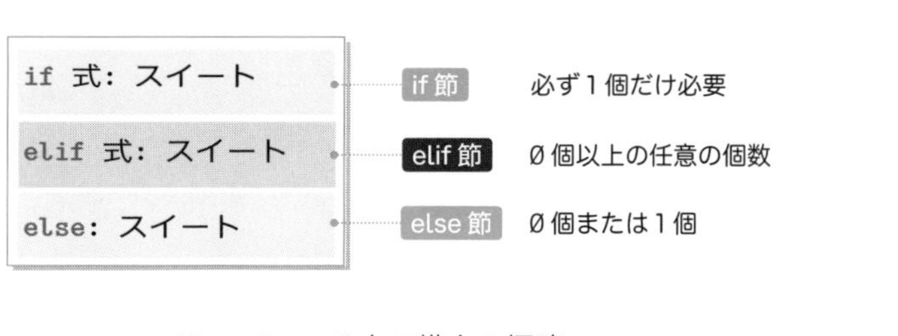

Fig.1C-3　if文の構文の概略

3値の**具体的な値**ではなく、**すべての大小関係**に対して、最大値を正しく求められるかどうかを確認しましょう。確認を手作業で行うのは大変ですから、プログラムで行います。

List 1-2 に示すのが、そのプログラムです。

List 1-2 chap01/max3_func.py

```python
# 三つの整数値の最大値を求めて表示（すべての大小関係に対して確認）

def max3(a, b, c):
    """a, b, cの最大値を求めて返却"""
    maximum = a
    if b > maximum: maximum = b
    if c > maximum: maximum = c
    return maximum    # 求めた最大値を呼出し元に返却

print(f'max3(3, 2, 1) = {max3(3, 2, 1)}')    # [A] a＞b＞c
print(f'max3(3, 2, 2) = {max3(3, 2, 2)}')    # [B] a＞b＝c
print(f'max3(3, 1, 2) = {max3(3, 1, 2)}')    # [C] a＞c＞b
print(f'max3(3, 2, 3) = {max3(3, 2, 3)}')    # [D] a＝c＞b
print(f'max3(2, 1, 3) = {max3(2, 1, 3)}')    # [E] c＞a＞b
print(f'max3(3, 3, 2) = {max3(3, 3, 2)}')    # [F] a＝b＞c
print(f'max3(3, 3, 3) = {max3(3, 3, 3)}')    # [G] a＝b＝c
print(f'max3(2, 2, 3) = {max3(2, 2, 3)}')    # [H] c＞a＝b
print(f'max3(2, 3, 1) = {max3(2, 3, 1)}')    # [I] b＞a＞c
print(f'max3(2, 3, 2) = {max3(2, 3, 2)}')    # [J] b＞a＝c
print(f'max3(1, 3, 2) = {max3(1, 3, 2)}')    # [K] b＞c＞a
print(f'max3(2, 3, 3) = {max3(2, 3, 3)}')    # [L] b＝c＞a
print(f'max3(1, 2, 3) = {max3(1, 2, 3)}')    # [M] c＞b＞a
```

実行結果

```
max3(3, 2, 1) = 3
max3(3, 2, 2) = 3
max3(3, 1, 2) = 3
max3(3, 2, 3) = 3
max3(2, 1, 3) = 3
max3(3, 3, 2) = 3
max3(3, 3, 3) = 3
max3(2, 2, 3) = 3
max3(2, 3, 1) = 3
max3(2, 3, 2) = 3
max3(1, 3, 2) = 3
max3(2, 3, 3) = 3
max3(1, 2, 3) = 3
```

▶ コメントの [A] ～ [M] は、**Fig.1C-5**（p.8）の A～M に対応しています。

最大値を求める部分は、何度も繰り返して利用されるため、独立した**関数**（*function*）として実現しています。薄い水色の部分が、受け取った三つの仮引数 a, b, c の最大値を求めて、それを返却する *max3* の**関数定義**（*function definition*）です。

プログラムのメイン部では、関数 *max3* に対して三つの値を実引数として与えて呼び出して、その返却値（**Column 1-3**）を表示する処理を 13 回行っています。

計算結果が正しいかどうかを確認しやすくするために、本プログラムでは、すべての呼出しにおいて、最大値が 3 となるように組み合わせた値を与えています。

Column 1-3 **関数の返却値と関数呼出し式の評価**

関数は、処理を行った結果の値を、return 文で呼出し元に返却します。関数 *max3* の場合、関数の末尾で変数 *maximum* の値を返却しています。

返却された値は、**呼出し式**の**評価**によって得られます。たとえば、*max3*(3, 2, 1) と呼び出した場合、**Fig.1C-4** に示すように、その呼出し式 *max3*(3, 2, 1) を評価した値が、int 型の 3 となります。

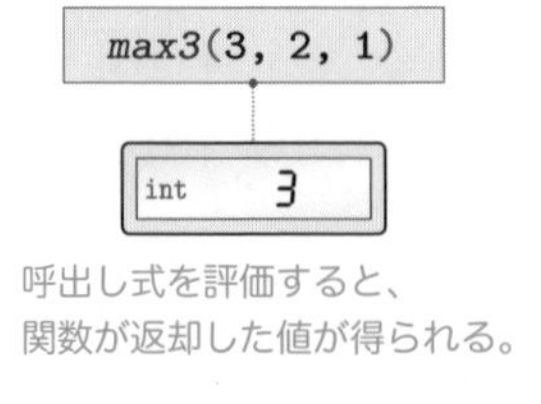

Fig.1C-4 呼出し式の評価

プログラムを実行してみましょう。13 種類すべての組合せに対して **3** と表示され、正しく最大値を求めていることが確認できます。

▶ 大小関係が全部で 13 種類であることについては、次ページの **Column 1-5** で学習します。

JIS X0001 では、《**アルゴリズム**》は次のように定義されています。

問題を解くためのものであって、明確に定義され、順序付けられた有限個の規則からなる集合。

もちろん、いくら曖昧(あいまい)さのないように記述されていても、変数の値によって、解けたり解けなかったりするのでは、正しいアルゴリズムとはいえません。

ここでは、3値の最大値を求めるアルゴリズムが正しいことを、論理的に確認するとともに、プログラムの実行結果からも確認しました。

▶ **JIS**（*Japanese Industrial Standards*）すなわち**日本工業規格**は、工業標準化法によって制定される鉱工業品に関する国の規格です。

Column 1-4　スイートの記述

複合文中の頭部の末尾に置かれたコロン **:** は、『この後に**スイート**（*suite*）が続きますよ。』という目印です（**Column 1-2**：p.5）。

スイートは、『一式』という意味であり、次のように記述します。

▪ 頭部の次の行に、1レベル深くインデント（字下げ）して（スペースの個数を多くして）文を置きます。スイート内の文が複数の場合は、それらの文をすべて同じレベルのインデントで置きます。

なお、置く文は、単純文でも複合文でも構いません（後者であれば、複合文の中に複合文が入る、入れ子の構造となります）。

なお、インデントのためのスペースは、最低でも1個必要です。

例
```
if a < b:
    min2 = a
    max2 = b
```

▪ スイートが単純文のみで構成される場合に限り、頭部と同じ行（すなわち **:** から改行までのあいだ）にスイートを置けます。

なお、単純文が2個以上であれば、各文をセミコロン **;** で区切ります（さらに、セミコロン **;** は最後の単純文の後ろにも置けるようになっています）。

例
```
if a < b: min2 = a
```
例
```
if a < b: min2 = a; max2 = b
```
例
```
if a < b: min2 = a; max2 = b;
```

なお、頭部と同じ行に置くスイートに複合文を含めることはできません。そのため、以下のようにするとエラーになります。

```
if a < b: if c < d: x = u    # エラー コロン:の後ろに複合文は置けない
```

Column 1-5 3値の大小関係と中央値

■ 3値の大小関係の列挙

3値の大小関係の組合せ13種類を列挙するのが、**Fig.1C-5** です。ちなみに、ここに示している図は、木の形をしていることから**決定木**（けっていぎ）（*decision tree*）と呼ばれます。

左端の枠（a ≧ b）からスタートして右側へと進みましょう。▭ 内の条件が成立すれば**上側の線**をたどり、成立しなければ下側の線をたどっていきます。

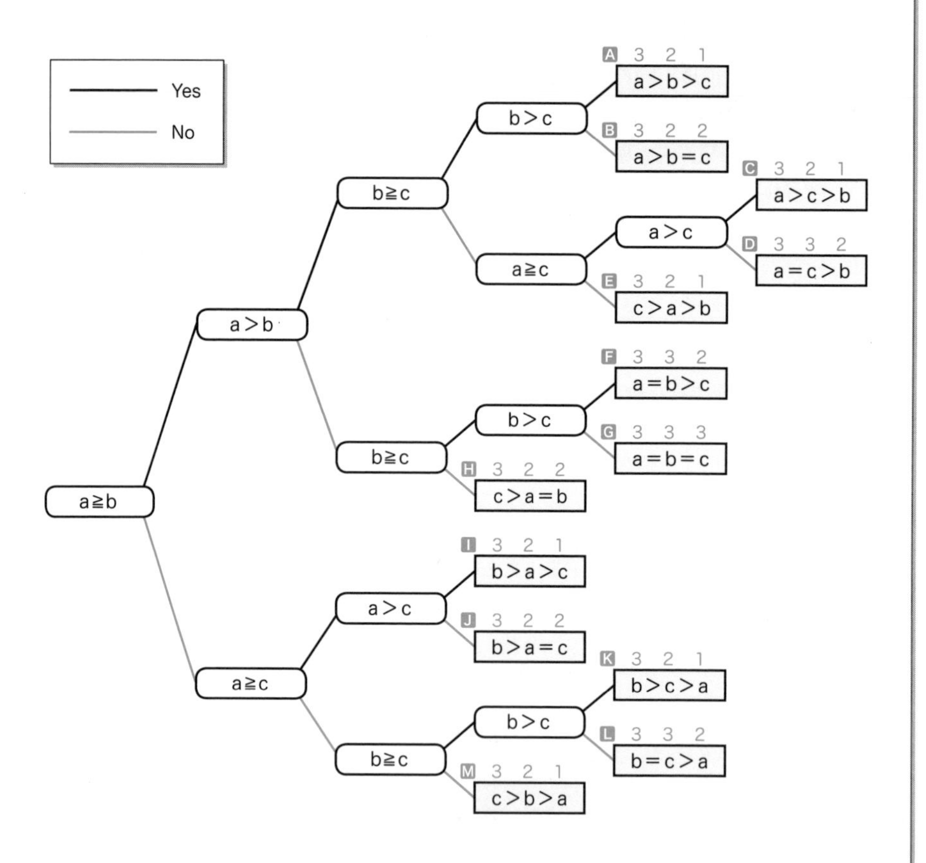

Fig.1C-5 3値の大小関係を列挙する決定木

右端の ▭ 内に示しているのが、三つの変数 **a**，**b**，**c** の大小関係です。その上に示している青い数値は、**List 1-2** のプログラムで利用している、三つの値です（このプログラムでは、A～Mの13種類に対して、最大値を求めています）。

▪ 3値の中央値

最大値・最小値とは異なり、**中央値**を求める手続きは、複雑です（そのため、数多くのアルゴリズムが考えられます）。

List 1C-1 に示すのが、プログラムの一例です。各 `return` 文の横のⒶ～Ⓜは、**Fig.1C-5** と対応しています。

List 1C-1 chap01/median3.py

```
# 三つの整数値を読み込んで中央値を求めて表示

def med3(a, b, c):
    """a, b, cの中央値を求めて返却"""
    if a >= b:
        if b >= c:
            return b  ── A B F G
        elif a <= c:
            return a  ── D E H
        else:
            return c  ── C
    elif a > c:
        return a      ── I
    elif b > c:
        return c      ── J K
    else:
        return b      ── L M

print('三つの整数の中央値を求めます。')
a = int(input('整数aの値：'))
b = int(input('整数bの値：'))
c = int(input('整数cの値：'))

print(f'中央値は{med3(a, b, c)}です。')
```

実行例

```
三つの整数の中央値を求めます。
整数aの値：1
整数bの値：3
整数cの値：2
中央値は2です。
```

プログラムをじっくりと読んで、解読しましょう。

さて、中央値を求める関数 *med3* は、以下のようにも実現できます（`'chap01/median3a.py'`）。

```
def med3(a, b, c):
    """a, b, cの中央値を求めて返却（別解）"""
    if (b >= a and c <= a) or (b <= a and c >= a):
        return a
    elif (a > b and c < b) or (a < b and c > b):
        return b
    return c
```

コードは短くなるものの、効率が悪くなります。その理由を考えていきましょう。

まずは、`if` 節の判定式に着目します。

```
if (b >= a and c <= a) or (b <= a and c >= a):
```

ここで、`b >= a` および `b <= a` の判定を裏返した判定（実質的に同一の判定）が、続く `elif` 節で

```
elif (a > b and c < b) or (a < b and c > b):
```

と行われます。`if` 節の判定式が成立しなかった場合、続く `elif` 節でも（実質的に）同じ判定を行っていることが、効率の低下につながっています。

なお、3値の中央値を求める手続きは、『クイックソート』の改良アルゴリズム（第6章：p.216）などで応用されます。

条件判定と分岐

List 1-3 は、読み込んだ整数値の符号（正／負／0）を判定・表示するプログラムです。このプログラムを通じて、プログラムの流れの分岐に対する理解を深めましょう。

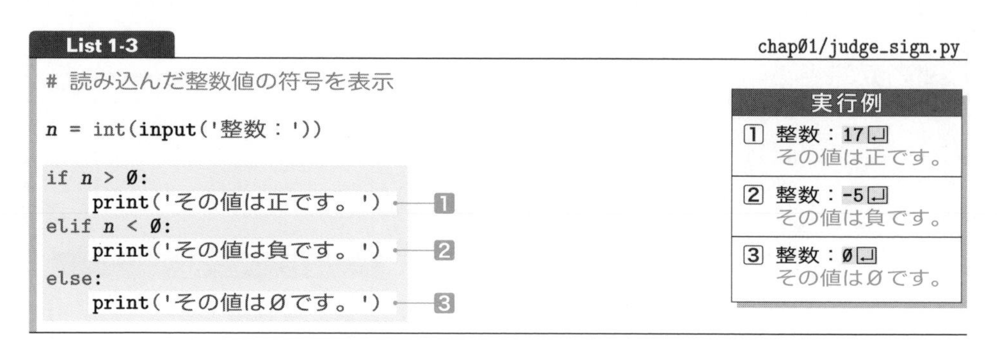

List 1-3　chap01/judge_sign.py

```
# 読み込んだ整数値の符号を表示

n = int(input('整数：'))

if n > 0:
    print('その値は正です。')    ―1
elif n < 0:
    print('その値は負です。')    ―2
else:
    print('その値は0です。')    ―3
```


Fig.1-3 に示すのは、網かけ部のフローチャートです。変数 **n** の値が正であれば1が実行され、負であれば2が実行され、**0** であれば3が実行されます。

すなわち、実行されるのは、いずれか**一つだけ**です。どれか二つが実行されたり、一つも実行されなかったり、ということはありません。プログラムの流れは三**つに分岐します**。

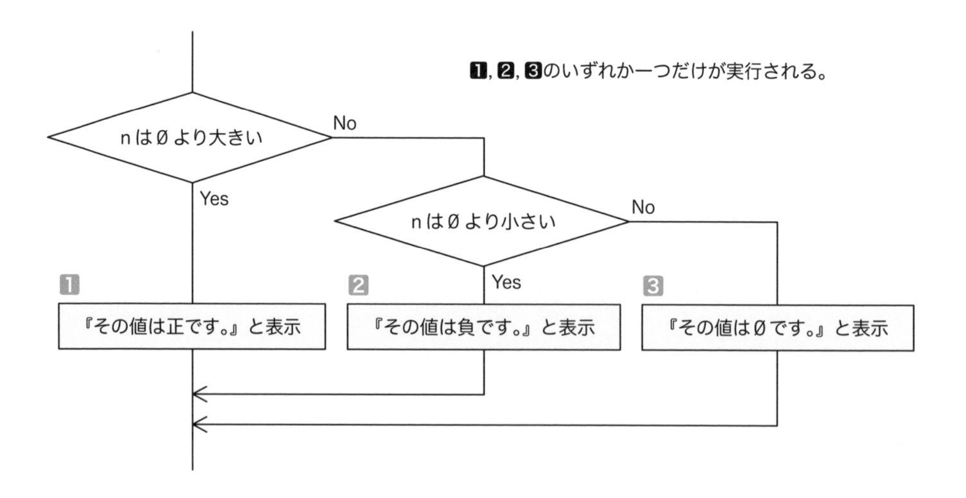

Fig.1-3　変数 n の符号の判定

引き続き、本プログラムと見た目が似ている **List 1-4** と **List 1-5** のプログラムの動作を検証しましょう。プログラムの行数が同じですから、プログラムの流れを同じように三つに分岐させるように感じられます。

いずれのプログラムも、**n** の値が **1** であれば『A』と表示し、**2** であれば『B』と表示し、**3** であれば『C』と表示します。ところが、それ以外の数値の場合の挙動は異なります。

List 1-4 chap01/branch1.py

```
# 整数値の判定（その１）

n = int(input('整数：'))

if n == 1:
    print('Ａ')
elif n == 2:
    print('Ｂ')
else:
    print('Ｃ')
```

実行例

```
1 整数：3↵
  C
2 整数：4↵
  C
```

List 1-5 chap01/branch2.py

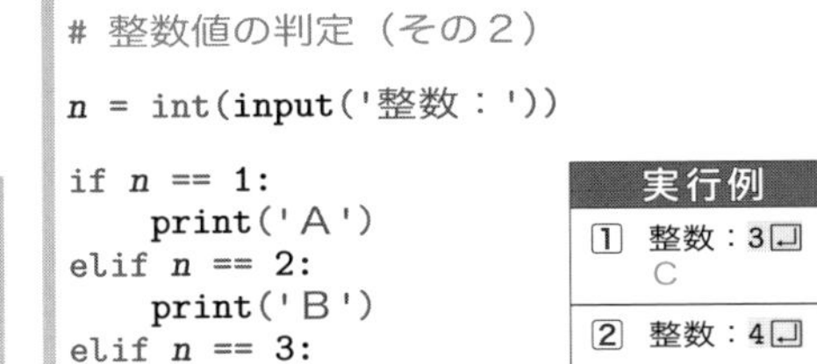

```
# 整数値の判定（その２）

n = int(input('整数：'))

if n == 1:
    print('Ａ')
elif n == 2:
    print('Ｂ')
elif n == 3:
    print('Ｃ')
```

実行例

```
1 整数：3↵
  C
2 整数：4↵
```

▪ List 1-4 の動作（3分岐）

n が 1, 2 以外の数値であれば、どんな値であっても『C』と表示します（実行例1および2）。すなわち、左ページの **List 1-3** と同様に、プログラムの流れを三つに分岐します。

▪ List 1-5 の動作（4分岐）

n の値が 1、2、3 以外の数値であれば、何も表示しません（実行例2）。if 節と、続く2個の elif 節で構成されるため、プログラムの流れを三つに分岐しているように見えますが、そうではありません。

このプログラムの正体は **List 1-6** です。"何も行わない" else 節が隠れており、プログラムの流れを四つに分岐します。

▶ pass 文は、何も行わない文です。

List 1-6 chap01/branch2a.py

```
# 整数値の判定（その２の正体）

n = int(input('整数：'))

if n == 1:
    print('Ａ')
elif n == 2:
    print('Ｂ')
elif n == 3:
    print('Ｃ')
else:
    pass
```

実行例

```
1 整数：3↵
  C
2 整数：4↵
```

Column 1-6 演算子とオペランド

プログラミング言語の世界では、+ や - などの演算を行う記号は**演算子**（*operator*）と呼ばれ、演算の対象となる式は**オペランド**（*operand*）と呼ばれます。たとえば、大小関係を判定する式 a > b では、演算子は > であって、オペランドは a と b の二つです。

演算子は、オペランドの個数によって、以下の3種類に分類されます。

- **単項演算子**（*unary operator*） … オペランドが1個。例：-a
- **2項演算子**（*binary operator*） … オペランドが2個。例：a < b
- **3項演算子**（*ternary operator*） … オペランドが3個。例：a if b else c

＊

条件演算子（*conditional operator*）という名称の、if ～ else 演算子は、唯一の3項演算子です。条件式 a if b else c の評価結果は、式 b を評価した値が真であれば a の値、偽であれば c の値です。

```
1 a = x if x > y else y
2 print('cはゼロ' if c == 0 else 'cは非ゼロ')
```

1では、x と y の大きいほうの値が a に代入されます。また、2では、変数 c の値が 0 であれば『c はゼロ』と表示され、そうでなければ『c は非ゼロ』と表示されます。

フローチャート（流れ図）の記号

問題の定義・分析・解法の図的表現である**流れ図＝フローチャート**（*flowchart*）と、その記号は、以下の規格で定義されています。

JIS X0121『**情報処理用流れ図・プログラム網図・システム資源図記号**』

ここでは、代表的な用語と記号の概要を学習します。

プログラム流れ図（program flowchart）

プログラム流れ図には、以下に示す記号があります。

- 実際に行う演算を示す記号。
- 制御の流れを示す線記号。
- プログラム流れ図を理解し、かつ作成するのに便宜を与える特殊記号。

データ（data）

媒体を指定しないデータを表します（**Fig.1-4**）。

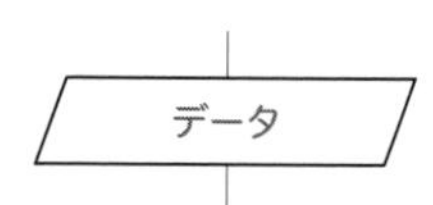

Fig.1-4　データ

処理（process）

任意の種類の処理機能を表します（**Fig.1-5**）。

たとえば、情報の値・形・位置を変えるように定義された演算もしくは演算群の実行、または、それに続くいくつかの流れの方向の一つを決定する演算もしくは演算群の実行を表します。

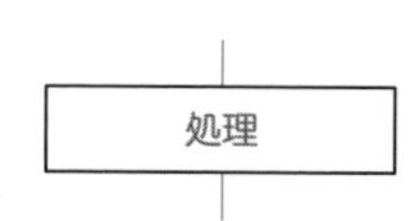

Fig.1-5　処理

定義ずみ処理（predefined process）

サブルーチンやモジュールなど、別の場所で定義された一つ以上の演算または命令群からなる処理を表します（**Fig.1-6**）。

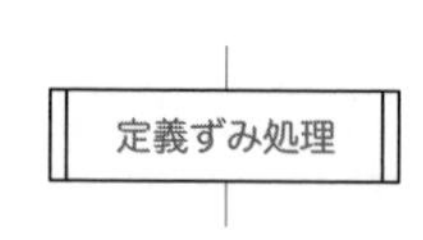

Fig.1-6　定義ずみ処理

判断（decision）

一つの入り口といくつかの択一的な出口をもち、記号中に定義された条件の評価にしたがって、唯一の出口を選ぶ判断機能、またはスイッチ形の機能を表します（**Fig.1-7**）。

想定される評価結果は、経路を表す線の近くに書きます。

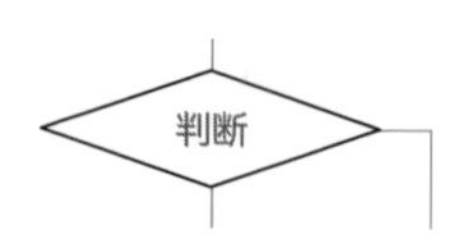

Fig.1-7　判断

ループ端（loop limit）

二つの部分から構成され、ループの始まりと終わりを表します（**Fig.1-8**）。記号の二つの部分には、**同じ名前**を与えます。

Fig.1-9 に示すように、ループの**始端記号**（前判定繰返しの場合）または**終端記号**（後判定繰返しの場合）の中に、初期値（初期化）と増分と終了値（終了条件）とを表記します。

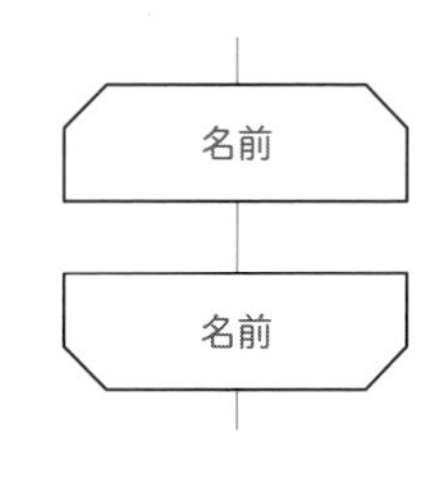

Fig.1-8 ループ端

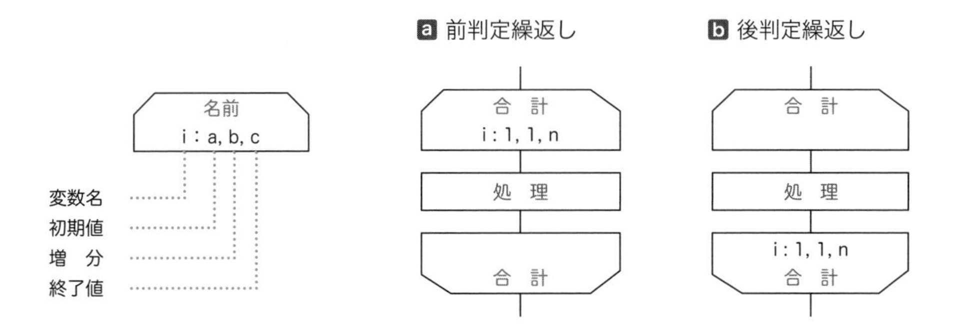

Fig.1-9 ループ端と初期値・増分・終了値

▶ 図aと図bに示すのは、変数 i の値を1から n まで1ずつ増やしながら、『処理』を n 回繰り返すフローチャートです。なお、1, 1, n の代わりに、1, 2, …, n という表記を用いることもあります。

線（line）

制御の流れを表します（**Fig.1-10**）。

流れの向きを明示する必要があるときは、矢先を付けなければなりません。

なお、明示の必要がない場合も、見やすくするために矢先を付けても構いません。

Fig.1-10 線

端子（terminator）

外部環境への出口、または外部環境からの入り口を表します（**Fig.1-11**）。たとえば、プログラムの流れの**開始**もしくは**終了**を表します。

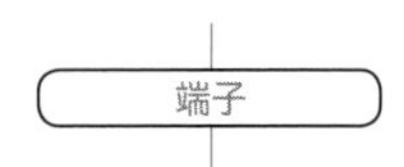

Fig.1-11 端子

この他に、並列処理、破線などの記号があります。

1-2 繰返し

本節では、プログラムの流れを繰り返すことによって実現される、単純なアルゴリズムを学習します。

1からnまでの整数の総和を求める

次に考えるのは、《1からnまでの整数の総和を求めるアルゴリズム》です。求める総和は、nが2であれば1 + 2で、nが3であれば1 + 2 + 3です。

プログラムをList 1-7に、プログラム網かけ部のフローチャートをFig.1-12に示します。

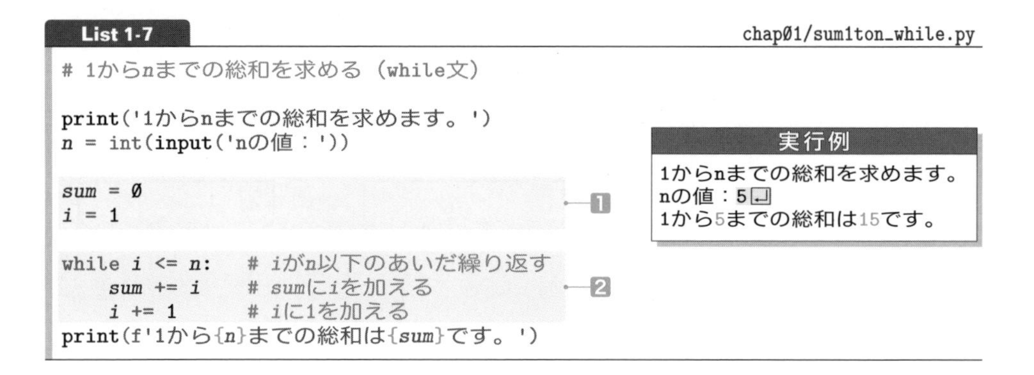

List 1-7 chap01/sum1ton_while.py

```
# 1からnまでの総和を求める（while文）

print('1からnまでの総和を求めます。')
n = int(input('nの値：'))

sum = 0
i = 1                                          ─1

while i <= n:    # iがn以下のあいだ繰り返す
    sum += i     # sumにiを加える             ─2
    i += 1       # iに1を加える
print(f'1から{n}までの総和は{sum}です。')
```

実行例

```
1からnまでの総和を求めます。
nの値：5
1から5までの総和は15です。
```

while文による繰返し

ある条件が成立するあいだ、処理を繰り返し実行するのは、一般に**ループ**（*loop*）と呼ばれる**繰返し**（*repetition*）構造です。

`while`文は、繰返しを続けるかどうかの判定を、処理実行の**前**に行うループです。このような繰返しの構造は、**前判定繰返し**と呼ばれます。

以下に示すのが、`while`文の基本的な形式です。**判定式**の評価によって得られる値が真である限り、**スイート**が繰り返し実行されます。

```
while 判定式： スイート
```

なお、繰返しの対象となる**スイート**のことを、本書では、**ループ本体**と呼びます。

それでは、プログラムとフローチャートの1と2を理解しましょう。

1 総和を求めるための前準備です。総和を格納するための変数`sum`の値を`0`にして、繰返しを制御するための変数`i`の値を`1`にします。

2 変数`i`の値が`n`以下であるあいだ、`i`の値を一つずつ増やしていきながら、ループ本体を繰り返し実行します。繰り返すのは`n`回です。

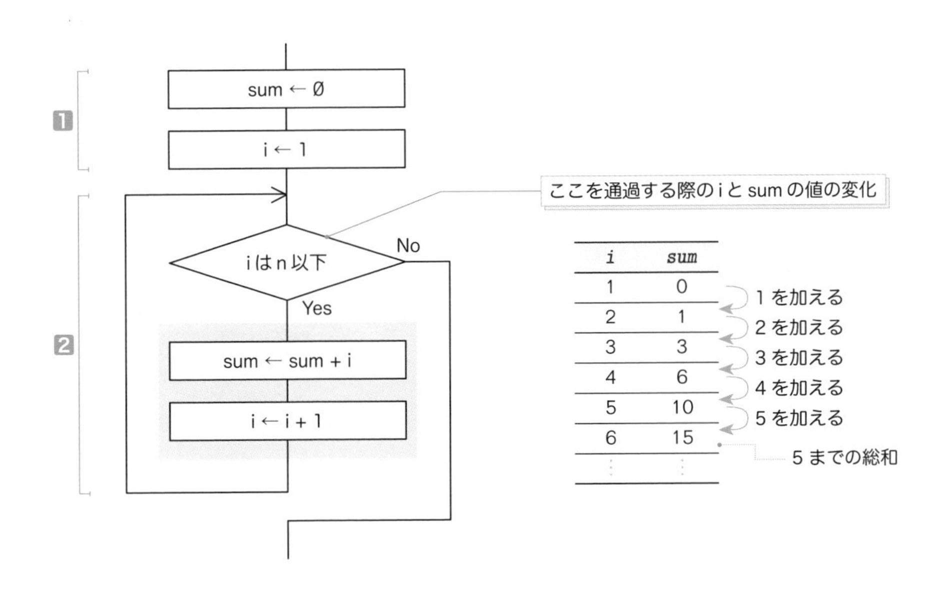

Fig.1-12 1からnまでの総和を求めるフローチャートと変数の変化

i が *n* 以下かどうかを判定する判定式 *i* <= *n*（フローチャートの ◇ ）を通過する際の変数 **i** と **sum** の値の変化をまとめた表と、プログラムとを見比べながら、このアルゴリズムを詳しく理解していきましょう。

判定式を初めて通過する際の変数 *i* と **sum** の値は❶で設定した 1 と 0 です。その後、繰返しが行われるたびに変数 *i* の値はインクリメントされて一つずつ増えていきます。

変数 **sum** の値は『**それまでの総和**』であり、変数 *i* の値は『**次に加える値**』です。

たとえば、*i* が 5 のときの変数 **sum** の値は『**1 から 4 までの総和**』である **10** です（すなわち変数 *i* の値である 5 が加算される前の値です）。

*

なお、*i* の値が *n* を超えたときに while 文の繰返しが終了するため、最終的な *i* の値は、**n ではなく n + 1 となります**。

本プログラムの末尾に、以下の文を加えましょう（'chap01/sum1ton_while2.py'）。

```
print(f'iの値は{i}です。')
```

```
1からnまでの総和を求めます。
nの値：5
1から5までの総和は15です。
iの値は6です。
```

右のような実行結果が得られ、最終的な *i* の値が、**n ではなく n + 1 であることが確認できます**。

*

変数 *i* のように、繰返しの制御に用いられる変数は、一般に**カウンタ用変数**と呼ばれます。

for 文による繰返し

単一の変数の値でプログラムの流れを制御する繰返しは、while 文ではなく for 文を用いたほうがスマートに実現できます。

1 から n までの整数の総和を for 文で求めるように書きかえたプログラムが List 1-8 です。

List 1-8 chap01/sum1ton_for.py

```
# 1からnまでの総和を求める（for文）

print('1からnまでの総和を求めます。')
n = int(input('nの値：'))

sum = 0
for i in range(1, n + 1):
    sum += i    # sumにiを加える

print(f'1から{n}までの総和は{sum}です。')
```

実行例

```
1からnまでの総和を求めます。
nの値：5
1から5までの総和は15です。
```

網かけ部のフローチャートを Fig.1-13 に示します。六角形の**ループ端**（たん）（*loop limit*）は、繰返しの**開始点**と**終了点**を指示する記号です。同じ名前をもったループ始端とループ終端とで囲まれた部分が繰り返されます。

したがって、変数 i の値を 1, 2, 3, … と、1 から n までを、1 ずつ増やしながらループ本体内の代入文 sum += i を実行します。

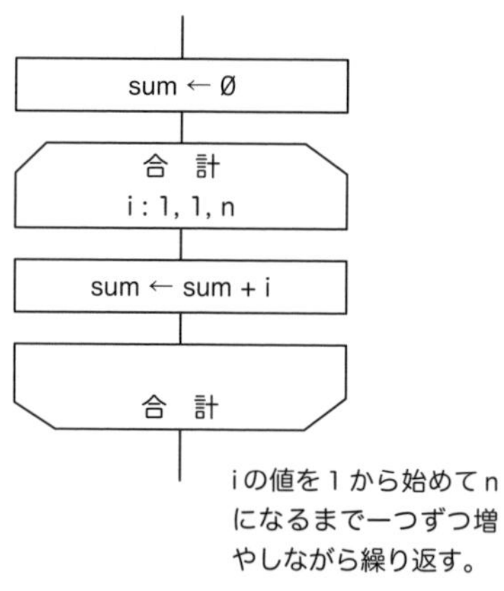

Fig.1-13 1 から n までの総和

ガウスの方法

たとえば、1 から 10 までの総和は (1 + 10) * 5 によって求められることが知られています。

ガウスの方法と呼ばれる、この方法を用いて総和を求めるコードは次のようになり、繰返しが不要です（'chap01/sum_gauss.py'）。

```
sum = n * (n + 1) // 2
```

Column 1-7 range 関数

range 関数は、Fig.1C-6 に示す数列（イテラブルオブジェクト）を生成します。

range(n)	0以上n未満の数値を順番に列挙した数列
range(a, b)	a以上b未満の数値を順番に列挙した数列
range(a, b, step)	a以上b未満の数値をstep個おきに順番に列挙した数列

Fig.1C-6 range 関数が生成する数列

2値のソートと2値の交換

総和を求める対象の開始値を、1ではなくて任意の整数値に変更しましょう。**List 1-9** は、二つの整数aとbを含め、そのあいだの全整数の総和を求めるプログラムです。

List 1-9 chap01/sum.py

```
# aからbまでの総和を求める（for文）

print('aからbまでの総和を求めます。')
a = int(input('整数a：'))
b = int(input('整数b：'))

if a > b:
    a, b = b, a        ← aとbを昇順にソート

sum = 0
for i in range(a, b + 1):
    sum += i    # sumにiを加える

print(f'{a}から{b}までの総和は{sum}です。')
```

実行例

```
① aからbまでの総和を求めます。
   整数a：3⏎
   整数b：8⏎
   3から8までの総和は33です。

② aからbまでの総和を求めます。
   整数a：8⏎
   整数b：3⏎
   3から8までの総和は33です。
```

網かけ部では、a≦bとなるように、aとbを昇順（しょうじゅん）に**ソート**（*sort*）しています。2値のソートは、aの値がbの値より大きいときにのみ、変数aとbの値を交換することで行います。

▶ すなわち、実行例①では交換は行われず、実行例②では交換が行われます。

aとbの2値の交換は、次に示す単一の代入文で行うのが定石です（**Column 1-8**）。

```
a, b = b, a        # aとbの値を交換
```

なお、総和を求めるアルゴリズム自体は、前のプログラムと同じです。開始値と終了値の変更に伴って、range(1, n + 1)がrange(a, b + 1)に変更されています。

▶ ソート全般に関しては、第6章で学習します。

Column 1-8　2値の交換（その1）

aとbの交換が単一の代入文“a, b = b, a”で実現できるのは、**Fig.1C-7** に示すように代入が行われるからです。

- 右辺のb, aによって、2値がパックされたタプル(b, a)が生成される。
- 代入実行時に、タプル(b, a)がアンパックされて（先頭から順に）取り出されたbとaが、それぞれaとbに代入される。

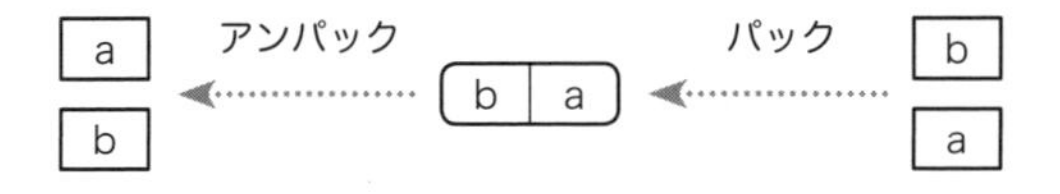

Fig.1C-7　2値の交換

繰返しの過程における条件判定（その1）

次は、aからbまでの総和を求める過程の式を表示するように仕様を変更します。**List 1-10** に示すのが、そのプログラムです。

List 1-10 chap01/sum_verbose1.py

```
# aからbまでの総和を求める（求める過程の式も表示：その1）

print('aからbまでの総和を求めます。')
a = int(input('整数a：'))
b = int(input('整数b：'))

if a > b:
    a, b = b, a

sum = 0
for i in range(a, b + 1):
    if i < b:              # 途中
        print(f'{i} + ', end='')  ←1
    else:                  # 最後
        print(f'{i} = ', end='')  ←2
    sum += i               # sumにiを加える

print(sum)
```

・繰返しはn回。
・if文の判定はn回。

実行例

```
aからbまでの総和を求めます。
① 整数a：3
  整数b：3
  3 = 3
② 整数a：3
  整数b：4
  3 + 4 = 7
③ 整数a：3
  整数b：7
  3 + 4 + 5 + 6 + 7 = 25
```

まずは実行しましょう。加算する数値が n 個のとき、表示する + 記号は n - 1 個です。

▶ たとえば、実行例③の“3 + 4 + 5 + 6 + 7 = 25”では、加算する数値は5個で、表示する + 記号は4個です（加算する数値の個数 n は、b - a + 1 で得られます）。

本プログラムの for 文が、i の値を a から b までインクリメントすることは、前のプログラムと同じです。

その for 文のループ本体内の網かけ部では、if 文によって表示内容を変えています。

1 途中の値の表示：数値の後ろに + を出力。　例 '3 + '、'4 + '、'5 + '、'6 + '。
2 最後の値の表示：数値の後ろに = を出力。　例 '7 = '。

このような実装は、好ましくありません。たとえば a が 1 で、b が 10000 であるとします。そうすると、for 文の繰返しは 10,000 回行われます。最初の 9,999 回は、判定式 i < b が成立して if 節内の1が実行されます。判定式が成立せず else 節内の2が実行されるのは1回だけです。最後に1回だけ実行すべき2のために、10,000 回もの判定を行うわけです。

ある特定の回だけに成立することが既知であるにもかかわらず、繰返しのたびに条件判定を行うのは、明らかに無駄です。

＊

i が b と等しいときを“特別扱い”したほうがよいことが分かりました。そのように書き直したのが、右ページの **List 1-11** のプログラムです。

List 1-11 chap01/sum_verbose2.py

```
# aからbまでの総和を求める（求める過程の式も表示：その２）

print('aからbまでの総和を求めます。')
a = int(input('整数a：'))
b = int(input('整数b：'))

if a > b:
    a, b = b, a

sum = 0
for i in range(a, b):
    print(f'{i} + ', end='')        ―1
    sum += i          # sumにiを加える

print(f'{b} = ', end='')            ―2
sum += b              # sumにbを加える

print(sum)
```

- 繰返しはn−1回。
- if文の判定は0回。

実行例

List 1-10と同じ実行結果が得られます。

本プログラムでは、表示を２ステップで行います。

1 途中の値の表示：for 文によって、a から b - 1 までの値の後ろに + を付けて出力。

2 最後の値の表示：b の値の後ろに = を付けて出力。

繰返しの回数が n 回から n - 1 回に減少するとともに、if 文による判定回数が n 回から 0 回になりました。

▶ ただし、繰返しの回数の１回の減少分は、追加された2の実行によって、相殺されます。

Column 1-9　2値の交換（その2）

２値 a, b の交換を、単一の代入文 “a, b = b, a” で行えることを知らなければ、以下のように、まわりくどく実現せざるを得ません。

1. a の値を t に保存しておく。
2. b の値を a に代入する。
3. t に保存していた最初の a の値を b に代入する。

なお、２値のソートを含むソートの実装については、**Column 6-4**（p.219）でも学習します。

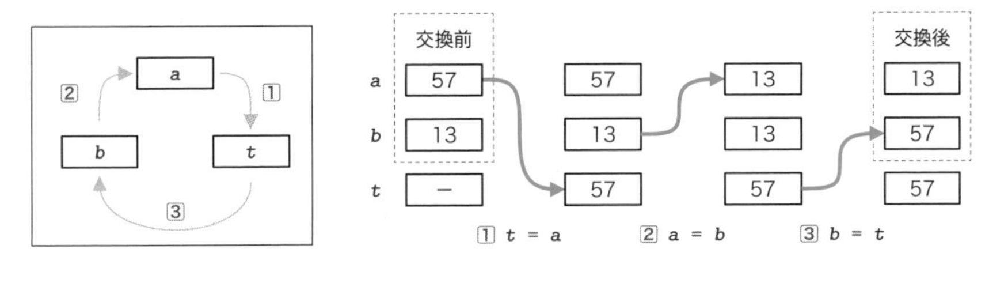

Fig.1C-8　作業用の変数を利用した２値の交換

繰返しの過程における条件判定（その2）

次に作るのは、指定された個数の記号文字を（途中で改行せずに）連続表示するプログラムです。なお、表示は+と-を交互に行うものとします。

それが、**List 1-12** のプログラムです。

List 1-12 chap01/alternative1.py

```
# 記号文字+と-を交互に表示（その１）

print('記号文字+と-を交互に表示します。')
n = int(input('全部で何個：'))

for i in range(n):
    if i % 2:                    # 奇数
        print('-', end='')
    else:                        # 偶数
        print('+', end='')
print()
```

- 繰返しはn回。
- 除算はn回。
- if文の判定はn回。

実行例

```
記号文字+と-を交互に表示します。
全部で何個：12
+-+-+-+-+-+-
```

for 文で変数 *i* の値を 0, 1, 2, …, *n* - 1 とインクリメントする過程で、以下のように表示を行います。

- *i* が奇数であれば（2で割った余りが 0 でなければ）：'-' を出力する。
- *i* が偶数であれば：'+' を出力する。

このプログラムには、大きく二つの欠点があります。

① 繰返しのたびに if 文の判定を行う

for 文による繰返しのたびに、if 文が実行されます。そのため、*i* が奇数であるかどうかの判定は、全部で *n* 回行われます（*n* が 50000 であれば5万回行われます）。

② 変更に対して柔軟に対応しにくい

本プログラムでは、カウンタ用変数 *i* の値を 0 から *n* - 1 までインクリメントしています。もし変数 *i* のインクリメントを、（0 からではなく）1 から *n* までとするのであれば、プログラム中の for 文を、次のように変更しなければなりません（'chap01/alternative1a.py'）。

```
for i in range(1, n + 1):
    if i % 2:                    # 奇数
        print('+', end='')
    else:                        # 偶数
        print('-', end='')
```

すなわち、ループ本体である if 文の変更も余儀なくされます（二つの print 関数の呼出しの順序を入れかえなければなりません）。

*

問題点を解決しましょう。**List 1-13** に示すのが、そのプログラムです。

List 1-13 chap01/alternative2.py

```
# 記号文字+と-を交互に表示（その２）

print('記号文字+と-を交互に表示します。')
n = int(input('全部で何個：'))

for _ in range(n // 2):          ―1
    print('+-', end='')

if n % 2:                        ―2
    print('+', end='')
print()
```

- 繰返しはn // 2回。
- 除算は2回。
- if文の判定は1回。

実行例

List 1-12と同じ実行結果が得られます。

主要部は二つのステップで構成されます。**Fig.1-14** を見ながら理解しましょう。

1 n // 2個の'+-'を出力

for文は'+-'の出力をn // 2回行います。出力回数は、たとえばnが12であれば6回、nが15であれば7回です。そのため、nが偶数であれば、このステップのみで表示が完了します。

なお、繰返しのカウンタ用の変数名を_としています。**1個の下線文字_の変数名は、その変数の値をループ本体で使用しないことを、プログラムの読み手に伝えます。**

▶ ループ本体で変数_の値を取り出したり使ったりすることは可能です。

2 nが奇数のときのみ'+'を出力

nが奇数のときに、最後の'+'を出力します。これで、nが奇数のときの表示が完了します。

本プログラムは、繰返しのたびにif文による判定を行う必要がありません。そのため、if文の判定が2での1回だけとなっています。

さらに、除算の回数も減っています。1でのn // 2と、2でのn % 2の合計2回のみです。

▶ カウンタ用変数の開始値を0ではなく1に変更するのも柔軟に対応できます。1のfor文を以下のように変更するだけです（'chap01/alternative2a.py'：変更はrange関数に与える引数を変更するだけであって、ループ本体の変更は不要です）。

```
for _ in range(1, n // 2 + 1):
    print('+-', end='')
```

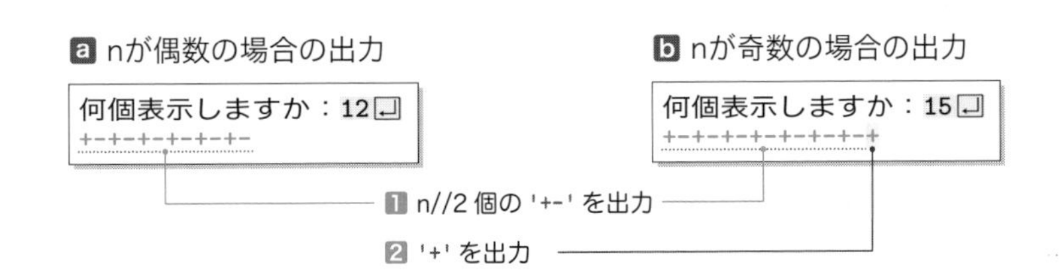

Fig.1-14 記号文字＋と－を交互にn個表示

繰返しの過程における条件判定（その3）

次に作るのは、記号文字 * を n 個表示するプログラムです。ただし、w 個表示するごとに改行するものとします。

それが、List 1-14 のプログラムです。

List 1-14　chap01/print_stars1.py

```
# n個の記号文字*をw個ごとに改行しながら表示（その１）

print('記号文字*を表示します。')
n = int(input('全部で何個：'))
w = int(input('何個ごとに改行：'))

for i in range(n):
    print('*', end='')
    if i % w == w - 1:
        print()              # 改行          ― 1

if n % w:
    print()                  # 改行          ― 2
```

- 繰返しは n 回。
- if 文の判定は n + 1 回。

実行例

```
記号文字*を表示します。
全部で何個：14
何個ごとに改行：5
*****
*****
****
```

変数 i の値を 0, 1, 2, … とインクリメントしながら記号文字 '*' を出力します。改行を行うのは、以下の2箇所です。

1 for 文による繰返しの過程で、記号文字を出力した際に、変数 i の値を w で割った余りが w - 1 のときに改行します。Fig.1-15 に示すように、改行文字が出力されるのは、w が 5 であれば、i の値が 4, 9, 14, … のときです。

2 図aのように、n が w の倍数であれば、最後に出力した * の後の“最後の改行”は完了しています。一方、図bのように、n が w の倍数でなければ、最後の改行はまだ行われていません。そこで、n が w の倍数でないときにのみ改行を行います。

本プログラムは、for 文による繰返しのたびに if 文による判定が行われるため、それほど効率がよくない、という欠点があります。問題点を解消したのが、List 1-15 のプログラムです。

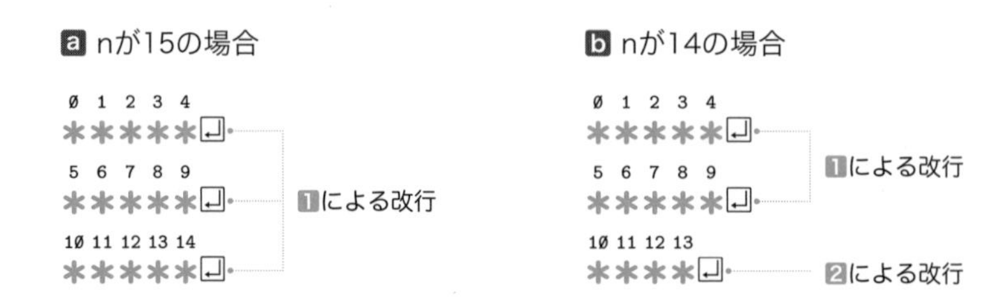

Fig.1-15　n個の記号文字 * をw個ごとに改行しながら表示（その1）

List 1-15 chap01/print_stars2.py

```
# n個の記号文字*をw個ごとに改行しながら表示（その２）

print('記号文字*を表示します。')
n = int(input('全部で何個：'))
w = int(input('何個ごとに改行：'))

for _ in range(n // w):        ─1
    print('*' * w)

rest = n % w
if rest:                        ─2
    print('*' * rest)
```

▪ 繰返しはn // w回。
▪ if文の判定は1回。

実行例

List 1-14と同じ実行結果が得られます。

大きく二つのステップで構成されています。**Fig.1-16** を見ながら理解しましょう。

1 w個の'*'の出力をn // w回行う

for文によって、w個の'*'の出力（最後に改行を伴います）を、n // w回繰り返します。

出力回数は、たとえば、nが15でwが5であれば'*****'の表示が3回で、nが14でwが5であれば'*****'の表示が2回です。nがwの倍数のときは、本ステップで出力が完了します。

▶ 式'*' * wは、文字列'*'をw回繰り返した文字列を生成します。

2 n % w個の'*'と改行文字を出力

nがwの倍数でないときに、残った最後の行を出力します。

nをwで割った余りを変数restに求め、rest個（たとえばnが14でwが5であれば4個）の'*'を表示した上で改行文字を出力します。

▶ nがwの倍数であれば、変数restの値は0ですから、記号文字も改行文字も出力されません。

Fig.1-16 n個の記号文字*をw個ごとに改行しながら表示（その2）

Column 1-10 なぜカウンタ用変数の名前はiやjなのか

多くのプログラマが、for文などの繰返し文を制御するための変数としてiやjを使います。

その歴史は、技術計算用のプログラミング言語FORTRANの初期の時代にまで遡（さかのぼ）ります。この言語では変数は原則として実数です。しかし、名前の先頭文字がI, J, …, Nの変数だけは自動的に整数とみなされていました。そのため、繰返しを制御するための変数としてはI, J,…を使うのが最も手軽な方法だったのです。

正の値の読込み

1からnまでの総和を求める**List 1-8**のプログラム（p.16）に戻ります。このプログラムを実行して、*n*に対して負の値である**-5**を入力してみましょう。次のように表示されます。

```
1から-5までの総和は0です。
```

これは、数学的に不正である以前に、感覚的にもおかしいものです。

そもそも、このプログラムでは、*n*に読み込む値を**正の値**に限定すべきです。そのように改良したプログラムを**List 1-16**に示します。

List 1-16 chap01/sum1ton_positive.py

```
# 1からnまでの総和を求める（nに正の整数値を読み込む）

print('1からnまでの総和を求めます。')

while True:
    n = int(input('nの値：'))
    if n > 0:
        break

sum = 0

for i in range(1, n + 1):
    sum += i    # sumにiを加える
    i += 1      # iに1を加える
print(f'1から{n}までの総和は{sum}です。')
```

nが0より大きくなるまで繰り返す

実行例

```
1からnまでの総和を求めます。
nの値：-6
nの値：0
nの値：10
1から10までの総和は55です。
```

0以下であれば再読込み

無限ループとbreak文

読み込んだ値を*n*に代入する文が、網かけ部の`while`文の中に入っています。その`while`文の判定式は、単なる`True`です。これは真ですから、`while`文は無限に繰り返されます。このような繰返しは、**無限ループ**と呼ばれます。

*

キーボードから整数値を読み込んだ後は、*n*が正であるかどうかを、`if`文で判定します。判定が成立したときに実行しているのが、**break文**（*break statement*）です。

繰返し文中でbreak文が実行されると、その繰返し文の実行が強制的に終了します。その結果、プログラムの流れは無限ループから脱出します。

▶ break文の働きは、Fig.1-18（p.27）に示しています。

なお、読み込んだ整数値*n*が0以下であれば、`break`文は実行されないため、`while`文の実行が再び繰り返されます（「nの値：」と入力を促して、キーボードから整数値の読込みを行います）。

そのため、`while`文が終了したときの*n*の値は正になっています。

多くのプログラミング言語では、ループ本体を実行した後に、繰返しを続けるかどうかの判定を行う、**後判定繰返し**(あとはんてい)を実現する繰返し文が、do ～ while 文、あるいは、repeat ～ until 文などとして提供されます。

Python では後判定繰返しのための繰返し文が提供されないため、前判定繰返し文（while 文あるいは for 文）と break 文を組み合わせる必要があります。

＊

Fig.1-17 に示すのが、プログラム網かけ部のフローチャートです。

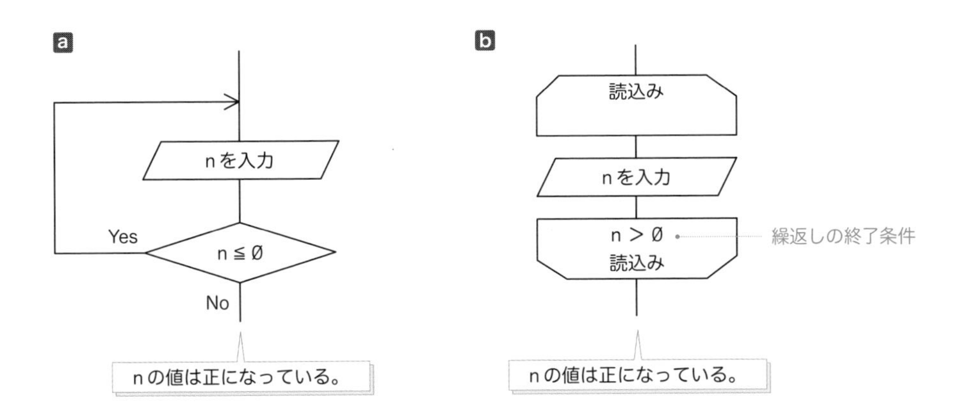

Fig.1-17　正の値の読込み

二つのフローチャートは、本質的には同じです。もっとも、繰返しの終了条件を下側のループ端に書く図bは、**前判定繰返しとの見分けがつきにくい**ため、図aが好まれます。

Column 1-11　for 文終了時のカウンタ用変数の値

List 1-7（p.14）で学習したように、頭部が while i <= n: となっている while 文が終了したときのカウンタ用変数 i の値は、n ではなく n + 1 です。

一方、頭部が for i in range(1, n + 1): となっている for 文で実現した **List 1-8**（p.16）のプログラムでは、for 文が終了したときのカウンタ用変数 i の値は、n です。

一般に、for i in range(a, b): という for 文は、[a, a + 1, a + 2, …, b - 1] というイテラブルオブジェクトを生成し、そこから1個ずつ値を i に取り出して繰返しを行います。そのため、for 文が終了したときの i の値は b ではなく、b - 1 となるのです。

念のため、まとめましょう（いずれも、ループ本体が最後に実行されるときの i の値は n です）。

```
while i <= n:                    繰返し終了時の i の値は n + 1。
for i in range(開始値 , n + 1):  繰返し終了時の i の値は n。
```

辺と面積が整数値である長方形

次に作るのは、辺も面積も整数である長方形の辺の長さを列挙するプログラムです。なお、与えられた面積に対して辺の長さを列挙し、短辺と長辺は区別しないものとします。

たとえば、長方形の面積として32が与えられると、辺の長さとして、「1と32」、「2と16」、「4と8」を列挙します（すなわち、「2と16」を列挙すれば、「16と2」は不要です）。

List 1-17に示すのが、そのプログラムです。

List 1-17 chap01/rectangle.py

```
# 縦横が整数で面積がareaの長方形の辺の長さを列挙

area = int(input('面積は：'))

for i in range(1, area + 1):
    if i * i > area: break
    if area % i : continue
    print(f'{i}×{area // i}')
```

実行例

```
面積は：32
1×32
2×16
4×8
```

『長方形』と『辺の長さ』という言葉を使いましたが、実は、本プログラムが行っているのは、**約数**（*divisor*）の列挙です。実行例では、32の約数を列挙しています。

プログラムのfor文では、カウンタ用変数iの値を1からareaまでインクリメントしながら、次のことを行います（変数iの値は、長方形の短辺の長さに相当します）。

1 i * iがareaを超えるとfor文を強制終了する

i * iが面積areaを超えると、カウンタ用変数iの値が、長方形の短辺ではなく、長辺となってしまうからです。実行例では、iが6になった段階で、（6 * 6すなわち36が面積32を超えるため）for文の繰返しを、break文によって強制終了します。

2 areaがiで割り切れなければfor文の次のステップへと進む

面積areaがiで割れ切れなければ、iは整数の辺（約数）ではありません。

実行例では、たとえばiが3の場合、32 % 3は2となります。3は32の約数ではないため、列挙（表示）は不要です。

ここで利用しているのが、break文と対照的な**continue文**（*continue statement*）です。Fig.1-18に示すように、**繰返し文中でcontinue文が実行されると、ループ本体内の後続部の実行がスキップされて、プログラムの流れが判定式へと戻ります。**

なお、図に示すように、while文やfor文などの繰返し文の末尾には**else節**を置けます。繰返し文の実行が、break文によって強制終了することなく（つつがなく）終了したときにのみ、else節内のスイートが実行されます。

3 辺の長さの表示

変数iの値と、area // iの値を、短辺および長辺の長さとして表示します。

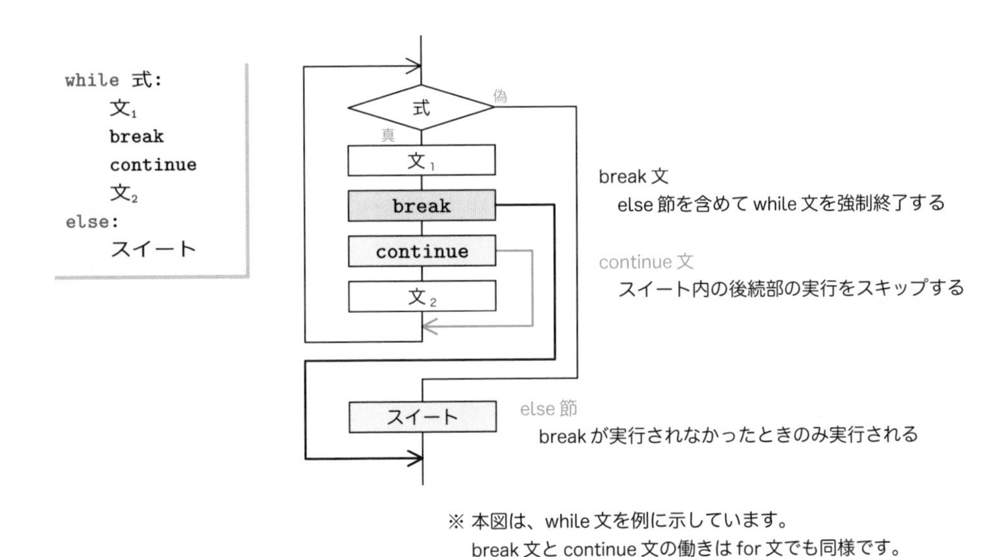

Fig.1-18 while 文と break 文と continue 文

次に、else 節を伴う for 文のプログラムを作りましょう。**List 1-18** に示すのが、そのプログラムです。

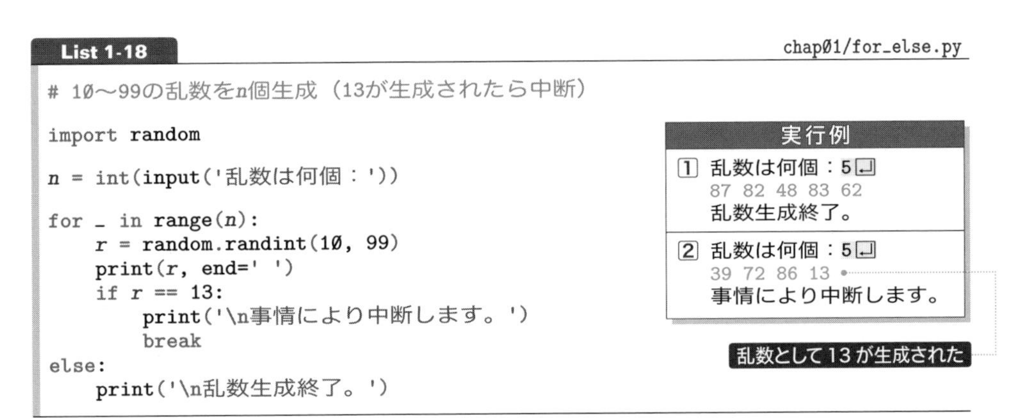

List 1-18 chap01/for_else.py

```
# 10〜99の乱数をn個生成（13が生成されたら中断）

import random

n = int(input('乱数は何個：'))

for _ in range(n):
    r = random.randint(10, 99)
    print(r, end=' ')
    if r == 13:
        print('\n事情により中断します。')
        break
else:
    print('\n乱数生成終了。')
```


for 文の繰返しによって、2桁の整数（10 〜 99）の乱数を n 個生成します。

その過程で、13 が生成された場合は、『事情により中断します。』と表示して、for 文の繰返しを break 文によって強制的に中断します。そのため、else 節が実行されることはありません。

なお、一度も 13 が生成されなかった場合は、繰返し終了後に else 節が実行されて、『乱数生成終了。』と表示されます。

▶ 乱数を生成する random.randint 関数については、Column 1-13（p.31）で学習します。

繰返しのスキップと複数のrangeの走査

for文の繰返しの過程で、ある特定の条件のときにのみ処理を行う必要がない、ということがあります。たとえば、1から12までを“8をスキップして”繰り返したい、といったケースです。

List 1-19に示すのが、そのプログラムです。繰返しを行うfor文の中で、*i*が8になったときにcontinue文を実行することで、スキップを行っています。

List 1-19 chap01/skip1.py

```
# 1から12までを8をスキップして繰り返す（その１）

for i in range(1, 13):
    if i == 8:
        continue
    print(i, end=' ')
print()
```

実行結果

```
1 2 3 4 5 6 7 9 10 11 12
```

本プログラムは、continue文の例題として入門用テキストで示されることがありますが、このような実装は好ましくない、ということを知っておきましょう。というのも、スキップすべきかどうかの判定にコストがかかるからです。もし、10万回の繰返しの途中で1回だけスキップするのであれば、その1回だけのために、10万回もの判定が行われます。

もちろん、for文の繰返しの中で行う処理の実行時に、スキップすべき値が決定する（たとえば、キーボードから読み込む、あるいは、乱数で決定する、など）、もしくは、変化するのであれば、このような、if文とcontinue文による方法を使わざるを得ません。

＊

スキップすべき値が事前に分かっているのであれば、そのことをコードとして実現します。**List 1-20**に示すのが、プログラムの一例です。

List 1-20 chap01/skip2.py

```
# 1から12までを8をスキップして繰り返す（その２）

for i in list(range(1, 8)) + list(range(9, 13)):
    print(i, end=' ')
print()
```

実行結果

```
1 2 3 4 5 6 7 9 10 11 12
```

本プログラムでは**リスト**を利用しています。1〜7のリスト[1, 2, 3, 4, 5, 6, 7]と、9〜12のリスト[9, 10, 11, 12]を連結した、リスト[1, 2, 3, 4, 5, 6, 7, 9, 10, 11, 12]を繰返しを行う前に生成します。

for文は、生成されたリストから1個ずつ取り出して繰返しを行います。そのため、ループ本体内では、無駄な判定は行われません。

▶ リストについては、次章で学習します。

Column 1-12 値比較演算子の連続適用とド・モルガンの法則

List 1C-2 に示すのは、《2桁の正の整数値》を読み込むプログラムです。

List 1C-2 chap01/2digits1.py

```
# 2桁の正の整数値（10～99）を読み込む

print('2桁の整数値を入力してください。')

while True:
    no = int(input('値は：'))
    if no >= 10 and no <= 99:
        break
print(f'読み込んだのは{no}です。')
```

実行例

```
2桁の整数値を入力してください。
値は：9
値は：146
値は：57
読み込んだのは57です。
```

本プログラムでは、網かけ部の判定式によって、変数 no に読み込んだ整数値が 10 以上で、かつ、99 以下であれば、while 文の繰返しを抜け出ます。読み込む値の制限のために while 文と break 文を組み合わせている点は、List 1-16（p.24）と同じです。

■値比較演算子の連続適用

連続適用された値比較演算子は"and 結合"とみなされますので、網かけ部の判定式は、次のように、簡潔に実現すべきです（'chap01/2digits2.py'）。

```
10 <= no <= 99                    # no >= 10 and no <= 99 と同じ
```

■ド・モルガンの法則

網かけ部の判定式を、**論理否定演算子**である **not 演算子**を使って書きかえると、次のようになります（'chap01/2digits3.py'）。

```
not(no < 10 or no > 99)           # no >= 10 and no <= 99 と同じ
```

オリジナルの判定式 no >= 10 and no <= 99 が、繰返し終了のための《終了条件》であるのに対し、上記の式 not(no < 10 or no > 99) は、繰返しを続けるための《継続条件》の否定です。

すなわち、Fig.1C-9 に示すイメージです。

＊

『"各条件の否定をとって、論理積・論理和を入れかえた式"の否定』が、もとの条件と同じになることを、**ド・モルガンの法則**（*De Morgan's laws*）といいます。この法則を一般的に示すと、以下のようになります。

1. x and y の論理値と not(not x or not y) は等しい。
2. x or y の論理値と not(not x and not y) は等しい。

※論理演算子については、Column 8-2（p.290）でも詳しく学習します。

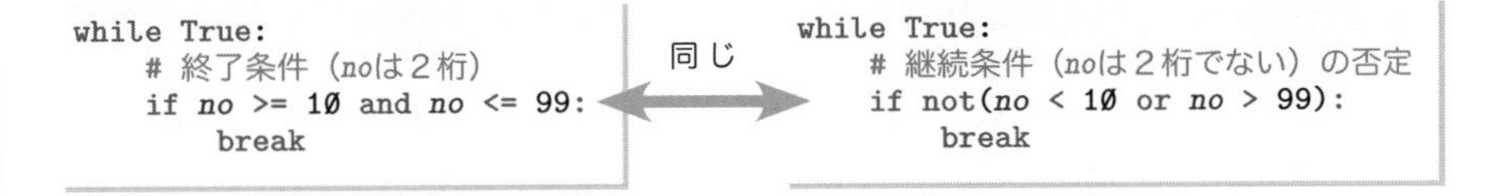

Fig.1C-9 繰返しの継続条件と終了条件

構造化プログラミング

単一の入り口点と単一の出口点とをもつ構成要素だけを用いて、階層的に配置してプログラムを構成する手法を、**構造化プログラミング**（*structured programming*）といいます。構造化プログラミングでは、順次、選択、繰返しの3種類の制御の流れを利用します。

▶ 構造化プログラミングは、**整構造プログラミング**とも呼ばれます。

多重ループ

本節のここまでのプログラムは、単純な繰返しを行うものでした。繰返しの中で繰返しを行うこともできます。

そのような繰返しは、ループの入れ子の深さに応じて、**2重ループ**、**3重ループ**、… と呼ばれます。もちろん、その総称は、**多重ループ**です。

九九の表

2重ループを用いたアルゴリズムの例として、《九九の表》を表示するプログラムを学習しましょう。**List 1-21** に示すのが、そのプログラムです。

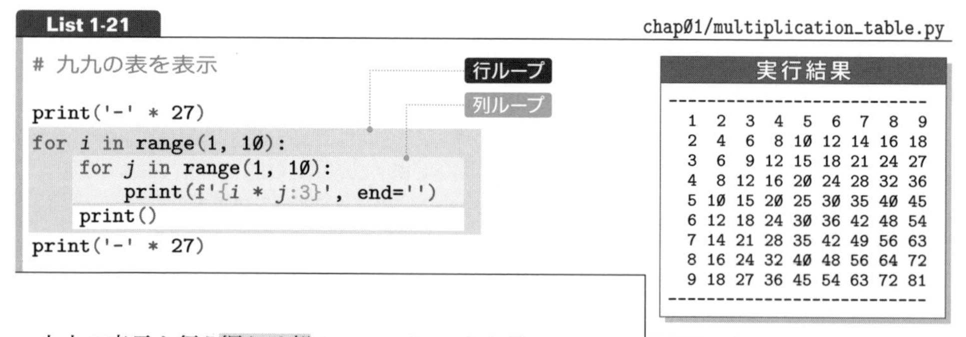

List 1-21　chap01/multiplication_table.py

```
# 九九の表を表示

print('-' * 27)
for i in range(1, 10):
    for j in range(1, 10):
        print(f'{i * j:3}', end='')
    print()
print('-' * 27)
```


九九の表示を行う網かけ部のフローチャートを **Fig.1-19** に示しています。なお、右側の図は、変数 i と j の値の変化を表したものです。

外側の for 文（行ループ）では、変数 i の値を 1 から 9 までインクリメントします。その繰返しは、表の1行目、2行目、… 9行目に対応します。すなわち、**縦方向の繰返し**です。

その各行で実行される内側の for 文（列ループ）は、変数 j の値を 1 から 9 までインクリメントします。これは、各行における横方向の繰返しです。

変数 i の値を 1 から 9 まで増やす**《行ループ》**は9回繰り返されます。その各繰返しで、変数 j の値を 1 から 9 まで増やす《列ループ》が9回繰り返されます。《列ループ》終了後の改行の出力は、次の行へと進むための準備です。

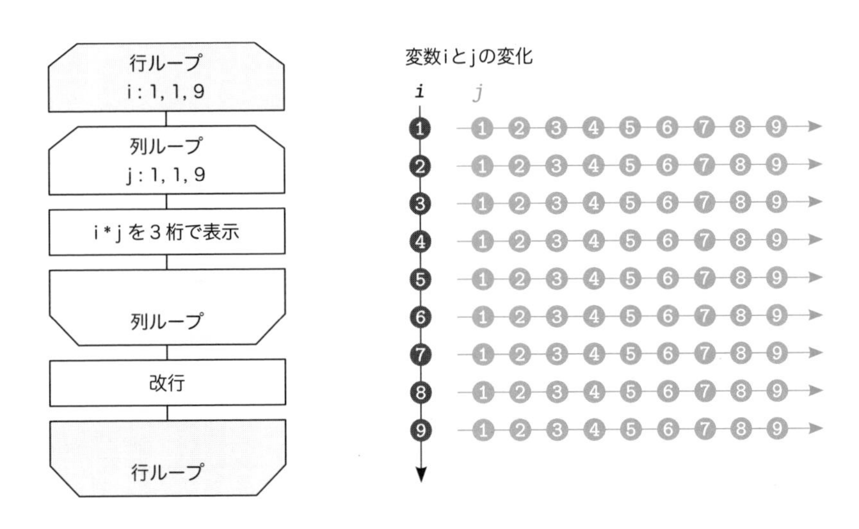

Fig.1-19 九九の表を表示するフローチャート

そのため、この2重ループでは、次のように処理が行われます。

- *i* が1のとき：*j* を1⇨9とインクリメントしながら3桁で1 * *j* を表示して改行
- *i* が2のとき：*j* を1⇨9とインクリメントしながら3桁で2 * *j* を表示して改行
- *i* が3のとき：*j* を1⇨9とインクリメントしながら3桁で3 * *j* を表示して改行

… 中略 …

- *i* が9のとき：*j* を1⇨9とインクリメントしながら3桁で9 * *j* を表示して改行

Column 1-13　乱数を生成する random.randint 関数

List 1-18（p.27）では、`random` モジュールに含まれる **`randint` 関数**を利用しました。

その `random.randint(a, b)` は、`a` 以上 `b` 以下の乱数を生成して（`a` 以上 `b` 以下の整数値の中から無作為に1個の整数値を抽出して）、その値を返却します（**Fig.1C-10**）。

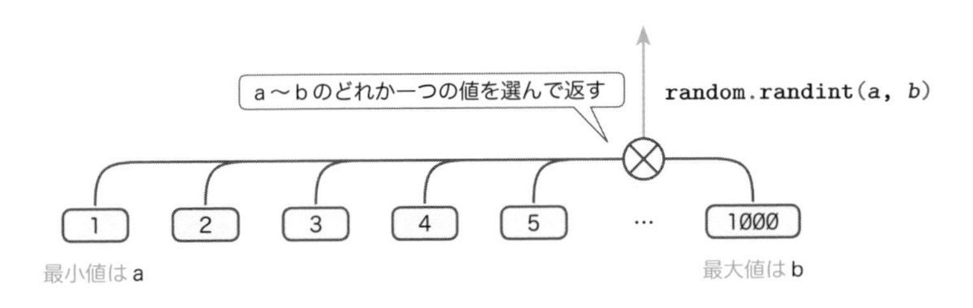

Fig.1C-10　random.randint 関数による乱数の生成

直角三角形の表示

２重ループを応用すると、記号文字を並べて三角形や四角形などの図形の表示が行えます。**List 1-22** に示すのは、左下側が直角の三角形を表示するプログラムです。

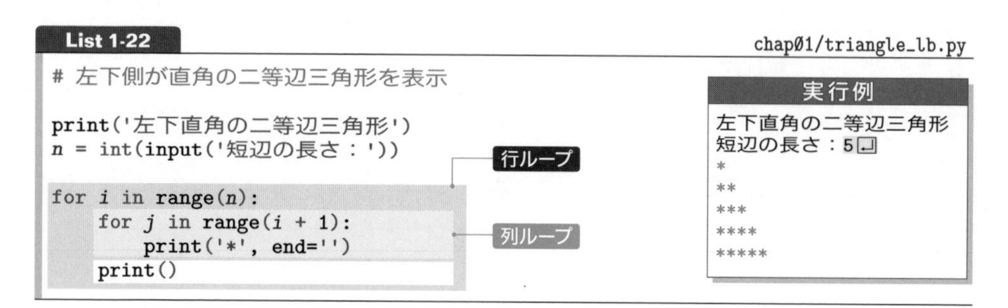

List 1-22　chap01/triangle_lb.py

```
# 左下側が直角の二等辺三角形を表示

print('左下直角の二等辺三角形')
n = int(input('短辺の長さ：'))

for i in range(n):
    for j in range(i + 1):
        print('*', end='')
    print()
```


実行例

```
左下直角の二等辺三角形
短辺の長さ：5
*
**
***
****
*****
```

直角三角形の表示を行う網かけ部のフローチャートを **Fig.1-20** に示しています。右側の図は、変数 `i` と `j` の値の変化を表したものです。

実行例のように、`n` の値が `5` である場合を例にとって、処理がどのように行われるかを考えていきましょう。

外側の `for` 文（行ループ）では、変数 `i` の値を `0` から `n - 1` すなわち `4` までインクリメントします。これは、三角形の各行に対応する**縦方向の繰返し**です。

その各行で実行される内側の `for` 文（列ループ）は、変数 `j` の値を `0` から `i` までインクリメントしながら表示を行います。これは各行における横方向の繰返しです。

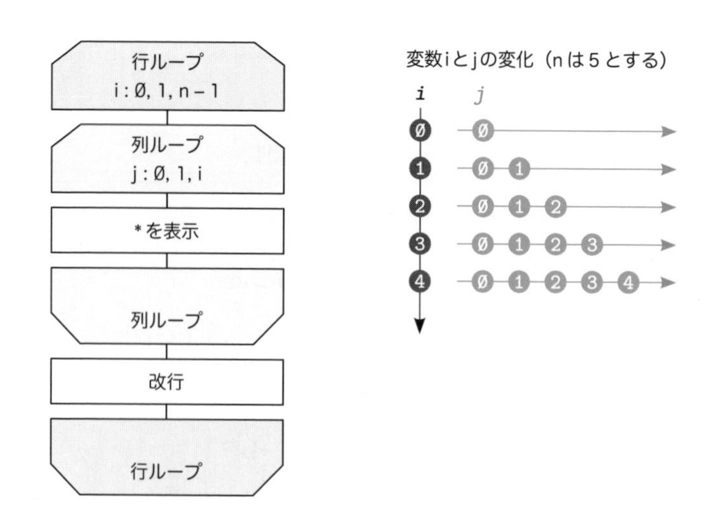

Fig.1-20　左下側が直角の二等辺三角形を表示するフローチャート

そのため、この２重ループでは、次のように処理が行われます。

- *i* が 0 のとき：*j* を 0 ⇨ 0 とインクリメントしながら '*' を表示して改行　*
- *i* が 1 のとき：*j* を 0 ⇨ 1 とインクリメントしながら '*' を表示して改行　**
- *i* が 2 のとき：*j* を 0 ⇨ 2 とインクリメントしながら '*' を表示して改行　***
- *i* が 3 のとき：*j* を 0 ⇨ 3 とインクリメントしながら '*' を表示して改行　****
- *i* が 4 のとき：*j* を 0 ⇨ 4 とインクリメントしながら '*' を表示して改行　*****

三角形を上から第 0 行〜第 *n* - 1 行とすると、第 *i* 行目に *i* + 1 個の '*' を表示して、最終行である第 *n* - 1 行目には *n* 個の '*' を表示するわけです。

＊

次は、右下側が直角の二等辺三角形を表示するプログラムを作ります。**List 1-23** に示すのが、そのプログラムです。

List 1-23　chap01/triangle_rb.py

```
# 右下側が直角の二等辺三角形を表示

print('右下直角の二等辺三角形')
n = int(input('短辺の長さ：'))

for i in range(n):
    for _ in range(n - i - 1):
        print(' ', end='')
    for _ in range(i + 1):
        print('*', end='')
    print()
```

実行例

```
右下直角の二等辺三角形
短辺の長さ：5
    *
   **
  ***
 ****
*****
```

先ほどのプログラムよりも複雑です。というのも、記号文字 * に先立って、適切な個数のスペースの出力が必要だからです。そのため、for 文の中には、二つの for 文が入っています。

- **1番目の for 文**：*n* - *i* - 1 個の空白文字 ' ' を表示
- 2番目の for 文：　*i* + 1 個の記号文字 '*' を表示

どの行においても、空白文字と記号文字 * の個数の合計は *n* です。

＊

本プログラムでは、内側の二つの for 文のカウンタ用の変数名を、１個の下線文字 _ としています（このスタイルは p.21 の **List 1-13** で学習しました）。

▶ 変数名を下線とすることによって、ループ本体の中でカウンタ用変数の値を使わないことを、プログラムの読み手に伝えるのでした。

なお、左ページの **List 1-22** のカウンタ *j* の名前も _ にできます（'chap01/triangle_lb2.py'）。

Column 1-14 Pythonの変数について

Pythonでは、データ、関数、クラス、モジュール、パッケージなど、ありとあらゆるものが**オブジェクト**（*object*）です。オブジェクトは、**型**（*type*）をもつとともに、**記憶域**（*storage*）を占有します。

すべてがオブジェクトであるPythonでは、変数も独特です。Pythonの変数は、値を保持しません。たとえば、`x = 17`という代入の結果、『変数`x`が17という値を保持する』ことにはならないのです。

『変数とは、値を格納する《箱》のようなものである。』というたとえが使われることがありますが、まったく当てはまりません。

Pythonの変数とオブジェクトを少し大まかに説明すると、次のようになります（厳密ではありません）。

変数は、オブジェクトを参照する、すなわち、オブジェクトに結び付けられた名前にすぎない。
すべてのオブジェクトは、記憶域を占有して型をもつだけでなく、他のオブジェクトと識別できるようにするための識別番号（アイデンティティー）（*identity*）**すなわち同一性をもっている。**

基本対話モード（インタラクティブシェル）で確認しましょう。

```
>>> n = 17
>>> id(17)
140711199888704          ← 17の識別番号
>>> id(n)
140711199888704          ← nの識別番号（17の識別番号と同じ）
```

注意：表示される値は、環境などによって異なります。これ以降も同様です。

変数`n`に17を代入した後で、組込み関数である**`id`関数**を2回呼び出しています。`id`関数は、オブジェクトに固有の値である《識別番号（同一性）》を返却する関数です。

Pythonの代入では、**Fig.1C-11** aのような値のコピーは行われません。

図bに示すように、まず値17の`int`型オブジェクトが存在していて、そのオブジェクトを参照するように、`n`という名前を**結び付ける**（*bind*）だけです。

識別番号（同一性）が代入される結果、整数リテラル17の識別番号と、変数`n`の識別番号が同じ値となるのです。このことは、“**17と`n`は同一である**”と表現されます。

あえて《箱》という表現を使うのであれば、17という`int`型のオブジェクトが箱です。変数は、値を格納する箱ではありません。変数`n`は、物理的なオブジェクト（箱）である`int`型の17と結び付いた、単なる名前にすぎません。

なお、`n`の値を17以外の値に更新すると、その値をもつオブジェクトが生成され、それを参照するように、`n`の参照先が更新されます。当然、`n`の識別番号は更新されます（**Column 2-1**：p.46）。

それでは、変数が名前にすぎないことを、**List 1C-3**のプログラムで確認しましょう。

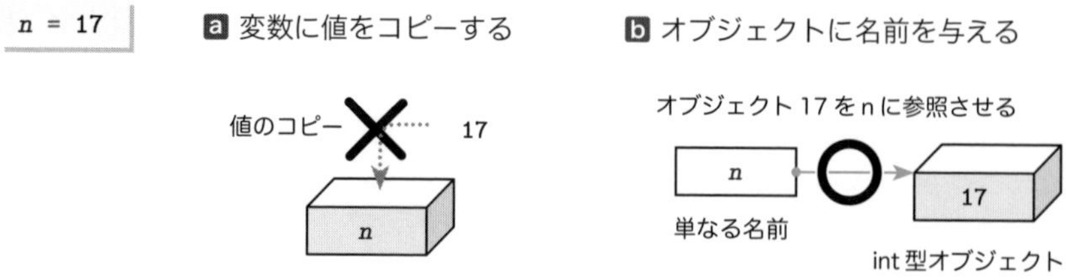

n = 17

a 変数に値をコピーする

値のコピー　17　n

b オブジェクトに名前を与える

オブジェクト17をnに参照させる

n　17

単なる名前　int型オブジェクト

Fig.1C-11 変数への値の代入

List 1C-3 object_function.py

```
# 関数内外で定義された変数とオブジェクト
# オブジェクトと変数の識別番号を表示

n = 1              # 広域変数（関数内外で利用できる）

def put_id():
    x = 1          # 局所変数（関数内でのみ利用できる）
    print(f'id(x) = {id(x)}')

print(f'id(1) = {id(1)}')
print(f'id(n) = {id(n)}')
put_id()
```

実行結果一例

```
id(1) = 140736956818064
id(n) = 140736956818064
id(x) = 140736956818064
```

このプログラムでは、二つの変数が定義されています。

変数 *n* は、（すべての）関数の外で定義された、プログラム全体で利用できる**広域変数**です。

もう一つの変数 *x* は、関数 *put_id* の中で定義された、関数の中でのみ利用できる**局所変数**です。

Fig.1C-12 に示すように、いずれの変数も、int 型オブジェクト 1 を参照する名前にすぎないことが実行結果からも確認できます。

というのも、1、変数 *n*、変数 *x* の識別番号が、すべて同じ値となっているからです。

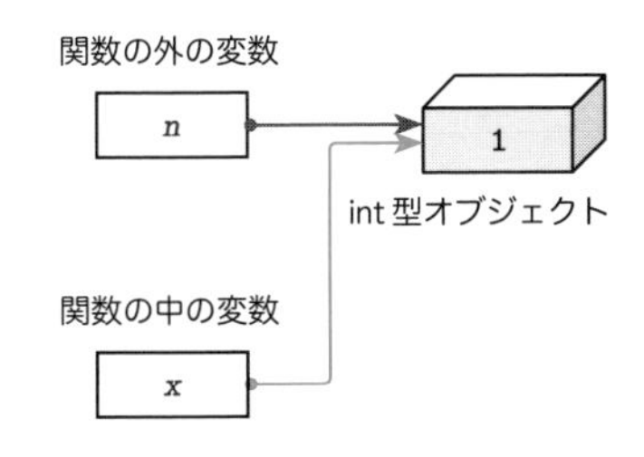

Fig.1C-12 関数内外の変数

＊

C言語などの言語では、関数の中で定義された局所変数は、関数の実行開始などのタイミングで生成されて、関数の実行終了などのタイミングで破棄されるのが一般的です。これは、**自動記憶域期間**（**自動記憶寿命**）と呼ばれます。また、すべての関数の外で定義された変数は、プログラムの実行を通じて、最初から最後まで存在します。これは、**静的記憶域期間**（**静的記憶寿命**）と呼ばれます。

本プログラムから、Python には、そのような概念は存在しない、ということが分かります。1 という整数オブジェクトは、関数 *put_id* の実行とは無関係に存在し続けるからです。

Python では、関数の実行開始や終了に伴って、オブジェクトが生成されたり、破棄されたりすることはありません。記憶域期間（記憶寿命）という概念が Python に存在し得る余地は、まったくありません。

さて、変数の値が変わるだけで別のオブジェクトが生成されることから、たとえば、for 文で 1 から 100 まで繰り返すだけで、100 個のオブジェクトが生成されます。**List 1C-4** で確認しましょう。

List 1C-4 for.py

```
# 1から100まで繰返して表示

for i in range(1, 101):
    print(f'i = {i:3}  id(i) = {id(i)}')
```

実行結果一例

```
i =   1  id(i) = 140706589794960
i =   2  id(i) = 140706589794992
i =   3  id(i) = 140706589795024
i =   4  id(i) = 140706589795056
      … 以下省略 …
```

1 から 100 までを並べたイテラブルオブジェクトが生成され、変数 *i* に 1 個ずつ取り出されます（**Column 1-11**：p.25）。

そのため、変数 *i* の値と識別番号の両方が更新されていく（100 個のオブジェクトを参照するように、変数 *i* の参照先が更新される）ことが、実行結果からも分かります。

章末問題

各章の章末に示しているのは、基本情報技術者試験（旧・第2種情報処理技術者試験）で出題された問題の一部です。章末問題の解答は、p.337 に示しています。

▪ 平成9年度(1997年度)秋期 午前 問37

次のプログラムの制御構造のうち、選択構造はどれか。

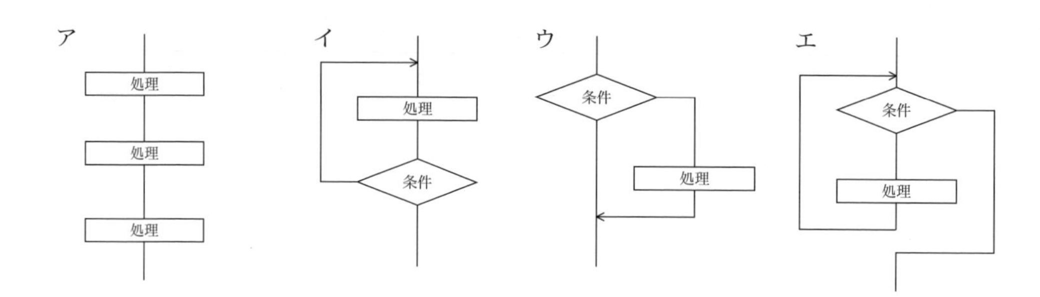

▪ 平成18年度(2006年度)春期 午前 問36

プログラムの制御構造のうち、while 型の繰返し構造はどれか。

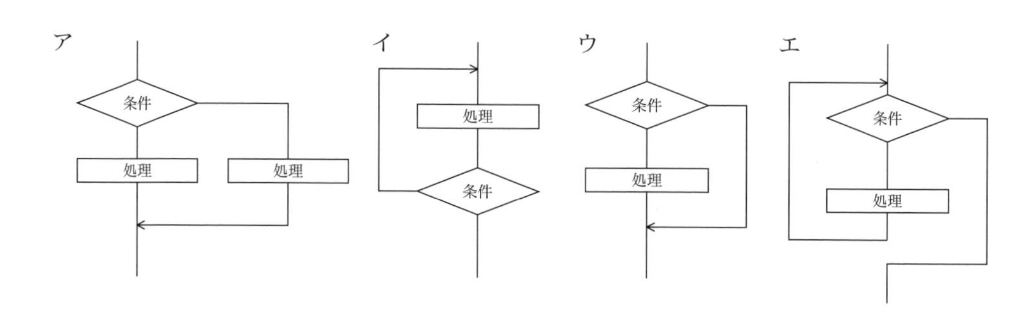

▪ 平成16年度(2004年度)秋期 午前 問41

プログラムの制御構造に関する記述のうち、適切なものはどれか。

ア “後判定繰返し”は、繰返し処理の先頭で終了条件の判定を行う。
イ “双岐選択”は、前の処理に戻るか、次の処理に進むかを選択する。
ウ “多岐選択”は、二つ以上の処理を並列に行う。
エ “前判定繰返し”は、繰返し処理の本体を1回も実行しないことがある。

▪ 平成6年度(1994年度)秋期 午前 問41

整構造プログラミング（構造化プログラミング）における基本3構造と呼ばれるものに、最も密接な関係のある流れ図記号の組合せはどれか。

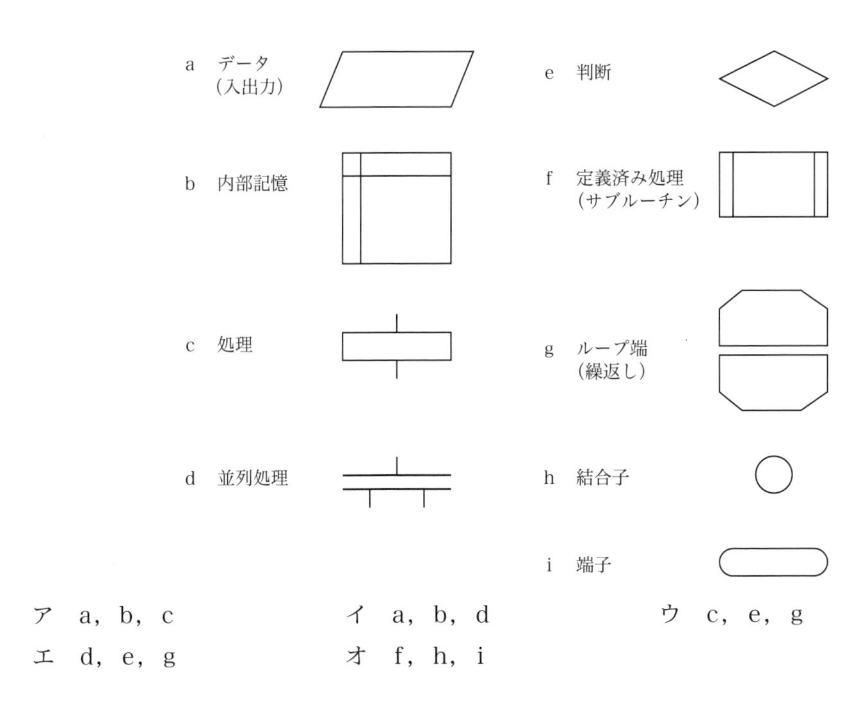

ア a, b, c　　イ a, b, d　　ウ c, e, g
エ d, e, g　　オ f, h, i

▪ 平成12年度(2000年度)春期 午前 問16

次の流れ図は、1からN（$N \geqq 1$）までの整数の総和（$1 + 2 + \cdots + N$）を求め、結果を変数xに入れるアルゴリズムを示している。流れ図中のaに当てはまる式はどれか。

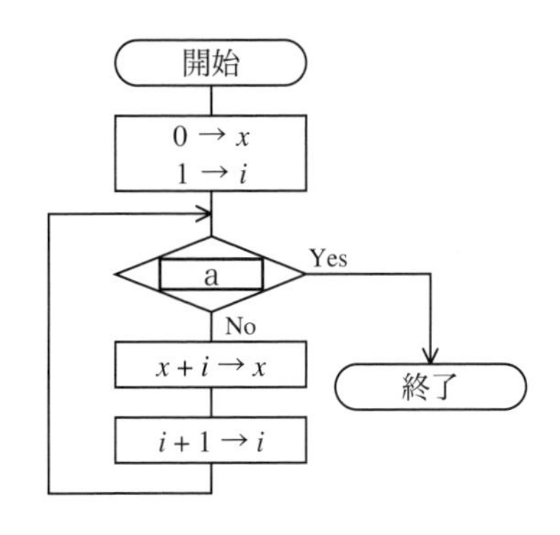

ア $i = N$　　イ $i < N$　　ウ $i > N$　　エ $x > N$

第2章

データ構造と配列

本章では、「データ構造」の定義と、基礎的なデータ構造である配列（リストとタプル）を学習します。

- データ構造の定義
- 配列
- 要素
- 添字とインデックス
- リスト（list）
- タプル（tuple）
- インデックス式
- スライス式
- 走査
- 配列の要素の最大値
- 配列の要素の並びの反転
- 基数変換
- 素数の列挙
- アノテーション（Any／Sequence／MutableSequence）
- 関数とモジュール
- ミュータブル（変更可能）
- イミュータブル（変更不能）

2-1 データ構造と配列

変数の集まりは、バラバラではなく、ひとまとめにすると、扱いやすくなります。そのために利用する配列の基本を学習します。

配列の必要性

学生の《テストの点数》の集計を考えます。**List 2-1** に示すのは、５人の点数を読み込んで、その合計と平均を求めるプログラムです。

List 2-1 chap02/total.py

```
# ５人の点数を読み込んで合計点・平均点を表示

print('5人の点数の合計点と平均点を求めます。')

tensu1 = int(input('1番の点数：'))
tensu2 = int(input('2番の点数：'))
tensu3 = int(input('3番の点数：'))
tensu4 = int(input('4番の点数：'))
tensu5 = int(input('5番の点数：'))

total = 0
total += tensu1
total += tensu2
total += tensu3
total += tensu4
total += tensu5

print(f'合計は{total}点です。')
print(f'平均は{total / 5}点です。')
```

実行例

```
5人の点数の合計点と平均点を求めます。
1番の点数：32
2番の点数：68
3番の点数：72
4番の点数：54
5番の点数：92
合計は318点です。
平均は63.6点です。
```

Fig.2-1 ⓐに示すように、各学生の点数に対して、*tensu1*、*tensu2*、… と変数が割り当てられています。そのため、２箇所の網かけ部で、ほぼ同じコードが5行ずつ繰り返されています。

さて、このプログラムに、次のような変更を施すことを考えます。

1 人数を可変にする

本プログラムは、人数が5人に固定されています。プログラム実行時にキーボードから人数を読み込んで、合計と平均を求めるようにします。

2 特定の学生の点数を調べる／書きかえる

たとえば、3番の学生あるいは4番の学生の点数を調べる、もしくは、書きかえるといった機能を追加します。

3 最低点と最高点を求める／ソートする

最低点と最高点を求める、あるいは、点数の昇順あるいは降順にソート（並べかえる）といった機能を追加します（もちろん1のように、人数の変更にも対応させます）。

実は、本プログラムを拡張して、このような変更を行うのは不可能であり、プログラムの作り方を根本的に変えなければなりません。

まず、各学生の点数は、バラバラではなく、ひとまとめにして扱う必要があります。それを実現するのが、図**b**の**配列**（*array*）と呼ばれるデータ構造です。

配列は、オブジェクトの《格納庫》であって、格納された個々の変数は**要素**（*element*）と呼ばれます。各要素には、先頭から順番に、0, 1, 2, … の**添字**（*subscript*）が与えられます。

▶ この後で学習しますが、負の添字の利用や、スライス式による取出しなども行えます。

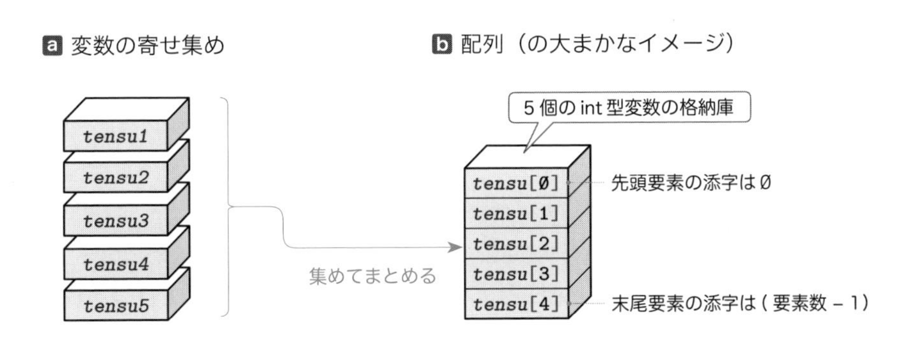

Fig.2-1 単一変数 vs 配列

配列は、生成時に要素数を自由に指定できますので、①は簡単にクリアできます。さらに、いったん生成した配列の要素数を、後から増減することも容易です。

３番目の要素は`tensu[2]`、４番目の要素は`tensu[3]`と、添字を使った式で**アクセス**できますので、②の実現も容易です。

このように、添字によって個々の要素を自由にアクセスできる結果として、③も容易に実現できます。

*

データの集まりを扱う際は、配列が必須ともいえることが分かりました。

その配列の要素の型は、`int`型や`float`型など何でも構いません。そればかりか、異なる型の要素の混在も可能ですし、配列の要素自体が配列であっても構いません。

リストとタプル

Pythonで配列を実現するのが、**リスト**（*list*）と**タプル**（*tuple*）です。いずれも、**高機能なデータのコンテナ（格納庫）**です。

リスト

リストは、**ミュータブル（変更可能）**な**list型**のオブジェクトです。

リスト表記演算子[]の中にコンマで区切って要素を並べると、それらの要素をもったリストが、新しく生成されます。なお、中が空の[]は、空リストを生成します。

```
list01 = []                 # []
list02 = [1, 2, 3]          # [1, 2, 3]
list03 = ['A', 'B', 'C', ]  # ['A', 'B', 'C']
```

▶ list01からlist12までのリストと、tuple01からtuple15までのタプルを生成して表示するプログラムは、'chap02/list_tuple.py'です。

list03のように、コンマ,は、末尾要素の後ろにも置けます。

組込み関数である**list関数**を使うと、文字列やタプルなど、さまざまな型のオブジェクトをもとに、リストを生成できます。なお、実引数を与えないlist()は、空リストを生成します。

```
list04 = list()             # []              空リスト
list05 = list('ABC')        # ['A', 'B', 'C'] 文字列の個々の文字から生成
list06 = list([1, 2, 3])    # [1, 2, 3]       リストから生成
list07 = list((1, 2, 3))    # [1, 2, 3]       タプルから生成
list08 = list({1, 2, 3})    # [1, 2, 3]       集合から生成
```

特定範囲の整数値で構成されるリストは、range関数が生成する数列（イテラブルオブジェクト）をlist関数で変換することで生成できます。

```
list09 = list(range(7))            # [0, 1, 2, 3, 4, 5, 6]
list10 = list(range(3, 8))         # [3, 4, 5, 6, 7]
list11 = list(range(3, 13, 2))     # [3, 5, 7, 9, 11]
```

「要素数が事前に決定しているものの、要素の値は未定」といったときの、リスト生成の決まり文句があります。**唯一の要素としてNoneをもつリスト[None]をn回繰り返すことで、要素数がnで、全要素の値がNoneのリストを生成します**。要素数が5であれば、次のようになります。

```
# 要素数が5で全要素が空のリストの生成
list12 = [None] * 5                # [None, None, None, None, None]
```

乗算演算子*で繰返しが行えるのは、文字列と同じです。

タプル

タプルは、要素を順序付けて組み合わせたものであって、**組**（くみ）とも呼ばれます。**イミュータブル（変更不能）**なタプルオブジェクトの型は、**tuple型**です。

▶ tupleは、タプルともチュープルとも発音されますが、本書ではタプルを採用します。

要素を並べてコンマ , で区切ったものを**式結合演算子 ()** で囲んだ式で生成します。リストと同様、末尾要素の後ろにもコンマ , を置けます。**文脈上のあいまいさが発生しなければ、() を省略できる点がリストとの大きな違いです**。なお、中が空の () は、空タプルを生成します。

```
tuple01 = ()                    # ()
tuple02 = 1,                    # (1,)
tuple03 = (1,)                  # (1,)
tuple04 = 1, 2, 3               # (1, 2, 3)
tuple05 = 1, 2, 3,              # (1, 2, 3)
tuple06 = (1, 2, 3)             # (1, 2, 3)
tuple07 = (1, 2, 3, )           # (1, 2, 3)
tuple08 = 'A', 'B', 'C',        # ('A', 'B', 'C')
```

tuple02 や *tuple03* のように、**要素が 1 個のみであれば、末尾のコンマ , が必須です**。というのも、コンマ , がないと"単一の値"とみなされるからです。

```
# 以下は単一値の変数であってタプルではない
v01 = 1                         # 1   ※単一のint型であってタプルではない
v02 = (1)                       # 1   ※単一のint型であってタプルではない
```

▶ たとえば、加算を行う式を ( ) で囲んだ (5 + 2) が単一の整数値 7 になるのと同じで、単なる (7) は単一の整数値 7 になります。それと区別するための仕様です。

組込み関数である **tuple 関数**は、文字列やリストなど、さまざまな型のオブジェクトをもとに、タプルを生成する関数です。なお、実引数を与えない tuple() は、空タプルを返却します。

```
tuple09 = tuple()               # ()              空タプル
tuple10 = tuple('ABC')          # ('A', 'B', 'C') 文字列の個々の文字から生成
tuple11 = tuple([1, 2, 3])      # (1, 2, 3)       リストから生成
tuple12 = tuple({1, 2, 3})      # (1, 2, 3)       集合から生成
```

特定範囲の数値を要素としてもつタプルは、range 関数が生成する数列（イテラブルオブジェクト）を tuple 関数で変換することで容易に生成できます。

```
tuple13 = tuple(range(7))           # (0, 1, 2, 3, 4, 5, 6)
tuple14 = tuple(range(3, 8))        # (3, 4, 5, 6, 7)
tuple15 = tuple(range(3, 13, 2))    # (3, 5, 7, 9, 11)
```

アンパック

代入文の左辺に複数の変数を置き、右辺にリストやタプルを置くと、右辺の要素を一括して取り出して、それらをバラバラにした上で左辺の変数に代入できます。

基本対話モードで確認しましょう（リスト x の要素が、a と b と c に取り出されます）。

例 2-1 リストからの要素の一括取出し

```
>>> x = [1, 2, 3]⏎
>>> a, b, c = x⏎              ← リストのアンパック
>>> a, b, c⏎
(1, 2, 3)
```

このように、単一のリストやタプルなどから、複数の要素の値を取り出してバラバラにすることを、**アンパック**（*unpack*）といいます。

インデックス式によるアクセス

リストやタプル内の個々の要素をアクセスする際のキーとなるのが、**インデックス**（*index*）です。**Fig.2-2** に示すのが、基本的な考え方です。

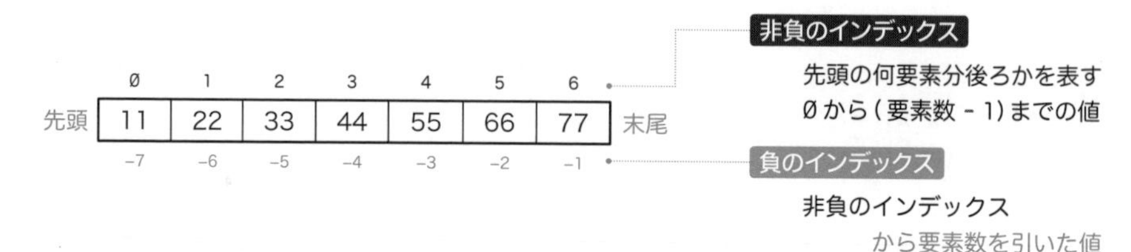

Fig.2-2 リストとインデックス

インデックス式

インデックス演算子 [ ] の中に整数値のインデックスを指定する**インデックス式**（*subscription*）は、リスト内の要素を特定します。基本対話モードで確認しましょう。

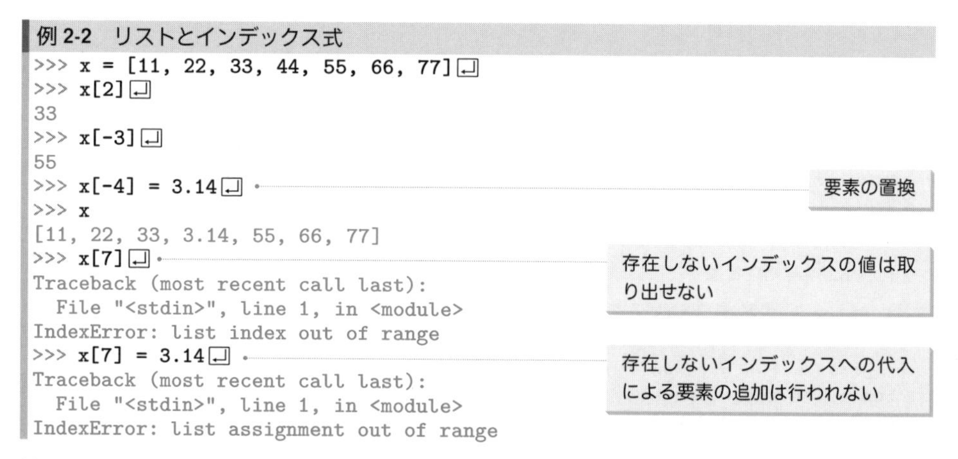

例 2-2 リストとインデックス式

```
>>> x = [11, 22, 33, 44, 55, 66, 77]
>>> x[2]
33
>>> x[-3]
55
>>> x[-4] = 3.14
>>> x
[11, 22, 33, 3.14, 55, 66, 77]
>>> x[7]
Traceback (most recent call last):
  File "<stdin>", line 1, in <module>
IndexError: list index out of range
>>> x[7] = 3.14
Traceback (most recent call last):
  File "<stdin>", line 1, in <module>
IndexError: list assignment out of range
```


前半の x[2] と x[-3] の値を取り出して表示している箇所は、理解できるでしょう。

続く x[-4] への代入に着目しましょう。**リストに対するインデックス式は、代入の左辺に置けます。**この代入によって、int 型が入っていた x[-4] が float 型に変身します。すなわち、整数 44 の要素が、浮動小数点数 3.14 に置換されます。

代入でコピーされるのは値ではなく参照です（**Column 1-14**：p.34）ので、x[-4] の参照先が int 型オブジェクト 44 から、float 型オブジェクト 3.14 に変わるだけです。

なお、x がタプルであれば、この代入はエラーとなります（タプルは変更不能だからです）。

続いて x[7] の表示を指示しています。7 はインデックスとして不当ですから、エラーが発生します。なお、x[7] への代入もエラーとなります。**存在しない要素をアクセスするインデックス式を左辺に置く代入によって、要素が新しく追加されることはありません。**

スライス式によるアクセス

リストやタプル内の部分を、連続あるいは一定周期で新しいリストあるいはタプルとして取り出すのが、**スライス**（*slice*）です。

スライス式による取出し

スライス式（*slicing*）の形式は、次のようになっています。

s[*i*:*j*] … s[*i*] から s[*j*-1] までの並び
s[*i*:*j*:*k*] … s[*i*] から s[*j*-1] までの *k* ごとの並び

スライス式

まずは、基本的な使い方を確認しましょう。

例 2-3　リストとスライス式

```
>>> s = [11, 22, 33, 44, 55, 66, 77]
>>> s[0:6]
[11, 22, 33, 44, 55, 66]
>>> s[0:7]
[11, 22, 33, 44, 55, 66, 77]
>>> s[0:7:2]
[11, 33, 55, 77]
>>> s[-4:-2]
[44, 55]
>>> s[3:1]
[]
```

i, *j*, *k* の指定に対する規則は、次のとおりです。

- ***i*とj は、len(s) よりも大きければ、len(s) が指定されたものとみなされる。**
  インデックスとは異なり、正当な範囲外の値を指定してもエラーとならない。
- ***i* が省略されるか None であれば、0 が指定されたものとみなされる。**
- ***j* が省略されるか None であれば、len(s) が指定されたものとみなされる。**

一見すると複雑な規則ですが、この規則のおかげで、簡潔な指定が行えるようになっています。

i, *j*, *k* の1個以上を省略するパターンのいくつかをまとめると、次のようになります。

s[:]	すべて	s[:]	[11, 22, 33, 44, 55, 66, 77]
s[:*n*]	先頭の *n* 要素	s[:3]	[11, 22, 33]
s[*i*:]	s[*i*] から末尾まで	s[3:]	[44, 55, 66, 77]
s[-*n*:]	末尾の *n* 要素	s[-3:]	[55, 66, 77]
s[::*k*]	*k* - 1 個おき	s[::2]	[11, 33, 55, 77]
s[::-1]	すべてを逆向き	s[::-1]	[77, 66, 55, 44, 33, 22, 11]

▶ *n* が要素数を超える場合は、全要素が取り出されます。

Column 2-1 代入とイミュータブル（変更不能）／ミュータブル（変更可能）

変数には、格納ずみの値とは異なる型の値を代入できます。基本対話モードで確認しましょう。

```
>>> n = 5⏎              ← int型の整数を代入
>>> id(n)⏎
140711199888732
>>> n = 'ABC'⏎          ← str型の文字列を代入
>>> id(n)⏎
140711199888764         ← 識別番号が変化している
```

Fig.2C-1 異なる型の代入

文字列の代入後に*n*の識別番号が変わっています。

Fig.2C-1 に示すように、変数*n*の参照先が、int 型の整数 5 から、str 型の文字列 'ABC' へと更新されたのです。

当然ながら、int 型オブジェクトである 5 自体は、型も値も変わりません。

変数への**代入**によってコピーされるのは**参照先**すなわち**識別番号（同一性）**であって、値ではありません（**Column 1-14**：p.34）。そのため、あらゆる型のオブジェクトを変数に代入できるのです。

Python の代入文は、極めて多機能です。初めて使う名前の変数に値を代入するだけで、その名前の変数が自動的に用意されることは、ご存知でしょう。それ以外にも、数多くの機能があります。

たとえば、複数の変数に対する代入をまとめて行えます。確かめましょう。

```
>>> a, b, c = 1, 2, 3⏎     ← aとbとcに、それぞれ1と2と3を代入する
>>> a⏎
1
>>> b⏎
2
>>> c⏎
3
```

それでは、ちょっとした応用例を試してみましょう。

```
>>> x = 6⏎
>>> y = 2⏎
>>> x, y = y + 2, x + 3⏎   ← xにy+2を代入／yにx+3を代入
>>> x⏎
4
>>> y⏎
9
```

*x*への代入と、*y*への代入が指示されています。仮にこれらの代入が、逐次（順番に）行われるのであれば、x = y + 2 によって*x*が 4 に更新され、その後で y = x + 3 によって（更新された*x*の 4 と 3 の和が代入されて）*y*は 7 になるはずです。

実際は、そうではありません。二つの代入は（論理的に）同時に行われます。すなわち、

- x = y + 2 によって、*x*は 4 になる。
- y = x + 3 によって、*y*は 9 になる。

となります。

次は、累算代入によるインクリメントを行ってみます。

```
>>> n = 12⏎
>>> id(n)⏎
140711199888768
>>> n += 1⏎             ← nの値を1増やす
>>> id(n)⏎
140711199888800         ← 識別番号が変化している
```

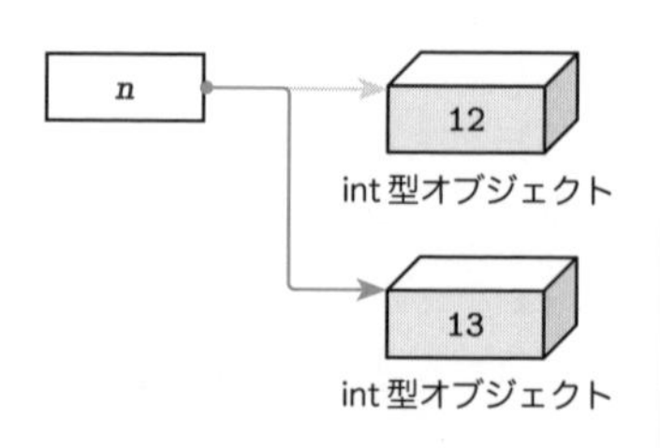

Fig.2C-2 累算代入

累算代入 += によって n の値をインクリメントした結果、n の識別番号が変化しています。

Fig.2C-2 に示すように、n の参照先が、int 型オブジェクト 12 から、int 型オブジェクト 13 へと更新されたのです（**Column 1-14**：p.34）。

数値を表す int 型や文字列を表す str 型は、いったん与えられた値が変更できないイミュータブル（*immutable*）**な型です。**

『変数 n の値は変更できるじゃないか。』と反論されそうですが、そうではありません。int 型の整数オブジェクト 12 の値の変更が不可能だからこそ、まったく別の整数オブジェクト 13 を参照するように変数 n（の参照先）が更新されるのです。

なお、いったん与えられた値が変更できる**ミュータブル**（*mutable*）な型もあります。すなわち、型は2種類に分類されます。

- **ミュータブルな型　：リスト、辞書、集合　など　　　※値が変更可能**
- **イミュータブルな型　：数値、文字列、タプル など　　　※値が変更不能**

さて、Python の代入について、いくつかのことが分かりました。

- **左辺の変数名が初出であれば、その変数を定義する。**
- **代入文は、値ではなく参照先（識別番号（アイデンティティー）＝同一性）を代入する。**
- **複数の変数への一括代入が行える。**

これらは、代入の機能のごくごく一部です。このように多機能であるため、Python では、代入を行うための記号 = は、+ や * などとは異なり、演算子ではありません。

“x + 17” が式であって、“x = 17” が式でないことの確認は容易です。

```
>>> x = 0
>>> type(x + 17)                  ⬅ x + 17の型を取得
<class 'int'>
>>> type(x = 17)                  ⬅ x = 17の型を取得（エラー）
Traceback (most recent call last):
  File "<stdin>", line 1, in <module>
TypeError: type() takes 1 or 3 arguments
```

式ではない後者は、《型》を調べられないため、エラーとなります。次のような決定的な違いがあるからです。

- **x + 17 は、式（*expression*）である。**　　※ + は加算を行う演算子。
- **x = 17 は、文（*statement*）である。**　　※ = は演算子ではない。

ちなみに、C言語、C++、Java などの言語では、= は “右結合の演算子” です。そのため、代入式

```
a = b = 1                    /* C言語、C++、Java */
```

では、まず b に 1 が代入され、代入式 b = 1 の評価によって得られる 1 が a に代入される、という仕組みになっています。すなわち、a = (b = 1) とみなされます。

Python では、= は演算子でない以上、右結合とか左結合といった結合性は存在しません。

あたり前の結果として、Python では “a = (b = 1)” はエラーとなります。

```
>>> a = (b = 1)
File "<stdin>", line 1
    a = (b = 1)
           ^
SyntaxError: invalid syntax
```

他の言語の経験者は、代入 = を “右結合の演算子” と勘違いすることによって、思わぬ落とし穴に陥らないように注意が必要です（**Column 8-3**：p.305）。

データ構造

データ構造（*data structure*）**とは、構成要素のあいだに何らかの相互関係をもつデータの論理的な構成のことです。**

JIS X0015 03.01 では、以下のように定義されています。

データ単位とデータ自身とのあいだの物理的または論理的な関係。

すなわち、複数のデータが集まった構造です。

▶ もちろん、データが、たまたま0個あるいは1個、ということもあります。

本書では、リストとタプルをあわせて**配列**と呼びます。また、基本的にインデックスの値は非負の値（ゼロと正の値）のみを使うことにし、インデックスではなく**添字**と呼びます。

Column 2-2 リストとタプル（その1）

リストとタプルに関して、基礎的かつ重要な事項を学習しましょう。

▪ len関数による要素数の取得

リストやタプルの要素数（長さ）は、`len`関数で取得できます。

```
>>> x = [15, 64, 7, 3.14, [32, 55], 'ABC']
>>> len(x)
6
```

要素自体が、リスト（あるいはタプルや集合など）である場合、その要素は1個としてカウントされます。要素の中に含まれる要素はカウントされません（すなわち、`x`に含まれる`[32, 55]`は、2個ではなく、1個の要素としてカウントされます）。

▪ min関数とmax関数による最小値と最大値の取得

`min`関数と`max`関数の組込み関数には、リストやタプルも引数として渡せます。そのため、`x`がリストやタプルであれば、`min(x)`あるいは`max(x)`によって、リストやタプルの要素の最小値と最大値が取得できます（**Column 6-1**：p.191）。

▪ 空リスト／空タプルの判定

要素が1個もない空リストや空タプルは偽です。そのため、`x`が空リスト（あるいは空タプル）であるかどうかで異なる処理を行うには、以下のように実現します。

```
if x:
    # xが空リストでないときの処理を行うスイート
else:
    # xが空リストであるときの処理を行うスイート
```

もちろん、判定式を`not x`とすることもできます（その場合、二つのスイートの順が逆になります）。

▪ 値比較演算子による大小関係および等価性の判定

リストどうし／タプルどうしの大小関係と等価性の判定は、値比較演算子によって行えます。次に示すのは、いずれも真となる判定の例です。

```
[1, 2, 3]     == [1, 2, 3]
[1, 2, 3]     <  [1, 2, 4]
[1, 2, 3, 4]  <= [1, 2, 3, 4]
[1, 2, 3]     <  [1, 2, 3, 5]
[1, 2, 3]     <  [1, 2, 3, 5]  <  [1, 2, 3, 5, 6]   # and結合
```

先頭要素から順に比較していき、要素の値が等しければ、次の要素を比較します。

いずれかの要素のほうが大きければ、そちらのリスト（あるいはタプル）のほうが大きいと判定されます。なお、最後の二つの例のように、先頭側の [1, 2, 3] が共通で、片方の要素数が大きい場合は、要素数の大きいほうのリストが大きいと判定されます。

▪ リストとタプルの共通点と相違点

リストとタプルには、共通点と相違点があります。それらをまとめたのが、**Table 2C-1** です。

Table 2C-1 リストとタプルの比較

性質／機能	リスト	タプル	
ミュータブル（変更可能）	○	×	イミュータブル（変更不能）
辞書のキーとして利用できる	×	○	
イテラブルである	○	○	
帰属性演算子 in 演算子／not in 演算子	○	○	
加算演算子 + による連結	○	○	
乗算演算子 * による繰返し	○	○	
累算演算子 += による連結代入	○	△	インプレースに行われない
累算演算子 *= による繰返し代入	○	△	インプレースに行われない
インデックス式	○	△	左辺に置けない
スライス式	○	△	左辺に置けない
len 関数による要素数取得	○	○	
min 関数／max 関数による最小値／最大値	○	○	
sum 関数による合計値	○	○	
index メソッドによる探索	○	○	
count メソッドによる出現回数	○	○	
del 文による要素の削除	○	×	
append メソッドによる要素の追加	○	×	
clear メソッドによる全要素の削除	○	×	
copy メソッドによるコピー	○	×	
extend メソッドによる拡張	○	×	
insert メソッドによる要素の挿入	○	×	
pop メソッドによる要素の取出し	○	×	
remove メソッドによる指定値の削除	○	×	
reverse メソッドによるインプレースな反転	○	×	
内包表記による生成	○	×	

※本 **Column** は、**Column 2-3**（p.56）に続きます。

2-2 配列

前節では、データ構造の定義と配列の基礎を学習しました。本節では、配列を対象にした基本的なアルゴリズムを学習します。

配列の要素の最大値を求める

配列の要素の最大値を求める手続きを考えます。配列 a の要素が3個であれば、三つの要素 a[0], a[1], a[2] の最大値は、以下のプログラムで求められます。

```
maximum = a[0]
if a[1] > maximum: maximum = a[1]
if a[2] > maximum: maximum = a[2]
```

要素数が3であれば if 文を2回実行。

変数名が異なるものの、前章で学習した、3値の最大値を求める手続きと同じです。なお、要素が4個であれば、次のようになります。

```
maximum = a[0]
if a[1] > maximum: maximum = a[1]
if a[2] > maximum: maximum = a[2]
if a[3] > maximum: maximum = a[3]
```

要素数が4であれば if 文を3回実行。

まず、配列の要素数とは無関係に、先頭要素 a[0] の値を maximum に代入する作業を行います。その後、if 文を実行する過程で、必要に応じて maximum の値を更新します。

要素数が n であれば、if 文の実行は、n - 1 回必要です。その際、maximum との比較や maximum への代入の対象となる要素の添字は、1, 2, … と増えていきます。

そのため、配列 a の要素の最大値を求めるアルゴリズムのフローチャートは、**Fig.2-3** のようになります。

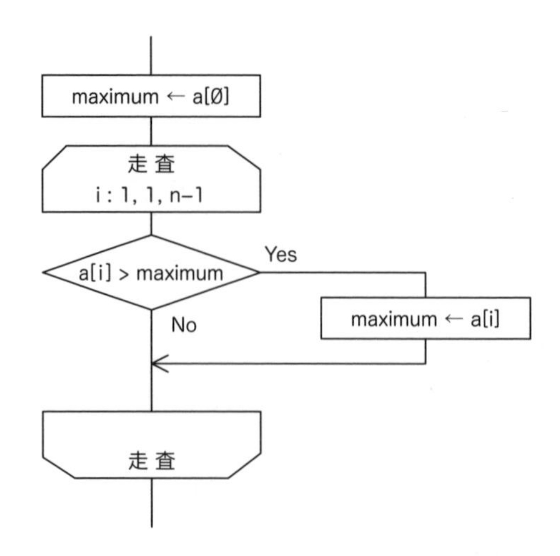

Fig.2-3 配列の要素の最大値を求めるアルゴリズム

このアルゴリズムに基づいて、配列 a の要素の最大値を求める関数の関数定義と、その関数によって最大値を求める様子を **Fig.2-4** に示します。

▶ 図に示すのは、配列の要素数が 5 の例です。

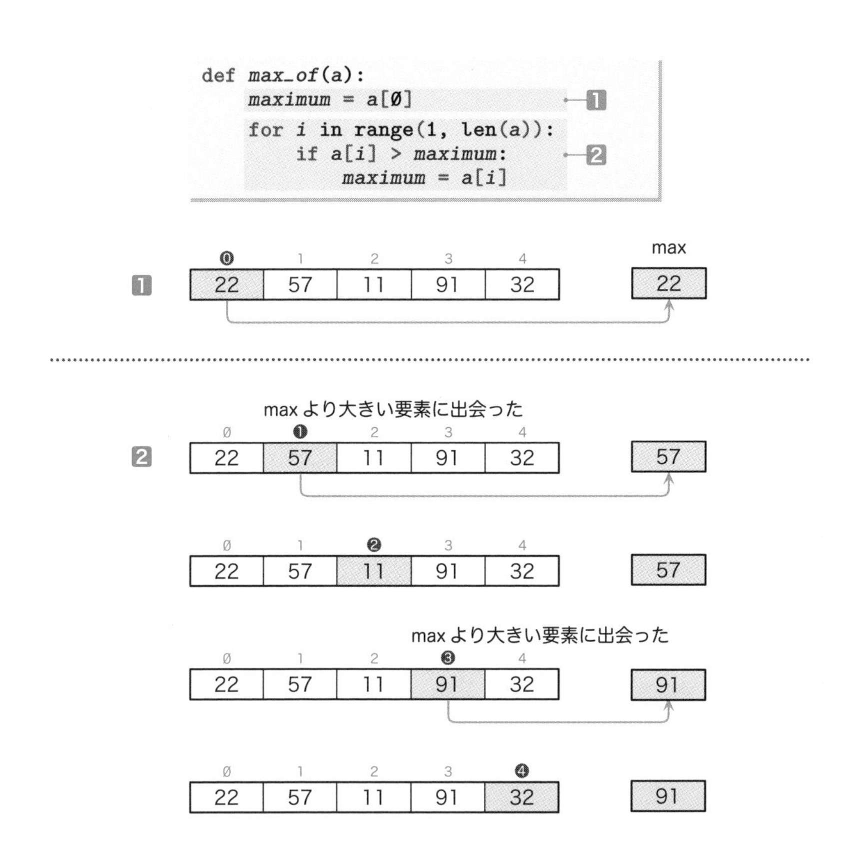

Fig.2-4 配列の要素の最大値を求める手順の一例

図中、●内の値は、**着目している要素の添字**です。

着目する要素は先頭から始まって、一つずつ後方へ移動します。1では a[0] に着目して、a[0] の値を *maximum* に代入します。そして、2の for 文では a[1] から末尾要素までを順に着目します。

このように、配列の要素を一つずつ順になぞっていく手続きのことを**走査**（*traverse*）と呼びます。この用語は、後の章でも頻繁に使いますから、必ず覚えましょう。

＊

さて、2の走査過程では、if 文の制御式 a[*i*] > *maximum* の判定が真になった（着目した要素 a[*i*] の値が、それまでの最大値より大きい）ときに a[*i*] の値を *maximum* に代入します。

配列の全要素の走査が完了した時点で、配列 a の最大要素の値が *maximum* に入っています。

配列の要素の最大値を求める関数の実装

前ページの関数を、より実用的な形式で実現したのが、**List 2-2** のプログラムです。

List 2-2　chap02/max.py

```
# シーケンスの要素の最大値を表示する

from typing import Any, Sequence

def max_of(a: Sequence) -> Any:
    """シーケンスaの要素の最大値を返却する"""
    maximum = a[0]
    for i in range(1, len(a)):
        if a[i] > maximum:
            maximum = a[i]
    return maximum

if __name__ == '__main__':
    print('配列の最大値を求めます。')
    num = int(input('要素数：'))
    x = [None] * num  # 要素数numのリストを生成

    for i in range(num):
        x[i] = int(input(f'x[{i}]：'))

    print(f'最大値は{max_of(x)}です。')
```

実行例

```
配列の最大値を求めます。
要素数：5
x[0]：172
x[1]：153
x[2]：192
x[3]：140
x[4]：165
最大値は192です。
```

薄い水色の箇所が、配列 a の要素の最大値を求める関数 *max_of* の定義です。また、プログラム後半の if 文中の黒網部は、関数 *max_of* をテストするコードです。

▶ 原則として、本文では『配列』という用語を使い、プログラム中のコメントでは『シーケンス』や『リスト』という用語を使います。

本プログラムには、**アノテーション**や、**モジュール構築**（__name__ と '__main__' の等価性に応じた選択的なプログラムの実行）などの技術が組み込まれています。

今後も、本プログラムと同じような構造でプログラムを作成していきますので、このように実装している理由をきちんと理解していきましょう。

アノテーションと型ヒント

まずは、プログラムの先頭行の import 文に着目します。

```
from typing import Any, Sequence
```

このインポートによって、Any と Sequence が単純名で利用できるようになります。

Any は、制約のない（任意の）型であることを表し、Sequece は、**シーケンス型**（*sequence type*）を表します。なお、シーケンス型には、**リスト型**（list 型）、**バイト配列型**（bytearray 型）、**文字列型**（str 型）、**タプル型**（tuple 型）、**バイト列型**（bytes 型）があります。

そのため、関数 *max_of* の関数頭部のアノテーションは、次の表明を行うことになります。

- 受け取る仮引数 a の型として、シーケンス型であることを期待する。
- 返却するのは任意の型である。

以上より、関数 max_of は、次のような特性をもつことになります。

- 関数内では、配列 a の要素の値は変更しない。
- 呼出し側が与える実引数の型は、ミュータブル（変更可能）なリスト、イミュータブル（変更不能）なタプルや文字列など、シーケンスであれば何でもよい。
- 呼出し側が与えるシーケンスの要素としては、値比較演算子 > で比較可能でさえあれば、異なる型（たとえば int 型と float 型）が混在してもよい。
- 最大の値の要素を返却する（最大の値の要素が int 型の要素であれば int 型の値を返却し、float 型の要素であれば float 型を返却する）。

なお、関数内で要素の値を変更する配列型の仮引数に対するアノテーションは、Sequence ではなく、MutableSequence としなければなりません。

▶ その場合、実引数として、ミュータブルなリストは与えられますが、イミュータブルな文字列型、タプル型、バイト列型の実引数は与えられなくなります。

再利用可能なモジュールの構築

Python では、**単一のスクリプトプログラムが、モジュール**（*module*）**となります。**

拡張子 .py を含まないファイル名がそのままモジュール名となりますので、本プログラムのモジュール名は max です。

*

さて、本プログラム後半の if 文では __name__ と '__main__' の等価性が判定されています。

左オペランドの __name__ はモジュールの名前を表す変数であり、次のように決定されます。

スクリプトプログラムが：

- **直接実行されたとき　変数 __name__ は '__main__'**
- **インポートされたとき　変数 __name__ は本来のモジュール名（この場合は max）**

すべてをオブジェクトとみなす Python では、当然モジュールもオブジェクトです。モジュールは、別のプログラムから初めてインポートされたタイミングで、その**モジュールオブジェクト**が**生成・初期化**される仕組みとなっています。

そのため、プログラム後半の if 文の判定は、'max.py' を直接起動したときにのみ真とみなされて黒網部が実行されます。他のスクリプトプログラムからインポートされたときは偽とみなされますので、黒網部は実行されません。

▶ モジュールオブジェクトの中には、__name__ の他にも、__loader__、__package__、__spec__、__path__、__file__ などの変数（属性）が入っています。

モジュールのテスト

List 2-2（p.52）のモジュール *max* で定義された関数 *max_of* を、他のスクリプトプログラムから呼び出してみましょう。

値の読込み時に要素数を決定する

List 2-3 は、キーボードから int 型の整数値を次々と読み込んでいき、終了が指示されたら（具体的には 'End' と入力されたら）読込みを終了する（その時点で要素数が確定する）ように実現したプログラムです。

▶ 本プログラムを含め、関数 *max_of* を呼び出すプログラムは、'max.py' と同一フォルダに格納する必要があります。

List 2-3 chap02/max_of_test_input.py

```
# 配列の要素の最大値を求めて表示（要素の値を読み込む）

from max import max_of

print('配列の最大値を求めます。')
print('注："End"で入力終了。')

number = 0
x = []                          # 空リスト

while True:
    s = input(f'x[{number}]：')
    if s == 'End':
        break
    x.append(int(s))            # 末尾に追加
    number += 1

print(f'{number}個読み込みました。')
print(f'最大値は{max_of(x)}です。')
```

実行例

```
配列の最大値を求めます。
注："End"で入力終了。
x[0]：15
x[1]：72
x[2]：64
x[3]：7
x[4]：End
4個読み込みました。
最大値は72です。
```

網かけ部は、モジュール *max* で定義されている関数 *max_of* を単純名で利用できるようにするための import 文です。

プログラムでは、まず最初に、リスト *x* を、空の配列（空リスト）として生成します。

while 文は無限ループであり、次々と文字列を読み込みます。読み込んだ文字列 *s* が 'End' であれば、break 文の働きによって、while 文を強制終了します。

読み込んだ文字列 *s* が 'End' でない場合は、読み込んだ（文字列 *s* を int 関数によって変換した）整数値を、配列 *x* の末尾に追加します。

変数 *number* は 0 で初期化され、整数値を読み込むたびにインクリメントされますので、読み込んだ整数値の個数（配列 *x* の要素数と一致します）が保持されます。

▶ なお、インポートするモジュール 'max.py' すなわち **List 2-2**（p.52）の関数 *max_of* 以外の部分（黒網部）が実行されることはありません。前ページで学習したように、他のスクリプトプログラムからインポートされたときに __name__ == '__main__' が成立せずに偽となるからです。

配列の要素の値を乱数で決定する

次は、配列の要素数はキーボードから読み込み、全要素の値は乱数で決定することにします。**List 2-4** に示すのが、そのプログラムです。

List 2-4 chap02/max_of_test_randint.py

```
# 配列の要素の最大値を求めて表示（要素の値を乱数で生成）

import random
from max import max_of

print('乱数の最大値を求めます。')
num = int(input('乱数の個数：'))
lo = int(input('乱数の下限：'))
hi = int(input('乱数の上限：'))
x = [None] * num  # 要素数numのリストを生成

for i in range(num):
    x[i] = random.randint(lo, hi)

print(f'{(x)}')
print(f'最大値は{max_of(x)}です。')
```

実行例

```
乱数の最大値を求めます。
乱数の個数：5
乱数の下限：10
乱数の上限：99
[15, 33, 74, 89, 85]
最大値は89です。
```

▶ `random` モジュールの `randint` 関数を呼び出す `random.randint(a, b)` は、a 以上 b 以下の整数の乱数を返却します（**Column 1-13**：p.31）。

タプルの最大値／文字列の最大値／文字列のリストの最大値を求める

List 2-5 は、タプルの最大値、文字列（内の文字）の最大値、文字列のリストの最大値を求めるプログラムです。

List 2-5 chap02/max_of_test.py

```
# 配列の要素の最大値を求めて表示（タプル／文字列／文字列のリスト）

from max import max_of

t = (4, 7, 5.6, 2, 3.14, 1)
s = 'string'
a = ['DTS', 'AAC', 'FLAC']

print(f'{t}の最大値は{max_of(t)}です。')
print(f'{s}の最大値は{max_of(s)}です。')
print(f'{a}の最大値は{max_of(a)}です。')
```

実行結果

```
(4, 7, 5.6, 2, 3.14, 1)の最大値は7です。
stringの最大値はtです。
['DTS', 'AAC', 'FLAC']の最大値はFLACです。
```

タプル `t` は整数と実数の要素が混在していますが、その最大値 7 が求められます。

文字列 `s` 内の文字の中で、最も大きい文字コードをもつ文字 `'t'` が最大値として求められます（文字列もシーケンスだからです）。

`a` は、文字列のリスト（全要素が `str` 型の文字列である `list` 型のリスト）です。辞書順で最も大きい文字列 `'FLAC'` が最大値として求められます。

▶ リストやタプル（や文字列など）の最大値／最小値は、標準ライブラリである `max` 関数と `min` 関数で求められます（**Column 2-2**：p.48）。

Column 2-3 リストとタプル（その2）

引き続き、リストとタプルについて学習します。

▪ 別々に生成されたリスト／タプルの同一性

別々に生成されたリストは、たとえ、すべての要素が同じ値をもっていても、別の実体をもちます。

```
>>> lst1 = [1, 2, 3, 4, 5]
>>> lst2 = [1, 2, 3, 4, 5]
>>> lst1 is lst2
False
```

lst1 と *lst2* の**同一性**（*identity*：**識別番号＝アイデンティティ**）が等しいかどうかを `is` 演算子で判定していますが、その結果は `False` です（タプルでも同様です）。

`[1, 2, 3, 4, 5]` は、`[]` **演算子によって新しいリストを生成する式**であって、いわゆる"リテラル"ではありません。

▪ リスト／タプルの代入

リスト（を参照している変数）を代入しても、要素自体（要素の並び）はコピーされません。代入でコピーされるのは、値ではなく参照だからです。

```
>>> lst1 = [1, 2, 3, 4, 5]
>>> lst2 = lst1
>>> lst1 is lst2
True
>>> lst1[2] = 9
>>> lst1
[1, 2, 9, 4, 5]
>>> lst2
[1, 2, 9, 4, 5]
```

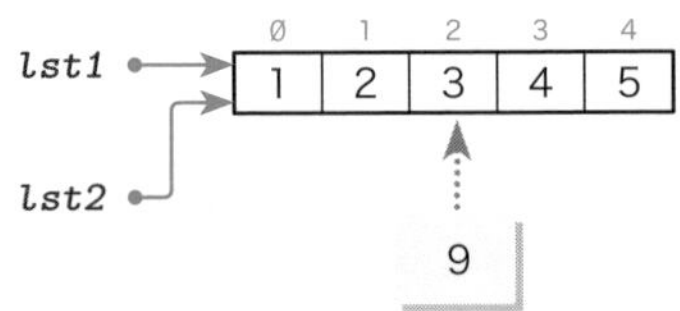

Fig.2C-3 リストと代入

代入後の *lst2* は、*lst1* の参照先リストを参照します。すなわち、*lst2* と *lst1* は、同一の実体（リスト）を参照することになります（**Fig.2C-3**）。

そのため、*lst1* を通じてインデックス式（やスライス式）で要素の値を書きかえると、*lst2* から見たときの要素の値も書きかわっています。

なお、タプルでは、タプルそのものの代入は行えますが、要素への代入は行えません。

▪ リストの走査

リストを走査する4種類のプログラムを右ページに示しています。

1. **List 2C-1** … 要素数を `len` 関数で事前に取得して `0` から (要素数 - `1`) まで繰り返します。
2. **List 2C-2** … インデックスと要素のペアを `enumerate` 関数で取り出して繰り返します。
3. **List 2C-3** … 上記と同じですが、カウントの開始を `1` にします。
4. **List 2C-4** … インデックスの値が不要な場合は、先頭から順に `in` で取り出します。

②と③のプログラムで利用している **`enumerate` 関数**は、インデックス（添字）と要素のペアをタプルとして取り出す組込み関数です。

その取出しは、②のプログラムでは先頭から順に、`(0, 'John')`、`(1, 'George')`、… と行われ、③のプログラムでは、先頭から順に、`(1, 'John')`、`(2, 'George')`、… と行われます。

④のプログラムでは、リスト *x* から要素を1個ずつ *i* に取り出します。このようなことができるのは、リストが**イテラブルオブジェクト**（*iterable object*）だからです。

List 2C-1 chap02/list1.py

```
# リストの全要素を走査（要素数を事前に取得）

x = ['John', 'George', 'Paul', 'Ringo']

for i in range(len(x)):
    print(f'x[{i}] = {x[i]}')
```

実行結果

```
x[0] = John
x[1] = George
x[2] = Paul
x[3] = Ringo
```

List 2C-2 chap02/list2.py

```
# リストの全要素をenumerate関数で走査

x = ['John', 'George', 'Paul', 'Ringo']

for i, name in enumerate(x):
    print(f'x[{i}] = {name}')
```

実行結果

```
x[0] = John
x[1] = George
x[2] = Paul
x[3] = Ringo
```

List 2C-3 chap02/list3.py

```
# リストの全要素をenumerate関数で走査（1からカウント）

x = ['John', 'George', 'Paul', 'Ringo']

for i, name in enumerate(x, 1):
    print(f'{i}番目 = {name}')
```

実行結果

```
1番目 = John
2番目 = George
3番目 = Paul
4番目 = Ringo
```

List 2C-4 chap02/list4.py

```
# リストの全要素を走査（インデックス値を使わない）

x = ['John', 'George', 'Paul', 'Ringo']

for i in x:
    print(i)
```

実行結果

```
John
George
Paul
Ringo
```

▪ タプルの走査

これらのプログラムは、x に対する代入の箇所を以下のように書きかえるだけで、タプルを走査するプログラムになります。

```
x = ('John', 'George', 'Paul', 'Ringo')
```

この変更を行ったプログラムも、ダウンロードプログラムに含まれています（'chap02/tuple1.py'、'chap02/tuple2.py'、'chap02/tuple3.py'、'chap02/tuple4.py'）。

なお、リストでもタプルでも、末尾から先頭へと逆順に走査するのであれば、走査対象を x ではなく、reversed(x) あるいは x[::-1] とします。

▪ イテラブル

文字列、リスト、タプル、集合、辞書などの型をもつオブジェクトは、いずれも“**イテラブル＝反復可能**（*iterable*）である”という共通点があります。

そのイテラブルオブジェクトは、要素を１個ずつ取り出せる構造のオブジェクトです。

イテラブルオブジェクトを、組込み関数である **iter 関数**に引数として与えると、そのオブジェクトに対する**イテレータ**（*iterator*）が返却されます。

イテレータとは、データの並びを表現するオブジェクトです。イテレータの __next__ メソッドを呼び出すか、組込み関数である **next 関数**にイテレータを与えると、その並びの要素が順次取り出されます。

なお、取り出すべき要素が尽きた場合は、**StopIteration 例外**が送出されます。

配列の要素の並びを反転する

次に考えるのは、配列の要素の並びを反転するアルゴリズムです。たとえば、配列aの要素数が7で、先頭から順に2, 5, 1, 3, 9, 6, 7が格納されていれば、それを7, 6, 9, 3, 1, 5, 2にする、というのが目的です。

反転の手順の一例を示したのが**Fig.2-5**です。まず最初に、図aに示すように、先頭要素a[0]と末尾要素a[6]の値を交換します。引き続き、図bと図cに示すように、それぞれ一つ内側の要素の値を交換する作業を繰り返します。

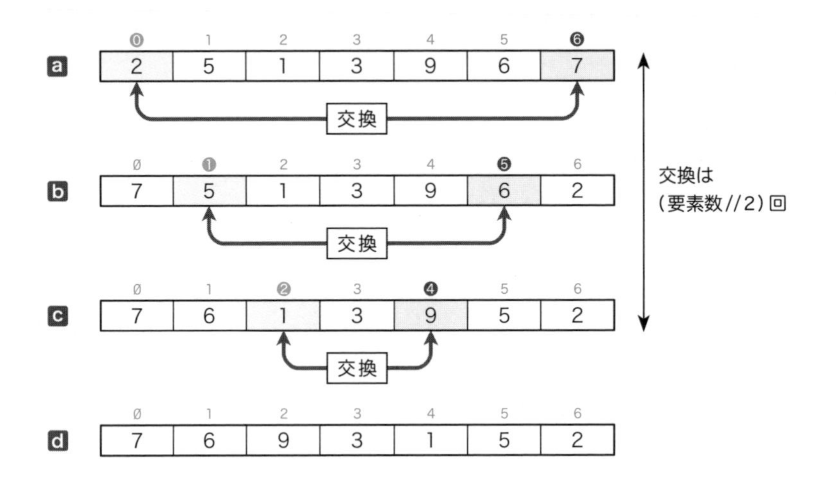

Fig.2-5 配列の要素の並びを反転する

交換作業の回数は(要素数 // 2)です。この除算での剰余は切り捨てます。というのも、ここに示す例のように、要素数が奇数のときは、中央要素の交換の必要がないからです。

▶ "整数 // 整数"の演算では、**剰余が切り捨てられた整数値**が得られるため、好都合です(もちろん要素数が7のときの交換回数は7 // 2すなわち3です)。

要素数*n*の配列に対するa⇨b⇨ … の処理を、変数*i*を0, 1, … とインクリメントすることで一般的に表すと、交換する要素の添字の変化は、次のようになります。

- 左側要素の添字(図中●内の値) … *i*　　　*n*が7であれば0⇨1⇨2
- 右側要素の添字(図中●内の値) … *n* - *i* - 1　　　*n*が7であれば6⇨5⇨4

そのため、要素数*n*の配列要素の並びを反転するアルゴリズムの概略は、次のようになります。

```
for i in range(n // 2):
    a[i]とa[n - i - 1]の値を交換。
```

▶ 本書では、このようにPythonと日本語を交えて記述することがあります。

配列の要素の並びを反転するプログラムを **List 2-6** に示します。

List 2-6 chap02/reverse.py

```
# ミュータブルなシーケンスの要素の並びを反転

from typing import Any, MutableSequence

def reverse_array(a: MutableSequence) -> None:
    """ミュータブルなシーケンスaの要素の並びを反転"""
    n = len(a)
    for i in range(n // 2):
        a[i], a[n - i - 1] = a[n - i - 1], a[i]

if __name__ == '__main__':
    print('配列の要素の並びを反転します。')
    nx = int(input('要素数は：'))
    x = [None] * nx    # 要素数nxのリストを生成

    for i in range(nx):
        x[i] = int(input(f'x[{i}]：'))

    reverse_array(x)   # xの並びを反転

    print('配列の要素の並びを反転しました。')
    for i in range(nx):
        print(f'x[{i}]＝{x[i]}')
```

実行例

```
配列の要素の並びを
反転します。
要素数は：7
x[0] : 2
x[1] : 5
x[2] : 1
x[3] : 3
x[4] : 9
x[5] : 6
x[6] : 7
配列の要素の並びを
反転しました。
x[0] = 7
x[1] = 6
x[2] = 9
x[3] = 3
x[4] = 1
x[5] = 5
x[6] = 2
```


関数 *reverse_array* は、引数として受け取った配列 a の要素の並びを反転します。

プログラムでは、配列の要素数と各要素の値をキーボードから読み込んだ後、関数 *reverse_array* によって反転した要素の値を表示します。

▶ 配列 a の要素数を格納する変数 *n* を導入しなくてもプログラムは実現できますが、読みにくくなってしまいます（'chap02/reverse2.py'）。

Column 2-4 リストの反転

標準ライブラリを使うと、リストを反転したり、反転したリストを新しく生成したりできます。

▪ リストの反転

リストの要素の並びをインプレースに反転するのが、list 型の reverse メソッドです。リスト *x* は、

```
x.reverse()              # リストxの要素の並びを反転する
```

によって、反転が行えます（タプルはイミュータブルですから、インプレースな反転は行えません）。

▪ 反転したリストの生成

reversed 関数を呼び出す reversed(*x*) は、*x* の要素の並びを反転した（リストではない）イテラブルオブジェクトを生成します（厳密には、*x* の要素を逆順に取り出すイテレータを返却します）。

そのため、あるリストの要素の並びを反転したリストが必要であれば、reversed 関数が返却するイテラブルオブジェクトを list 関数に渡して、新しいリストを生成する（リストへと変換する）必要があります。たとえば、*x* を反転したリストを *y* に代入するには、以下のようにします。

```
y = list(reversed(x))    # リストxの要素の並びを反転したリストをyに代入する
```

基数変換

整数値を任意の基数へと基数変換するアルゴリズムを考えましょう。

10 進整数を n 進整数に変換するには、整数を n で割った剰余を求めるとともに、その商に対して除算を繰り返します。商が 0 になるまで繰り返して、その過程で求められた剰余を**逆順に並べたもの**が、変換後の数です。

この考えに基づいて、10 進整数 59 を、2進数・8進数・16 進数に変換する様子を示したのが、**Fig.2-6** です。

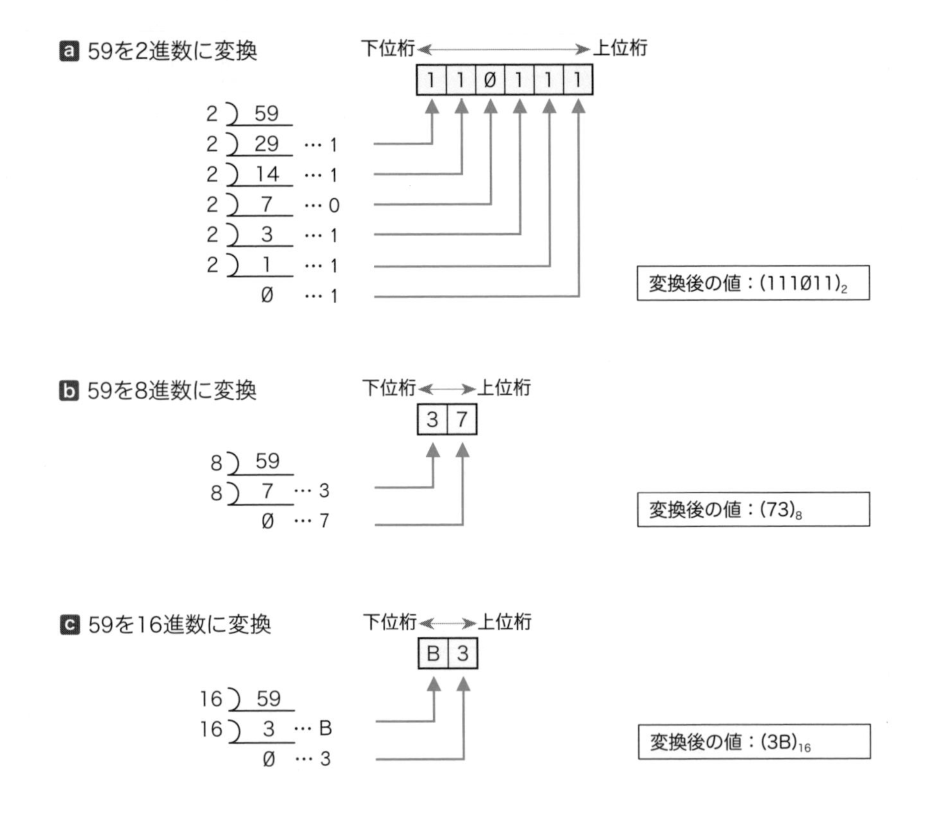

Fig.2-6 基数変換の過程

16 進数は、以下の 16 個の文字によって表現される数です（**Column 2-5**）。

```
0, 1, 2, 3, 4, 5, 6, 7, 8, 9, A, B, C, D, E, F
```

このように、基数が 10 を超える場合は、0 〜 9 に続く数字としてアルファベット文字である A, B, … を用います。A, B, … は、10 進数での 10, 11, … に相当します。

▶ 数字文字 0 〜 9 と A 〜 Z のアルファベットを利用することで、36 進数までを表現できます。

Column 2-5 基数について

n進数はnを基数とする数のことです。ここでは、10進数・8進数・16進数を例に、各基数について簡単に学習します。

▪ 10進数

以下に示す10種類の数字を利用して数を表現します。

0 1 2 3 4 5 6 7 8 9

これらを使い切ったら、桁が繰り上がって10となります。2桁の数は、10から始まって99まででです。その次は、さらに繰り上がった100です。すなわち、以下のようになります。

1桁 … 0から9までの10種類の数を表す。
～2桁 … 0から99までの100種類の数を表す。
～3桁 … 0から999までの1,000種類の数を表す。

10進数の各桁は、下の桁から順に10^0, 10^1, 10^2, … と、10のべき乗の重みをもちます。したがって、たとえば1234は、次のように解釈されます。

$1234 = 1 \times 10^3 + 2 \times 10^2 + 3 \times 10^1 + 4 \times 10^0$

※10^0は1です（2^0でも8^0でも、とにかく0乗の値は1です）。

▪ 8進数

8進数では、以下に示す8種類の数字を利用して数を表現します。

0 1 2 3 4 5 6 7

これらを使い終わると、桁が繰り上がって10となり、さらにその次の数は11となります。2桁の数は、10から始まって77まででです。これで2桁を使い切りますので、その次は100です。

すなわち、以下のようになります。

1桁 … 0から7までの8種類の数を表す。
～2桁 … 0から77までの64種類の数を表す。
～3桁 … 0から777までの512種類の数を表す。

8進数の各桁は、下の桁から順に8^0, 8^1, 8^2, … と、8のべき乗の重みをもちます。したがって、たとえば5306（整数リテラルでは**05306**と表記）は、次のように解釈されます。

$5306 = 5 \times 8^3 + 3 \times 8^2 + 0 \times 8^1 + 6 \times 8^0$

10進数で表すと2758です。

▪ 16進数

16進数では、以下に示す16種類の数字を利用して数を表現します。

0 1 2 3 4 5 6 7 8 9 A B C D E F

先頭から順に、10進数の0～15に対応します（A～Fは小文字でも構いません）。

これらを使い終わると、桁が繰り上がって10となります。2桁の数は、10から始まってFFまでです。その次は、さらに繰り上がった100です。

16進数の各桁は、下の桁から順に16^0, 16^1, 16^2, … と、16のべき乗の重みをもちます。したがって、たとえば12A0（整数リテラルでは**0x12A0**と表記）は、次のように解釈されます。

$12A0 = 1 \times 16^3 + 2 \times 16^2 + 10 \times 16^1 + 0 \times 16^0$

10進数で表すと4768です。

基数変換を行うプログラムを **List 2-7** に示します。

List 2-7 [A] chap02/card_conv.py

```
# 読み込んだ10進整数を2進数～36進数へと基数変換して表示

def card_conv(x: int, r: int) -> str:
    """整数値xをr進数に変換した数値を表す文字列を返却"""

    d = ''          # 変換後の文字列
    dchar = '0123456789ABCDEFGHIJKLMNOPQRSTUVWXYZ'

    while x > 0:
        d += dchar[x % r]     # 該当文字を取り出して連結  ―1
        x //= r                                           ―2

    return d[::-1]            # 反転して返却
```


関数 *card_conv* は、整数 *x* を *r* 進数に変換した数値の文字列表現を返却する関数です。

10 進数 59 を 16 進数に変換する様子を示した **Fig.2-7** を見ながら、考えていきましょう。

最初に、文字列 *d* を空文字列にします。その後、while 文のループ本体では、以下の処理を行います。

1 *x* を *r* で割った剰余を添字とする文字 *dchar*[*x* % *r*] を文字列 *d* に追加します。

▶ 文字列 *dchar* には '0123456789ABCDEFGHIJKLMNOPQRSTUVWXYZ' が入っていますので、その各文字は、先頭から順に *dchar*[0]、*dchar*[1]、…、*dchar*[35] でアクセスできます。
　この場合、*x* % *r* は 11 となりますので、*dchar*[11] すなわち 'B' を、文字列 *d* に追加します（空文字列に 'B' を追加するため、文字列 *d* は 'B' となります)。

2 *x* を *r* で割ります（*x* // *r* の除算によって求められた商を *x* に代入します)。

▶ *x* は 59 から 3 に更新されます。

この作業を *x* が 0 になるまで繰り返します。

剰余を求めた順に格納していくため、**文字列 *d* の先頭側が下位桁となります**。すなわち、変換後の文字列 *d* の並びは、本来のものとは**逆順**です。

return 文では、スライス式 *d*[::-1] によって *d* を反転した文字列を返却します。

▶ 図の場合、文字列 *d* が 'B3' ですから、反転した '3B' を生成して返却します。

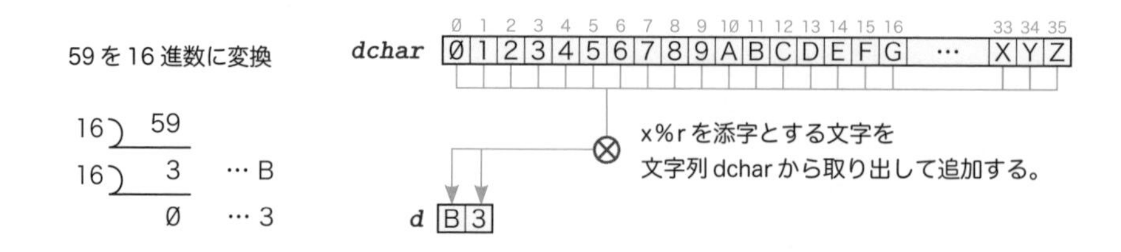

Fig.2-7 基数変換

プログラムのメイン部では基数変換を対話的に行います。

List 2-7 [B] chap02/card_conv.py

```
if __name__ == '__main__':
    print('10進数を基数変換します。')

    while True:
        while True:                                # 非負の整数値を読み込む
            no = int(input('変換する非負の整数：'))
            if no > 0:
                break

        while True:                                # 2～36の整数値を読み込む
            cd = int(input('何進数に変換しますか（2-36）：'))
            if 2 <= cd <= 36:
                break

        print(f'{cd}進数では{card_conv(no, cd)}です。')

        retry = input("もう一度しますか（Y…はい／N…いいえ）：")
        if retry in {'N', 'n'}:
            break
```

実行例

```
10進数を基数変換します。
変換する非負の整数：29
何進数に変換しますか（2-36）：2
2進数では11101です。
もう一度しますか（Y…はい／N…いいえ）：N
```

まず、変換する非負の整数値と、変換先の基数（2～36の整数値）を読み込みます。

その後、網かけ部で関数 *card_conv* を呼び出して、返却された文字列を表示します。表示が終わると、繰り返すかどうかを尋ねます。'N' あるいは 'n' を入力すると、プログラムの実行が終了します。

▶ 関数 *card_conv* は、一種のブラックボックスです。そのため、本プログラムを実行しても、具体的な変換の様子は分かりません。

関数 *card_conv* を以下のように書きかえましょう（'chap02/card_conv_verbose.py'）。

```
def card_conv(x: int, r: int) -> str:
    """整数値xをr進数に変換した数値を表す文字列を返却"""

    d = ''            # 変換後の文字列
    dchar = '0123456789ABCDEFGHIJKLMNOPQRSTUVWXYZ'
    n = len(str(x))      # 変換前の桁数

    print(f'{r:2} | {x:{n}d}')
    while x > 0:
        print('   +' + (n + 2) * '-')
        if x // r:
            print(f'{r:2} | {x // r:{n}d} … {x % r}')
        else:
            print(f'     {x // r:{n}d} … {x % r}')

        d += dchar[x % r]      # 該当文字を取り出して連結
        x //= r

    return d[::-1]             # 反転して返却
```

```
2 | 29
  +----
2 | 14  … 1
  +----
2 |  7  … 0
  +----
2 |  3  … 1
  +----
2 |  1  … 1
  +----
     0  … 1
```

Column 2-6 関数間の引数の受け渡し

関数が受け取る仮引数と、呼び出す側が与える実引数について、**List 2C-5** で考えていきます。このプログラムで定義されているのは、1 から n までの総和を求めて返却する関数 *sum_1ton* です。

List 2C-5 chap02/sum_1ton.py

```
# 1からnまでの総和を求めるプログラム

def sum_1ton(n):
    """1からnまでの整数の総和を求める"""
    s = 0
    while n > 0:
        s += n
        n -= 1
    return s

x = int(input('xの値：'))
print(f'1から{x}までの総和は{sum_1ton(x)}です。')
```

実行例

```
xの値：5
1から5までの総和は15です。
```

実行例の場合、関数 *sum_1ton* の実行過程で、仮引数 *n* の値を 5 ⇨ 4 ⇨ … とデクリメントしていきます。関数終了時の最終的な *n* の値は 0 です。

さて、呼び出す側で *sum_1ton* に与えている実引数は *x* です。実行例の場合、関数から戻ってきた後に「1 から 5 までの和は 15 です。」と表示されるため、変数 *x* の値が 5 であること、すなわち、呼出し前の値のままであることが確認できます。

この結果を見て、以下のように勘違いしてはいけません。

✕ 仮引数 *n* には、実引数 *x* の値がコピーされている。

Python では、**仮引数には実引数が《代入》されます。**そもそも代入でコピーされるのは、《値》ではなく《参照先》ですから、*n* の参照先は、*x* の参照先と同一になります（**Fig.2C-4 a**）。

仮引数 *n* の値を関数 *sum_1ton* 内で書きかえたにもかかわらず、実引数 *x* の値が変更されないのは、整数値が**イミュータブル**（変更不能）だからです。

変数 *n* は、値が更新された時点で、別のオブジェクトへの参照となります。関数終了時は、図 b に示すように、変数 *n* の参照先は整数 0 となります。

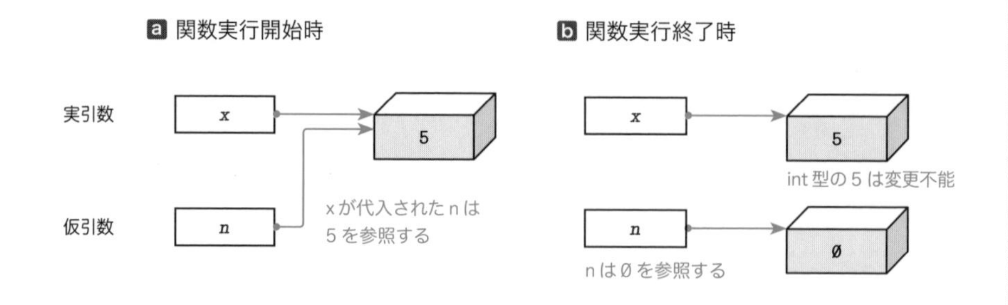

Fig.2C-4 イミュータブルな実引数と仮引数

Python における引数のやりとりは、実引数であるオブジェクトへの参照が値として渡されて、その参照値が仮引数に代入される、というメカニズムです。

他の多くのプログラミング言語では、実引数の値が仮引数にコピーされる**値渡し**（*call by value*）や、実引数の参照が内部的に仮引数にコピーされる結果、仮引数が実引数と実質的に同一となる**参照渡し**（*call by reference*）の一方あるいは両方が採用されています。

Pythonの引数の受渡しは、これらの中間的な**参照の値渡し**です。なお、Python公式ドキュメントでは、**オブジェクト参照渡し**（*call by object reference*）という用語で説明されています。

関数間の引数の受渡しをまとめると、次のようになります。

関数の実行開始時点では、仮引数は、実引数と同じオブジェクトを参照する。関数内で仮引数の値を変更したときの挙動は、引数の型によって、以下のように異なる。

1. **引数がイミュータブル（変更不能）であれば、関数内で仮引数の値を変更すると、別のオブジェクトが生成され、そのオブジェクトへの参照へと更新される。そのため、仮引数の値を変更しても、呼出し側の実引数には影響を与えない。**
2. **引数がミュータブル（変更可能）であれば、関数内で仮引数の値を変更すると、そのオブジェクト自体が更新される。そのため、仮引数の値を変更すると、呼出し側の実引数の値が変更される。**

先ほどのプログラムは①のケースでした。次は、②のケース、すなわち、引数の型が**ミュータブル**（変更可能）な型のケースを考えましょう。

ここでは、ミュータブルなオブジェクトの代表ともいえる《リスト》をとりあげます。**List 2C-6**のプログラムを実行しましょう。

List 2C-6 chap02/pass_list.py

```
# リストの任意の要素の値を更新する

def change(lst, idx, val):
    """lst[idx]の値をvalに更新"""
    lst[idx] = val

x = [11, 22, 33, 44, 55]
print('x =', x)

index = int(input('インデックス：'))
value = int(input('新しい値      ：'))

change(x, index, value)
print(f'x = {x}')
```

実行例

```
x = [11, 22, 33, 44, 55]
インデックス：2
新しい値    ：99
x = [11, 22, 99, 44, 55]
```

関数 **change** は、リスト **lst** の中に含まれる、インデックス（添字）が **idx** の要素、すなわち **lst[idx]** に **val** を代入するだけの、単純な関数です。

実行例では、関数から戻ってきた後に、**x[2]** が33から99になっています（**Fig.2C-5**）。

引数がミュータブルであれば、関数内で更新した値を呼出し元へと伝えられることが分かりました。

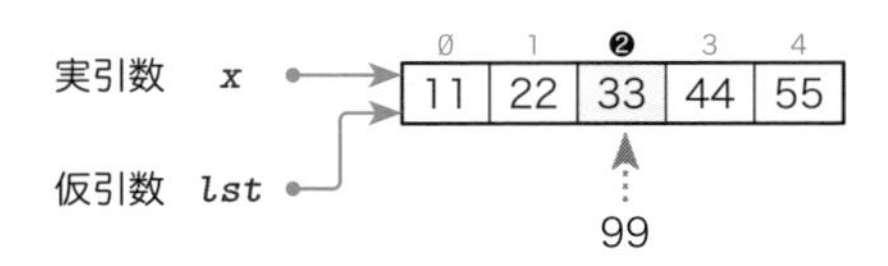

Fig.2C-5 リストの更新

素数の列挙

ある整数以下の**素数**（*prime number*）をすべて列挙するアルゴリズムを考えます。

素数とは、**自分自身と1以外の整数で割り切ることのできない整数**です。たとえば、素数である13は、2, 3, …, 12のどの整数でも割り切れません。

そのため、ある整数nは、次の条件を満たせば、素数であると判定できます。

2からn - 1までのいずれの整数でも割り切れない。

なお、nを割り切れる整数が一つでも存在すれば、その数は**合成数**（*composite number*）です。1,000以下の素数を列挙するプログラムを、右ページの**List 2-8**に示します。

素数を求める箇所は、２重のfor文の構造です。

外側のfor文では、nの値を2から始めて1000になるまでインクリメントしていき、その値が素数かどうかを判定します。判定が行われる様子をまとめたのが、**Fig.2-8**です。

素　数

合成数

黒太字 **3** その数で除算を行ったが割り切れなかった。

青斜字 *3* その数で除算を行ったら割り切れた。

黒細字 ~~3~~ その数での除算は不要なので行われない。

n	割る数	除算の回数
2		
3	**2**	1
4	*2* ~~3~~	1
5	**2 3 4**	3
6	*2* ~~3 4 5~~	1
7	**2 3 4 5 6**	5
8	*2* ~~3 4 5 6 7~~	1
9	**2** *3* ~~4 5 6 7 8~~	2
10	*2* ~~3 4 5 6 7 8 9~~	1
11	**2 3 4 5 6 7 8 9 10**	9
12	*2* ~~3 4 5 6 7 8 9 10 11~~	1
13	**2 3 4 5 6 7 8 9 10 11 12**	11
14	*2* ~~3 4 5 6 7 8 9 10 11 12 13~~	1
15	**2** *3* ~~4 5 6 7 8 9 10 11 12 13 14~~	2
16	*2* ~~3 4 5 6 7 8 9 10 11 12 13 14 15~~	1
17	**2 3 4 5 6 7 8 9 10 11 12 13 14 15 16**	15
18	*2* ~~3 4 5 6 7 8 9 10 11 12 13 14 15 16 17~~	1

Fig.2-8 素数であるかどうかの判定のための除算

List 2-8 chap02/prime1.py

```
# 1,000以下の素数を列挙（第1版）

counter = 0          # 除算の回数

for n in range(2, 1001):
    for i in range(2, n):
        counter += 1
        if n % i == 0:  # 割り切れると素数ではない
            break       # それ以上の繰返しは不要
    else:               # 最後まで割り切れなかった
        print(n)
print(f'除算を行った回数：{counter}')
```

実行結果

```
2
3
5
7
… 中略 …
991
997
除算を行った回数：78022
```

ここでは、9と13を例に具体的に見てみましょう。

■ 9が素数であるかどうかの判定

内側のfor文ではiの値を2, 3, …, 8とインクリメントしていきます。ただし、iが3のときにnがiで割り切れるため、break文の働きによってfor文の繰返しは中断されます。除算が行われるのは、2と3の2**回だけ**です。

■ 13が素数であるかどうかの判定

内側のfor文ではiの値を2, 3, …, 12とインクリメントしていきます。nがiで割り切れることは一度もなく、**11回の除算がすべて行われます**。

すなわち、次のようになります。

- nが素数のとき：for文は最後まで実行される。 ⇨ else節を実行。
- nが合成数のとき：for文は中断される。

for文のelse節では、変数nの値を素数として表示します。

実行結果が示すように、除算が行われるのは全部で78,022回です。

▶ 除算を行うたびに変数counterをインクリメントすることによって、回数をカウントしています。

*

さて、nが2や3で割り切れなければ、2×2である4や、2×3である6で割り切れることはありません。したがって、本プログラムが無駄な除算を行っていることは自明です。

実は、整数nが素数であるかどうかは、以下の条件を満たしているかどうかを調べればよいのです。

2からn - 1までのいずれの**素数**でも割り切れない。

たとえば、7が素数であるかどうかは、それより小さい素数である2, 3, 5での除算を行うだけで十分です（4や6で割る必要はありません）。

このアイディアを導入して、計算に要する時間を短縮しましょう。

アルゴリズムの改良（1）

前ページのアイディアに基づいて改良したプログラムが **List 2-9** です。

素数を求める過程では、その時点までに求められた素数を配列 `prime` の要素として蓄えておきます。`n` が素数かどうかの判定では、蓄えられた素数での除算を行います。

プログラムの進行に伴って配列に格納される値の変化の様子を表したのが **Fig.2-9** です。まず、2 が素数であることは明確ですから、点線内の図に示すように、その値を配列の先頭要素 `prime[0]` に格納します（1）。

配列に格納されている素数の個数を表すのが、図中●内に値を示している変数 `ptr` です。`prime[0]` に 2 を格納した直後の `ptr` の値は 1 です。

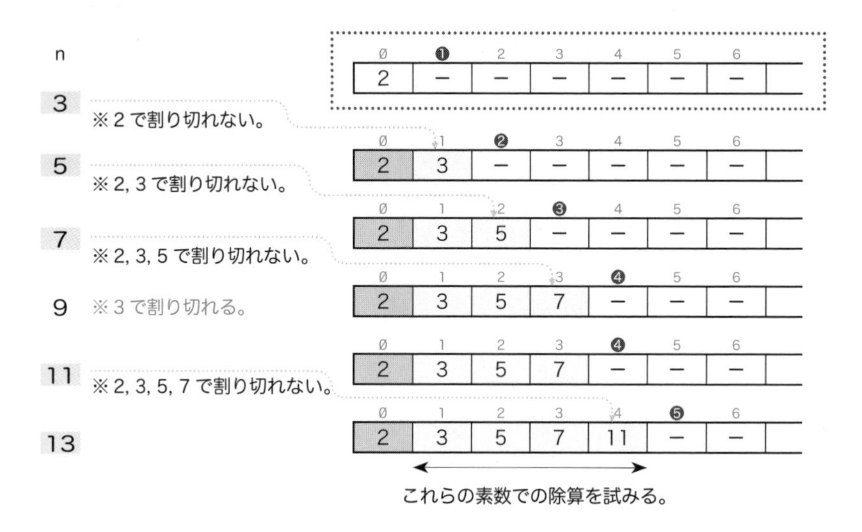

Fig.2-9　素数であるかどうかの判定のための除算

3 以上の素数を求める箇所は、2重の `for` 文となっています。

外側の `for` 文では、`n` の値を二つずつ増やして 3, 5, 7, 9, …, 999 と奇数の値だけを生成します。**4以上の偶数は（2で割り切れるため）素数ではない**からです。

内側の `for` 文では、`i` の値を 1 から始めて `ptr - 1` 回だけ繰り返します。これは、図中の □ 内の値で除算を行うための繰返しです。

▶ 変数 `i` のインクリメントを 0 からでなく 1 から始めています。判定の対象となる `n` が奇数であるため、`prime[0]` に格納されている 2 で割る必要がないからです。

具体的にどのような演算が行われるのかを、四つの例で見てみましょう。

a 3が素数であるかどうかの判定（nは3でptrは1）

内側の `for` 文による繰返しは行われません（`ptr` が 1 だからです）。`else` 節では、`n` の値 3 を `prime[1]` に代入します。

▶ `for` 文の繰返しが行われなくても `else` 節は実行されます。そのため、`n` は素数と判定され、2 で `prime[ptr]` への `n` すなわち 3 の代入と `ptr` のインクリメントが実行されます。

List 2-9 chap02/prime2.py

```
# 1,000以下の素数を列挙（第２版）

counter = 0              # 除算の回数
ptr = 0                  # 得られた素数の個数
prime = [None] * 500     # 素数を格納する配列

prime[ptr] = 2           # ２は素数である                         ―1
ptr += 1

for n in range(3, 1001, 2):          # 対象は奇数のみ
    for i in range(1, ptr):          # 既に得られた素数で割ってみる
        counter += 1
        if n % prime[i] == 0:        # 割り切れると素数ではない
            break                    # それ以上の繰返しは不要
    else:                            # 最後まで割り切れなかったら
        prime[ptr] = n               # 素数として配列に登録           ―2
        ptr += 1

for i in range(ptr):                 # 求めたptr個の素数を表示
    print(prime[i])
print(f'除算を行った回数：{counter}')
```

実行結果

```
… 中略 …
除算を行った回数：14622
```

b 5が素数であるかどうかの判定（n は 5 で ptr は 2）

prime[1] の 3 による除算を行います（割り切れません）。

素数と判定されますので、n の値 5 を prime[2] に代入します。

▶ すべての［　］の値で割り切れず、内側の for 文が中断されることなく最後まで実行された場合は、n は素数ですから、else 節の2が実行されます。

c 7が素数であるかどうかの判定（n は 7 で ptr は 3）

prime[1] の 3 と、prime[2] の 5 での除算を行います（いずれでも割り切れません）。

素数と判定されますので、n の値 7 を prime[3] に代入します。

d 9が素数であるかどうかの判定（n は 9 で ptr は 4）

prime[1] の 3 での除算を行うと割り切れるため、素数でなく合成数と判定されます（配列 prime の要素への値の代入は行われません）。

▶ ［　］の値で割り切れるときは、n は素数ではなく合成数です。内側の for 文が中断されるため、else 節は実行されません。

除算を行う回数は 78,022 回から 14,622 回に減少しました。二つのプログラムを比較すると、次のことが分かります。

- **同じ解を得るためのアルゴリズムは一つであるとは限らない。**
- **高速なアルゴリズムは、より多くの記憶域を必要とする傾向がある。**

アルゴリズムの改良（2）

引き続きアルゴリズムの改良を行います。100の約数を表したFig.2-10（ただし1×100は除いています）を考えましょう。

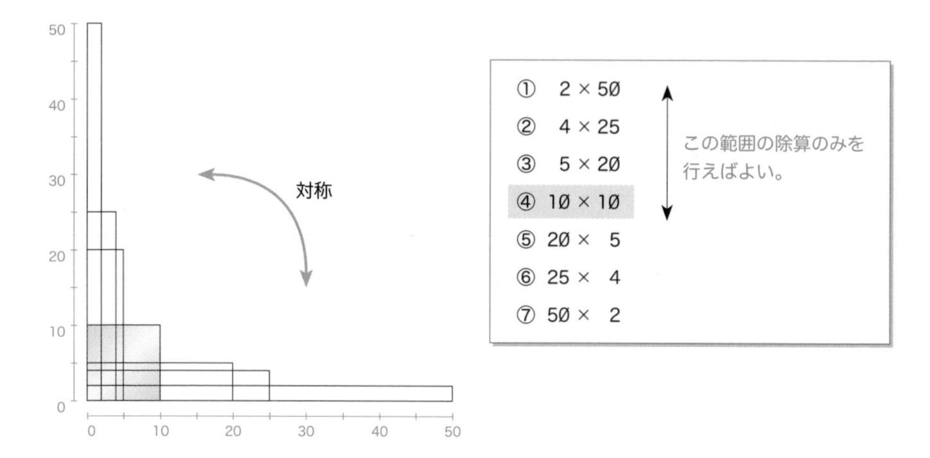

Fig.2-10　100の約数の対称性

これらの値は、面積が100である長方形の、縦横の辺の長さです。たとえば5×20と20×5は、横長であるか縦長であるかが異なるものの、**同じ長方形です**。

そのため、すべての長方形は、**正方形である10×10を境に対称となっています。**

もし仮に100が5で割り切れないのであれば、20でも割り切れることはないはずです。このことは、正方形の一辺の長さまでの除算を試みて、その過程で一度も割り切れなければ、素数であると判断してよいことを意味します。

＊

すなわち、ある整数*n*は、次の条件を満たせば素数であると判断できます。

---

*n*の**平方根以下**のいずれの素数でも割り切れない。

このアイディアを導入して改良したプログラムが**List 2-10**です。

青網部では、`prime[i]`が*n*の平方根以下であるかどうかを、

`prime[i]`の2乗が*n*以下であるか。

と、《乗算》を利用することで判定しています。これは、*n*の平方根の値を求めるよりも、はるかに単純かつ高速な手法です。

＊

これまでのプログラムでは除算の回数をカウントしていました。しかし、乗算のコストは、除算と同等とみなせますので、本プログラムでは、`counter`に格納する値は、乗算と除算の回数の合計としています。

List 2-10 chap02/prime3.py

```
# 1,000以下の素数を列挙（第３版）

counter = 0                 # 乗除算の回数
ptr = 0                     # 得られた素数の個数
prime = [None] * 500        # 素数を格納する配列

prime[ptr] = 2              # ２は素数である
ptr += 1
prime[ptr] = 3              # ３は素数である
ptr += 1

for n in range(5, 1001, 2):          # 対象は奇数のみ
    i = 1
    while prime[i] * prime[i] <= n:
        counter += 2
        if n % prime[i] == 0:        # 割り切れると素数ではない          1
            break                    # それ以上の繰返しは不要
        i += 1
    else:                            # 最後まで割り切れなかったら
        prime[ptr] = n               # 素数として配列に登録              2
        ptr += 1
        counter += 1

for i in range(ptr):                 # 求めたptr個の素数を表示
    print(prime[i])
print(f'乗除算を行った回数：{counter}')
```

実行結果

```
… 中略 …
乗除算を行った回数：3774
```

乗除算の回数を表す変数 counter のカウントアップを行うのは、２箇所の黒網部です。

while 文を繰り返すたびに counter を 2 ずつ増やしているのは、以下の二つの演算の実行回数をカウントするためです。

- 乗算 … prime[i] * prime[i]
- 除算 … n % prime[i]

ただし、prime[i] * prime[i] <= n が成立しない場合は、プログラムの流れが while 文のループ本体に入らないため、その乗算がカウントされません。そこで、while 文による繰返し終了後に実行される else 節の2で、その分をカウントしています。

▶ 1内の break 文によって while 文を強制終了した場合、prime[i] * prime[i] の回数はカウントずみです。そのため、while 文を強制終了していないときにのみ、2で counter をカウントアップします。

乗除算の回数は、一気に減って 3,774 回となります。

＊

第１版のプログラムを、第２版・第３版と改良しました。アルゴリズムによって、計算の速度が変わることが実感できたでしょう。

▶ 第２版と第３版では、素数を格納する配列 prime の要素数を 500 としています。偶数は素数でないことが明らかであり、少なくとも半分を用意していれば、素数は必ず配列に収まるからです。
配列 prime の要素数を事前に決定しない（さらに、変数 ptr が不要となる）別解は、'chap02/prime3a.py' です。

Column 2-7 リストの要素とコピー

Pythonの変数は、オブジェクトと結び付いた名前にすぎないわけですから、リストやタプルの要素の型は、揃っている必要がありません。**List 2C-7** のプログラムで確かめましょう。

List 2C-7 chap02/list_element.py

```
# リストの要素の型が揃う必要がないことを確認

x = [15, 64, 7, 3.14, [32, 55], 'ABC']

for i in range(len(x)):
    print(f'x[{i}] = {x[i]}')
```

実行結果

```
x[0] = 15
x[1] = 64
x[2] = 7
x[3] = 3.14
x[4] = [32, 55]
x[5] = ABC
```

xのイメージを表したのが、**Fig.2C-6** です。各要素x[0]、x[1]、x[2]、x[3]、x[4]、x[5]は、int型、int型、int型、float型、list型、str型のオブジェクトを参照する名前です。リスト内の各要素の型が異なってよいというのは、Pythonにとっては、驚くべきことではなく、あたり前のことです。

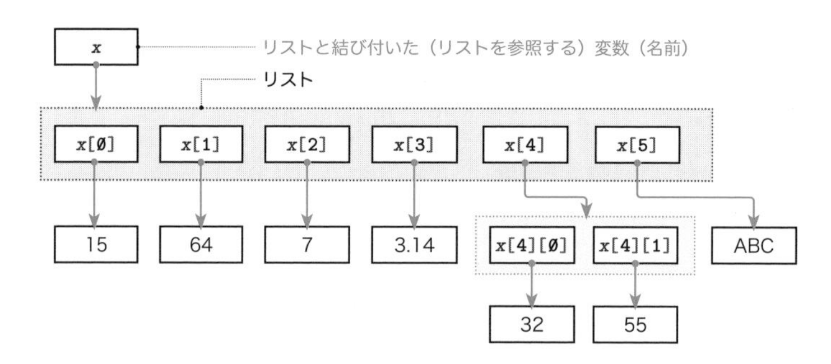

Fig.2C-6 リスト内部のイメージ

リストは、copyメソッドによってコピーできますが、リスト（やタプルなど）を要素としてもつリストのコピーは、うまく行えません。確認しましょう。

```
>>> x = [[1, 2, 3], [4, 5, 6]]
>>> y = x.copy()          ← xをyにシャローコピー
>>> x[0][1] = 9
>>> x
[[1, 9, 3], [4, 5, 6]]
>>> y
[[1, 9, 3], [4, 5, 6]]
```

コピーを行った後に、x[0][1]の値を9に書きかえると、y[0][1]の値までもが9になっています。

このような結果になるのは、リストのコピーが**シャローコピー／浅いコピー**（*shallow copy*）で行われるからです。

Fig.2C-7 ⓐに示すように、シャローコピーでは、リスト内の全要素がそっくりコピーされます。このとき、コピーされる全要素とは、x[0]とx[1]の2個です。図に示すように、x[0]の参照先とy[0]の参照先が同一になるため、x[0][1]とy[0][1]の参照先も同一なのです。

このような事態を避けるには、構成要素（要素の要素）のレベルでのコピーが必要であり、そのようなコピーは、**ディープコピー／深いコピー**（*deep copy*）と呼ばれます。

ディープコピーは、copyモジュール内のdeepcopy関数で行います。確認しましょう。

```
>>> import copy⏎
>>> x = [[1, 2, 3], [4, 5, 6]]⏎
>>> y = copy.deepcopy(x)⏎          ← xをyにディープーコピー
>>> x[0][1] = 9⏎
>>> x⏎
[[1, 9, 3], [4, 5, 6]]
>>> y⏎
[[1, 2, 3], [4, 5, 6]]
```

期待どおりの結果です。図bに示すように、リストの要素に加え、構成要素もコピーされます。そのため、x[0][1] に 9 を代入する（x[0][1] の参照先を 2 から 9 へと更新する）結果として、y[0][1] の値までもが変更される（y[0][1] の参照先が更新される）ことはありません。

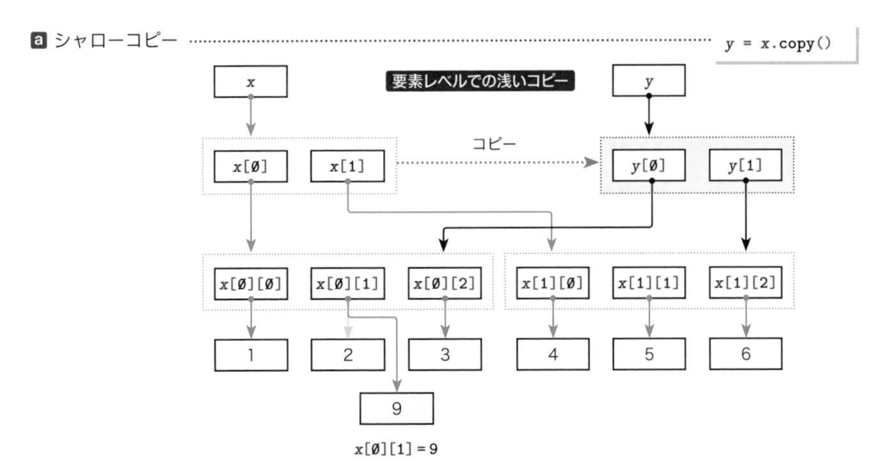

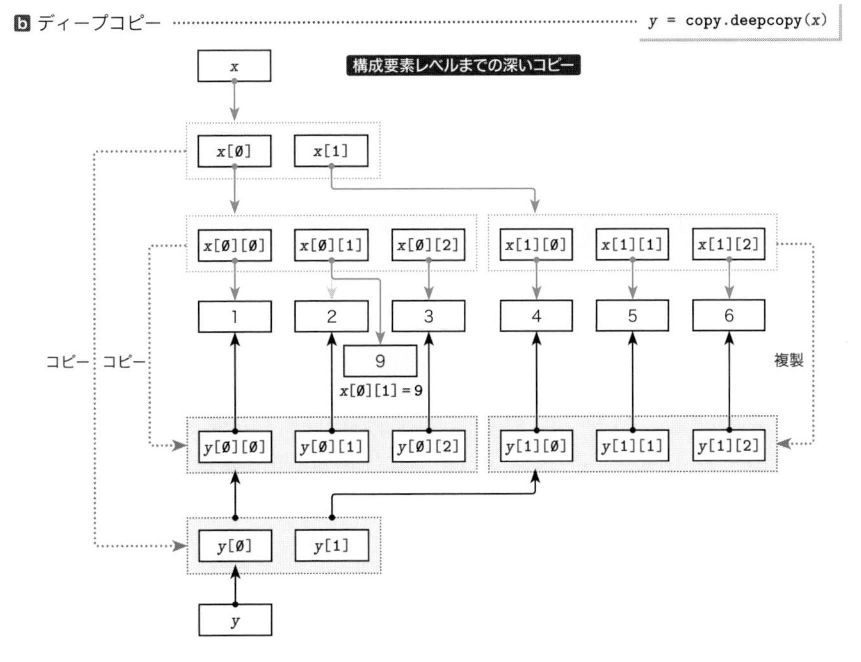

Fig.2C-7 リストのシャローコピーとディープコピー

章末問題

▪ 令和元年度(2019年度)秋期 午前 問1

次の流れ図は、10進整数j（$0 < j < 100$）を8桁の2進数に変換する処理を表している。2進数は下位桁から順に、配列NISHIN(1)からNISHIN(8)に格納される。流れ図のa及びbに入る処理はどれか。ここで、j div 2はjを2で割った商の整数部分を、j mod 2はjを2で割った余りを表す。

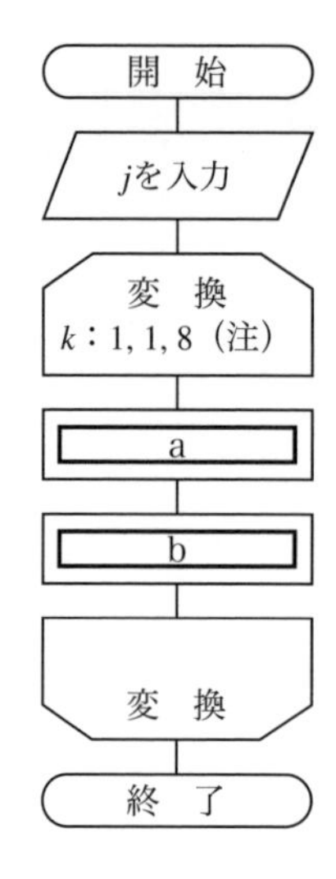

（注）ループ端の繰返し指定は、変数名：初期値，増分，終値を示す。

	a	b
ア	j ← j div 2	NISHIN(k) ← j mod 2
イ	j ← j mod 2	NISHIN(k) ← j div 2
ウ	NISHIN(k) ← j div 2	j ← j mod 2
エ	NISHIN(k) ← j mod 2	j ← j div 2

▪ 平成23年度(2011年度)秋期 午前 問7

要素番号が0から始まる配列TANGOがある。n個の単語がTANGO[1]からTANGO[n]に入っている。図（右ページ）は、n番目の単語をTANGO[1]に移動するために、TANGO[1]からTANGO[n - 1]の単語を順に一つずつ後ろにずらして単語表を再構成する流れ図である。aに入れる処理として正しいものはどれか。

ア　TANGO[i] → TANGO[i + 1]

イ　TANGO[i] → TANGO[n - i]

ウ　TANGO[i + 1] → TANGO[n - i]

エ　TANGO[n - i] → TANGO[i]

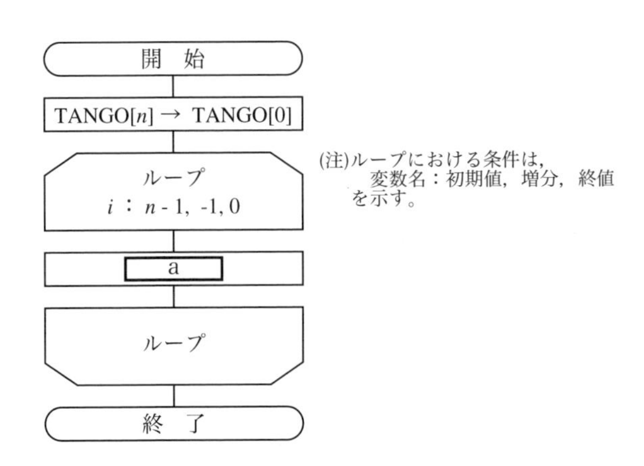

▪ 令和元年度（2019年度）秋期 午前 問9

配列 A が図2の状態のとき、図1の流れ図を実行すると、配列 B が図3の状態になった。図1のaに入れる操作はどれか。ここで、配列 A、B の要素をそれぞれ $A(i, j)$、$B(i, j)$ とする。

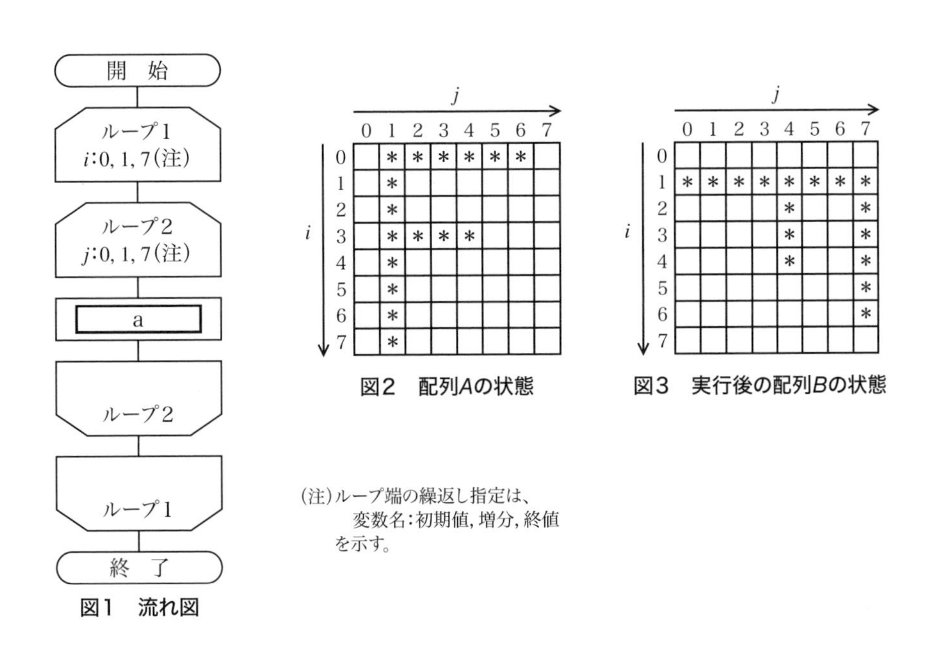

図1　流れ図

図2　配列Aの状態

図3　実行後の配列Bの状態

ア　$B(7-i, 7-j) \leftarrow A(i, j)$

イ　$B(7-j, i) \leftarrow A(i, j)$

ウ　$B(j, 7-j) \leftarrow A(i, j)$

エ　$B(j, 7-i) \leftarrow A(i, j)$

第3章

探　索

本章では、配列から、目的とする要素を探し出すための各種の探索アルゴリズムを学習します。

- 探索とは
- キー
- 線形探索（逐次探索）
- 番兵と番兵法
- ２分探索
- 探索過程の可視化
- ハッシュ法
- ハッシュ値とハッシュ関数
- 衝突と再ハッシュ
- チェイン法（オープンハッシュ法）
- オープンアドレス法（クローズドハッシュ法／線形探査法）
- 計算量
- 時間計算量と領域計算量
- オーダー

3-1 探索アルゴリズム

本章では、データの集合から、目的とする値をもった要素を探し出す探索アルゴリズムを学習します。

探索とキー

住所録からの**探索**（*searching*）を考えましょう。ひとことで《探索》といっても、以下に示すように、さまざまな探し方があります。

- 国籍が日本である人を探す。
- 年齢が21歳以上27歳未満の人を探す。
- ある語句と最も発音が似ている名前の人を探す。

どの探索も、**何らかの項目**に着目する点が共通です。着目する項目のことを**キー**（*key*）と呼びます。国籍での探索を行う場合は国籍がキーであり、年齢で探索する場合は年齢がキーです。

多くの場合、**キーはデータの“一部”です**。もっとも、データが単なる整数値や文字列であれば、データの値がそのままキーとなります。

さて、上記の探索は、キーに関して、次のような指定を行うものです。

- キーと**一致**することを指定する。
- キーの**区間**で指定する。
- キーの**近接**として指定する。

もちろん、これらの条件を単独に指定するのではなく、論理積や論理和を用いて複合的に指定することもあります。

とはいえ、ある値と一致するキーをもつデータを探すのが、単純であるとともに一般的です。他の条件による探索は、その応用と考えられます。

配列からの探索

これまでに、数多くの探索手法が考案されています。

Fig.3-1 に示すのが、探索の例です。

これらの中には、データの格納先のデータ構造に依存するアルゴリズムがあります。たとえば、図**b**の線形リストからの探索は第８章で学習し、図**c**の２分探索木からの探索は第９章で学習します。

また、ここには示していませんが、文字列の中の一部として存在する文字列の探索については第７章で学習します。

探索とは、ある条件を満たすデータを探し出すこと。

a 配列からの探索

6	4	3	2	1	9	8

2 を探索

b 線形リストからの探索

64 → 23 → 53 → 65 → 75 → 21

53 を探索

c ２分探索木からの探索

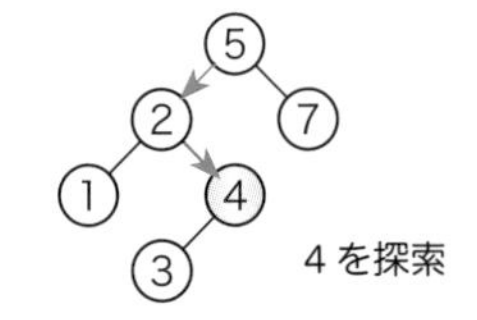

Fig.3-1　探索の例

本章で学習するのは、図**a**に示す《配列からの探索》です。具体的には、次に示すアルゴリズムです。

- **線形探索**　：ランダムに並んだデータの集まりからの探索を行う。
- **２分探索**　：一定の規則で並んだデータの集まりからの高速な探索を行う。
- **ハッシュ法**：追加や削除が高速に行えるデータの集まりからの高速な探索を行う。
  - **チェイン法**　：同一ハッシュ値のデータを線形リストでつなぐ手法。
  - **オープンアドレス法**：衝突時に再ハッシュを行う手法。

データの集合から『探索さえ行えればよい』のであれば、探索に要する計算時間が短いアルゴリズムを選択することになります。

もっとも、データの集合に対して、探索だけでなく、データの追加や削除などを頻繁に行う場合は、探索以外の操作に要するコストなども含めて総合的に評価してアルゴリズムを選択する必要があります。たとえば、データの追加を頻繁に行うのであれば、たとえ探索が速くても、追加のコストが高くつくようなアルゴリズムは避けるべきです。

ある目的に対して複数のアルゴリズムが存在する場合は、用途や目的・実行速度・対象となるデータ構造などを考慮してアルゴリズムを選択します。

3-2 線形探索

配列からの探索として最も基本的なアルゴリズムが、本節で学習する線形探索です。このアルゴリズムは、後の章でも利用しますので、しっかりと学習しましょう。

線形探索

要素が直線状に並んだ配列からの探索は、目的とするキーをもつ要素に出会うまで先頭から順に要素を走査する（なぞる）ことで実現できます。

これが、**線形探索**（せんけい）（*linear search*）あるいは**逐次探索**（ちくじ）（*sequential search*）と呼ばれるアルゴリズムです。

具体的な手順を **Fig.3-2** に示しています。二つの図は、配列 6, 4, 3, 2, 1, 2, 8 から探索を行う様子です。図Aは、2 の探索に成功する例で、図Bは、5 の探索に失敗する例です。

配列の要素を先頭から
順に走査して調べる。

A 2を探索（探索成功）

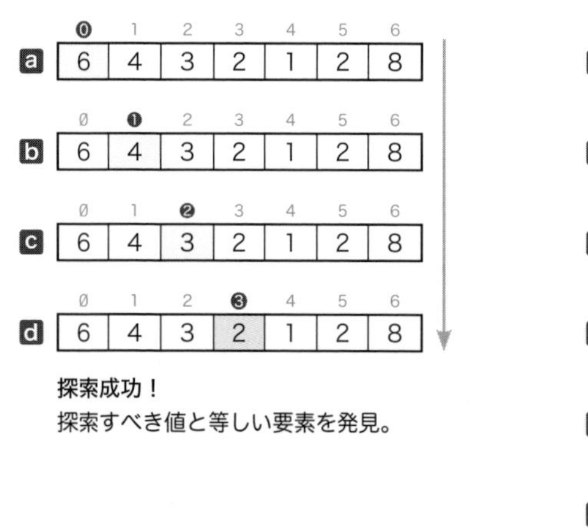

B 5を探索（探索失敗）

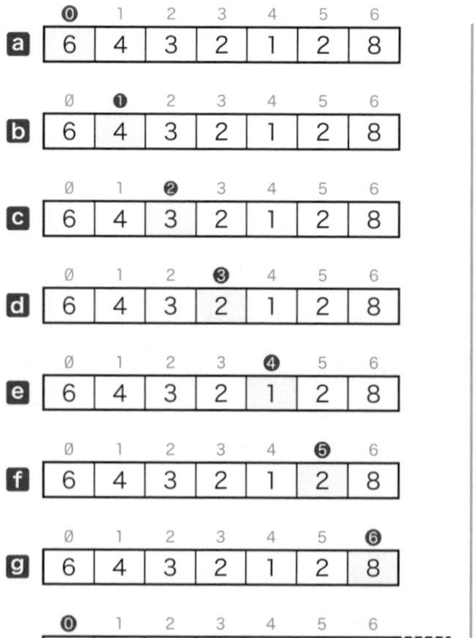

探索失敗！
配列の終端を通り越してしまった。

Fig.3-2 線形探索の一例

図の●の中の値は、配列を走査する過程で着目する要素の添字です。図Aの場合、探索は次のように行われます。

a 添字0の要素6に着目する。目的とする値ではない。
b 添字1の要素4に着目する。目的とする値ではない。
c 添字2の要素3に着目する。目的とする値ではない。
d 添字3の要素2に着目する。目的とする値であるため、**探索成功**。

一方の図Bでは、aからhまで、配列の要素を先頭から順に走査していきます。キーと同じ値の要素に出会うことは、最後までありません。キーと同じ値の要素が配列中に存在しないため、探索に失敗します。

*

成功例と失敗例とから、配列の走査の終了条件が二つあることが分かります。次に示す条件の**いずれか一方でも成立すれば、走査を終了します**。

◆ 線形探索における配列走査の終了条件 ◆

1 探索すべき値が見つからず終端を通り越した（通り越しそうになった）。 ⇨ **探索失敗**
2 探索すべき値と等しい要素を見つけた。 ⇨ **探索成功**

要素数がnであれば、これらの条件を判断する回数は、いずれも平均n / 2回です。

▶ 配列中に目的とする値が存在しないときは、1と2の判定は、それぞれn + 1回とn回行われます。

*

配列aからの探索を行うコードは、次のようになります。

```
i = 0

while True:
    if i == len(a):  ―――――――― 1
        # 探索失敗
    if a[i] == key:  ―――――――― 2
        # 探索成功（見つけた要素の添字はi）
    i += 1
```

配列走査時に着目する要素の添字を表すのが、カウンタ用変数iです（図の●内の値に相当します）。最初に0にしておき、要素を一つなぞるたびに、while文が制御するループ本体の末尾でインクリメントします。

while文を抜け出るのは、終了条件1と2のいずれかが成立したときであり、各if文の判定と対応しています。

1 i == len(a)が成立した（終了条件1）。
2 a[i] == keyが成立した（終了条件2）。

*

このアルゴリズムを具体化したプログラムが、次ページの**List 3-1**です。

List 3-1 chap03/ssearch_while.py

```
# 線形探索（while文）

from typing import Any, Sequence

def seq_search(a: Sequence, key: Any) -> int:
    """シーケンスaからkeyと等価な要素を線形探索（while文）"""
    i = 0

    while True:
        if i == len(a):
            return -1    # 探索失敗（-1を返却）
        if a[i] == key:
            return i     # 探索成功（添字を返却）
        i += 1

if __name__ == '__main__':
    num = int(input('要素数：'))
    x = [None] * num    # 要素数numの配列を生成

    for i in range(num):
        x[i] = int(input(f'x[{i}]：'))

    ky = int(input('探す値：'))  # キーkyの読込み

    idx = seq_search(x, ky)      # kyと等価な要素をxから探索

    if idx == -1:
        print('その値の要素は存在しません。')
    else:
        print(f'それはx[{idx}]にあります。')
```

実行例

```
要素数：7
x[0]：6
x[1]：4
x[2]：3
x[3]：2
x[4]：1
x[5]：2
x[6]：8
探す値：2
それはx[3]にあります。
```

関数 *seq_search* は、配列 a から、値が key の要素を線形探索します。

この関数は、見つけた要素の添字を返却します。値が key の要素が複数個存在する場合、走査の過程で最初に見つけた要素（すなわち最も先頭側の要素）の添字です。

なお、配列内に値が key の要素が存在しない場合には -1 を返却します。

▶ 実行例は、配列 6, 4, 3, 2, 1, 2, 8 から 2 を探索する例です。この値は、x[3] と x[5] の両方に存在しますが、先頭側のほうを見つけて 3 を返却します。

配列の走査を for 文で実現すると、コードが短く簡潔になります。**List 3-2** に示すのが、そのプログラムです。

List 3-2 chap03/ssearch_for.py

```
def seq_search(a: Sequence, key: Any) -> int:
    """シーケンスaからkeyと等価な要素を線形探索（for文）"""
    for i in range(len(a)):
        if a[i] == key:
            return i     # 探索成功（添字を返却）
    return -1            # 探索失敗（-1を返却）
```

先頭から順に要素を走査する線形探索は、ランダムな並びの配列から探索を行うための唯一の方法です。

Column 3-1 いろいろな型のシーケンスからの探索

List 3-1 の関数 *seq_search* は、任意の型のシーケンスからの探索が行えるようになっています。ちょうど、前章の **List 2-2**（p.52）の関数 *max_of* が、任意の型のシーケンスの最大値を求めることが可能であるのと同じです。

まずは、**List 3C-1** のプログラムで確認しましょう。

List 3C-1 chap03/ssearch_test1.py

```
# 線形探索を行う関数seq_searchの利用例（その１）

from ssearch_while import seq_search

print('実数の探索を行います。')
print('注："End"で入力終了。')

number = 0
x = []                          # 空リスト

while True:
    s = input(f'x[{number}]：')
    if s == 'End':
        break
    x.append(float(s))  # 末尾に追加
    number += 1

ky = float(input('探す値：'))    # キーkyの読込み

idx = seq_search(x, ky)          # kyと等価な要素をxから探索
if idx == -1:
    print('その値の要素は存在しません。')
else:
    print(f'それはx[{idx}]にあります。')
```

実行例

```
実数の探索を行います。
注："End"で入力終了。
x[0]：12.7
x[1]：3.14
x[2]：6.4
x[3]：7.2
x[4]：End
探す値：6.4
それはx[2]にあります。
```

このプログラムは、float 型の浮動小数点数（実数）の配列からの探索を行います。

次は、**List 3C-2** のプログラムです。

List 3C-2 chap03/ssearch_test2.py

```
# 線形探索を行う関数seq_searchの利用例（その２）

from ssearch_while import seq_search

t = (4, 7, 5.6, 2, 3.14, 1)
s = 'string'
a = ['DTS', 'AAC', 'FLAC']

print(f'{t}中の5.6の添字は{seq_search(t, 5.6)}です。')
print(f'{s}中の"n"の添字は{seq_search(s, "n")}です。')
print(f'{a}中の"DTS"の添字は{seq_search(a, "DTS")}です。')
```

実行結果

```
(4, 7, 5.6, 2, 3.14, 1)中の5.6の添字は2です。
string中の"n"の添字は4です。
['DTS', 'AAC', 'FLAC']中の"DTS"の添字は0です。
```

タプル t は int 型の整数と float 型の実数の要素が混在していますが、ちゃんと探索が行えます。

str 型の文字列 s 内からの文字の探索も行えます（文字列もシーケンスだからです）。

a は、文字列の配列（全要素の型が str 型である list 型のリスト）です。この配列からも正しく探索が行えます。

もちろん、次節の２分探索の関数も、任意の型のシーケンスからの探索が行えます。

番兵法

線形探索では、繰返しのたびに二つの終了条件①と②をチェックします（p.81）。単純な判定とはいえ、“塵も積もれば山となる”のですから、そのコストは決して無視できません。

このコストを半分に抑えるのが、ここで学習する**番兵法**（*sentinel method*）です。p.80 の **Fig.3-2** に示した探索を、番兵法で行う様子を **Fig.3-3** に示しています。この図を見ながら理解していきましょう。

a 2を探索（探索成功）

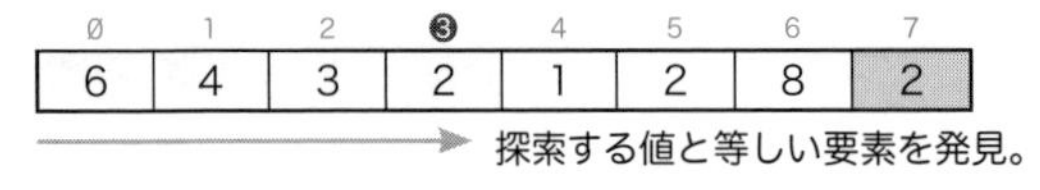

探索する値と等しい要素を発見。

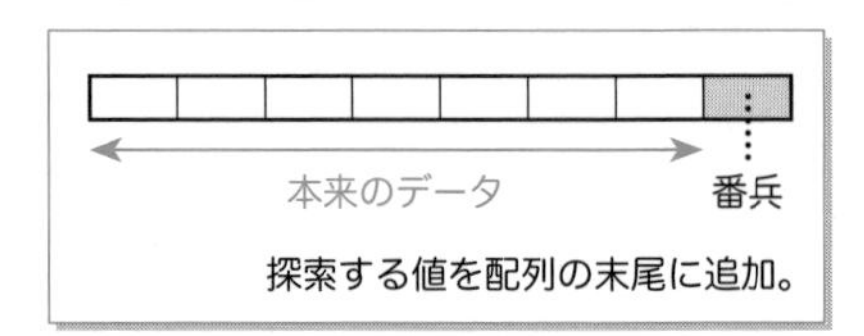

b 5を探索（探索失敗）

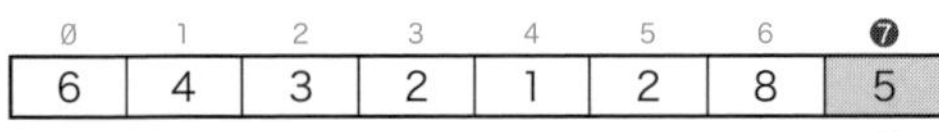

探索する値と等しい要素を発見。
※ただし見つけたのは番兵。

探索する値と等しい要素が必ず見つかるため、末尾に到達したかどうかの判定が不要になる。

Fig.3-3　番兵法を用いた線形探索

各配列中の `a[0]` ～ `a[6]` の要素が本来のデータで、末尾の `a[7]` は探索の準備の段階で追加する**番兵**（*sentinel*）です。

番兵は、以下のように、**探索するキーと同じ値**として追加します。

- 図**a**：2 を探索する準備として、`a[7]` に番兵 2 を追加する。
- 図**b**：5 を探索する準備として、`a[7]` に番兵 5 を追加する。

図**b**のように、目的とする値が本来の配列要素内に存在しなくても、`a[7]` の番兵まで走査した段階で、終了条件②（探索すべき値と等しい要素を見つけたか？）が成立します。そのため、条件①（探索すべき値が見つからず終端を通り越したか？）の判定が**不要**となります。

番兵は、繰返しの終了判定を削減する役割をもちます。

＊

番兵法を導入して **List 3-1** を書きかえたプログラムが **List 3-3** です。関数 `seq_search` を理解していきましょう。

List 3-3 chap03/ssearch_sentinel.py

```
# 線形探索（番兵法）

from typing import Any, Sequence
import copy

def seq_search(seq: Sequence, key: Any) -> int:
    """シーケンスseqからkeyと一致する要素を線形探索（番兵法）"""
    a = copy.deepcopy(seq)  # seqのコピー
    a.append(key)           # 番兵を追加          ―1

    i = 0
    while True:
        if a[i] == key:                          ―2
            break        # 探索成功
        i += 1
    return -1 if i == len(seq) else i            ―3

if __name__ == '__main__':
    num = int(input('要素数：'))
    x = [None] * num    # 要素数numの配列を生成

    for i in range(num):
        x[i] = int(input(f'x[{i}]：'))

    ky = int(input('探す値：')) # キーkyの読込み

    idx = seq_search(x, ky)     # kyと等価な要素をxから探索

    if idx == -1:
        print('その値の要素は存在しません。')
    else:
        print(f'それはx[{idx}]にあります。')
```

実行例

```
要素数：7
x[0]：6
x[1]：4
x[2]：3
x[3]：2
x[4]：1
x[5]：2
x[6]：8
探す値：2
それはx[3]にあります。
```

1 配列seqのコピーをaとして作り、そのaの末尾に、番兵としてkeyを追加します。これで、本来の配列の後ろに番兵を追加した配列が完成します。

2 配列の要素を走査して探索を行うための繰返しです。オリジナルのプログラムと比較しましょう。**List 3-1** のwhile文の中には、2個のif文がありました（頭部のみを示します）。

```
if i == len(a):      # 終了条件①      ← 番兵法では不要
if a[i] == key:      # 終了条件②
```

本プログラムでは、前者が不要となるため、if文は1個だけです。そのため、繰返し終了のための**判定回数は半分になります**。

3 while文による繰返しが終了すると、**見つけたのが、配列内の本来のデータなのか、それとも番兵なのかの判定が必要です**。変数iの値がlen(seq)になっていれば、見つけたのは番兵ですから、探索に失敗したことを表す-1を返却し、そうでなければiを返却します。

番兵法の導入によって、if文の判定回数が、次のように変化しました。

2によって半分に減るとともに、3によって1回増える。

3-3 2分探索

本節で学習する2分探索法は、ソートずみの配列にしか適用できないものの、線形探索よりもはるかに高速な探索が行えるアルゴリズムです。

2分探索

2分探索（*binary search*）は、要素がキーの昇順または降順にソート（整列）されている配列から効率よく探索を行うアルゴリズムです。

▶ ソートのアルゴリズムは第6章で学習します。

下図に示す、昇順にソートされた（小さいほうから順に並んだ）データの並びからの39の探索を考えましょう。まず、配列の中央に位置する要素a[5]すなわち31に着目します。

0	1	2	3	4	❺	6	7	8	9	10
5	7	15	28	29	31	39	58	68	70	95

目的とする39は、この要素よりも末尾側に存在するはずです。そこで、探索の対象を末尾側の5個すなわちa[6]～a[10]に絞り込みます。

引き続き、更新された対象範囲の中央要素であるa[8]すなわち68に着目します。

0	1	2	3	4	5	6	7	❽	9	10
5	7	15	28	29	31	39	58	68	70	95

目的とする値は、この要素より先頭側に存在するはずですから、探索の対象を先頭側の2個すなわちa[6]～a[7]に絞り込みます。

二つの要素の中央要素として先頭側の39に着目します（整数どうしの除算では小数点以下が切り捨てられて、二つの添字6と7の中央値(6 + 7) // 2 が6となるからです）。

0	1	2	3	4	5	❻	7	8	9	10
5	7	15	28	29	31	39	58	68	70	95

着目した39は、目的とするキーと一致しますので、**探索成功**です。

*

n個の要素が昇順に並んでいる配列aからkeyを探索するとして、このアルゴリズムを一般的に表現しましょう。

探索範囲の先頭、末尾、中央の添字をそれぞれ*pl*、*pr*、*pc*とします。探索開始時の*pl*は0、*pr*は*n* - 1、*pc*は(*n* - 1) // 2です。これが**Fig.3-4** a の状態です。

探索の対象範囲は白い □ 内の要素で、探索の対象から外れた範囲は黒い ■ 内の要素です。探索範囲は、比較のたびに（ほぼ）半分に絞り込まれていきます。また、一つずつ着目要素をずらす線形探索とは異なり、●の着目要素は**一気に移動します**。

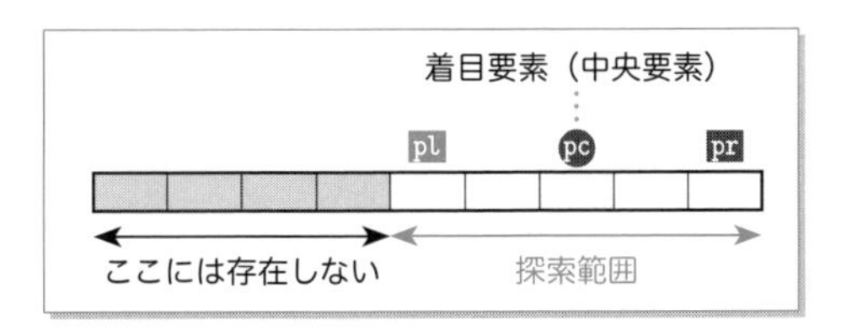

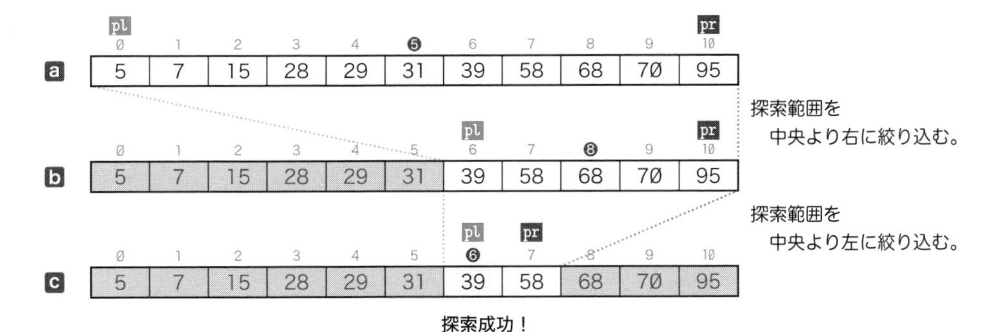

Fig.3-4　2分探索の一例（39を探索：探索成功）

図cのように、a[*pc*] と *key* を比較して等しければ**探索成功**ですが、そうでない場合は、次のように探索範囲を絞り込みます。

- a[*pc*] < *key* のとき（例：図a⇨図b）

a[*pl*] ～ a[*pc*] は、*key* よりも小さいことが明らかであって探索対象から外せます。
探索範囲は、中央要素 a[*pc*] より後方の a[*pc* + 1] ～ a[*pr*] に絞り込めます。
そこで、*pl* の値を *pc* + 1 に更新します。

- a[*pc*] > *key* のとき（例：図b⇨図c）

a[*pc*] ～ a[*pr*] は、*key* よりも大きいことが明らかであって探索対象から外せます。
探索範囲は、中央要素 a[*pc*] より前方の a[*pl*] ～ a[*pc* - 1] に絞り込めます。
そこで、*pr* の値を *pc* - 1 に更新します。

探索範囲の絞り込みをまとめると、次のようになります。

- 中央値 a[*pc*] が *key* より小さい：中央の一つ右を新たな左端 *pl* として、後半に絞り込む。
- 中央値 a[*pc*] が *key* より大きい：中央の一つ左を新たな右端 *pr* として、前半に絞り込む。

アルゴリズムの終了条件は、以下の条件1と2のいずれか一方が成立することです。

1 a[*pc*] と *key* が一致した。
2 探索範囲がなくなった。

ここまで考えたのは、条件1が成立して、探索に成功する例でした。

次は、条件②が成立して、探索に失敗する具体例を考えましょう。先ほどと同じ配列から6を探索する様子を**Fig.3-5**に示します。

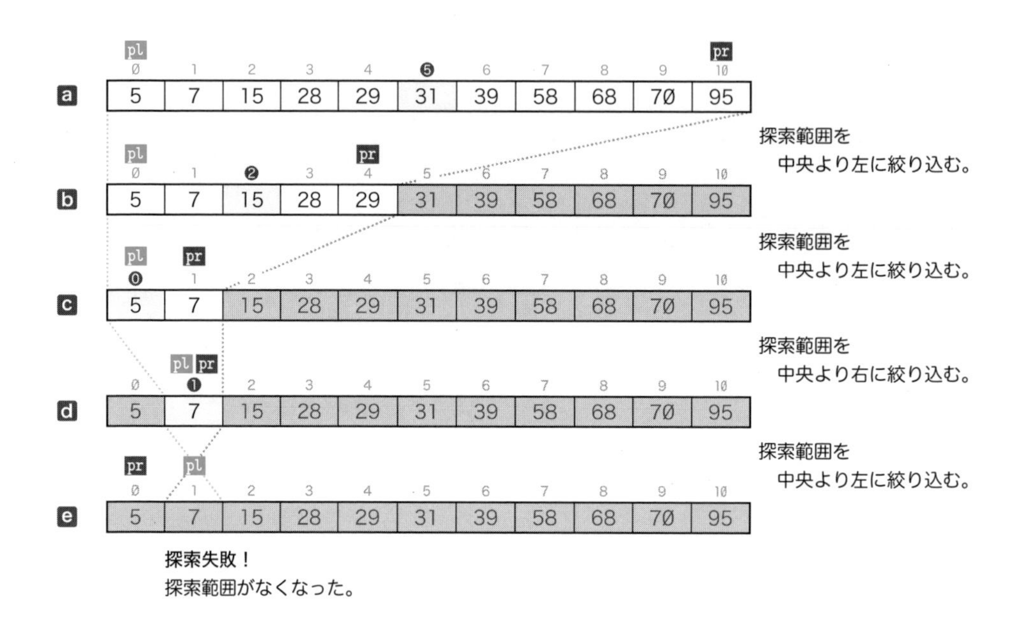

Fig.3-5　2分探索の失敗例（6を探索）

ⓐ　探索すべき範囲は配列全体すなわち`a[0]`～`a[10]`であり、中央要素`a[5]`の値は31です。これは*key*の値6より大きいため、探索する範囲を先頭から`a[5]`の直前の要素まで、すなわち`a[0]`～`a[4]`に絞り込みます。

ⓑ　縮小された範囲の中央要素`a[2]`の値は15です。これは*key*の値6より大きいため、探索すべき範囲を`a[2]`の直前の要素まで、すなわち`a[0]`～`a[1]`に絞り込みます。

ⓒ　縮小された範囲の中央要素`a[0]`の値は5です。これは*key*の値6より小さいため、*pl*を*pc* + 1すなわち1に更新します。そうすると、*pl*と*pr*は1になります。

ⓓ　縮小された範囲の中央要素`a[1]`の値は7です。これは*key*の値6より大きいため、*pr*を*pc* - 1すなわち0に更新します。そうすると、*pl*が*pr*よりも大きくなって**探索範囲がなくなります。終了条件②が成立しますので、探索に失敗します。**

2分探索を行うプログラムを**List 3-4**に示します。

List 3-4 chap03/bsearch.py

```
# 2分探索

from typing import Any, Sequence

def bin_search(a: Sequence, key: Any) -> int:
    """シーケンスaからkeyと一致する要素を2分探索"""
    pl = 0                     # 探索範囲先頭の添字
    pr = len(a) - 1            #    〃    末尾の添字

    while True:
        pc = (pl + pr) // 2    # 中央要素の添字
        if a[pc] == key:
            return pc          # 探索成功
        elif a[pc] < key:
            pl = pc + 1        # 探索範囲を後半に絞り込む
        else:
            pr = pc - 1        # 探索範囲を前半に絞り込む
        if pl > pr:
            break
    return -1                  # 探索失敗

if __name__ == '__main__':
    num = int(input('要素数：'))
    x = [None] * num      # 要素数numの配列を生成

    print('昇順に入力してください。')

    x[0] = int(input('x[0]：'))

    for i in range(1, num):
        while True:
            x[i] = int(input(f'x[{i}]：'))
            if x[i] >= x[i - 1]:
                break

    ky = int(input('探す値：')) # キーkyの読込み

    idx = bin_search(x, ky)     # kyと等価な要素をxから探索

    if idx == -1:
        print('その値の要素は存在しません。')
    else:
        print(f'その値はx[{idx}]にあります。')
```

実行例

```
要素数：7
昇順に入力してください。
x[0]：1
x[1]：2
x[2]：3
x[3]：5
x[4]：7
x[5]：8
x[6]：9
探す値：5
その値はx[3]にあります。
```

探索の対象となる配列はソートされている必要がありますので、本プログラムの黒網部では、各要素の値を読み込む際に、一つ前に読み込んだ要素よりも小さな値が入力された場合は、再入力させるようにしています。

*

2分探索アルゴリズムでは、繰返しのたびに探索範囲が、ほぼ半分になりますから、必要となる比較回数の平均は $\log n$ です。なお、探索に失敗した場合は $\lceil \log(n + 1) \rceil$ 回、探索に成功した場合は約 $\log n - 1$ 回となります。

▶ $\lceil x \rceil$ は、xの**天井関数**（*ceiling*）であり、x以上の最小の整数を表します。たとえば $\lceil 3.5 \rceil$ は4です。
なお、**Column 3-3**（p.93）では、2分探索の過程を表示するプログラムを学習します。

計算量

プログラムの実行速度や実行に要する時間は、それを動作させせるハードウェアやコンパイラなどの条件に依存します。アルゴリズムの性能を客観的に評価するための尺度として用いられるのが、**計算量**（*complexity*）です。

計算量は、次の二つに大別されます。

- **時間計算量**（*time complexity*）
  実行に要する時間を評価したもの。

- **領域計算量**（*space complexity*）
  どのくらいの記憶域やファイル域が必要であるかを評価したもの。

前章で学習した《素数》のプログラム例（第1版／第2版／第3版）は、アルゴリズム選択の際に、二つの計算量のバランスを考える必要性を示しています。

ここでは、線形探索と2分探索の時間計算量を考察します。

線形探索の時間計算量

以下に示す線形探索の関数をもとに、時間計算量を考えていきましょう。

```
    def seq_search(a: Sequence, key: Any) -> int:
1       i = 0

2       while i < n:
3           if a[i] == key:
4               return i     # 探索成功（添字を返却）
5           i += 1

6       return -1    # 探索失敗（-1を返却）
```

▶ このプログラムは、**List 3-1**（p.82）の関数 *seq_search* を改変したものです。

1～6の各ステップが何回実行されるかをまとめたのが **Table 3-1** です。

Table 3-1 線形探索における各ステップの実行回数と計算量

ステップ	実行回数	計算量
1	1	O(1)
2	n / 2	O(n)
3	n / 2	O(n)
4	1	O(1)
5	n / 2	O(n)
6	1	O(1)

変数 **i** に **0** を代入する❶が行われるのは1回限りであり、データ数nとは無関係です。このような計算量をO(1)と表します。

もちろん、関数から値を返すための❹と❻なども同様にO(1)です。

配列の末尾に到達したかを判断する❷や、着目要素と探索すべき値との等価性を判定するための❸が行われる平均回数はn / 2です。このように、nに比例した回数だけ実行される計算量はO(n)と表します。

計算量の表記で利用しているOはorderの頭文字です。O(n)は、**"nのオーダー"** あるいは **"オーダーn"** と呼ばれます。

さて、nをどんどん大きくしていくと、O(n)に要する計算時間は、nに比例して長くなります。一方、O(1)に要する計算時間が変化することはありません。

このことからも推測できるように、一般に、O(f(n))とO(g(n))の操作を連続した場合の計算量は、次のようになります。

$$O(f(n)) + O(g(n)) = O(\max(f(n), g(n)))$$

▶ max(a, b)はaとbの大きいほうを表します。

すなわち、二つの計算から構成されるアルゴリズムの計算量は、**より大きいほうの計算量に支配されます**。二つの計算でなく、三つ以上の計算から構成されるアルゴリズムも同様です。全体の計算量は、**最も大きい計算量に支配されます**。

このことから、線形探索のアルゴリズムの計算量を求めると、次に示すようにO(n)となります。

$$\begin{aligned} & O(1) + O(n) + O(n) + O(1) + O(n) + O(1) \\ & \quad = O(\max(1, n, n, 1, n, 1)) \\ & \quad = O(n) \end{aligned}$$

Column 3-2 | **indexメソッドによる探索**

リストおよびタプルからの探索は、それぞれのクラスの`index`メソッドによって行えます。呼出しは、次の形式です（呼出し時は、引数*j*のみ、あるいは*i*と*j*の両方が省略可能です）。

```
obj.index(x, i, j)
```

これで、リストあるいはタプル`obj[i:j]`内に、`x`と等価な要素が含まれれば、その最小の添字が返却されます。

なお、`x`と等価な要素が`obj`内に含まれない場合は、`ValueError`例外が送出されます。

線形探索`seq_search`と2分探索`bin_search`のそれぞれの関数を、探索失敗時に`ValueError`例外を送出するように仕様変更したプログラムは、`'chap03/ssearch_ve.py'`と`'chap03/bsearch_ve.py'`です。

2分探索の時間計算量

次は、2分探索法の時間計算量です。着目する要素の範囲がほぼ半分ずつに減っていきます。プログラム中の各ステップの実行回数と計算量は、**Table 3-2** のようになります。

```
   def bin_search(a: Sequence, key: Any) -> int:
       """シーケンスaからkeyと一致する要素を２分探索"""
1      pl = 0                  # 探索範囲先頭の添字
2      pr = len(a) - 1         #    〃    末尾の添字

       while True:
3          pc = (pl + pr) // 2     # 中央要素の添字
4          if a[pc] == key:
5              return pc           # 探索成功
6          elif a[pc] < key:
7              pl = pc + 1         # 探索範囲を後半に絞り込む
           else:
8              pr = pc - 1         # 探索範囲を前半に絞り込む
9          if pl > pr:
               break
10     return -1                   # 探索失敗
```

Table 3-2　2分探索における各ステップの実行回数と計算量

ステップ	実行回数	計算量
1	1	O(1)
2	1	O(1)
3	log n	O(log n)
4	log n	O(log n)
5	1	O(1)

ステップ	実行回数	計算量
6	log n	O(log n)
7	log n	O(log n)
8	log n	O(log n)
9	log n	O(log n)
10	1	O(1)

2分探索アルゴリズムの計算量を求めると、次のようにO(log n)が得られます。

$$O(1) + O(1) + O(\log n) + O(\log n) + O(1) + O(\log n) + \cdots + O(1)$$
$$= O(\log n)$$

さて、O(n)やO(log n)がO(1)より大きいのは当然です。これらを含めて、計算量の大小関係を示したのが**Fig.3-6**です。

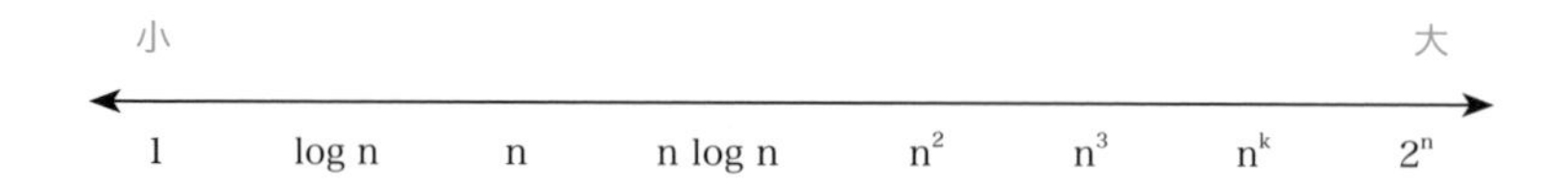

Fig.3-6　計算量と増加率

Column 3-3 2分探索の途中経過の表示

2分探索を行う List 3-4（p.89）の関数 *bin_search* は、一種のブラックボックスです。どのように探索範囲を絞り込んでいくのかなどが、まったく分かりません。探索の様子を画面に表示するように書きかえたのが、List 3C-3 のプログラムです（関数以外の部分は割愛しています）。

List 3C-3 chap03/bsearch_verbose.py

```
def bin_search(a: Sequence, key: Any) -> int:
    """シーケンスaからkeyと一致する要素を２分探索（途中経過を表示）"""
    pl = 0                  # 探索範囲先頭の添字
    pr = len(a) - 1         #    〃     末尾の添字

    print('   |', end='')
    for i in range(len(a)):
        print(f'{i:4}', end='')
    print()
    print('---+' + (4 * len(a) + 2) * '-')

    while True:
        pc = (pl + pr) // 2         # 中央要素の添字

        print('   |', end='')
        if pl != pc:
            print((pl * 4 + 1) * ' ' + '<-' + ((pc - pl) * 4) * ' ' + '+', end='')
        else:
            print((pc * 4 + 1) * ' ' + '<+', end='')
        if pc != pr:
            print(((pr - pc) * 4 - 2) * ' ' + '->')
        else:
            print('->')
        print(f'{pc:3}|', end='')
        for i in range(len(a)):
            print(f'{a[i]:4}', end='')
        print('\n   |')

        if a[pc] == key:
            return pc               # 探索成功
        elif a[pc] < key:
            pl = pc + 1             # 探索範囲を後半に絞り込む
        else:
            pr = pc - 1             # 探索範囲を前半に絞り込む
        if pl > pr:
            break
    return -1                       # 探索失敗
```

オリジナルのプログラムに網かけ部が追加されています。

本プログラムを実行すると、探索範囲の左端、中央、右端の各要素の上に '<-'、'+'、'->' が表示されます。

なお、数値を揃える関係上、各数値は4桁に収まっている必要があります。

右に示す実行例は、配列 1, 2, 3, 4, 5, 6, 7, 8, 9, 10, 11 から、8 を探索する様子です。

実行例

```
   |   0   1   2   3   4   5   6   7   8   9  10
---+---------------------------------------------
   | <-                    +                  ->
  5|   1   2   3   4   5   6   7   8   9  10  11
   |
   |                         <-          +    ->
  8|   1   2   3   4   5   6   7   8   9  10  11
   |
   |                         <+  ->
  6|   1   2   3   4   5   6   7   8   9  10  11
   |
   |                             <+->
  7|   1   2   3   4   5   6   7   8   9  10  11
   |
その値はx[7]にあります。
```

3-4 ハッシュ法

本節で学習するハッシュ法は、探索だけでなく、データの追加や削除も効率よく行うための手法です。

ソートずみ配列の操作

Fig.3-7 ⓐに示す配列 x を考えます。要素数が 13 であって、先頭 10 個の要素にデータが昇順にソートされた状態で格納されています。

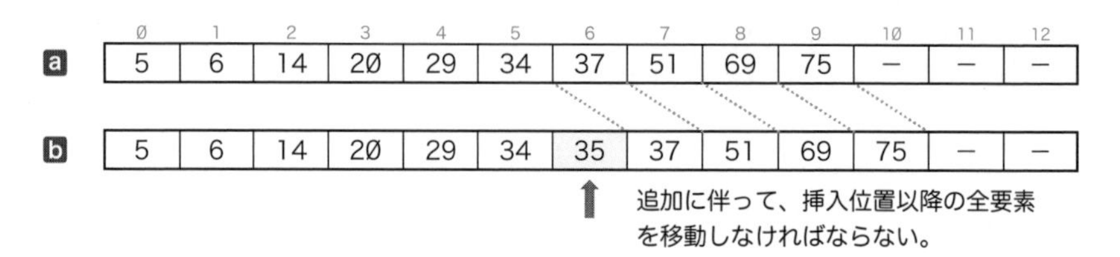

Fig.3-7 ソートずみ配列へのデータの追加

この配列に対して、35 を追加しましょう。次のように行うことになります。

- 挿入すべき位置が x[5] と x[6] のあいだであることを２分探索法によって調べる。
- 図ⓑに示すように、x[6] 以降の**全要素を一つずつ後方へ移動する**。
- x[6] に 35 を代入する。

要素の移動に要する計算量は O(n) ですから、そのコストは決して小さくはありません。
もちろん、データを削除する場合も、まったく同様なコストが生じます。

ハッシュ法

データを格納すべき位置＝添字を単純な演算で求めることで、**探索だけではなく追加・削除も効率よく行う**のが**ハッシュ法**（*hashing*）です。

図ⓐの配列のキー（各要素の値）を、配列の要素数 13 で割った剰余を Table 3-3 にまとめています。表の下段に示した値を**ハッシュ値**（*hash value*）と呼びます。ハッシュ値は、データをアクセスする際の目印となる値です。

Table 3-3 キーとハッシュ値の対応

キー	5	6	14	20	29	34	37	51	69	75
ハッシュ値（13 で割った剰余）	5	6	1	7	3	8	11	12	4	10

ハッシュ値が添字となるように、キーを格納した配列（表）が、**ハッシュ表**（*hash table*）です。この例では、ハッシュ表は Fig.3-8 ⓐのようになります。

▶ たとえば、14 を x[1] に格納しているのは、ハッシュ値（14 を 13 で割った剰余）が 1 だからです。

Fig.3-8 ハッシュへの追加

それでは、この配列に 35 を追加しましょう。35 を 13 で割った剰余は 9 ですから、図ⓑに示すように、a[9] に格納します。左ページの場合とは異なり、データの追加に伴って要素をずらす必要がありません。

キーからハッシュ値への変換を行う手続きを**ハッシュ関数**（*hash function*）と呼びます。通常は、ここに示したように、**剰余を求める演算、あるいは、それを応用した演算**が使われます。

なお、ハッシュ表の各要素のことを**バケット**（*bucket*）と呼びます。

衝突

引き続き、ハッシュ表に 18 を追加します。18 を 13 で割った剰余は 5 であり、格納先はバケット a[5] です。ところが、Fig.3-9 に示すように、このバケットは既に**埋まっています**。

キーとハッシュ値の対応関係が 1 対 1 である保証はなく、通常は多対 1 です。格納すべきバケットが重複する現象は、**衝突**（しょうとつ）（*collision*）と呼ばれます。

▶ ハッシュ関数は、できるだけハッシュ値が偏（かたよ）らないように、一様分布した値を出力するのが理想です。

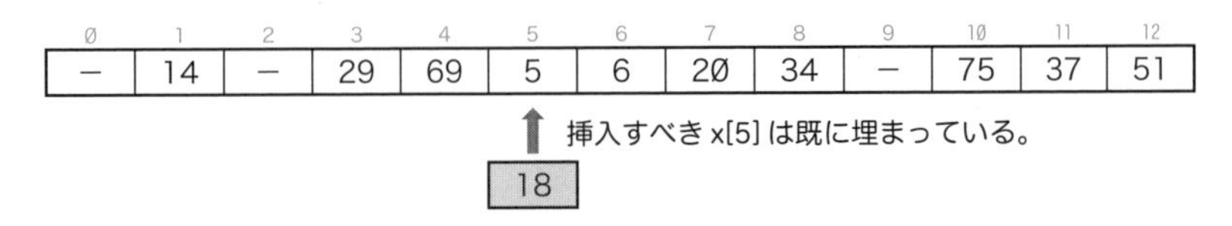

Fig.3-9 ハッシュへの追加における衝突

衝突が発生した場合の対処方法として、以下に示す二つの手法があります。

- **チェイン法**　：同一のハッシュ値をもつ要素を線形リストで管理する。
- **オープンアドレス法**　：空きバケットを見つけるまで、ハッシュを繰り返す。

チェイン法

チェイン法（*chaining*）は、同一ハッシュ値をもつデータを、鎖（くさり）＝チェイン状に線形リストでつなぐ方法であり、**オープンハッシュ法**（*open hashing*）とも呼ばれます。

▶ チェイン法は内部で《線形リスト》を利用します。第８章の『線形リスト』を先に学習して、それから戻ってきて学習を進めるとよいでしょう。

同一ハッシュ値をもつデータの格納法

チェイン法によって実現されたハッシュの一例を **Fig.3-10** に示します。

▶ この図では、キーを 13 で割った剰余をハッシュ値としています。

チェイン法では、同一ハッシュ値をもつデータを線形リストによって鎖状につなぎます。配列の各バケットに格納するのは、その添字をハッシュ値とする線形リストの先頭ノードへの参照です（以下、配列名を ***table*** とします）。

たとえば、69 と 17 のハッシュ値はともに 4 ですから、それらを連結した線形リストへの先頭ノードへの参照を *table*[4] に格納します。なお、ハッシュ値 0 や 2 のように、データが 1 個もないバケットの値は、None とします。

▶ *table*[4] はバケット 69 への参照であり、バケット 69 の後続ポインタは、17 への参照です。また、バケット 17 の後続ポインタは、後続ノードが存在しないことを示す None です。

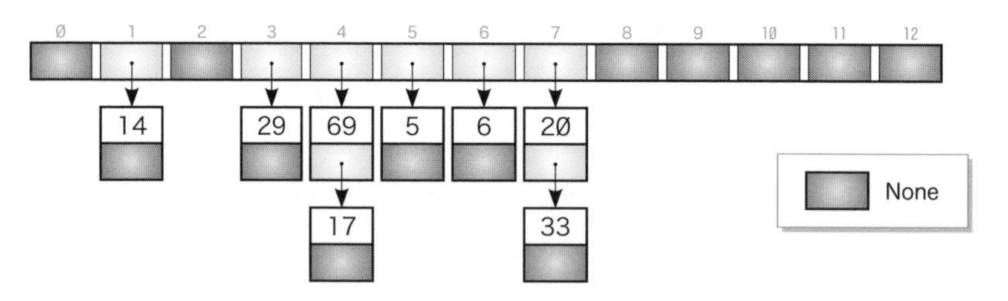

Fig.3-10　チェイン法におけるハッシュの実現

チェイン法を実現するプログラムを **List 3-5** に示します。このプログラムでは、クラス ***Node*** とクラス ***ChainedHash*** の、二つのクラスが定義されています。

以下、プログラムと対比しながら理解していきましょう。

▶ 冒頭の import 文である “from __future__ import annotations” については、第８章（p.267）で学習します。

List 3-5 [A]　　chap03/chained_hash.py

```
# チェイン法によるハッシュ

from __future__ import annotations
from typing import Any, Type
import hashlib

class Node:
    """ハッシュを構成するノード"""

    def __init__(self, key: Any, value: Any, next: Node) -> None:
        """初期化"""
        self.key   = key    # キー
        self.value = value  # 値
        self.next  = next   # 後続ノードへの参照
```

■ バケット用クラスNode

個々のバケットを表すのが、クラス**Node**です。このクラスには、次に示す3個のフィールドがあります。

- **key**　… キー（型は任意）。
- **value**　… 値（型は任意）。
- **next**　… チェインにおける後続ポインタ（後続ノードへの参照：**Node**型）。

キーと値がペアとなる構造です。キーにハッシュ関数を適用することで、ハッシュ値を求めるものとします。

自己参照型のクラスである**Node**のイメージを**Fig.3-11**に示します。

▶ Pythonの変数は、オブジェクトと結び付いた名前ですから、**key**と**vlalue**も、いわゆる値そのものではなく、オブジェクトへの参照です（**next**のみが参照というわけではありません）。

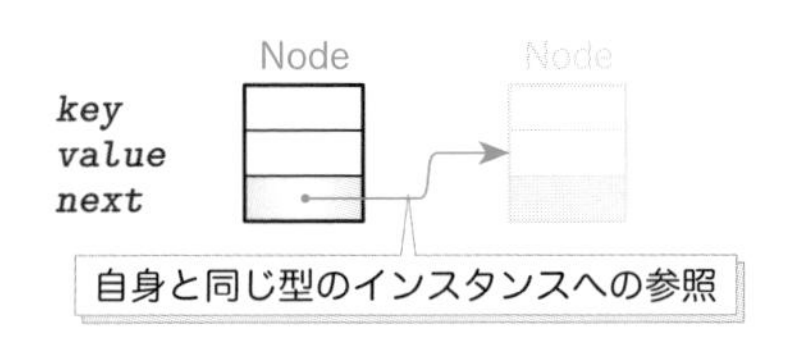

Fig.3-11　バケットを表すクラスNode

クラス**Node**型インスタンスの初期化を行うための**__init__**メソッドでは、3個の引数**key**と**value**と**next**を受け取って、それぞれを対応するフィールド**self.key**と**self.value**と**self.next**に代入します。

List 3-5 [B] chap03/chained_hash.py

```
class ChainedHash:
    """チェイン法を実現するハッシュクラス"""

    def __init__(self, capacity: int) -> None:
        """初期化"""
        self.capacity = capacity                # ハッシュ表の容量
        self.table = [None] * self.capacity     # ハッシュ表（リスト）

    def hash_value(self, key: Any) -> int:
        """ハッシュ値を求める"""
        if isinstance(key, int):
            return key % self.capacity
        return (int(hashlib.sha256(str(key).encode()).hexdigest(), 16)
                % self.capacity)
```

➡

ハッシュクラス ChainedHash

ハッシュクラス *ChainedHash* は、２個のフィールドで構成されるクラスです。

- *capacity* … ハッシュ表の容量（配列 *table* の要素数）。
- *table* … ハッシュ表を格納する list 型の配列。

初期化：__init__ メソッド

__init__ メソッドは、**空のハッシュ表**を生成します。

仮引数 *capacity* に受け取るのは、ハッシュ表の容量です。要素数が *capacity* である list 型の配列 *table* を生成して、全要素を None にします。

ハッシュ表の各バケットは、先頭から順に *table*[0], *table*[1], …, *table*[*capacity* - 1] としてアクセスできます。

▶ 式 *table*[*capacity* - 1] は、メソッド内のコードでは、self.*table*[self.*capacity* - 1] と記述します。簡単のため、本文の解説では、メソッドやフィールドの前に必要な "self." は省略します（次章以降でも同様です）。

__init__ メソッドが呼び出された直後は、配列 *table* の全要素は None ですから、**Fig.3-12** に示すように、全バケットが《空》の状態です。

ハッシュ関数：hash_value

引数 *key* に対応するハッシュ値を求めるメソッドです。

▶ ハッシュ値の求め方の詳細は、右ページの **Column 3-4** で学習します。

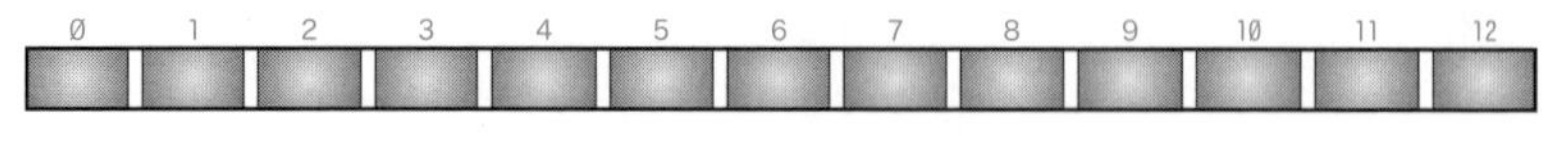

すべてのバケットが空（None）

Fig.3-12 空のハッシュ

Column 3-4　ハッシュとハッシュ関数について

ハッシュと**ハッシュ関数**について学習しましょう。

まずは、ハッシュという言葉についてです。英語の hash は、『寄せ集め』『ごちゃまぜ』『細切れの肉料理』という意味です。

さて、もし衝突がまったく発生しないのであれば、ハッシュ関数によって添字を見つけるだけで探索・追加・削除がほぼ完了しますので、それらの時間計算量は、いずれも O(1) です。

ハッシュ表を大きくすれば衝突の発生を抑えられますが、記憶領域を無駄に占有することになります。すなわち、時間と空間のトレードオフの問題がつきまとうわけです。

衝突を避けるには、ハッシュ関数は、ハッシュ表の大きさ以下の整数を、なるべく偏らないように生成しなければなりません。そのため、ハッシュ表の大きさは、**素数**が好ましいとされています。

*

クラス *ChainedHash* のメソッド *hash_value* では、ハッシュ値を次のように求めています。
※ハッシュ値は、ダイジェスト値とも呼ばれます。

▪ key が int 型のとき

key をハッシュの容量 **capacity** で割った剰余をハッシュ値とします。

たとえば、クラス *ChainedHash* を利用するサンプルプログラム **List 3-6** (p.104) では、**key** を int 型にして、容量を 13 としていますので、キーを 13 で割った剰余がハッシュ値となります。

▪ key が int 型でないとき

キーが整数でない場合（たとえば、文字列、リスト、クラス型など）は、そのままでは割り算を適用できません。そこで、標準ライブラリで求めたハッシュ値を、ハッシュの容量 **capacity** で割った剰余をハッシュ値としています。

その計算で利用しているのが、次の標準ライブラリです。

▫ sha256 アルゴリズム

hashlib モジュールで提供される **sha256** は、RSA の FIPS アルゴリズムに基づいて、与えられたバイト文字列のハッシュ値を求めるハッシュアルゴリズムのコンストラクタです。

なお、**hashlib** モジュールでは、この他にも、MD5 のアルゴリズムである **md5** など、数多くのハッシュアルゴリズムが提供されています。

▫ encode 関数

hashlib.sha256 に対しては、バイト文字列の引数を与えなければなりません。そこで、**key** をいったん **str** 型の文字列に変換した上で、その文字列を **encode** 関数に与えることによって、バイト文字列を生成します。

▫ hexdigest メソッド

sha256 アルゴリズムから、ハッシュ値（ダイジェスト値）を 16 進の文字列として取り出すのが、**hexdigest** メソッドです。

▫ int 関数

hexdigest メソッドで取り出した文字列を 16 進数の文字列とみなして **int** 型に変換します。

キーによる要素の探索：search

キーが *key* である要素を探索するメソッドです。具体例で探索の手続きを理解しましょう。

▪ Fig.3-13 ⓐから33を探索

33のハッシュ値は7ですから、*table*[7] が指す線形リストをたぐっていきます。20 ⇨ 33 とたぐっていくと探索に成功します。

▪ Fig.3-13 ⓐから26を探索

26のハッシュ値は0です。*table*[0] が None ですから、探索に失敗します。

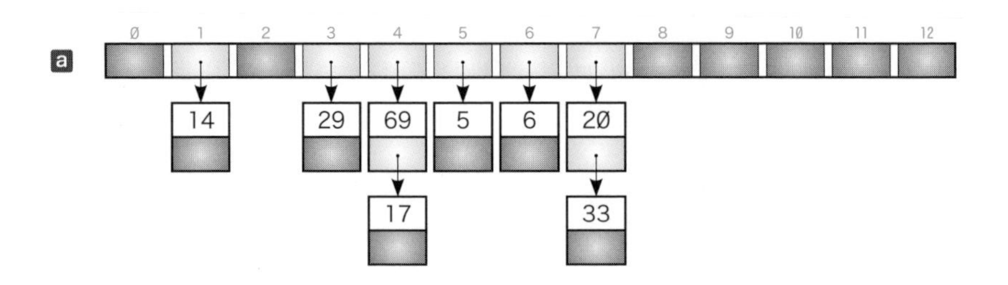

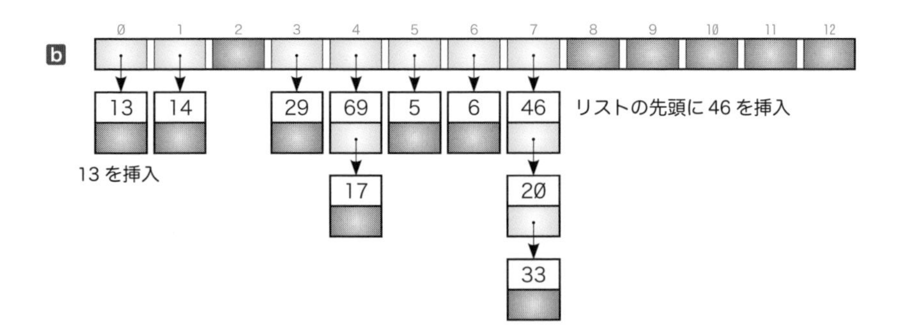

Fig.3-13　チェイン法におけるハッシュの探索と挿入

探索の手続きは次のようになります。

1. ハッシュ関数によってキーをハッシュ値に変換する。
2. ハッシュ値を添字とするバケットに着目する。
3. バケットが参照する線形リストを先頭から順に線形探索する。キーと同じ値が見つかれば探索成功。末尾まで走査して見つからなければ探索失敗。

要素の挿入：add

キーが *key* で値が *value* の要素を挿入するメソッドです。

List 3-5 [C] chap03/chained_hash.py

```
    def search(self, key: Any) -> Any:
        """キーkeyをもつ要素の探索（値を返却）"""
        hash = self.hash_value(key)      # 探索するキーのハッシュ値
        p = self.table[hash]             # 着目ノード

        while p is not None:
            if p.key == key:
                 return p.value          # 探索成功
            p = p.next                   # 後続ノードに着目

        return None                      # 探索失敗

    def add(self, key: Any, value: Any) -> bool:
        """キーがkeyで値がvalueの要素の追加"""
        hash = self.hash_value(key)      # 追加するキーのハッシュ値
        p = self.table[hash]             # 着目ノード

        while p is not None:
            if p.key == key:
                return False             # 追加失敗
            p = p.next                   # 後続ノードに着目

        temp = Node(key, value, self.table[hash])
        self.table[hash] = temp          # ノードを挿入
        return True                      # 追加成功
```

➡

まずは具体例をとおして探索の手続きを理解しましょう。

▪ Fig.3-13 a への 13 の挿入

13 のハッシュ値は 0 であり、table[0] は None です。図 b に示すように、13 を格納したノードを新たに生成して、そのノードへの参照を table[0] に代入します。

▪ Fig.3-13 a への 46 の挿入

46 のハッシュ値は 7 であり、table[7] のバケットには、20 と 33 を連結した線形リストへの参照が格納されています。このリスト内には 46 は存在しませんので、線形リストの先頭に 46 を挿入します。

具体的には、46 を格納したノードを新たに生成して、そのノードへの参照を table[7] に代入します。さらに、挿入したノードがもつ後続ポインタ next が、20 を格納したノードを指すように更新します。

要素挿入の手続きは次のようになります。

1. ハッシュ関数によってキーをハッシュ値に変換する。
2. ハッシュ値を添字とするバケットに着目する。
3. バケットが参照する線形リストを先頭から順に線形探索する。キーと同じ値が見つかればキーは登録ずみであって挿入失敗。最後まで探して見つからなければリストの先頭位置にノードを挿入する。

要素の削除：remove

キーが *key* である要素の削除を行うメソッドです。

Fig.3-14 a から 69 を削除する例を考えましょう。

69 のハッシュ値は 4 です。*table*[4] のバケットに格納されている参照先のリストを線形探索すると 69 が見つかります。このノードの後続ノードは、17 を格納したノードです。そこで、図 b に示すように、17 を格納したノードへの参照を、*table*[4] のバケットに代入すると、ノードの削除は完了します。

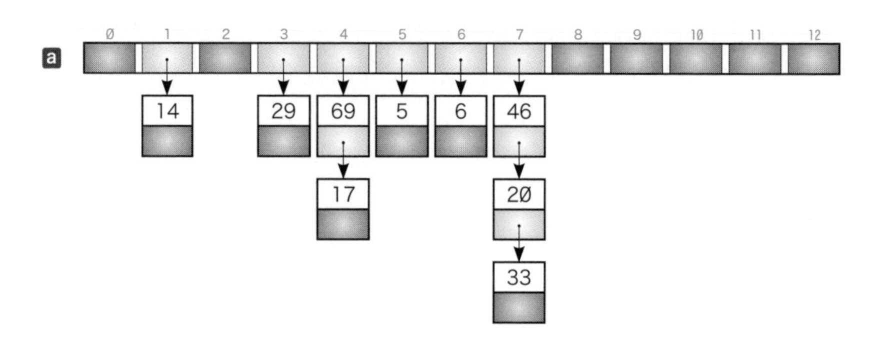

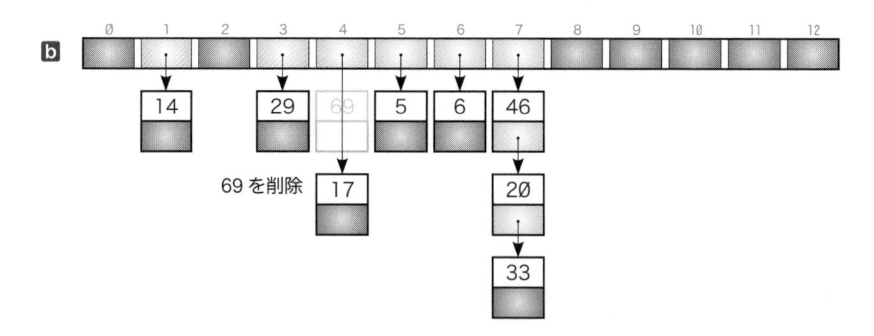

Fig.3-14 チェイン法におけるハッシュからの削除

要素削除の手続きは、次のようになります。

1. ハッシュ関数によってキーをハッシュ値に変換する。
2. ハッシュ値を添字とするバケットに着目する。
3. バケットが参照する線形リストを先頭から順に線形探索する。キーと同じ値が見つかればそのノードをリストから削除。そうでなければ削除失敗。

List 3-5 [D] chap03/chained_hash.py

```
    def remove(self, key: Any) -> bool:
        """キーkeyをもつ要素の削除"""
        hash = self.hash_value(key)     # 削除するキーのハッシュ値
        p = self.table[hash]            # 着目ノード
        pp = None                       # 前回の着目ノード

        while p is not None:
            if p.key == key:            # 見つけたら
                if pp is None:
                    self.table[hash] = p.next
                else:
                    pp.next = p.next
                return True             # 削除成功
            pp = p
            p = p.next                  # 後続ノードに着目
        return False                    # 削除失敗（keyは存在しない）

    def dump(self) -> None:
        """ハッシュ表をダンプ """
        for i in range(self.capacity):
            p = self.table[i]
            print(i, end='')
            while p is not None:
                print(f'  → {p.key} ({p.value})', end='')
                p = p.next
            print()
```

ダンプ：dump

全要素をダンプする、すなわち、ハッシュ表の内容をまるごと表示するメソッドです。

ハッシュ表の全要素 table[0] ～ table[capacity - 1] に対して、後続ノードをたぐっていきながら各ノードのキーと値を表示する処理を繰り返します。

Fig.3-14 a のハッシュであれば、右に示す表示を行います。表示の際は、同一ハッシュ値をもつバケットを矢印記号 → で結びます。

```
00
01  → 14
02
03  → 29
04  → 69  → 17
05  → 5
06  → 6
07  → 46  → 20  → 33
08
09
10
11
12
```

この関数を実行することで、同一ハッシュ値をもつバケットが線形リストによって鎖状に結び付いている様子が確認できます。

▶ スペースの都合上、この実行例には、キーのみを示しています。実際にメソッド dump を実行すると、キーと値の両方が表示されます。
なお、メソッド名の dump は、ダンプカーが一度に荷を下ろすさまにたとえた用語です。

クラス *ChainedHash* を利用するプログラム例を **List 3-6** に示します。ここでは、キーを int 型の整数値、値を str 型の文字列としています。

List 3-6 chap03/chained_hash_test.py

```
# チェイン法を実現するハッシュクラスChainedHashの利用例

from enum import Enum
from chained_hash import ChainedHash

Menu = Enum('Menu', ['追加', '削除', '探索', 'ダンプ', '終了'])

def select_menu() -> Menu:
    """メニュー選択"""
    s = [f'({m.value}){m.name}' for m in Menu]
    while True:
        print(*s, sep='   ', end='')
        n = int(input(' : '))
        if 1 <= n <= len(Menu):
            return Menu(n)

hash = ChainedHash(13)                        # 容量13のハッシュ表

while True:
    menu = select_menu()                      # メニュー選択

    if menu == Menu.追加:                     # 追加
        key = int(input('キー : '))
        val = input('値 : ')
        if not hash.add(key, val):
            print('追加失敗！')

    elif menu == Menu.削除:                   # 削除
        key = int(input('キー : '))
        if not hash.remove(key):
            print('削除失敗！')

    elif menu == Menu.探索:                   # 探索
        key = int(input('キー : '))
        t = hash.search(key)
        if t is not None:
            print(f'そのキーをもつ値は{t}です。')
        else:
            print('該当するデータはありません。')

    elif menu == Menu.ダンプ:                 # ダンプ
        hash.dump()

    else:                                     # 終了
        break
```

クラス *ChainedHash* 型のハッシュ表を生成しているのが網かけ部です。容量が 13 で、キーが int 型ですから、キーを 13 で割った剰余がハッシュ値です。

▶ メニューの表示・選択を実現するために**列挙型**（Enum 型）を使っています。また、そのために、プログラムの冒頭で enum モジュールから Enum をインポートしています。
　関数 *select_menu* は、5個のメニューを表示した上で 1 〜 5 の整数値を読み込み、その値に対応する列挙値（Menu.追加, Menu.削除, … ）を返却します。

実行例

```
(1)追加　(2)削除　(3)探索　(4)ダンプ　(5)終了：1↵
キー：1↵
値：赤尾↵                                        {①赤尾}を追加
(1)追加　(2)削除　(3)探索　(4)ダンプ　(5)終了：1↵
キー：5↵
値：武田↵                                        {⑤武田}を追加
(1)追加　(2)削除　(3)探索　(4)ダンプ　(5)終了：1↵
キー：10↵
値：小野↵                                        {⑩小野}を追加
(1)追加　(2)削除　(3)探索　(4)ダンプ　(5)終了：1↵
キー：12↵
値：鈴木↵                                        {⑫鈴木}を追加
(1)追加　(2)削除　(3)探索　(4)ダンプ　(5)終了：1↵
キー：14↵
値：神崎↵                                        {⑭神崎}を追加
(1)追加　(2)削除　(3)探索　(4)ダンプ　(5)終了：3↵
キー：5↵                                         ⑤を探索
そのキーをもつ値は武田です。
(1)追加　(2)削除　(3)探索　(4)ダンプ　(5)終了：4↵
0
1  → 14（神崎） → 1（赤尾）    同一ハッシュ値をもつバケットがリンクされている。
2
3
4
5  → 5（武田）
6                                                ハッシュ表の内部を表示
7
8
9
10  → 10（小野）
11
12  → 12（鈴木）
(1)追加　(2)削除　(3)探索　(4)ダンプ　(5)終了：2↵
キー：14↵                                        ⑭を削除
(1)追加　(2)削除　(3)探索　(4)ダンプ　(5)終了：4↵
0
1  → 1（赤尾）
2
3
4
5  → 5（武田）
6                                                ハッシュ表の内部を表示
7
8
9
10  → 10（小野）
11
12  → 12（鈴木）
(1)追加　(2)削除　(3)探索　(4)ダンプ　(5)終了：5↵
```

▶ **Fig.3-11**（p.97）に示したとおり、バケット用のクラス*Node*は、キーと値（と後続ポインタ）で構成されています。もし値がなくて、キーのみで構成されるデータをもつハッシュ表を使う必要があれば、たとえば、

```
hash.add(key, key)
```

のように、キーと値に同じ変数を与えます。

オープンアドレス法

もう一つのハッシュ法である**オープンアドレス法**（*open addressing*）は、衝突が発生した際に**再ハッシュ**（*rehashing*）を行うことによって、空いているバケットを探し出す手法です。**クローズドハッシュ法**（*closed hashing*）とも呼ばれます。

要素の挿入・削除・探索の手続きを **Fig.3-15** に示す具体例で考えていきましょう。

▶ 先ほどと同様に、キーを 13 で割った剰余をハッシュ値とします。

要素の挿入

図aは、18 を挿入しようとして、**衝突が発生している状態**です。ここで行うのが**再ハッシュ**です。再ハッシュのためのハッシュ関数は、自由に決められます。ここでは、キーに 1 を加えた値を 13 で割った剰余とします。

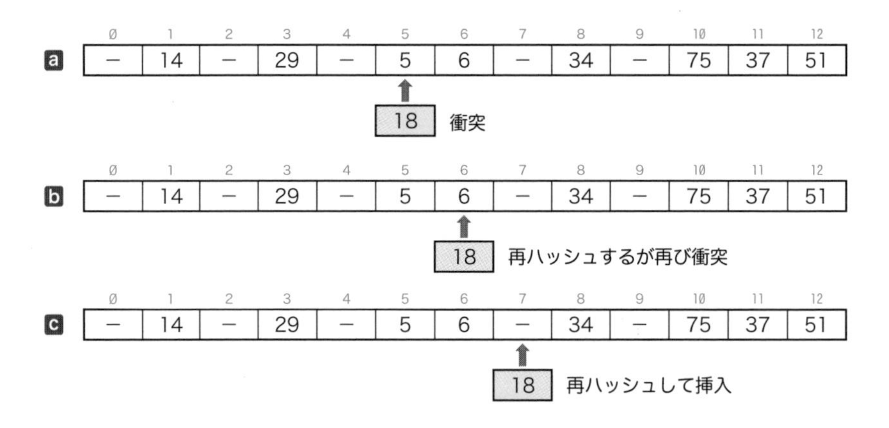

Fig.3-15 オープンアドレス法における再ハッシュ

再ハッシュによって、(18 + 1) % 13 すなわち 6 が得られます。ところが、図bに示すように、添字 6 のバケットも埋まっていますので、さらに再ハッシュを行います。得られる値は (19 + 1) % 13 すなわち 7 ですから、図cに示すように、添字 7 のバケットに 18 を挿入します。

オープンアドレス法は、空きバケットに出会うまで再ハッシュを何度も繰り返すことから、**線形探査法**（*linear probing*）と呼ばれます。

要素の削除

次に、図cから 5 を削除する手続きを考えます。添字 5 のバケットを空にするだけでよいように感じられますが、実際はそうではありません。同じハッシュ値をもつ 18 の探索を行う際に、『ハッシュ値 5 のデータは存在しない』と勘違いされて探索に失敗してしまうからです。

▶ 再ハッシュされたとはいえ、先ほど挿入した 18 のハッシュ値は 5 です。

そこで、各バケットに対して、以下の属性を与えます。

- データが格納されている。
- 空。
- 削除ずみ。

バケットが空であることを“－”で、削除ずみであることを“★”で表すとします。5を削除するときは、Fig.3-16に示すように、その位置のバケットに削除ずみであることを表す属性“★”を格納します。

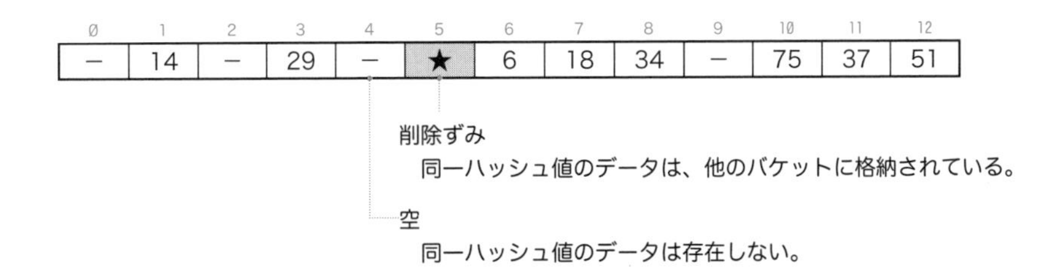

Fig.3-16　オープンアドレス法におけるバケットの属性

要素の探索

ここで、17の探索を行ってみましょう。ハッシュ値である4のバケットを覗（のぞ）くと、その属性が“空”ですから、探索失敗と判断できます。

それでは、18の探索はどうでしょうか。ハッシュ値5のバケットを覗くと、その属性は“削除ずみ”です。そこで、Fig.3-17に示すように、再ハッシュを行って6のバケットを覗きます。ここには値6が格納されていますので、さらに再ハッシュを行って7のバケットを覗きます。探索すべき値18が格納されていますので、探索に成功します。

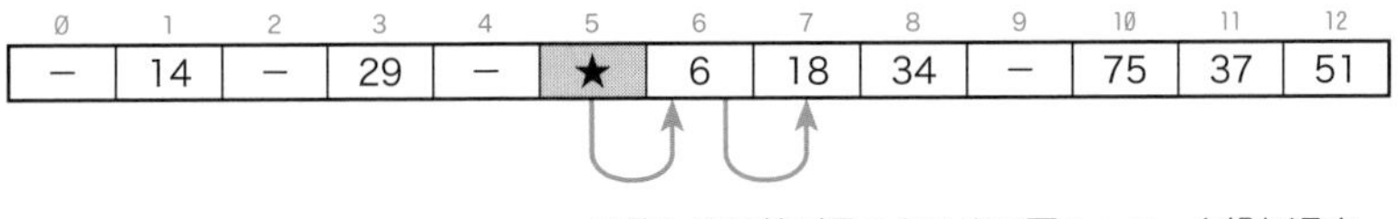

Fig.3-17　オープンアドレス法における探索

オープンアドレス法を実現するプログラムを **List 3-7** に示します。本プログラムでは、3個のクラス *Status*、*Bucket*、*OpenHash* が定義されています。

List 3-7 chap03/open_hash.py

```
# オープンアドレス法によるハッシュ

from __future__ import annotations
from typing import Any, Type
from enum import Enum
import hashlib

# バケットの属性
class Status(Enum):
    OCCUPIED = 0    # データ格納
    EMPTY = 1       # 空
    DELETED = 2     # 削除ずみ

class Bucket:
    """ハッシュを構成するバケット"""

    def __init__(self, key: Any = None, value: Any = None,
                       stat: Status = Status.EMPTY) -> None:
        """初期化"""
        self.key   = key    # キー
        self.value = value  # 値
        self.stat  = stat   # 属性

    def set(self, key: Any, value: Any, stat: Status) -> None:
        """全フィールドに値を設定"""
        self.key   = key    # キー
        self.value = value  # 値
        self.stat  = stat   # 属性

    def set_status(self, stat: Status) -> None:
        """属性を設定"""
        self.stat = stat

class OpenHash:
    """オープンアドレス法を実現するハッシュクラス"""

    def __init__(self, capacity: int) -> None:
        """初期化"""
        self.capacity = capacity                    # ハッシュ表の容量
        self.table = [Bucket()] * self.capacity     # ハッシュ表

    def hash_value(self, key: Any) -> int:
        """ハッシュ値を求める"""
        if isinstance(key, int):
            return key % self.capacity
        return (int(hashlib.md5(str(key).encode()).hexdigest(), 16)
                % self.capacity)

    def rehash_value(self, key: Any) -> int:
        """再ハッシュ値を求める"""
        return (self.hash_value(key) + 1) % self.capacity

    def search_node(self, key: Any) -> Any:
        """キーがkeyであるバケットの探索"""
        hash = self.hash_value(key)     # 探索するキーのハッシュ値
        p = self.table[hash]            # 着目バケット
```

```
        for i in range(self.capacity):
            if p.stat == Status.EMPTY:
                break
            elif p.stat == Status.OCCUPIED and p.key == key:
                return p
            hash = self.rehash_value(hash)      # 再ハッシュ
            p = self.table[hash]
        return None

    def search(self, key: Any) -> Any:
        """キーkeyをもつ要素の探索（値を返却）"""
        p = self.search_node(key)
        if p is not None:
            return p.value                  # 探索成功
        else:
            return None                     # 探索失敗

    def add(self, key: Any, value: Any) -> bool:
        """ キーがkeyで値がvalueの要素の追加"""
        if self.search(key) is not None:
            return False                    # このキーは登録ずみ

        hash = self.hash_value(key)         # 追加するキーのハッシュ値
        p = self.table[hash]                # 着目バケット
        for i in range(self.capacity):
            if p.stat == Status.EMPTY or p.stat == Status.DELETED:
                self.table[hash] = Bucket(key, value, Status.OCCUPIED)
                return True
            hash = self.rehash_value(hash)  # 再ハッシュ
            p = self.table[hash]
        return False                        # ハッシュ表が満杯

    def remove(self, key: Any) -> int:
        """キーkeyをもつ要素の削除"""
        p = self.search_node(key)           # 着目バケット
        if p is None:
            return False                    # このキーは登録されていない
        p.set_status(Status.DELETED)
        return True

    def dump(self) -> None:
        """ハッシュ表をダンプ"""
        for i in range(self.capacity):
            print(f'{i:2} ', end='')
            if self.table[i].stat == Status.OCCUPIED:
                print(f'{self.table[i].key} ({self.table[i].value})')

            elif self.table[i].stat == Status.EMPTY:
                print('-- 未登録 --')

            elif self.table[i].stat == Status.DELETED:
                print('-- 削除ずみ --')
```

列挙型クラスBucketのフィールドstatが、クラスBucket型の各バケットがもつ属性である、データ格納（OCCUPIED）、空（EMPTY）、削除ずみ（DELETED）を表します。

クラスOpenHashのメソッドrehash_valueは、再ハッシュ値を求めます。ハッシュ値に1を加えた値をハッシュの容量で割った剰余を新しいハッシュ値とします。

オープンアドレス法によるハッシュを利用するプログラム例を**List 3-8**に示します。

List 3-8 chap03/open_hash_test.py

```
# オープンアドレス法によるハッシュの利用例

from enum import Enum
from open_hash import OpenHash

Menu = Enum('Menu', ['追加', '削除', '探索', 'ダンプ', '終了'])

def select_menu() -> Menu:
    """メニュー選択"""
    s = [f'({m.value}){m.name}' for m in Menu]
    while True:
        print(*s, sep='  ', end='')
        n = int(input('：'))
        if 1 <= n <= len(Menu):
            return Menu(n)

hash = OpenHash(13)                              # 容量13のハッシュ表

while True:
    menu = select_menu()                         # メニュー選択

    if menu == Menu.追加:                        # 追加
        key = int(input('キー：'))
        val = input('値：')
        if not hash.add(key, val):
            print('追加失敗！')

    elif menu == Menu.削除:                      # 削除
        key = int(input('キー：'))
        if not hash.remove(key):
            print('削除失敗！')

    elif menu == Menu.探索:                      # 探索
        key = int(input('キー：'))
        t = hash.search(key)
        if t is not None:
            print(f'そのキーをもつ値は{t}です。')
        else:
            print('該当するデータはありません。')

    elif menu == Menu.ダンプ:                    # ダンプ
        hash.dump()

    else:                                        # 終了
        break
```

クラス*OpenHash*型のハッシュ表を生成しているのが網かけ部です。容量が13で、キーがint型ですから、キーを13で割った剰余がハッシュ値です。

*

チェイン法の実行例（p.105）とまったく同じようにデータを追加・検索・削除する実行例を右ページに示しています。二つの実行例を比較・検討してみましょう。

▪ チェイン法

同一ハッシュ値1をもつ{1, '赤尾'}と{14, '神崎'}をつなぐ線形リストが《バケット1》からリンクされていました。

▪ オープンアドレス法

後から追加された{14, '神崎'}は再ハッシュの結果、《バケット2》に登録されています。

さらに、そのデータを削除した後に、《バケット2》に削除ずみの属性が入れられています。

実行例

```
(1)追加 (2)削除 (3)探索 (4)ダンプ (5)終了：1
キー：1                                    {①赤尾}を追加
値：赤尾
(1)追加 (2)削除 (3)探索 (4)ダンプ (5)終了：1
キー：5                                    {⑤武田}を追加
値：武田
(1)追加 (2)削除 (3)探索 (4)ダンプ (5)終了：1
キー：10                                   {⑩小野}を追加
値：小野
(1)追加 (2)削除 (3)探索 (4)ダンプ (5)終了：1
キー：12                                   {⑫鈴木}を追加
値：鈴木
(1)追加 (2)削除 (3)探索 (4)ダンプ (5)終了：1
キー：14                                   {⑭神崎}を追加
値：神崎
(1)追加 (2)削除 (3)探索 (4)ダンプ (5)終了：3
キー：5                                    ⑤を探索
そのキーをもつ値は武田です。
(1)追加 (2)削除 (3)探索 (4)ダンプ (5)終了：4
0 -- 未登録 --
1 1 (赤尾)
2 14 (神崎)
3 -- 未登録 --
4 -- 未登録 --
5 5 (武田)                                 ハッシュ表の内部を表示
6 -- 未登録 --
7 -- 未登録 --
8 -- 未登録 --
9 -- 未登録 --
10 10 (小野)
11 -- 未登録 --
12 12 (鈴木)
(1)追加 (2)削除 (3)探索 (4)ダンプ (5)終了：2
キー：14                                   ⑭を削除
(1)追加 (2)削除 (3)探索 (4)ダンプ (5)終了：4
0 -- 未登録 --
1 1 (赤尾)
2 -- 削除ずみ --
3 -- 未登録 --
4 -- 未登録 --
5 5 (武田)                                 ハッシュ表の内部を表示
6 -- 未登録 --
7 -- 未登録 --
8 -- 未登録 --
9 -- 未登録 --
10 10 (小野)
11 -- 未登録 --
12 12 (鈴木)
(1)追加 (2)削除 (3)探索 (4)ダンプ (5)終了：5
```

章末問題

■ 平成24年度(2012年度)秋期 午前 問3

探索方法とその実行時間のオーダの適切な組合せはどれか。ここで、探索するデータの数を n とし、ハッシュ値が衝突する（同じ値になる）確率は無視できるほど小さいものとする。また、実行時間のオーダが n^2 であるとは、n 個のデータを処理する時間が cn^2（c は定数）で抑えられることをいう。

	2分探索	線形探索	ハッシュ探索
ア	$\log_2 n$	n	1
イ	$n \log_2 n$	n	$\log_2 n$
ウ	$n \log_2 n$	n^2	1
エ	n^2	1	n

■ 平成16年度(2004年度)春期 午前 問15

配列 A の1番目から N 番目の要素に整数が格納されている（$N > 1$）。次の図は、X と同じ値が何番目の要素に格納されているかを調べる流れ図である。この流れ図の実行結果として、正しい記述はどれか。

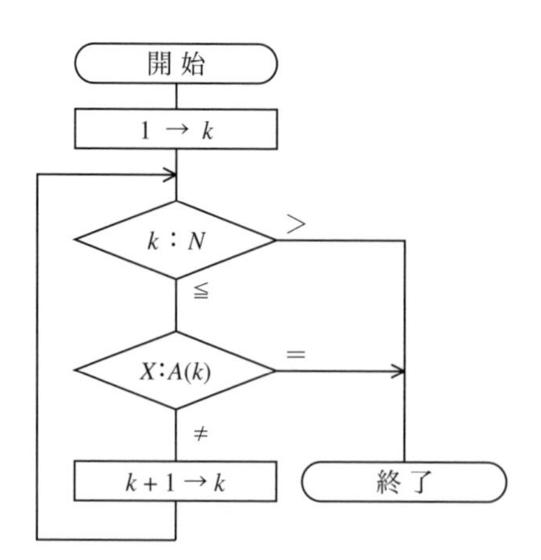

ア　X と同じ値が配列中にない場合、k には1が設定されている。

イ　X と同じ値が配列中にない場合、k には N が設定されている。

ウ　X と同じ値が配列の1番目と N 番目の2か所にある場合、k には1が設定されている。

エ　X と同じ値が配列の1番目と N 番目の2か所にある場合、k には N が設定されている。

■ 平成17年度(2005年度)秋期 午前 問14

2分探索に関する記述のうち、適切なものはどれか。

ア　2分探索するデータ列は整列されている必要がある。

イ　2分探索は線形探索より常に速く探索できる。

ウ　2分探索は探索をデータ列の先頭から開始する。

エ　n 個のデータの探索に要する比較回数は、$n \log_2 n$ に比例する。

■ 平成19年度(2007年度)秋期 午前 問14

昇順に整列された n 個のデータが格納されている配列 A がある。流れ図は、2分探索法を用いて配列 A からデータ x を探し出す処理を表している。a、bに入る操作の正しい組合せはどれか。ここで、除算の結果は小数点以下が切り捨てられる。

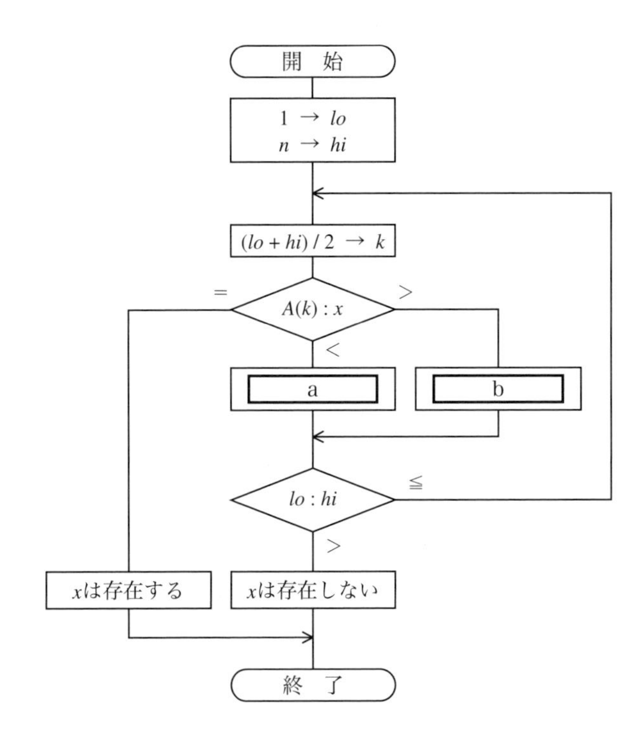

	a	b
ア	$k+1 \rightarrow hi$	$k-1 \rightarrow lo$
イ	$k-1 \rightarrow hi$	$k+1 \rightarrow lo$
ウ	$k+1 \rightarrow lo$	$k-1 \rightarrow hi$
エ	$k-1 \rightarrow lo$	$k+1 \rightarrow hi$

▪ 平成11年度(1999年度)春期 午前 問26

次の探索方法のうちで番兵が有効なものはどれか。

ア　2分探索　イ　線形探索　ウ　ハッシュ探索　エ　幅優先探索

▪ 平成17年度(2005年度)春期 午前 問15

2分探索において、データの個数が4倍になると、最大探索回数はどうなるか。

ア　1回増える。　イ　2回増える。
ウ　約2倍になる。　エ　約4倍になる。

▪ 平成30年度(2018年度)春期 午前 問7

表探索におけるハッシュ法の特徴はどれか。

ア　2分木を用いる方法の一種である。
イ　格納場所の衝突が発生しない方法である。
ウ　キーの関数値によって格納場所を決める。
エ　探索に要する時間は表全体の大きさにほぼ比例する。

▪ 平成20年度(2008年度)秋期 午前 問30

ハッシュ法の説明として、適切なものはどれか。

ア　関数を用いてレコードのキー値からレコードの格納アドレスに求めることによってアクセスする方法
イ　それぞれのレコードに格納されている次のレコードの格納アドレスを用いることによってアクセスする方法
ウ　レコードのキー値とレコードの格納アドレスの対応表を使ってアクセスする方法
エ　レコードのキー値をレコードの格納アドレスとして直接アクセスする方法

▪ 平成26年度(2014年度)秋期 午前 問2

0000 ～ 4999 のアドレスをもつハッシュ表があり、レコードのキー値からアドレスに変換するアルゴリズムとして基数変換法を用いる。キー値が 55550 のときのアドレスはどれか。ここでの基数変換法は、キー値を 11 進数とみなし、10 進数に変換した後、下4桁に対して 0.5 を乗じた結果（小数点以下は切捨て）をレコードのアドレスとする。

ア　0260　イ　2525　ウ　2775　エ　4405

■ 平成23年度(2011年度)秋期 午前 問6

次の規則に従って配列の要素 $A[0]$，$A[1]$，… ，$A[9]$ に正の整数 k を格納する。k として 16, 43, 73, 24, 85 を順に格納したとき、85 が格納される場所はどれか。ここで、x mod y は x を y で割った剰余を返す。また、配列の要素は全て 0 に初期化されている。

〔規則〕

(1) $A[k \bmod 10] = 0$ ならば、$k \rightarrow A[k \bmod 10]$ とする。

(2) (1) で格納できないとき、$A[(k + 1) \bmod 10] = 0$ ならば、$k \rightarrow A[(k + 1) \bmod 10]$ とする。

(3) (2) で格納できないとき、$A[(k + 4) \bmod 10] = 0$ ならば、$k \rightarrow A[(k + 4) \bmod 10]$ とする。

ア $A[3]$　　イ $A[5]$　　ウ $A[6]$　　エ $A[9]$

■ 令和元年度(2019年度)秋期 午前 問10

10 進法で 5 桁の数 $a_1\,a_2\,a_3\,a_4\,a_5$ を、ハッシュ法を用いて配列に格納したい。ハッシュ関数を $\mathrm{mod}(a_1+a_2+a_3+a_4+a_5, 13)$ とし、求めたハッシュ値に対応する位置の配列要素に格納する場合、54321 は配列のどの位置に入るか。ここで、$\mathrm{mod}(x, 13)$ は、x を 13 で割った余りとする。

位置	配列
0	
1	
2	
	⋮
11	
12	

ア 1　　イ 2　　ウ 7　　エ 11

■ 平成16年度(2004年度)春期 午前 問13

16 進数で表される 9 個のデータ 1A、35、3B、54、8E、A1、AF、B2、B3 を順にハッシュ表に入れる。ハッシュ値をハッシュ関数 f(データ) = mod(データ, 8) で求めたとき、最初に衝突が起こる（既に表にあるデータと等しいハッシュ値になる）のはどのデータか。ここで、$\mathrm{mod}(a, b)$ は a を b で割った余りを表す。

ア 54　　イ A1　　ウ B2　　エ B3

■ 平成11年度(1999年度)春期 午前 問31

キー値の分布が 1 ～ 1,000,000 の範囲で一様ランダムであるデータ 5 個を、大きさ 10 のハッシュ表に登録する場合、衝突の起こる確率はおよそ幾らか。ここで、ハッシュ値はキー値をハッシュ表の大きさで割った余りを用いる。

ア 0.2　　イ 0.5　　ウ 0.7　　エ 0.9

第4章

スタックとキュー

本章では、データを一時的に蓄えるためのデータ構造である、スタックとキューを学習します。

- スタック
  後入れ先出し＝LIFO（Last In First Out）
  プッシュ（積む）とポップ
  頂上と底
  スタックポインタ
- キュー
  先入れ先出し＝FIFO（First In First Out）
  エンキュー（押し込む）とデキュー
  先頭と末尾
- 優先度付きキュー
- デック（両方向待ち行列）
- リングバッファ
- collections.deque クラス
- __len__ メソッドと len 関数
- __contains__ メソッドと帰属性判定演算子
- 例外処理

4-1 スタック

スタックは、一時的にデータを保存するためのデータ構造です。最後に入れたデータが最初に取り出されます。

スタックとは

スタック（*stack*）は、データを一時的に蓄えるためのデータ構造の一つです。データの出し入れは**後入れ先出し**（*LIFO*／*Last In First Out*）で行われます。すなわち、最後に入れたデータが最初に取り出されます。

なお、スタックにデータを入れる操作を**プッシュ**（*push*）と呼び、スタックからデータを取り出す操作を**ポップ**（*pop*）と呼びます。

Fig.4-1 に示すのが、スタックにデータをプッシュ／ポップするイメージです。

テーブルに積み重ねた皿のように、データを入れるのも、取り出すのも、最も“上側”で行います。

なお、プッシュとポップが行われる上側を**頂上**（*top*）と呼び、その反対側を**底**（*bottom*）と呼びます。

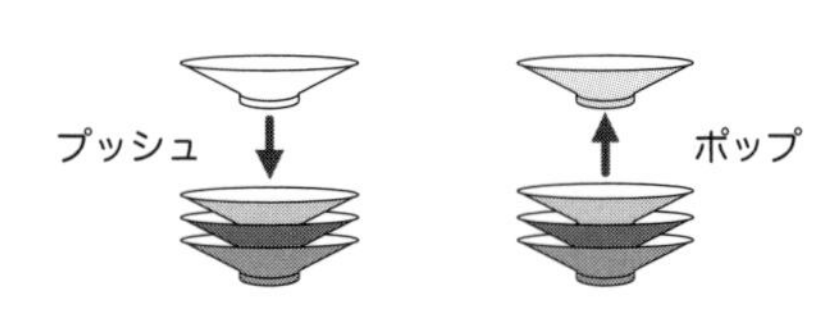

Fig.4-1　スタックへのプッシュとポップ

▶ stack は、『干し草を積んだ山』『堆積』『積み重ね』という意味の語句です。そのため、プッシュすることを“**積む**”ともいいます。

一連のスタックへのプッシュとポップを行う例を **Fig.4-2** に示します。

プッシュされたデータはスタックの頂上に積まれます。ポップするときは、頂上のデータが取り出されますので、ポップを行うと、「さきほどプッシュしたばかりのデータ」が取り出されることになります。

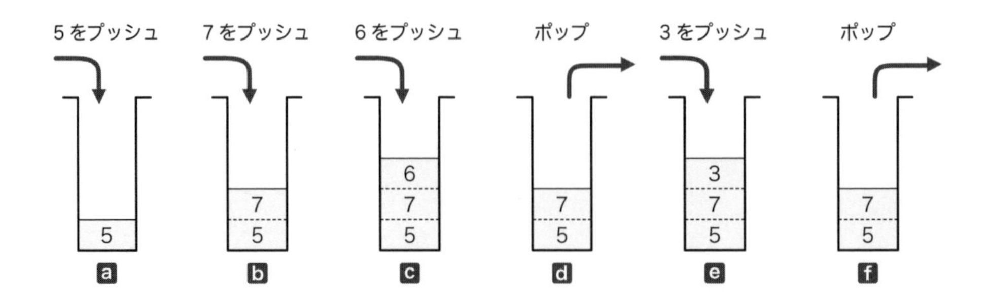

Fig.4-2　スタックへの一連のプッシュとポップ

スタックの実現

スタックを実現するプログラムを作りましょう。基礎的な考え方を理解するために、スタックの容量（スタックに積める最大のデータ数）を生成時に決定するスタック、すなわち、固定長のスタックを作っていきます。

その実現のために必要なデータをまとめたのが、**Fig.4-3** です。

スタック本体用の配列：stk

プッシュされたデータを格納するスタック本体用の、`list` 型の配列です。

図に示すように、添字 `0` の要素をスタックの底とします。そのため、最初にプッシュされるデータの格納先は `stk[0]` です。

スタックの容量：capacity

スタックの容量（スタックに積める最大のデータ数）を表す `int` 型の整数値です。この値は、配列 `stk` の要素数、すなわち `len(stk)` と一致します。

スタックポインタ：ptr

スタックに積まれているデータの個数を表す整数値です。この値は、**スタックポインタ**（*stack pointer*）と呼ばれます。

もちろん、スタックが空であれば `ptr` の値は `0` となり、満杯であれば `capacity` と同じ値になります。

図に示しているのは、容量8のスタックに4個のデータがプッシュされている状態です。最初にプッシュされた“底”のデータは `stk[0]` の19で、最後にプッシュされた“頂上”のデータは `stk[ptr - 1]` の53です。

▶ 図の●内に示す値が `ptr` です。最後にプッシュされたデータを格納している要素の添字に1を加えた値と一致します。この後で学習するように、スタックにデータをプッシュする際に `ptr` をインクリメントし、スタックからデータをポップする際に `ptr` をデクリメントします。

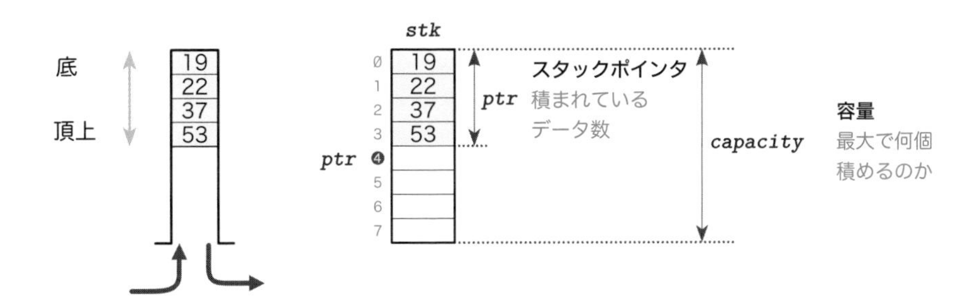

Fig.4-3 スタックの実現例

固定長スタックを実現するのが、**List 4-1** に示すクラス *FixedStack* です。

例外クラス Empty

空のスタックに対して *pop* メソッドあるいは *peek* メソッドが呼び出されたときに送出する例外です。

例外クラス Full

満杯のスタックに対して *push* メソッドが呼び出されたときに送出する例外です。

初期化：__init__

__init__ メソッドは、スタック本体用の配列を生成するなどの準備処理を行います。

仮引数 *capacity* に受け取った値を、スタックの容量を表すフィールド *capacity* にコピーして、要素数が *capacity* で、全要素が None の list 型の配列 *stk* を生成します。

なお、生成時のスタックは空（データが1個も積まれていない状態）ですから、スタックポインタ *ptr* の値を 0 にします。

積まれているデータ数を調べる：__len__

スタックに積まれているデータ数を返すメソッドです。スタックポインタ *ptr* の値をそのまま返します。

メソッド名の __len__ は特別な名前であるため、スタック *s* の要素数は、*s*.__len__() だけでなく、len(*s*) でも調べられるようになります（**Column 4-3**：p.125）。

空であるかを判定する：is_empty

スタックが空（データが一つも積まれていない状態）であるかどうかを判定するメソッドです。空であれば True を、そうでなければ False を返します。

満杯であるかを判定する：is_full

スタックが満杯（それ以上データをプッシュできない状態）であるかどうかを判定するメソッドです。満杯であれば True を、そうでなければ False を返します。

▶ クラス *FixedStack* のメソッドのみを利用してスタックに対する操作を行う限り、スタックポインタ *ptr* の値は、必ず 0 以上かつ *capacity* 以下となります。そのため、メソッド *is_empty* とメソッド *is_full* は、< 演算子や >= 演算子ではなく、== を利用して、以下のように定義できます。

```
def is_empty(self) -> bool:
    """スタックは空であるか"""
    return self.ptr == 0
```

```
def is_full(self) -> bool:
    """スタックは満杯か"""
    return self.ptr == self.capacity
```

とはいえ、プログラムミスなどに起因して、*ptr* の値が 0 より小さくなったり *capacity* より大きくなる可能性がないとはいえません。

本プログラムのように不等号を付けて判断すれば、スタック本体の配列に対する上限や下限を超えたアクセスを防げます。このような些細な工夫で、**プログラムの頑健**（がんけん）**さが向上します。**

List 4-1 [A] chap04/fixed_stack.py

```
# 固定長スタッククラス

from typing import Any

class FixedStack:
    """固定長スタッククラス"""

    class Empty(Exception):
        """空のFixedStackに対してpopあるいはpeekが呼び出されたときに
           送出する例外"""
        pass

    class Full(Exception):
        """満杯のFixedStackに対してpushが呼び出されたときに送出する例外"""
        pass

    def __init__(self, capacity: int = 256) -> None:
        """初期化"""
        self.stk = [None] * capacity    # スタック本体
        self.capacity = capacity        # スタックの容量
        self.ptr = 0                    # スタックポインタ

    def __len__(self) -> int:
        """スタックに積まれているデータ数を返す"""
        return self.ptr

    def is_empty(self) -> bool:
        """スタックは空であるか"""
        return self.ptr <= 0

    def is_full(self) -> bool:
        """スタックは満杯か"""
        return self.ptr >= self.capacity
```

➡

Column 4-1 例外処理（その1）

Pythonプログラムの実行中のエラーは、**例外**というメッセージとして送出されます。例外を**捕捉**して対処を行う**例外処理**を行うと、エラーからの回復によってプログラムの実行の中断を回避できます。

例外処理の優れた点の一つが、本来の処理のコードと、エラー発生時の対処のコードを分離できることであり、**Fig.4C-1** に示す **try 文**（*try statement*）を利用します。

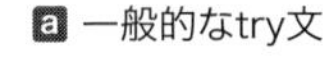

try節	本来の処理	`try: スイート`
except節	例外の捕捉と対処	`except 例外: スイート` ・・・ 1個以上
else節	捕捉しなかった	`else: スイート` ・・・ 省略可能
finally節	後始末	`finally: スイート` ・・・ 省略可能

b try−finally文

```
try: スイート
finally: スイート
```

Fig.4C-1 try 文の構文の概略

■ プッシュ：push

スタックにデータをプッシュするメソッドです。ただし、スタックが満杯でプッシュ不能の場合は、例外 **FixedStack.Full** を送出します。

プッシュ操作を行う一例である **Fig.4-4** ⓐを見ながら理解しましょう。

スタックが満杯でなければ、受け取った **value** を、配列の要素 **stk[ptr]** に格納します。格納後は、スタックポインタ **ptr** をインクリメントします。

▶ **stk[ptr]** すなわち **stk[4]** に格納後に、**ptr** をインクリメントして **5** にします。

■ ポップ：pop

スタックの頂上からデータをポップして、その値を返すメソッドです。ただし、スタックが空でポップ不能の場合は、例外 **FixedStack.Empty** を送出します。

ポップ操作を行う一例である図ⓑを見ながら理解しましょう。

スタックが空でなければ、まずスタックポインタ **ptr** の値をデクリメントして、それから **stk[ptr]** に格納されている値を返します。

▶ **ptr** をデクリメントして **5** から **4** にした上で、**stk[ptr]** すなわち **stk[4]** を返却します。

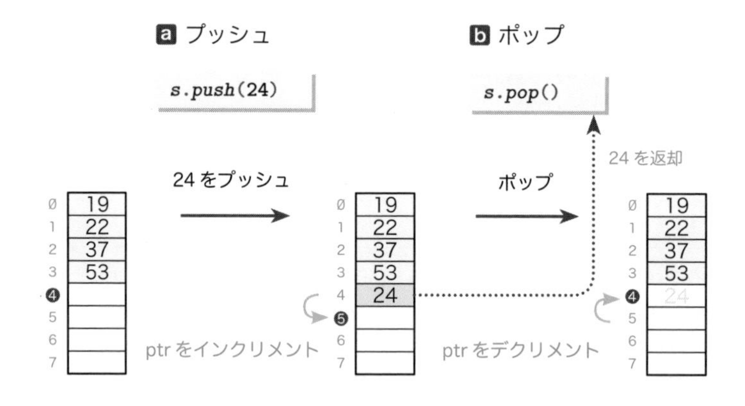

Fig.4-4　スタックへのプッシュとポップ

■ ピーク：peek

スタックの頂上のデータ（次にポップを行ったときに取り出されるデータ）を“覗き見”するメソッドです。ただし、スタックが空のときは、例外 **FixedStack.Empty** を送出します。

スタックが空でなければ、頂上の要素 **stk[ptr - 1]** の値を返します。なお、データの出し入れがないため、スタックポインタは変化しません。

List 4-1 [B]　chap04/fixed_stack.py

```
    def push(self, value: Any) -> None:
        """スタックにvalueをプッシュ"""
        if self.is_full():              # スタックは満杯
            raise FixedStack.Full
        self.stk[self.ptr] = value
        self.ptr += 1

    def pop(self) -> Any:
        """スタックからデータをポップ（頂上のデータを取り出す）"""
        if self.is_empty():             # スタックは空
            raise FixedStack.Empty
        self.ptr -= 1
        return self.stk[self.ptr]

    def peek(self) -> Any:
        """スタックからデータをピーク（頂上のデータを覗き見）"""
        if self.is_empty():             # スタックは空
            raise FixedStack.Empty
        return self.stk[self.ptr - 1]

    def clear(self) -> None:
        """スタックを空にする（全データの削除）"""
        self.ptr = 0
```

➡

■ スタックを空にする（全データの削除）：clear

スタックに積まれている全データを削除して空にするメソッドです。スタックポインタ **ptr** を **0** にするだけです。

▶ スタックポインタ **ptr** の値を **0** にするだけでよい（スタック本体用の配列要素の値を変更する必要がない）のは、スタックに対するプッシュやポップなどのすべての操作が、スタックポインタに基づいて行われるからです。

Column 4-2　例外処理（その2）

例外は、プログラムによって意図的に**送出する**（*raise*）ことが可能です。例外の送出を行うのが、**raise 文**（*raise statement*）です。

クラス **FixedStack** のメソッド **push** と **pop** と **peek** では、スタックが満杯あるいは空のときに例外を送出しています。

＊

ValueError クラスや **ZeroDivisionError** クラスなど、Python が提供する例外は、**標準組込み例外**と呼ばれます。標準組込み例外は、**BaseException クラス**と、そこから直接あるいは間接的に派生したクラスとして提供されます。

なお、プログラマが定義する**ユーザ定義例外**は、**BaseException** クラスではなくて、**Exception クラス（あるいは、その派生クラス）から派生するのが原則です。**というのも、**BaseException** クラスは、ユーザ定義クラスが派生することを前提としていない仕様だからです。

本章のスタッククラスとキュークラスでは、2個のクラス **Empty** と **Full** を、いずれも **Exception** クラスの子クラスとして定義しています。

探索：find

スタック本体の配列 `stk` 内に、`value` と同じ値のデータが含まれているかどうか、含まれているのであれば配列のどこに入っているのかを調べるメソッドです。

スタックからの探索を行う一例を、**Fig.4-5** に示しています。この図に示すように、探索は、**頂上側から底側へ**の線形探索によって行います。すなわち、配列の添字の大きいほうから小さいほうへと走査します。

探索に成功した場合は、見つけた要素の添字を返し、失敗した場合は `-1` を返します。

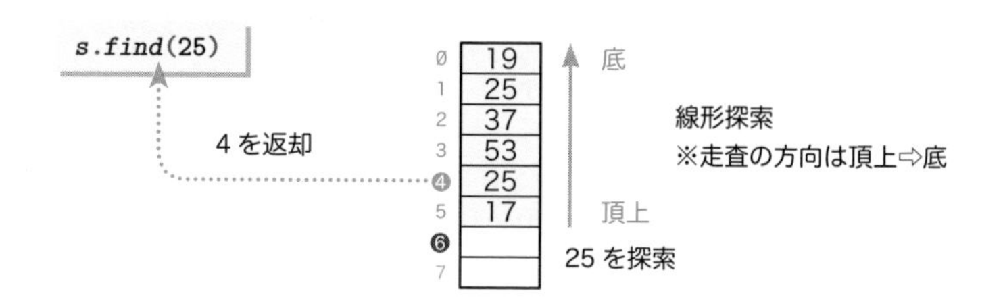

Fig.4-5 スタックからの探索

▶ 図に示しているスタックには、添字 1 と添字 4 の 2 箇所に 25 があります。このスタックから 25 の探索が依頼された場合、**頂上側**の 25 の添字 4 を返します。
　頂上側から走査するのは、《先にポップされることになるデータ》を優先的に見つけるためです。

要素のカウント：count

スタックに積まれている `value` の個数を求めて返却するメソッドです。

▶ **Fig.4-5** のスタックから 25 をカウントすると、2 が返却されます。

データが含まれているかどうかを判定する：__contains__

スタックに `value` が積まれているかどうかを判定するメソッドです。積まれていれば `True` を、そうでなければ `False` を返します。

メソッド名の `__contains__` は特別な名前であるため、スタック `s` に `x` が含まれているかどうかの判定は、`s.__contains__(x)` だけでなく、**帰属性判定演算子**（*membership test operator*）である `in` 演算子を用いた `x in s` でも行えるようになります（**Column 4-3**）。

▶ もちろん、データが含まれていないかどうかを判定するための `not in` 演算子も利用できます。スタック `s` に `x` が含まれていないかどうかの判定は、`x not in s` で行えます。

List 4-1 [C]　chap04/fixed_stack.py

```
    def find(self, value: Any) -> Any:
        """スタックからvalueを探して添字（見つからなければ-1）を返す"""
        for i in range(self.ptr - 1, -1, -1):  # 頂上側から線形探索
            if self.stk[i] == value:
                return i                  # 探索成功
        return -1                         # 探索失敗

    def count(self, value: Any) -> int:
        """スタックに含まれるvalueの個数を返す"""
        c = 0
        for i in range(self.ptr):         # 底側から線形探索
            if self.stk[i] == value:
                c += 1                    # 入っている
        return c

    def __contains__(self, value: Any) -> bool:
        """スタックにvalueは含まれているか"""
        return self.count(value)

    def dump(self) -> None:
        """ダンプ（スタック内の全データを底→頂上の順に表示）"""
        if self.is_empty():                   # スタックは空
            print('スタックは空です。')
        else:
            print(self.stk[:self.ptr])
```


ダンプ（全データの表示）：dump

スタックに積まれている、**ptr** 個のデータすべてを、底から頂上へと順に表示するメソッドです。なお、スタックが空の場合は『スタックは空です。』と表示します。

Column 4-3　__len__ メソッドと __contains__ メソッド

Pythonでは、先頭と末尾が下線2個 __ となっているメソッドは、特別な意味が与えられます。

▪ `__len__` メソッド

クラスに `__len__` メソッドを定義すると、そのクラス型のインスタンスを `len` 関数に渡せるようになります。

そのため、そのクラス型のインスタンス *obj* に対するメソッド `__len__` の呼出し *obj*.`__len__`() は、簡潔に `len`(*obj*) と記述できます。

▪ `__contains__` メソッド

クラスに `__contains__` メソッドを定義すると、そのクラス型のインスタンスに対して帰属性判定演算子である `in` 演算子を適用できるようになります。

そのクラス型のインスタンス *obj* に対するメソッド `__contains__` の呼出し *obj*.`__contains__`(*x*) は、簡潔に *x* `in` *obj* と記述できます。

2個の下線 (*double underline*) は、省略して dunder（ダンダー）と呼ばれます。そのため、`__len__` は、ダンダーレンダンダー、あるいはダンダーレンと発音されます。

■ 利用例

固定長スタッククラス *FixedStack* を利用するプログラム例を **List 4-2** に示します。

List 4-2 chap04/fixed_stack_test.py

```
# 固定長スタックFixedStackの利用例

from enum import Enum
from fixed_stack import FixedStack

Menu = Enum('Menu', ['プッシュ', 'ポップ', 'ピーク', '探索', 'ダンプ', '終了'])

def select_menu() -> Menu:
    """メニュー選択"""
    s = [f'({m.value}){m.name}' for m in Menu]
    while True:
        print(*s, sep='  ', end='')
        n = int(input('：'))
        if 1 <= n <= len(Menu):
            return Menu(n)

s = FixedStack(64)          # 最大64個プッシュできるスタック

while True:
    print(f'現在のデータ数：{len(s)} / {s.capacity}')
    menu = select_menu()                               # メニュー選択

    if menu == Menu.プッシュ:                          # プッシュ
        x = int(input('データ：'))
        try:
            s.push(x)
        except FixedStack.Full:
            print('スタックが満杯です。')

    elif menu == Menu.ポップ:                          # ポップ
        try:
            x = s.pop()
            print(f'ポップしたデータは{x}です。')
        except FixedStack.Empty:
            print('スタックが空です。')

    elif menu == Menu.ピーク:                          # ピーク
        try:
            x = s.peek()
            print(f'ピークしたデータは{x}です。')
        except FixedStack.Empty:
            print('スタックが空です。')

    elif menu == Menu.探索:                            # 探索
        x = int(input('値：'))
        if x in s:
            print(f'{s.count(x)}個含まれ先頭の位置は{s.find(x)}です。')
        else:
            print('その値は含まれません。')

    elif menu == Menu.ダンプ:                          # ダンプ
        s.dump()

    else:
        break
```

実行例

```
現在のデータ数：0 / 64
(1)プッシュ　(2)ポップ　(3)ピーク　(4)探索　(5)ダンプ　(6)終了：1↵
データ：1↵ ・・・・・・・・・・・・・・・・・・・・・・・・・・・・ 1をプッシュ
現在のデータ数：1 / 64
(1)プッシュ　(2)ポップ　(3)ピーク　(4)探索　(5)ダンプ　(6)終了：1↵
データ：2↵ ・・・・・・・・・・・・・・・・・・・・・・・・・・・・ 2をプッシュ
……中略（プッシュの結果、底から順に 1⇨2⇨3⇨1⇨5 となっている）……
(1)プッシュ　(2)ポップ　(3)ピーク　(4)探索　(5)ダンプ　(6)終了：4↵
値：1↵ ・・・・・・・・・・・・・・・・・・・・・・・・・・・・・ 1を探索
2個含まれ先頭の位置は3です。
現在のデータ数：5 / 64
(1)プッシュ　(2)ポップ　(3)ピーク　(4)探索　(5)ダンプ　(6)終了：3↵
ピークしたデータは5です ・・・・・・・・・・・・・・・・・・・・・ 5をピーク
現在のデータ数：5 / 64
(1)プッシュ　(2)ポップ　(3)ピーク　(4)探索　(5)ダンプ　(6)終了：2↵
ポップしたデータは5です。・・・・・・・・・・・・・・・・・・・・ 5をポップ
現在のデータ数：4 / 64
(1)プッシュ　(2)ポップ　(3)ピーク　(4)探索　(5)ダンプ　(6)終了：2↵
ポップしたデータは1です。・・・・・・・・・・・・・・・・・・・・ 1をポップ
現在のデータ数：3 / 64
(1)プッシュ　(2)ポップ　(3)ピーク　(4)探索　(5)ダンプ　(6)終了：5↵
[1, 2, 3] ・・・・・・・・・・・・・・・・・・・・・・・・・・・・ ダンプ
現在のデータ数：3 / 64
(1)プッシュ　(2)ポップ　(3)ピーク　(4)探索　(5)ダンプ　(6)終了：6↵
```

クラス ***FixedStack*** 型の固定長スタック **s** を生成しているのが、プログラム網かけ部です。容量が **64** のスタックですから、同時に 64 個までプッシュできます。

▶ 黒網部では、スタック **s** に積まれているデータ数を **len(s)** で求めています。

Column 4-4　collections.deque を用いたスタックの実現

Python の組込みコンテナは、辞書 **dict**、リスト **list**、集合 **set**、タプル **tuple** の４種類ですが、それ以外のコンテナが **collections** モジュールで提供されています。

提供される主要なコンテナは、**namedtuple**、**deque**、**ChainMap**、**Counter**、**OrderedDict**、**defaultdict**、**UserDict**、**UserList**、**UserString** といったコレクションです。この中の **deque** クラスをうまく利用すると、スタックを簡潔に実現できます。

その **deque** は、両端（先頭および末尾）における要素の追加･削除が容易に行えるデータ構造である、**デック**（*deque*）を実現するコンテナです。主要な属性とメソッドの仕様は、次のとおりです。

maxlen

deque の最大長を表す読出し専用の属性です。制限されていなければ **None** です。

append(*x*)

x を **deque** の末尾に追加します。※これ以降は、すべてメソッドです。

appendleft(*x*)

x を **deque** の先頭に追加します。

clear()

deque から全要素を削除して、長さを **0** にします。

`copy()`

deque の浅いコピー（シャローコピー）を生成します。

`count(x)`

deque 内の x と等しい要素をカウントします。

`extend(iterable)`

イテラブルな引数 *iterable* から得られる要素を deque の末尾側に追加して拡張します。

`extendleft(iterable)`

イテラブルな引数 *iterable* から得られる要素を deque の先頭側に追加して拡張します。

`index(x[, start[, stop]])`

deque 内の（インデックス *start* からインデックス *stop* の両端を含む範囲での）*x* の最も先頭側の位置を返却します。見つからない場合には ValueError を送出します。

`insert(i, x)`

x を deque の *i* の位置に挿入します。挿入によって、長さ（容量）に制限のある deque の長さが maxlen を超える場合、IndexError を送出します。

`pop()`

deque の末尾から要素を 1 個削除して、その要素を返却します。要素が 1 個も存在しない場合は IndexError を送出します。

`popleft()`

deque の先頭から要素を 1 個削除して、その要素を返却します。要素が 1 個も存在しない場合は IndexError を送出します。

`remove(value)`

最初に現れる *value* を削除します。要素が存在しない場合は ValueError を送出します。

`reverse()`

deque の要素をインプレースに反転して、None を返却します。

`rotate(n=1)`

deque の要素を全体で *n* ステップだけ右に回転します。*n* が負であれば、左に回転します。

上記に加えて、イテレーションや、pickle、len(*d*)、reversed(*d*)、copy.copy(*d*)、copy.deepcopy(*d*)、in 演算子による帰属性判定、*d*[-1] などの形式でのインデックス（添字）による参照がサポートされます。

両端への添字アクセスは O(1) ですが、中央部分へのアクセスは O(n) と遅くなります。そのため、インデックスによる任意の要素へのランダムアクセスには向きません。

*

deque を利用して、固定長のスタックを実現するのが、**List 4C-1** に示すクラス *Stack* です。基本的な仕様は、本文で作成したクラス *FixedStack* と同じです。

標準ライブラリは高速な動作が期待できること、プログラムがシンプルであること、などの理由から、*FixedStack* よりも、*Stack* のほうが優れています（ただし、データ構造の学習のためには、クラス *FixedStack* の理解が必要です）。

※デックについては、**Column 4-6**（p.139）でも簡単に学習します。

List 4C-1 chap04/stack.py

```
# 固定長スタッククラス（collections.dequeを利用）

from typing import Any
from collections import deque

class Stack:
    """固定長スタッククラス（collections.dequeを利用）"""

    def __init__(self, maxlen: int = 256) -> None:
        """初期化"""
        self.capacity = maxlen
        self.__stk = deque([], maxlen)

    def __len__(self) -> int:
        """スタックに積まれているデータ数を返す"""
        return len(self.__stk)

    def is_empty(self) -> bool:
        """スタックは空であるか"""
        return not self.__stk

    def is_full(self) -> bool:
        """スタックは満杯か"""
        return len(self.__stk) == self.__stk.maxlen

    def push(self, value: Any) -> None:
        """スタックにvalueをプッシュ"""
        self.__stk.append(value)

    def pop(self) -> Any:
        """スタックからデータをポップ（頂上のデータを取り出す）"""
        return self.__stk.pop()

    def peek(self) -> Any:
        """スタックからデータをピーク（頂上のデータを覗き見）"""
        return self.__stk[-1]

    def clear(self) -> None:
        """スタックを空にする（全データの削除）"""
        self.__stk.clear()

    def find(self, value: Any) -> Any:
        """スタックからvalueを探して添字（見つからなければ-1）を返す"""
        try:
            return self.__stk.index(value)
        except ValueError:
            return -1

    def count(self, value: Any) -> int:
        """スタックに含まれるvalueの個数を返す"""
        return self.__stk.count(value)

    def __contains__(self, value: Any) -> bool:
        """スタックにvalueは含まれているか"""
        return self.count(value)

    def dump(self) -> int:
        """ダンプ（スタック内の全データを底→頂上の順に表示）"""
        print(list(self.__stk))
```

なお、本クラスをテストするプログラムは'chap04/stack_test.py'です。

4-2 キュー

本節で学習するキューは、スタックと同様、データを一時的に蓄えるデータ構造です。ただし、最初に入れたデータが最初に取り出される『先入れ先出し』である点が異なります。

キューとは

キュー（*queue*）は、スタックと同様に、データを一時的に蓄えるための基本的なデータ構造の一つです。**Fig.4-6** に示すように、最初に入れたデータが最初に取り出される**先入れ先出し**（*FIFO* ／ *First In First Out*）の機構です。

身近なキュー構造の例としては、銀行の窓口の待ち行列や、スーパーのレジの待ち行列などがあります。

▶ もしも、これらの待ち行列が《スタック》だったら、最初のほうに並んだ人がいつまでも待たされてしまいます。

なお、キューにデータを追加する操作を**エンキュー**（*en-queue*）と呼び、データを取り出す操作を**デキュー**（*de-queue*）と呼びます。また、データが取り出される側を**先頭**（*front*）と呼び、データが押し込まれる側を**末尾**（*rear*）と呼びます。

▶ エンキューすることは、“**押し込む**” ともいいます。なお、デキュー（de-queue）と、両方向待ち行列＝デック（deque）を混同しないようにしましょう。

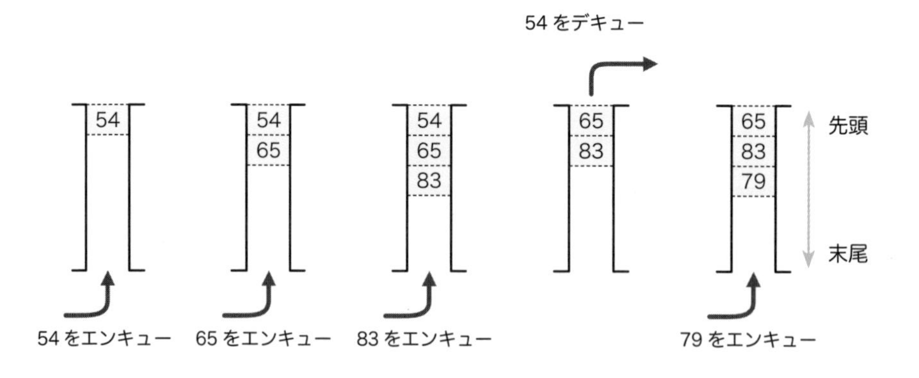

Fig.4-6 キューへのエンキューとデキュー

単純な配列によるキューの実現

スタックと同様に、キューは配列を用いて実現できます。配列で実現されたキューに対する操作を、**Fig.4-7** を例に考えましょう。

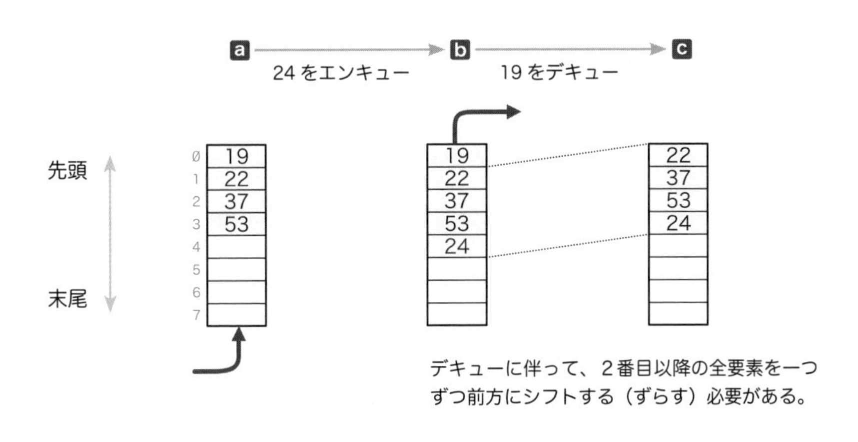

Fig.4-7 配列によるキューの実現例

図aは、配列の先頭から順に 19, 22, 37, 53 の4個のデータが入っている様子です。配列名を *que* とすると、*que*[0] から *que*[3] までに、int 型のデータが格納されています（添字 0 の要素をキューの先頭とします）。

この状態から、エンキューとデキューを行ってみます。

■ 24 のエンキュー

まずは、データ 24 をエンキューします。図bに示すように、末尾データが格納されている *que*[3] の後ろの要素 *que*[4] に 24 を格納します。この処理の計算量は O(1) であり、低コストで実現できます。

■ 19 のデキュー

次は、デキューによってデータを取り出します。図cに示すように、*que*[0] に格納されている 19 を取り出すのに伴って、2番目以降のすべての要素を先頭側に"ずらす"必要があります。この処理の計算量は O(n) です。

データを取り出すたびに、このような処理を行っていては、高い実行効率は望めません。

Column 4-5 優先度付きキュー

優先度付きキュー（*priority queue*）と呼ばれる、特殊なキューがあります。

エンキューする際は、データを優先度を付けて追加して、デキューする際は、最も高い優先度をもつデータを取り出します。

Python では、優先度付きキューは、**heapq** モジュールで提供されます。*heap* に対する **data** のエンキューは **heapq.heappush(*heap*, *data*)** で行い、*heap* からのデキューは **heapq.heappop(*heap*)** で行います（このモジュールを利用したプログラム例は、第6章で学習します）。

リングバッファによるキューの実現

デキューの際に配列内の要素をずらすことなくキューを実現することを考えましょう。そのために用いるのが、**リングバッファ**（*ring buffer*）です。

リングバッファとは、**Fig.4-8** に示すように、配列の末尾要素の後ろに先頭要素がつながっているとみなすデータ構造です。

どの要素が論理的な先頭要素であって、どの要素が論理的な末尾要素であるのかを識別するための変数が、`front` と `rear` です。

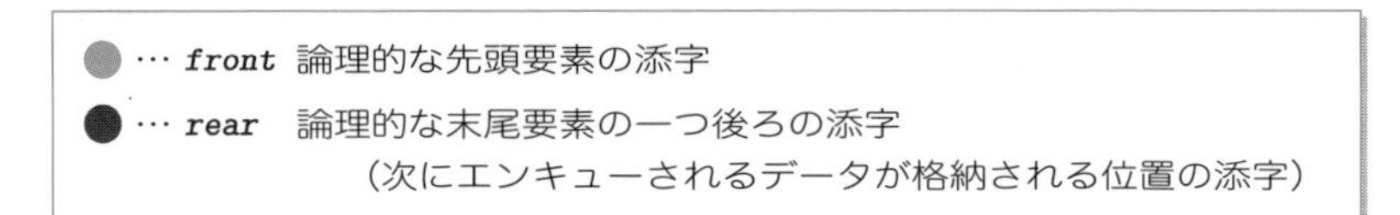

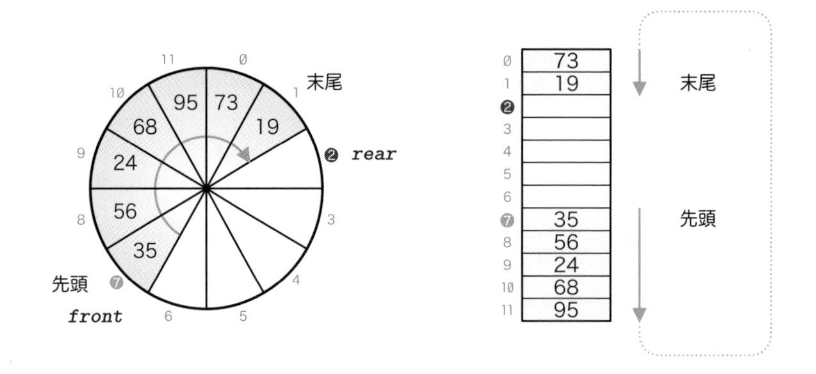

Fig.4-8 リングバッファによるキューの実現

エンキューとデキューを行うと `front` と `rear` の値は変化します。**Fig.4-9** に示すのが、具体例です。

a 7 個のデータ 35, 56, 24, 68, 95, 73, 19 が、この並びの順で `que[7]`, `que[8]`, …, `que[11]`, `que[0]`, `que[1]` に格納されています。すなわち、`front` の値は 7 で、`rear` の値は 2 です。

b 図**a**に対して 82 をエンキューした後の状態です。末尾の次に位置する `que[rear]` すなわち `que[2]` に 82 を格納するとともに、`rear` をインクリメントして 3 とします。

c 図**b**に対して 35 をデキューした後の状態です。先頭要素 `que[front]` すなわち `que[7]` の値である 35 を取り出すとともに、`front` をインクリメントして 8 とします。

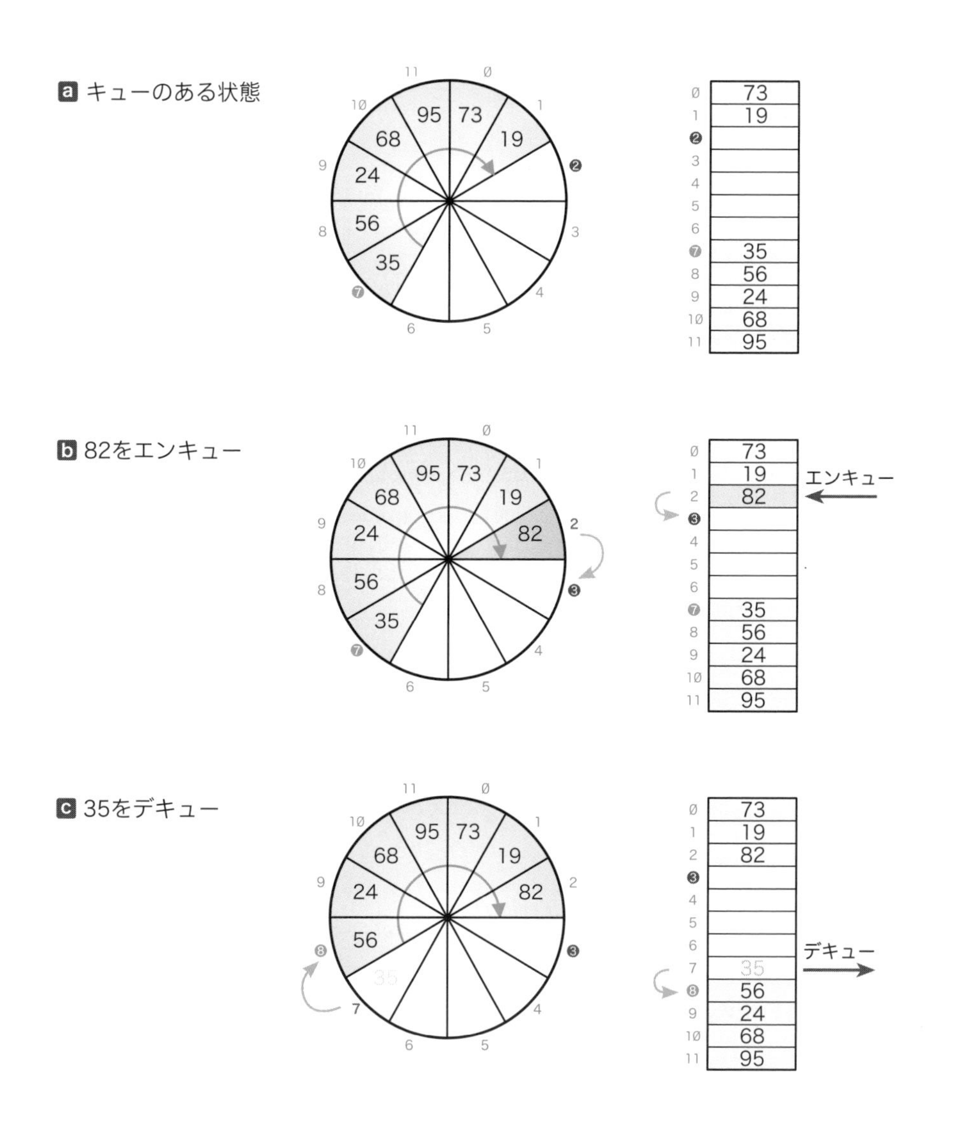

Fig.4-9　リングバッファに対するエンキューとデキュー

Fig.4-7（p.131）のような“要素の移動”が不要であって、*front* や *rear* の値を更新するだけで、エンキューやデキューが行えます。もちろん、いずれの処理も、計算量は O(1) です。

＊

リングバッファを用いてキューを実現するプログラムを作りましょう。前節のスタックと同様に、容量（キューに押し込める最大のデータ数）を生成時に決定する固定長のものとします。

それを実現する固定長キュークラス *FixedQueue* を **List 4-3**（次ページ）に示します。以下、プログラムと対比しながら理解していきましょう。

List 4-3 [A]　chap04/fixed_queue.py

```
# 固定長キュークラス

from typing import Any

class FixedQueue:

    class Empty(Exception):
        """空のFixedQueueに対してdequeあるいはpeekが呼び出されたときに
           送出する例外"""
        pass

    class Full(Exception):
        """満杯のFixedQueueに対してenqueが呼び出されたときに送出する例外"""
        pass

    def __init__(self, capacity: int) -> None:
        """初期化"""
        self.no = 0                     # 現在のデータ数
        self.front = 0                  # 先頭要素カーソル
        self.rear = 0                   # 末尾要素カーソル
        self.capacity = capacity        # キューの容量
        self.que = [None] * capacity    # キューの本体

    def __len__(self) -> int:
        """キューに押し込まれているデータ数を返す"""
        return self.no

    def is_empty(self) -> bool:
        """キューは空であるか"""
        return self.no <= 0

    def is_full(self) -> bool:
        """キューは満杯か"""
        return self.no >= self.capacity
```

例外クラス Empty／例外クラス Full

空のキューに対して **deque** メソッドあるいは **peek** メソッドが呼び出されたときに送出する例外がクラス **Empty** で、満杯のキューに対して **enque** メソッドが呼び出されたときに送出する例外がクラス **Full** です。

初期化：__init__

__init__ メソッドは、キュー本体用の配列を生成するなどの準備処理を行います。次に示す5個のフィールドに値を設定します。

■ キュー本体用の配列：que

押し込まれたデータを格納するキュー本体用の、**list** 型の配列です。

■ キューの容量：capacity

キューの容量（キューに押し込める最大のデータ数）を表す **int** 型の整数値です。この値は、配列 **que** の要素数と一致します。

▪ 先頭要素／末尾要素カーソル：front ／ rear

キューに押し込まれているデータのうち、最初に押し込まれた先頭要素の添字を表すのが **front** で、最後に押し込まれた末尾要素の一つ後ろの添字（次にエンキューが行われる際に、データが格納される要素の添字）を表すのが **rear** です。

▪ データ数：no

キューに蓄えられているデータ数を表す int 型の整数値です。

変数 **front** と **rear** の値が等しくなった場合に、キューが空なのか満杯なのかが区別できなくなるのを避けるために必要な変数です（**Fig.4-10**）。

キューが空のときは **no** は **0** となり、満杯のときは **capacity** と同じ値となります。

▶ 図**a**が空の状態であり、**front** と **rear** の値は同じです。図**b**は満杯の状態です。この図でも、**front** と **rear** の値は同じです（**que[2]** が先頭要素で、**que[1]** が末尾要素です）。図には示していませんが、両方とも **0** 以外の値であって、キューが空である、ということもあり得ます。

a 空のキュー（noは0）

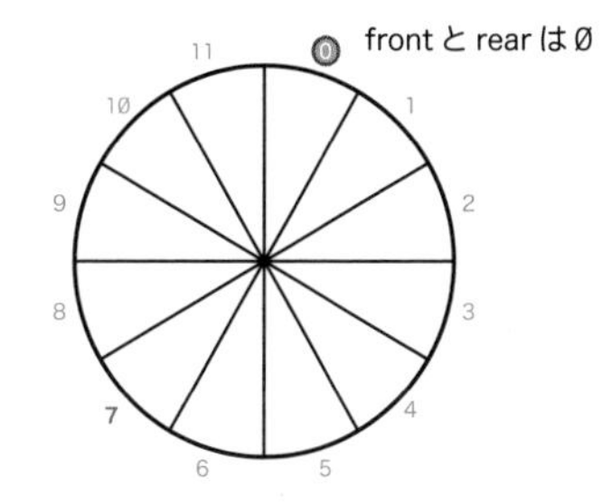

b 満杯のキュー（noは12）

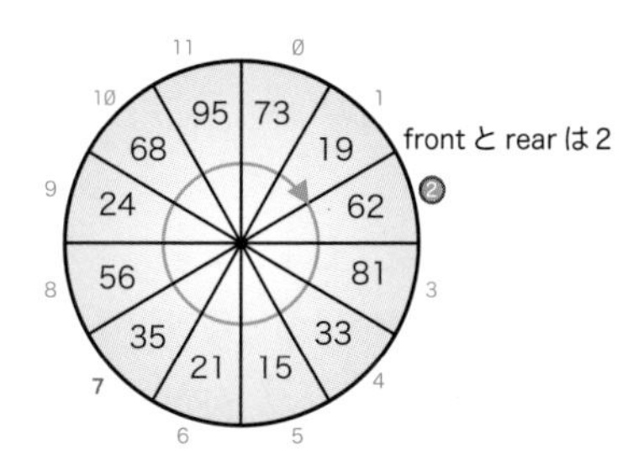

Fig.4-10　空のキューと満杯のキュー

押し込まれているデータ数を調べる：__len__

キューに押し込まれているデータ数を返すメソッドです。**no** の値をそのまま返します。

空であるかを判定する：is_empty

キューが空（データが一つも押し込まれていない状態）であるかどうかを判定するメソッドです。空であれば True を、そうでなければ False を返します。

満杯であるかを判定する：is_full

キューが満杯（それ以上データを押し込めない状態）であるかどうかを調べるメソッドです。満杯であれば True を、そうでなければ False を返します。

エンキュー：enque

キューにデータをエンキューするメソッドです。ただし、キューが満杯でエンキュー不能の場合は、例外 *FixedQueue.Full* を送出します。

List 4-3 [B]　chap04/fixed_queue.py

```
    def enque(self, x: Any) -> None:
        """データxをエンキュー"""
        if self.is_full():
            raise FixedQueue.Full              # キューは満杯
        self.que[self.rear] = x
        self.rear += 1                      ─1
        self.no += 1
        if self.rear == self.capacity:      ─2
            self.rear = 0
```

エンキューを行う一例を示したのが、**Fig.4-11** aです。先頭から順に 35, 56, 24, 68, 95, 73, 19 が押し込まれているキューに対して 82 をエンキューする様子です。

que[rear] すなわち que[2] にエンキューするデータを格納して、*rear* と *no* の値をインクリメントする（プログラム1部）と、エンキューは完了します。

＊

ただし、エンキュー前の *rear* が、配列の物理的な末尾（本図の例では 11）である場合に *rear* をインクリメントすると、その値は *capacity*（本図の例では 12）と等しくなって、**配列の添字の上限を超えてしまいます。**

そのようなケースにおけるエンキューの様子を示すのが図bです。インクリメントした後の *rear* の値がキューの容量 *capacity* と等しくなった場合は、*rear* を配列の先頭の添字 0 に戻します（プログラム2部）。

▶ こうしておくと、次にエンキューされるデータは、正しく que[0] の位置に格納されます。

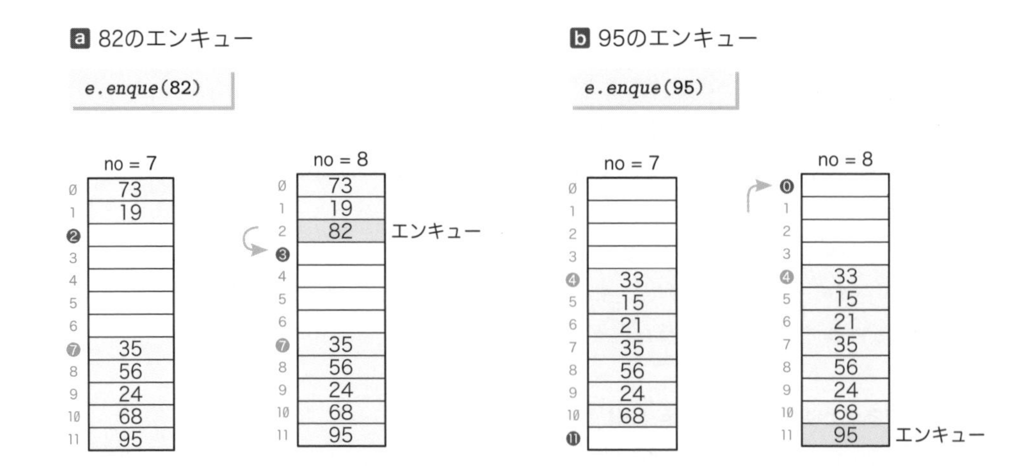

Fig.4-11　キューへのエンキュー

デキュー：deque

キューの先頭からデータをデキューしてその値を返すメソッドです。ただし、キューが空でデキュー不能の場合は、例外 *FixedQueue.Epmty* を送出します。

List 4-3 [C]　　chap04/fixed_queue.py

```
    def deque(self) -> Any:
        """データをデキュー"""
        if self.is_empty():
            raise FixedQueue.Empty              # キューは空
        x = self.que[self.front]
        self.front += 1                      ─1
        self.no -= 1
        if self.front == self.capacity:      ─2
            self.front = 0
        return x
```

デキューを行う一例を示したのが、**Fig.4-12** a です。先頭から順に 35, 56, 24, 68, 95, 73, 19, 82 が押し込まれているキューから、先頭の 35 をデキューする様子です。

キューの先頭である que[front] すなわち que[7] に格納されている値 35 を取り出して、*front* のインクリメントと *no* のデクリメントを行います（プログラム1部）。

*

ただし、デキュー前の *front* が、配列の物理的な末尾（本図の例では 11）である場合に *front* をインクリメントすると、その値は *capacity*（本図の例では 12）と等しくなって、**配列の添字の上限を超えてしまいます**（エンキューの場合と類似した問題が発生します）。

図 b に示すように、インクリメントした後の *front* の値が容量 *capacity* と等しくなった場合は、*front* を配列の先頭の添字 0 に戻します（プログラム2部）。

▶ こうしておくと、次に行われるデキューでは、正しく que[0] の位置からデータが取り出されます。

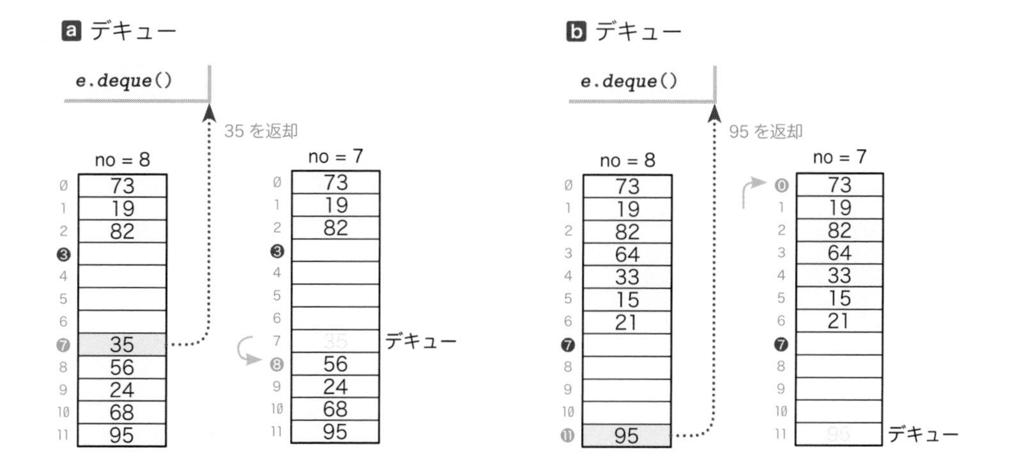

Fig.4-12　キューからのデキュー

ピーク：peek

先頭のデータ、すなわち、次のデキューで取り出されるデータを“覗き見”するメソッドです。

que[front] の値を返すだけであって、データの取出しは行いませんから、*front* や *rear* や *no* の値が変化することはありません。

なお、キューが空のときは、例外 *FixedQueue.Epmty* を送出します。

探索：find

キューの配列から、**value** と等しいデータが含まれている位置を調べるメソッドです。

Fig.4-13 に示すように、先頭から末尾側へと線形探索を行います。もちろん、走査の開始は、配列の物理的な先頭要素ではなく、キューとしての論理的な先頭要素です。

そのため、走査において着目する添字 *idx* の計算式が (*i* + *front*) % *capacity* となっています。

▶ 図の例では、以下のように変化します。
i　　0 ⇨ 1 ⇨ 2 ⇨ 3 ⇨ 4 ⇨ 5 ⇨ 6
idx　7 ⇨ 8 ⇨ 9 ⇨ 10 ⇨ 11 ⇨ 0 ⇨ 1

探索成功時は見つけた要素の添字を返し、失敗時は -1 を返します。

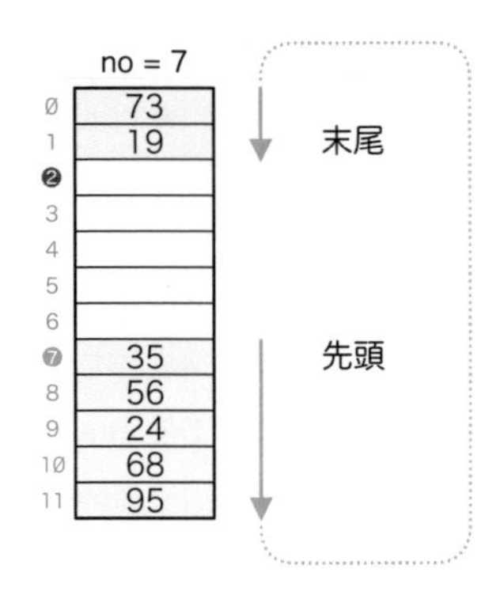

Fig.4-13　キューの線形探索

要素のカウント：count

キューに押し込まれている **value** の個数を求めて返却するメソッドです。

データが含まれているかどうかを判定する：__contains__

キューに **value** が押し込まれているかどうかを判定するメソッドです。押し込まれていれば **True** を、そうでなければ **False** を返します。

内部でメソッド *count* を呼び出すことで実現しています。

全要素の削除：clear

現在キューに押し込まれている全データを削除するメソッドです。

▶ エンキューやデキューは *no*, *front*, *rear* の値に基づいて行われますので、それらの値を 0 にするだけです（キュー本体用の **que** の要素の値を変更する必要はありません）。

全データのダンプ：dump

キューに押し込まれているすべて（*no* 個）のデータを先頭から末尾へと順に表示するメソッドです。ただし、キューが空の場合は『キューは空です。』と表示します。

List 4-3 [D] chap04/fixed_queue.py

```
    def peek(self) -> Any:
        """データをピーク（先頭データを覗く）"""
        if self.is_empty():
            raise FixedQueue.Empty      # キューは空
        return self.que[self.front]

    def find(self, value: Any) -> Any:
        """キューからvalueを探して添字（見つからなければ-1）を返す"""
        for i in range(self.no):
            idx = (i + self.front) % self.capacity
            if self.que[idx] == value:  # 探索成功
                return idx
        return -1                       # 探索失敗

    def count(self, value: Any) -> bool:
        """キューに含まれるvalueの個数を返す"""
        c = 0
        for i in range(self.no):        # 底側から線形探索
            idx = (i + self.front) % self.capacity
            if self.que[idx] == value:  # 探索成功
                c += 1                  # 入っている
        return c

    def __contains__(self, value: Any) -> bool:
        """キューにvalueは含まれているか"""
        return self.count(value)

    def clear(self) -> None:
        """キューを空にする"""
        self.no = self.front = self.rear = 0

    def dump(self) -> None:
        """全データを先頭→末尾の順に表示"""
        if self.is_empty():             # キューは空
            print('キューは空です。')
        else:
            for i in range(self.no):
                print(self.que[(i + self.front) % self.capacity], end=' ')
            print()
```

Column 4-6 両方向待ち行列（デック）

一般に**デック**と呼ばれる**両方向待ち行列**（*deque* ／ *double ended queue*）は、下図に示すように、先頭と末尾の両方に対して、データの押込み・取出しが行えるデータ構造です。

Python では、`collections.deque` として提供されます（**Column 4-4**：p.127）。

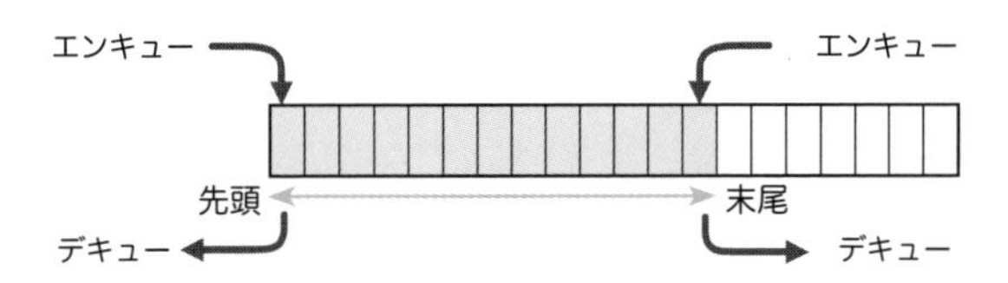

Fig.4C-2 両方向待ち行列（デック）

利用例

キュークラス *FixedQueue* を利用するプログラム例を **List 4-4** に示します。

List 4-4 chap04/fixed_queue_test.py

```
# 固定長キュークラスFixedQueueの利用例

from enum import Enum
from fixed_queue import FixedQueue

Menu = Enum('Menu', ['エンキュー', 'デキュー', 'ピーク', '探索', 'ダンプ',
                     '終了'])

def select_menu() -> Menu:
    """メニュー選択"""
    s = [f'({m.value}){m.name}' for m in Menu]
    while True:
        print(*s, sep='   ', end='')
        n = int(input(' : '))
        if 1 <= n <= len(Menu):
            return Menu(n)

q = FixedQueue(64)      # 最大64個エンキューできるキュー

while True:
    print(f'現在のデータ数：{len(q)} / {q.capacity}')
    menu = select_menu()                            # メニュー選択

    if menu == Menu.エンキュー:                       # エンキュー
        x = int(input('データ：'))
        try:
            q.enque(x)
        except FixedQueue.Full:
            print('キューが満杯です。')

    elif menu == Menu.デキュー:                       # デキュー
        try:
            x = q.deque()
            print(f'デキューしたデータは{x}です。')
        except FixedQueue.Empty:
            print('キューが空です。')

    elif menu == Menu.ピーク:                         # ピーク
        try:
            x = q.peek()
            print(f'ピークしたデータは{x}です。')
        except FixedQueue.Empty:
            print('キューが空です。')

    elif menu == Menu.探索:                           # 探索
        x = int(input('値：'))
        if x in q:
            print(f'{q.count(x)}個含まれ先頭の位置は{q.find(x)}です。')
        else:
            print('その値は含まれません。')

    elif menu == Menu.ダンプ:                         # ダンプ
        q.dump()

    else:
        break
```

クラス*FixedQueue*型の固定長キューを生成しているのが、プログラムの網かけ部です。キューの容量が**64**ですから、同時に64個までを押し込めます。

実行例

```
現在のデータ数：0 / 64
(1)エンキュー　(2)デキュー　(3)ピーク　(4)探索　(5)ダンプ　(6)終了：1
データ：1                                              1をエンキュー
現在のデータ数：1 / 64
(1)エンキュー　(2)デキュー　(3)ピーク　(4)探索　(5)ダンプ　(6)終了：1
データ：2                                              2をエンキュー
現在のデータ数：2 / 64
(1)エンキュー　(2)デキュー　(3)ピーク　(4)探索　(5)ダンプ　(6)終了：1
データ：3                                              3をエンキュー
現在のデータ数：3 / 64
(1)エンキュー　(2)デキュー　(3)ピーク　(4)探索　(5)ダンプ　(6)終了：1
データ：1                                              1をエンキュー
現在のデータ数：4 / 64
(1)エンキュー　(2)デキュー　(3)ピーク　(4)探索　(5)ダンプ　(6)終了：1
データ：5                                              5をエンキュー
現在のデータ数：5 / 64
(1)エンキュー　(2)デキュー　(3)ピーク　(4)探索　(5)ダンプ　(6)終了：5
1 2 3 1 5                                              ダンプ
現在のデータ数：5 / 64
(1)エンキュー　(2)デキュー　(3)ピーク　(4)探索　(5)ダンプ　(6)終了：4
データ：1                                              1を探索
2個含まれ先頭の位置は0です。

現在のデータ数：5 / 64
(1)エンキュー　(2)デキュー　(3)ピーク　(4)探索　(5)ダンプ　(6)終了：3
ピークしたデータは1です。                              1をピーク
現在のデータ数：5 / 64
(1)エンキュー　(2)デキュー　(3)ピーク　(4)探索　(5)ダンプ　(6)終了：2
デキューしたデータは1です。                            1をデキュー
現在のデータ数：4 / 64
(1)エンキュー　(2)デキュー　(3)ピーク　(4)探索　(5)ダンプ　(6)終了：2
デキューしたデータは2です。                            2をデキュー
現在のデータ数：3 / 64
(1)エンキュー　(2)デキュー　(3)ピーク　(4)探索　(5)ダンプ　(6)終了：5
3 1 5                                                  ダンプ
現在のデータ数：3 / 64
(1)エンキュー　(2)デキュー　(3)ピーク　(4)探索　(5)ダンプ　(6)終了：6
```

Column 4-7 リングバッファの応用例

リングバッファは、"古いデータを捨てる" 用途に応用できます。具体的な例をあげると、要素数が n の配列に対して、次々にデータが入力されるとき、最新の n 個のみを保存しておき、それより古いデータは切り捨てるといった用途です。

そのようなプログラムの一例を **List 4C-2** に示します。list 型の配列 a の要素数は n です。整数の入力は何個でも行えますが、配列に保存されるのは最新の n 個のみです。

List 4C-2 chap04/last_elements.py

```
# 好きな個数だけ値を読み込んで要素数nの配列に最後のn個を格納

n = int(input('何個の整数を記憶しますか：'))
a = [None] * n  # 読み込んだ値を格納する配列

cnt = 0         # 読み込んだ個数
while True:
    a[cnt % n] = int(input((f'{cnt + 1}個目の整数：')))    ❶
    cnt += 1

    retry = input(f'続けますか？（Y…Yes／N…No）：')
    if retry in {'N', 'n'}:
        break

i = cnt - n                                   ❷
if i < 0: i = 0

while i < cnt:
    print(f'{i + 1}個目＝{a[i % n]}')
    i += 1
```

Fig.4C-3 に示すのは、n が 10 のときに、以下に示す 12 個の整数を読み込んだ例です。

15, 17, 64, 57, 99, 21, 0, 23, 44, 55, 97, 85

ただし、配列に残っているのは最後の 10 個です。すなわち、以下に示すように、最初に読み込んだ 2 個は切り捨てられています。

15, 17, 64, 57, 99, 21, 0, 23, 44, 55, 97, 85
←→
切捨て

＊

プログラムの❶では、キーボードから読み込んだ値を a[cnt % n] に格納しています。読み込まれた値がどのように配列の要素に格納されるのかを、具体的に検証してみましょう。

▪ 1 個目の値の読込み

cnt の値は 0 であり、それを 10 で割った剰余は 0 です。読み込んだ数値は a[0] に格納されます。

▪ 2 個目の値の読込み

cnt の値は 1 であり、それを 10 で割った剰余は 1 です。読み込んだ数値は a[1] に格納されます。

… 中略 …

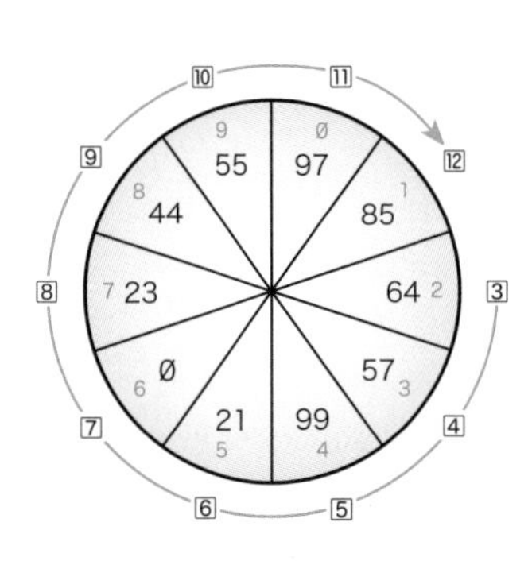

※青文字の数値 … 要素の添字。
□内の数値 … 何個目に読み込んだか。

実行例

```
何個の整数を記憶しますか：10↵
1個目の整数：15↵
続けますか？ (Y…Yes／N…No) ：Y↵
2個目の整数：17↵
続けますか？ (Y…Yes／N…No) ：Y↵
… 中略 …
12個目の整数 ： 85↵
続けますか？ (Y…Yes／N…No) ：N↵
 3個目＝64
 4個目＝57
 5個目＝99
… 中略 …
10個目＝55
11個目＝97
12個目＝85
```

Fig.4C-3 キーボードからの読込み

- 10 個目の値の読込み

　cnt の値は 9 であり、それを 10 で割った剰余は 9 です。読み込んだ数値は a[9] に格納されます。

- 11 個目の値の読込み

　cnt の値は 10 であり、それを 10 で割った剰余は 0 です。読み込んだ数値は a[0] に格納されます。すなわち、1 個目のデータが、11 個目のデータで上書きされます。

- 12 個目の値の読込み

　cnt の値は 11 であり、それを 10 で割った剰余は 1 です。読み込んだ数値は a[1] に格納されます。すなわち、2 個目のデータが、12 個目のデータで上書きされます。

　読み込んだ値の格納先添字を *cnt* % *n* で求める（そして、その後で *cnt* をインクリメントする）ことによって、**配列の全要素を循環的に利用している**ことが分かりました。

※ クラス *FixedQueue* のメソッド *find* における添字の求め方も、同じ原理に基づいています。

*

　なお、読み込んだ値を表示する際は、ちょっとした工夫が必要です（プログラム2）。

　読み込んだ個数 *cnt* が 10 以下であれば、

```
a[0] ～ a[cnt - 1]
```

を順に表示するだけで実現できます（表示する値は *cnt* 個です）。

　ただし、図に示すように、たとえば 12 個読み込んだ場合は、

```
a[2], a[3], …, a[9], a[0], a[1]
```

という順で表示する必要があります（表示する値は *n* 個すなわち 10 個です）。

　ここでも、剰余演算子を利用して簡潔に処理しています。プログラムをしっかり読んで、理解しましょう。

章末問題

▪ 平成18年度（2006年度）春期 午前 問12

空の状態のキューとスタックの二つのデータ構造がある。右の手続を順に実行した場合、変数 x に代入されるデータはどれか。ここで、

データ y をスタックに挿入することを push(y)、
スタックからデータを取り出すことを pop()、
データ y をキューに挿入することを enq(y)、
キューからデータを取り出すことを deq()、

とそれぞれ表す。

```
push(a)
push(b)
enq(pop())
enq(c)
push(d)
push(deq())
x ← pop()
```

ア　a　　イ　b　　ウ　c　　エ　d

▪ 平成11年度（1999年度）秋期 午前 問13

FIFO（First-In First-Out）の処理に適したデータ構造はどれか。

ア　2分木　　イ　キュー　　ウ　スタック　　エ　ヒープ

▪ 平成15年度（2003年度）秋期 午前 問13

スタック操作の特徴を表す用語はどれか。

ア　FIFO　　イ　LIFO　　ウ　LILO　　エ　LRU

▪ 平成24年度（2012年度）春期 午前 問6

十分な大きさの配列 A と初期値が 0 の変数 p に対して、関数 $f(x)$ と $g()$ が次のとおり定義されている。配列 A と変数 p は、関数 $f(x)$ と $g()$ だけでアクセス可能である。これらの関数が操作するデータ構造はどれか。

```
function f(x) {
    p = p + 1;
    A[p] = x;
    return None;
}

function g() {
    x = A[p];
    p = p − 1;
    return x;
}
```

ア　キュー　　イ　スタック　　ウ　ハッシュ　　エ　ヒープ

■ 平成29年度(2017年度)秋期 午前 問5

A、B、C、Dの順に到着するデータに対して、一つのスタックだけを用いて出力可能なデータ列はどれか。

ア A、D、B、C　　イ B、D、A、C　　ウ C、B、D、A　　エ D、C、A、B

■ 平成30年度(2018年度)秋期 午前 問5

待ち行列に対する操作を、次のとおり定義する。

ENQ n　：待ち行列にデータnを挿入する。

DEQ　　：待ち行列からデータを取り出す。

空の待ち行列に対し、ENQ 1, ENQ 2, ENQ 3, DEQ, ENQ 4, ENQ 5, DEQ, ENQ 6, DEQ, DEQの操作を行った。次のDEQの操作で取り出される値はどれか。

ア 1　　イ 2　　ウ 5　　エ 6

■ 平成27年度(2015年度)春期 午前 問5

キューに関する記述として、最も適切なものはどれか。

ア　最後に格納されたデータが最初に取り出される。

イ　最初に格納されたデータが最初に取り出される。

ウ　添字を用いて特定のデータを参照する。

エ　二つ以上のポインタを用いてデータの階層関係を表現する。

■ 平成17年度(2005年度)春期 午前 問13

PUSH命令でスタックにデータを入れ、POP命令でスタックからデータを取り出す。動作中のプログラムにおいて、ある状態から次の順で10個の命令を実行したとき、スタックの中のデータは図のようになった。1番目のPUSH命令でスタックに入れたデータはどれか。

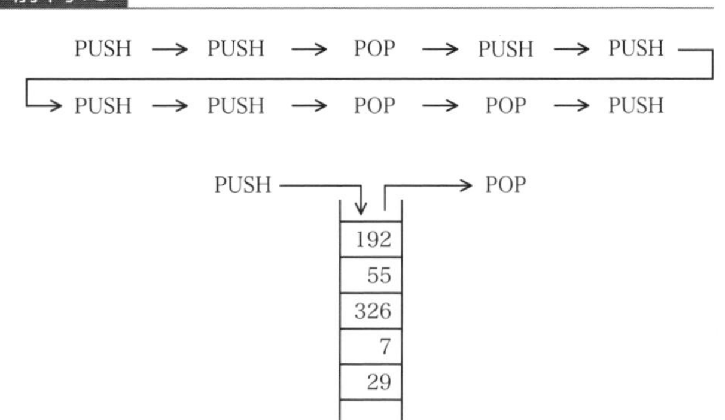

ア 7　　イ 29　　ウ 55　　エ 326

第５章

再帰的アルゴリズム

本章では、各種の再帰的アルゴリズムや、その解析法・非再帰的実現法について学習します。

- 再帰とは
- 再帰的定義
- 直接的な再帰
- 間接的な再帰
- 階乗値
- ユークリッドの互除法と最大公約数
- 真に再帰的
- 再帰アルゴリズムのトップダウン解析
- 再帰アルゴリズムのボトムアップ解析
- 再帰的アルゴリズムの非再帰的表現
- 再帰の除去と末尾再帰
- ハノイの塔
- ８王妃問題
- 原問題の部分問題への分割
- 分枝限定法
- 分割統治法

5-1 再帰の基本

本節では、再帰アルゴリズムの基本を学習します。

再帰とは

ある事象は、自身を含んでいたり、自身を用いて定義されていたりする場合、**再帰的**（*recursive*）であるといわれます。

Fig.5-1 に示すのは、再帰的な図の一例です。ディスプレイ画面の中に、ディスプレイ画面が映っています。そのディスプレイ画面の中にも … 。

再帰の考えを利用すると、1 から始まって、2，3，… と無限に続く自然数は、以下のように定義できます。

▪ 自然数の定義

ⓐ 1 は自然数である。

ⓑ ある自然数の直後の整数も自然数である。

再帰的定義（*recursive definition*）によって、無限に存在する自然数を、わずか二つの文で定義できるのです。

再帰を効果的に利用すると、定義だけではなく、プログラムを簡潔かつ効率のよいものとすることが期待できます。

▶ 再帰は、第６章で学習するマージソートとクイックソート、第９章で学習する２分探索木などで利用されます。

Fig.5-1 再帰の例

階乗値

再帰を用いるプログラム例として最初に取り上げるのは、**非負の整数値の階乗値を求める**問題です。

非負の整数 n の階乗は、以下のように再帰的に定義されます。

- 階乗 n! の定義（n は非負の整数とする）

  a 0! = 1

  b n > 0 ならば　n! = n × (n - 1)!

たとえば、10 の階乗である 10! は、10 × 9! で求められますし、そこで使われている 9! は、9 × 8! で求められます。

＊

ここに示した定義を、そのままプログラムとして実現したのが、**List 5-1** に示すプログラム中の関数 *factorial* です。

List 5-1　chap05/factorial.py

```python
# 非負の整数の階乗値を求める

def factorial(n: int) -> int:
    """非負の整数nの階乗を再帰的に求める"""
    if n > 0:
        return n * factorial(n - 1)
    else:
        return 1

if __name__ == '__main__':
    n = int(input('何の階乗：'))
    print(f'{n}の階乗は{factorial(n)}です。')
```

実行例
```
何の階乗：3
3の階乗は6です。
```

関数 *factorial* は、仮引数 n に受け取った値が 0 より大きければ、n * factorial(n - 1) の値を返却し、そうでなければ 1 を返却します。

▶ 本関数は、n に非負でない値を受け取った場合のことは考慮していません。

Column 5-1　math.factorial 関数

階乗値を求めるための標準ライブラリとして、math モジュールで factorial という名前の関数が提供されています。

math.factorial(x) は、整数 x の階乗値を返却します。x が整数でない、あるいは、負であれば ValueError 例外を送出します。

なお、負の引数を受け取ったときに ValueError 例外を送出するように List 5-1 を書きかえたプログラムは 'chap05/factorial_ve.py' です。

再帰呼出し

関数 **factorial** によって階乗値が求められる様子を、**Fig.5-2** に示している『3 の階乗値を求める』例で理解しましょう。

a 呼出し式 **factorial**(3) の評価・実行によって関数 **factorial** が呼び出されます。この関数は、仮引数 *n* に 3 を受け取っているため、以下の値を返します。

　3 * *factorial*(2)

もっとも、この乗算を行うためには、**factorial**(2) の値を求めなければなりません。そこで、実引数として整数値 2 を渡して関数 **factorial** を呼び出します。

b 呼び出された関数 **factorial** は、仮引数 *n* に 2 を受け取っています。

　2 * *factorial*(1)

の乗算を行うために、関数 **factorial**(1) を呼び出します。

c 呼び出された関数 **factorial** は、仮引数 *n* に 1 を受け取っています。

　1 * *factorial*(0)

の乗算を行うために、関数 **factorial**(0) を呼び出します。

d 呼び出された関数 **factorial** は、仮引数 *n* に受け取った値が 0 ですから、1 を返します。

▶ この時点で、初めて return 文が実行されます。

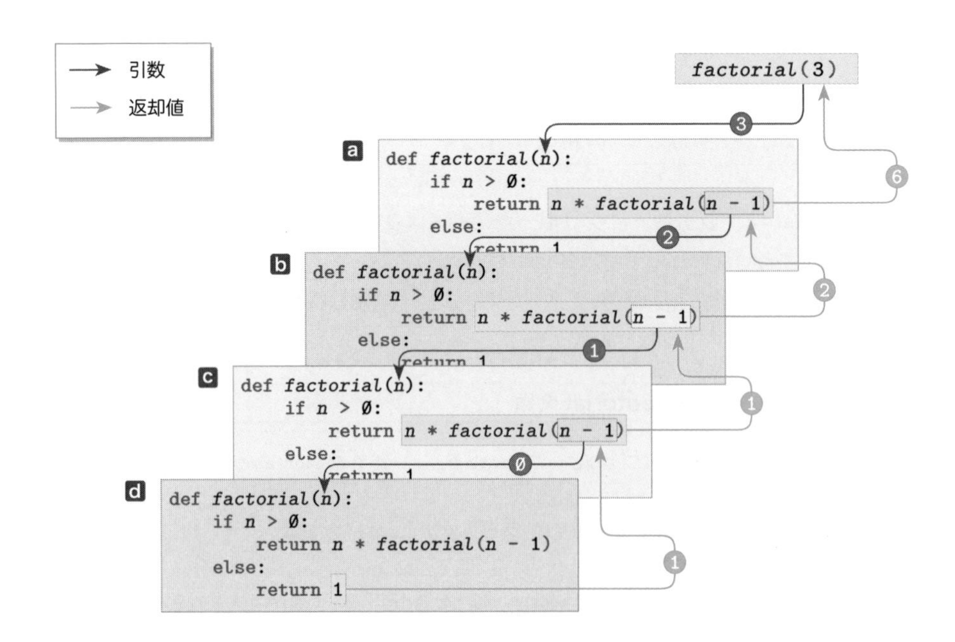

Fig.5-2 3 の階乗値を求める手順

c 返却された値1を受け取った関数 `factorial` は、`1 * factorial(0)` すなわち `1 * 1` を返します。

b 返却された値1を受け取った関数 `factorial` は、`2 * factorial(1)` すなわち `2 * 1` を返します。

a 返却された値2を受け取った関数 `factorial` は、`3 * factorial(2)` すなわち `3 * 2` を返します。

これで3の階乗値6が得られます。

関数 `factorial` は、`n - 1` の階乗値を求めるために、関数 `factorial` を呼び出します。このような関数呼出しが**再帰呼出し**（*recursive call*）です。

▶ 再帰呼出しは、『"自身の関数" の呼出し』と理解するのではなく、『"自身と同じ関数" の呼出し』と理解したほうが自然です。もしも本当に自身を呼び出すのであれば、延々（えんえん）と自身を呼び出し続けることになってしまいますから。

直接的な再帰と間接的な再帰

関数 `factorial` は、その内部で関数 `factorial` を呼び出します。このように、自身と同じ関数を呼び出すのが**直接的な**（*direct*）**再帰**です（**Fig.5-3 a**）。

一方、関数 `a` が関数 `b` を呼び出して、その関数 `b` が関数 `a` を呼び出す構造であれば、関数 `a` は、**間接的な**（*indirect*）**再帰**です（図**b**）。

a 直接的な再帰

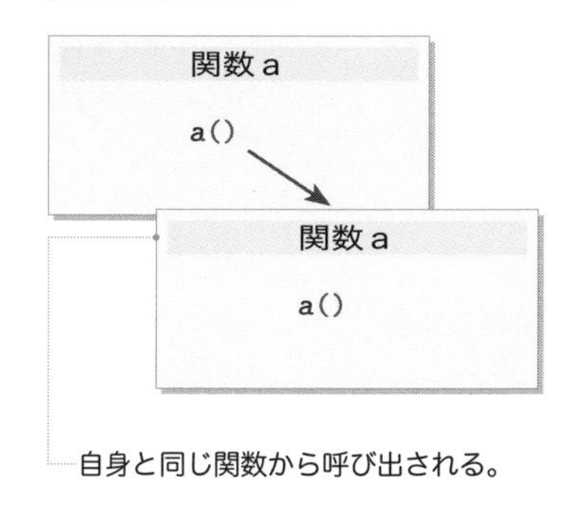

b 間接的な再帰

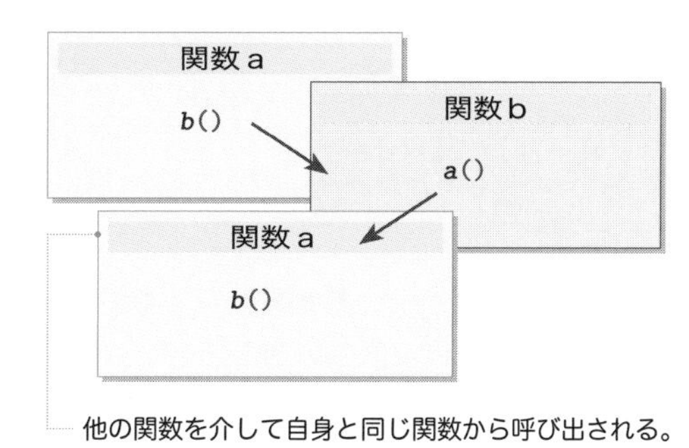

Fig.5-3 直接的な再帰と間接的な再帰

再帰的アルゴリズムが適しているのは、解くべき問題や計算すべき関数、あるいは処理すべきデータ構造が再帰的に定義されている場合です。

したがって、再帰的手続きによって階乗値を求めるのは、再帰の原理を理解するための一例にすぎないものであり、**現実的には適切ではありません**。

ユークリッドの互除法

二つの整数値の**最大公約数**（*greatest common divisor*）を再帰的に求める方法を考えていきましょう。二つの整数値を長方形の２辺の長さと考えると、二つの整数値の最大公約数を求める問題は、以下に示す問題に置きかえられます。

長方形を、正方形で埋めつくす。
そのようにして作ることのできる正方形の最大の辺の長さを求めよ。

辺の長さが 22 と８である長方形を例に、具体的な手順を示したのが、**Fig.5-4** です。

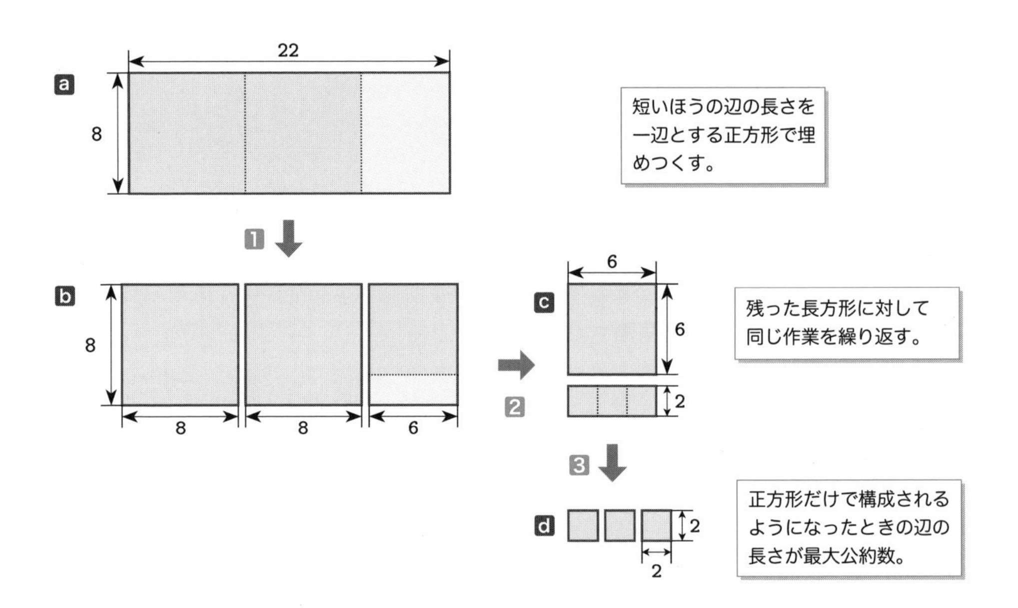

Fig.5-4　22 と８の最大公約数を求める手順

1. 図aに示す 22 × 8 の長方形を短い辺の長さ８の正方形に分割します。その結果、図bに示すように、8 × 8 の正方形が二つタイル張りにされて、8 × 6 の長方形が残ります。

2. 残った 8 × 6 の長方形に対して、同じ手順を試みた結果が図cです。6 × 6 の正方形が１個できて、6 × 2 の長方形が残ります。

3. 残った 6 × 2 の長方形に対して、同じ手順を試みた結果が図dです。今回は 2 × 2 の正方形のタイル三つで埋まります。得られた２が最大公約数です。

二つの整数値が与えられたとき、大きいほうの値を小さいほうの値で割ってみて、割り切れる場合は、小さいほうの値が最大公約数です（3）。

割り切れない場合は、小さいほうの値と、得られた剰余に対して、同じ手続きを割り切れるまで再帰的に繰り返します（1・2）。

この手続きを、式で表現しましょう。二つの整数 *x* と *y* の最大公約数を *gcd*(*x*, *y*) と表記するものとします。このとき、*x* = *az* と *y* = *bz* を満たす整数 *a*, *b* が存在する最大の整数 *z* が、*gcd*(*x*, *y*) です。すなわち、最大公約数は、次のように求められます。

- *y* が 0 であれば … *x*
- そうでなければ … *gcd*(*y*, *x* % *y*)

このアルゴリズムは、**ユークリッドの互除法**（ごじょほう）（*Euclidean method of mutual division*）と呼ばれます。ユークリッドの互除法によって、二つの整数値の最大公約数を求めて表示するプログラムを List 5-2 に示します。

List 5-2 chap05/gcd.py

```
# ユークリッドの互除法によって最大公約数を求める

def gcd(x: int, y: int) -> int:
    """整数値xとyの最大公約数を求めて返却"""
    if y == 0:
        return x
    else:
        return gcd(y, x % y)

if __name__ == '__main__':
    print('二つの整数の最大公約数を求めます。')
    x = int(input('整数：'))
    y = int(input('整数：'))

    print(f'最大公約数は{gcd(x, y)}です。')
```

実行例

```
二つの整数の最大公約数を求めます。
整数：22
整数：8
最大公約数は2です。
```

▶ このアルゴリズムは、紀元前 300 年頃に記されたユークリッドの『原論』に示されている、極めて歴史のあるアルゴリズムです。

Column 5-2　math.gcd 関数

最大公約数を求めるための標準ライブラリとして、math モジュールで gcd という名前の関数が提供されています。

math.gcd(a, b) は、整数 a と b の最大公約数を返却します。a と b のいずれかがゼロでない場合、gcd(a, b) の値は a と b の両方を割り切ることのできる、最も大きな正の整数です。なお、両方の引数を 0 にした gcd(0, 0) は 0 を返却します（List 5-2 の *gcd* 関数も同様です）。

5-2 再帰アルゴリズムの解析

本節では、まず再帰アルゴリズムを解析する手法を学習し、さらに再帰アルゴリズムを非再帰的に実現する手法を学習します。

再帰アルゴリズムの解析

本節で考えるのは、**List 5-3** のプログラムです。再帰的な関数 ***recur*** と、それを呼び出すコードとで構成されています。たった数行で実現された関数 ***recur*** を通じて、再帰に関する理解を深めていきましょう。

List 5-3 chap05/recur1.py

```
# 真に再帰的な関数

def recur(n: int) -> int:
    """真に再帰的な関数recur"""
    if n > 0:
        recur(n - 1)
        print(n)
        recur(n - 2)

x = int(input('整数を入力せよ：'))

recur(x)
```

実行例

```
整数を入力せよ：4
1
2
3
1
4
1
2
```

関数 *recur* は、関数 *factorial* や関数 *gcd* とは異なり、関数の中で再帰呼出しを2回行っています。このように、再帰呼出しを複数回行う関数は、**真に** (*genuinely*) **再帰的**であると呼ばれ、その挙動は複雑です。

*

関数 *recur* が仮引数 n に 4 を受け取ると、1231412 の数字を 1 行に 1 文字ずつ表示することが、実行例から分かります。

それでは、n が 3 や 5 などの値であったら、どのような表示が行われるでしょう。簡単には分からないはずです。

ここでは、関数 *recur* を、トップダウン解析とボトムアップ解析の二つの手法で解析していきます。

トップダウン解析

仮引数 n に 4 を受け取った関数 *recur* は、次のことを順に実行します。

recur(4)	a *recur*(3) を実行
	b 4 を出力
	c *recur*(2) を実行

もちろん、bで4の出力を行うのは、aによる**recur(3)**の実行が完了した後ですから、まず**recur(3)**が何をするのかを調べねばなりません。

言葉による表現は容易ではありませんから、**Fig.5-5**の図で考えましょう。

それぞれの箱が、関数**recur**の挙動を表しています。なお、受け取った値が0以下であれば関数**recur**は実質的に何も行わないため、箱の中を"−"としています。

最上流の箱が**recur(4)**の挙動です。aの**recur(3)**によって何が行われるのかは、左下側の矢印をたどると分かりますし、cの**recur(2)**によって何が行われるのかは、右下側の矢印をたどると分かります。

▶ 『左側の矢印をたどって1個下流の箱へと移動し、戻ってきたら■の中の値を表示して、右側の矢印をたどって1個下流の箱へと移動する』という一連の作業が完了すると、1個上流に戻ります。もちろん、空の箱に行きついた場合は、何もすることなくそのまま戻ります。

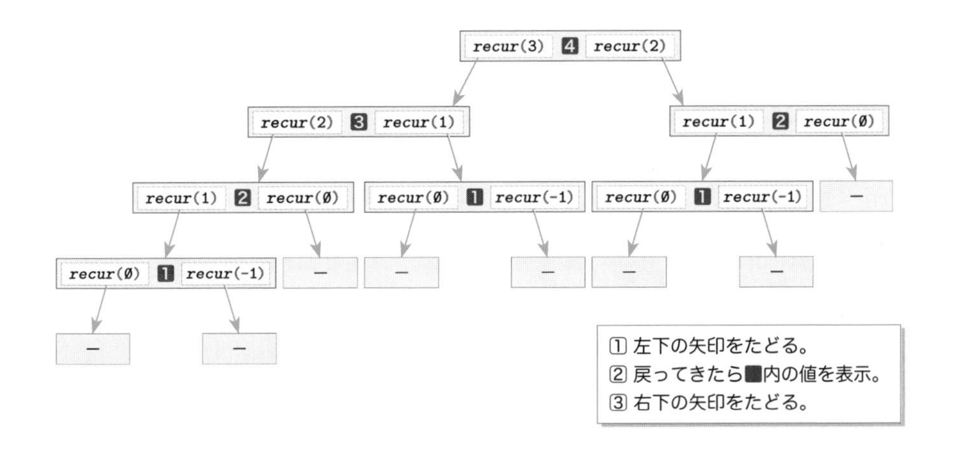

Fig.5-5 関数recurのトップダウン解析

このように、上流に位置する呼出し側から始めて、段階的に詳細に調べていく解析手法を**トップダウン解析**（*top-down analysis*）と呼びます。

＊

さて、この図には、**recur(1)**や**recur(2)**の解析が複数個存在します。もちろん、それらは**同じもの**です。てっぺんから解析しようとすると、下流に同じものが何度も出てくるという点では、このトップダウン解析は必ずしも効率がよいとはいえません。

■ ボトムアップ解析

上流側からの解析を行うトップダウン解析とは対照的に、下流側から積み上げて解析するのが**ボトムアップ解析**（*bottom-up analysis*）です。

関数 ***recur*** は、*n* が正のときにのみ実質的な処理を行いますから、まず ***recur***(1) について考えます。***recur***(1) が行う処理は、次のとおりです。

recur(1)	a ***recur***(0) を実行 b 1 を出力 c ***recur***(-1) を実行

ここで、aの ***recur***(0) とcの ***recur***(-1) は、何も表示しませんので、1 とだけ出力することが分かります。

次に、***recur***(2) について考えましょう。

recur(2)	a ***recur***(1) を実行 b 2 を出力 c ***recur***(0) を実行

aの ***recur***(1) は 1 と出力し、cの ***recur***(0) は何も出力しませんので、全体をとおして 1 と 2 を出力することが分かります。

この作業を ***recur***(4) まで積み上げたものが **Fig.5-6** です。これで、***recur***(4) の出力が得られます。

```
recur(-1)  :  何もしない
recur(0)   :  何もしない
.......................................................................
recur(1)   :  recur(0)  1  recur(-1)   ⇨  1
recur(2)   :  recur(1)  2  recur(0)    ⇨  1 2
recur(3)   :  recur(2)  3  recur(1)    ⇨  1 2 3 1
recur(4)   :  recur(3)  4  recur(2)    ⇨  1 2 3 1 4 1 2
```

Fig.5-6　ボトムアップ解析の例

▶ 右に示すように、関数 ***recur*** 内の再帰呼出しの順序が逆である場合を考えましょう（'chap05/recur2.py'）。
　ボトムアップ解析を行うと、次のようになります。

```
def recur(n: int) -> int:
    if n > 0:
        recur(n - 2)
        print(n)
        recur(n - 1)
```

```
recur(-1)  :  何もしない
recur(0)   :  何もしない
.......................................................................
recur(1)   :  recur(-1)  1  recur(0)   ⇨  1
recur(2)   :  recur(0)   2  recur(1)   ⇨  2 1
recur(3)   :  recur(1)   3  recur(2)   ⇨  1 3 2 1
recur(4)   :  recur(2)   4  recur(3)   ⇨  2 1 4 1 3 2 1
```

再帰アルゴリズムの非再帰的表現

関数 recur を非再帰的に（再帰呼出しを用いずに）実現する方法を考えます。

末尾再帰の除去

末尾側の再帰呼出し recur(n - 2) が行うのは、“引数として n - 2 の値を渡して関数 recur を呼び出す”ことです。そのため、この呼出しは、次の動作に置きかえられます。

n の値を n - 2 に更新して、関数の先頭に戻る。

この考えをコード化したのが **List 5-4** の関数 recur です。n の値を 2 減らした後に、関数の先頭に戻ります（その結果、関数冒頭の if が while に変わっています）。

List 5-4 chap05/recur1a.py

```
def recur(n: int) -> int:
    """末尾再帰を除去した関数recur"""
    while n > 0:
        recur(n - 1)
        print(n)
        n = n - 2
```

実行例

List 5-3と同じ実行結果が得られます。

このように、**関数の最後に行われる再帰呼出し**である**末尾再帰**（*tail recursion*）は、容易に除去できます。

再帰の除去

一方、先頭側の再帰呼出しの除去は容易ではありません。というのも、変数 n の値を出力する前に、recur(n - 1) が行う処理を完了させねばならないからです。

たとえば n が 4 であれば、再帰呼出し recur(3) の処理が完了するまで、n の値 4 の保存が必要です。すなわち、再帰呼出し recur(n - 1) を、以下のように単純に置きかえることはできません。

✕ n の値を n - 1 に更新して、関数の先頭に戻る。

というのも、事前に、

現在の n の値を“一時的に”保存しておく。

という処理が必要だからです。さらに、recur(n - 1) の処理が完了して n の値を表示する際に、次の手順を踏むことになります。

保存していた n を取り出して、その値を表示する。

変数nの値の"一時的な"保存の必要性が分かりました。それに最適なデータ構造が、前章で学習した**スタック**（*stack*）です。

スタックを用いて非再帰的に実現した関数 *recur* を **List 5-5** に示します。

▶ 本プログラムを実行するときは、**List 4C-1** (p.129) のスクリプトファイル 'stack.py' を、本スクリプトファイル 'recur1b.py' と同一ディレクトリ上に置きます。

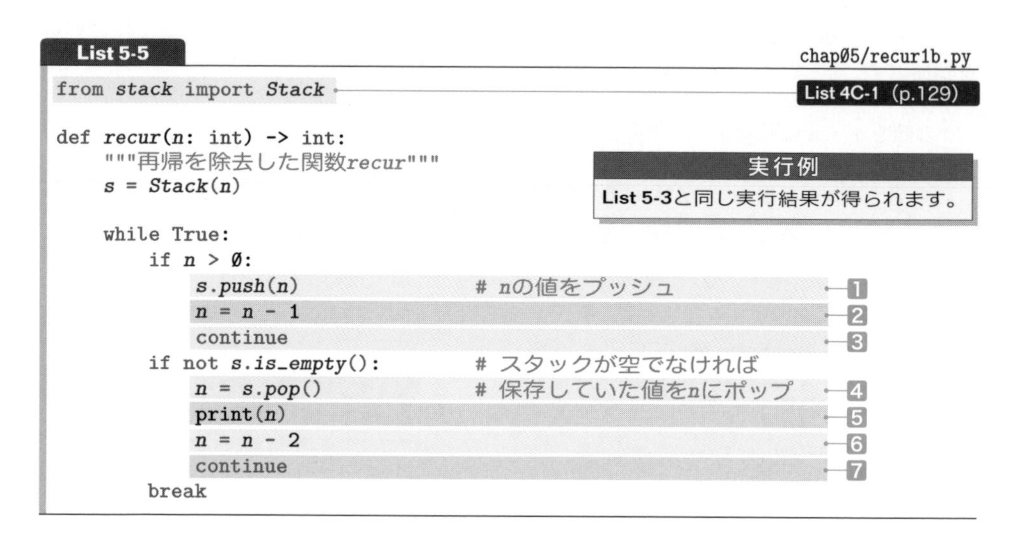

List 5-5 chap05/recur1b.py

```
from stack import Stack                                  List 4C-1 (p.129)

def recur(n: int) -> int:
    """再帰を除去した関数recur"""
    s = Stack(n)

    while True:
        if n > 0:
            s.push(n)               # nの値をプッシュ            1
            n = n - 1                                          2
            continue                                           3
        if not s.is_empty():        # スタックが空でなければ
            n = s.pop()             # 保存していた値をnにポップ  4
            print(n)                                           5
            n = n - 2                                          6
            continue                                           7
        break
```

実行例

List 5-3と同じ実行結果が得られます。

本関数が *recur*(4) と呼び出されたときの挙動を考えましょう。

nに受け取った値4は0より大きいため、先頭側のif文の働きによって、以下の処理が行われます。

1 nの値4をスタックにプッシュする（**Fig.5-7** a）。
2 nの値を1減らして3にする。
3 continue文の働きによって、while文の先頭に戻る。

nの値3は0より大きいため、再び最初のif文が実行されます。その結果、上記と同様の処理が繰り返されて図b⇨図c⇨図dと進む結果、スタックに4, 3, 2, 1が積まれた状態となります。

スタックに1を積んだ後は、nの値が1減らされて0となって、while文の先頭に戻ってきます。そうすると、nの値は0ですから、先頭側のif文は実行されません。そして、後ろ側のif文の働きによって以下の処理が行われます。

4 スタックからポップした値1をnに取り出す（図e）。
5 nの値1を表示する。
6 nの値を2減らして-1とする。
7 continue文の働きによって、while文の先頭に戻る。

nの値は-1ですから、再び後ろ側のif文が実行され、図fに示すように、スタックから2がポップされ、表示されます。

以降の手順の解説は省略しますので、図をよく見て理解を深めましょう。なお、nがØ以下となってスタックが空となると、break文が実行されて関数の実行が終了します。

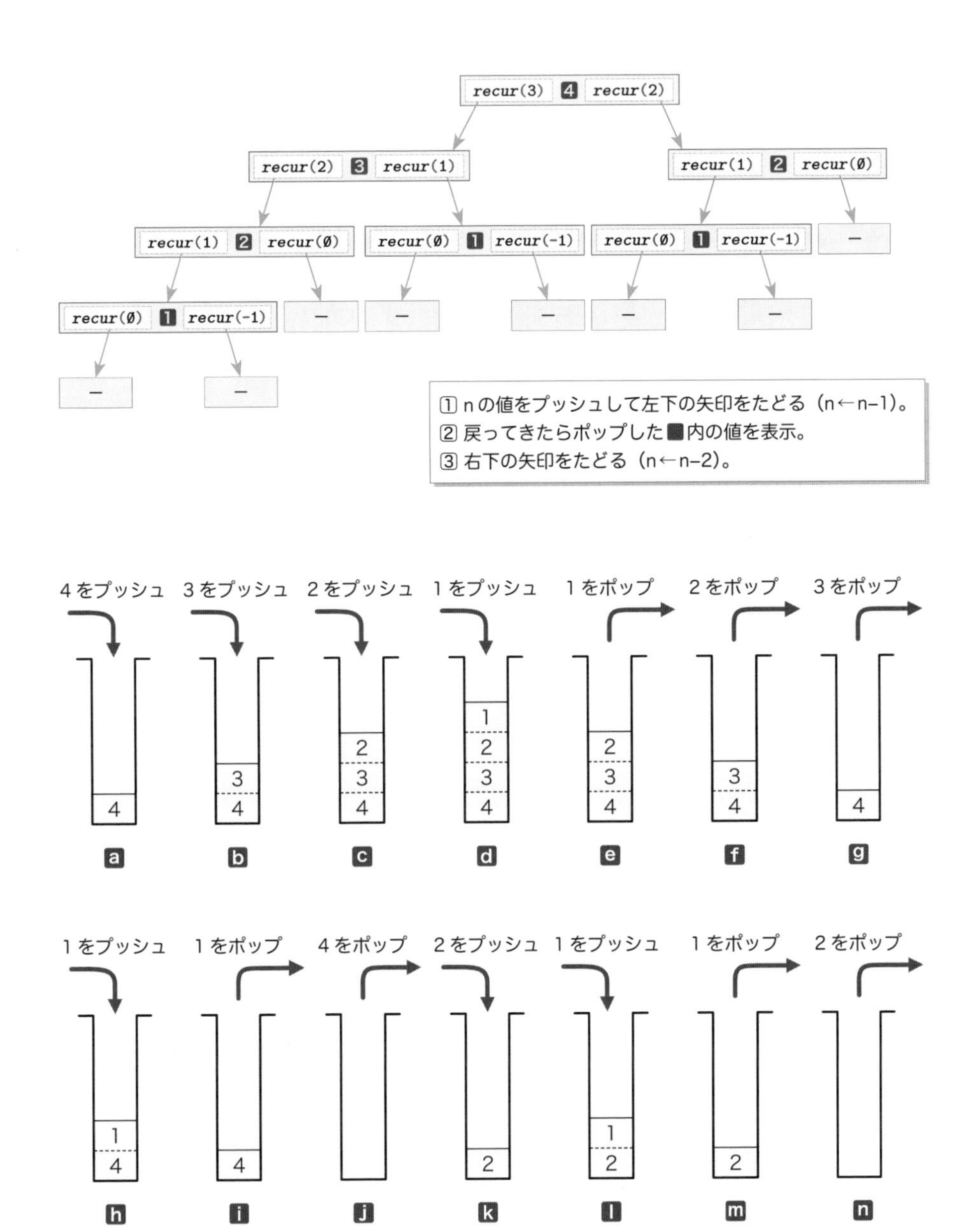

Fig.5-7　List 5-5の関数recurの実行に伴うスタックの変化

5-3 ハノイの塔

本節では、重ねられた円盤を最少の回数で移すためのアルゴリズムである《ハノイの塔》を学習します。

ハノイの塔

ハノイの塔（*towers of Hanoi*）は、小さいものが上に、大きいものが下になるように重ねられた円盤を、3本の柱のあいだで移動する問題です。すべての円盤の大きさは異なっていて、最初は、第1軸上に重ねられています。

この状態から、すべての円盤を第3軸に最少の回数で移動します。なお、移動は1枚ずつであり、より大きい円盤を上に重ねることはできません。

Fig.5-8 に示すのは、円盤が3枚であるときの解法です。順に眺めていけば、解法の手順が理解できるでしょう。

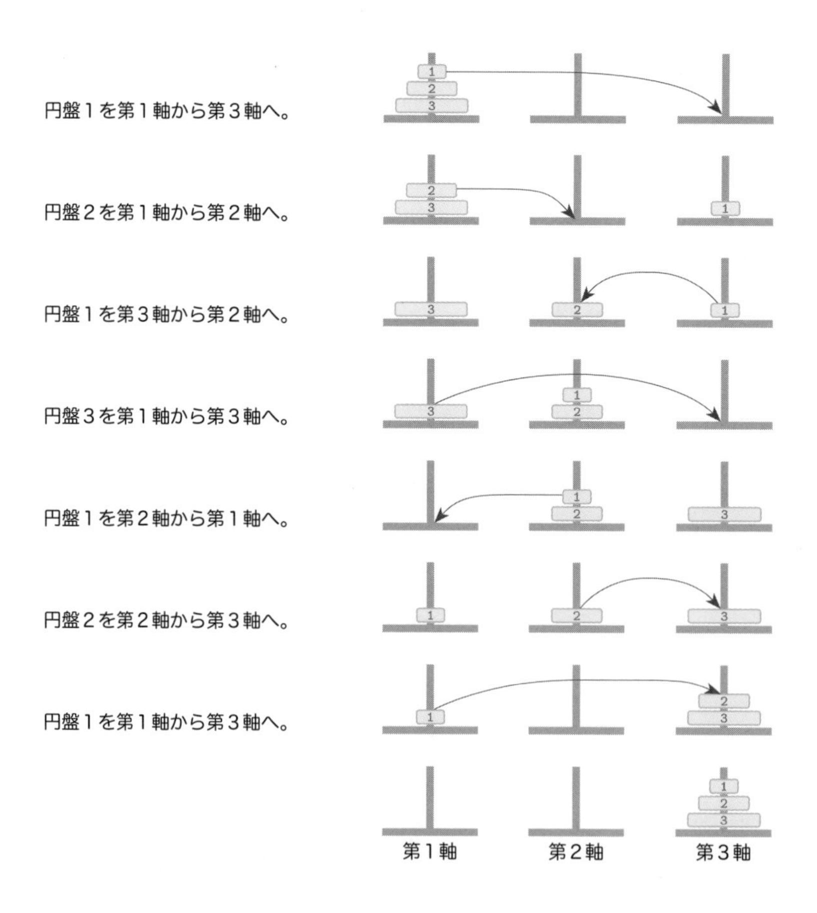

Fig.5-8 ハノイの塔（円盤が3枚）

円盤の移動手順を一般的に考えていくことにしましょう。ここで、円盤の移動元の軸を《**開始軸**》、移動先の軸を《**目的軸**》、残りの軸を《**中間軸**》と呼びます。

Fig.5-9 に示すのは、円盤が3枚のときの移動手順の概略です。円盤1と円盤2が重なったものを《グループ》とします。図に示すように、最大の円盤を最少のステップで目的軸へ移動するには、まず最初に《グループ》を中間軸に移します。そうすると、3ステップで完了します。

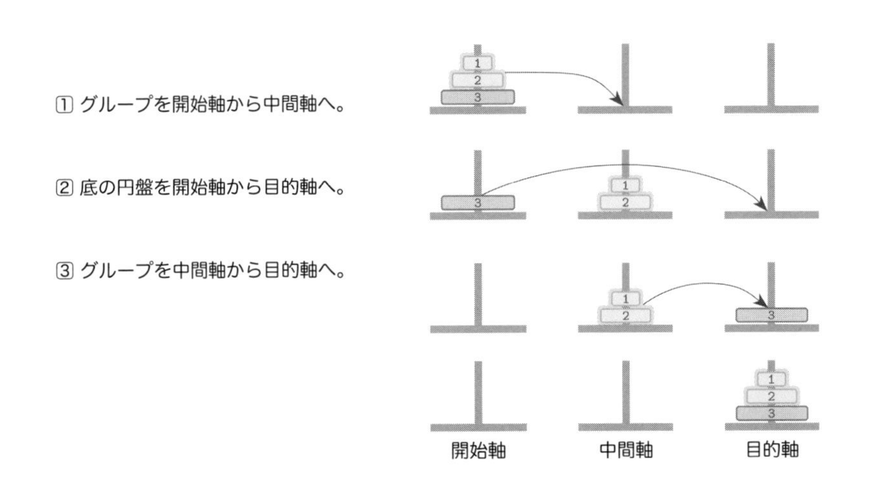

Fig.5-9　ハノイの塔の考え方（円盤が3枚）

円盤1と円盤2が重なった《グループ》の移動ステップを具体的にどのように実現するのかを考えましょう。その手順を示したのが **Fig.5-10** です。円盤1だけを《グループ》とみなすと、**Fig.5-9** とまったく同じ3ステップで実現できます。

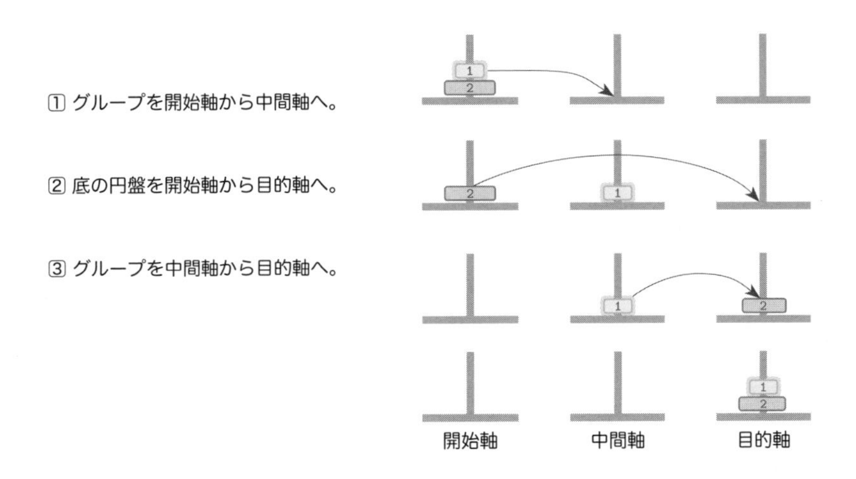

Fig.5-10　ハノイの塔の考え方（円盤が2枚）

円盤が4枚でも同じです。**Fig.5-11** に示すように、円盤1・円盤2・円盤3の3枚を重ねたものを《グループ》とみなすと、3ステップで移動が完了します。

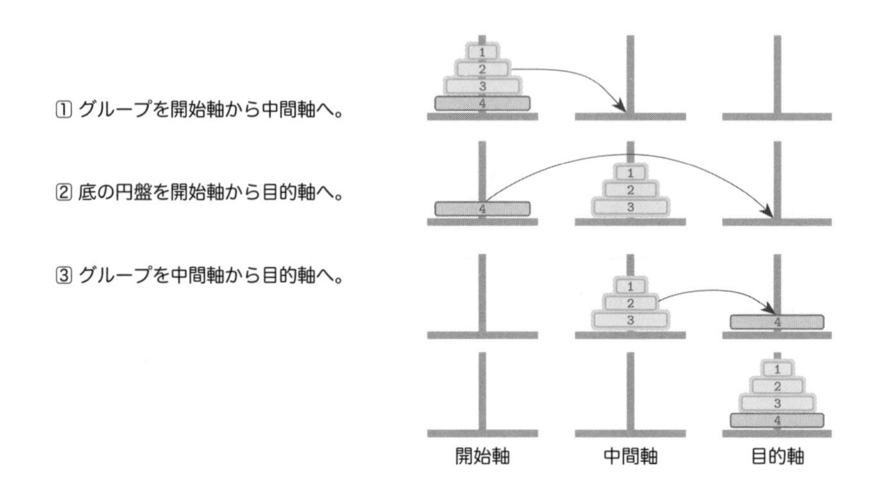

Fig.5-11　ハノイの塔の考え方（円盤が4枚）

それでは、3枚の《グループ》の移動はどうすればいいのかというと、既に前ページの **Fig.5-9** に示したとおりです。

ハノイの塔を実現するプログラム例を **List 5-6** に示します。関数 `move` の仮引数 `no` は移動すべき円盤の枚数、`x` は開始軸の番号、`y` は目的軸の番号です。

List 5-6　chap05/hanoi.py

```
# ハノイの塔

def move(no: int, x: int, y: int) -> None:
    """no枚の円盤をx軸からy軸へ移動"""
    if no > 1:
        move(no - 1, x, 6 - x - y)

    print(f'円盤[{no}]を{x}軸から{y}軸へ移動')

    if no > 1:
        move(no - 1, 6 - x - y, y)

print('ハノイの塔')
n = int(input('円盤の枚数：'))

move(n, 1, 3)    # 第1軸に積まれたn枚を第3軸に移動
```

実行例

```
ハノイの塔
円盤の枚数：3⏎
円盤[1]を1軸から3軸へ移動
円盤[2]を1軸から2軸へ移動
円盤[1]を3軸から2軸へ移動
円盤[3]を1軸から3軸へ移動
円盤[1]を2軸から1軸へ移動
円盤[2]を2軸から3軸へ移動
円盤[1]を1軸から3軸へ移動
```

本プログラムでは、軸の番号を整数値 **1, 2, 3** で表しています。軸番号の合計は **6** ですから、開始軸・目的軸がどの軸であっても、中間軸は **6 - x - y** の計算で求められます。

関数 `move` は、`no` 枚の円盤の移動を、次のように行います。

---

1 底の円盤を除いたグループ（円盤 [1] ～円盤 [no - 1]）を開始軸から中間軸へ移動。

2 底の円盤 `no` を開始軸から目的軸へ移動した旨を表示。

3 底の円盤を除いたグループ（円盤 [1] ～円盤 [no - 1]）を中間軸から目的軸へ移動。

もちろん、1と3は、再帰呼出しで実現します。`no` が 3 のときの関数 `move` の挙動を示したのが、**Fig.5-12** です。

▶ 1と3を行うのは、`no` が 1 より大きいときに限られますので、図中の `no` が 1 である箇所（最下流に相当する箇所）では、1と3を省略して2のみを示しています。

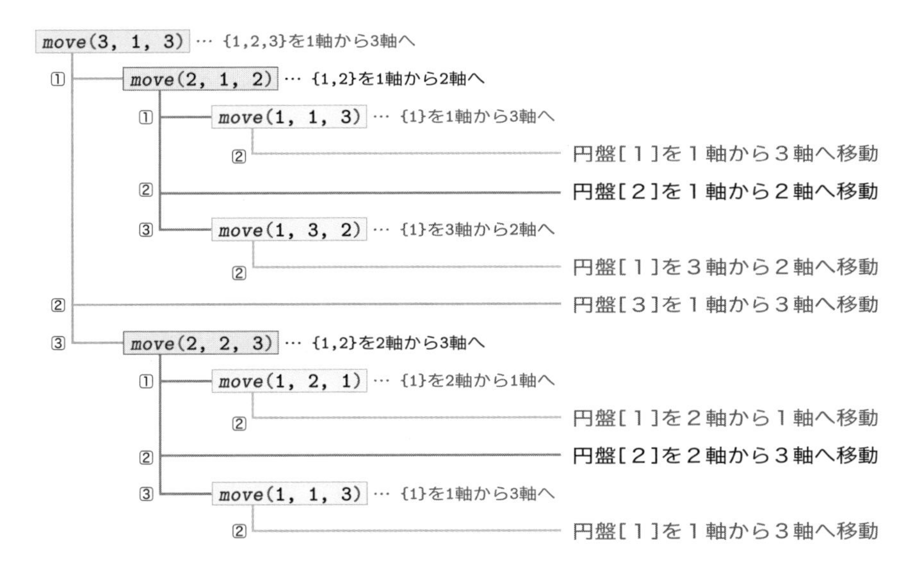

Fig.5-12 関数moveの挙動（noが3の場合）

Column 5-3 ハノイの塔

ハノイの塔は、フィボナッチ数の研究者でもあった、フランスの数学者フランソワ・エドゥアール・アナトール・リュカ（François Édouard Anatole Lucas）が 1883 年に発売したゲームパズルの一種です。

この問題の名称は、『64 枚の黄金の円盤を三つの塔のあいだで移しかえる作業が完了したら、世界の終末が訪れる。』という古代インドの伝説に由来します。

5-4　8王妃問題

本節では8王妃問題を学習します。この問題では、ハノイの塔と同様に、問題を小さな問題（部分問題）に分割することによって、解を導きます。

8王妃問題とは

8王妃問題（*8-Queen problem*）は、再帰的アルゴリズムに対する理解を深めるための例題として頻繁に取り上げられるだけでなく、19世紀の有名な数学者 C.F.Gauss が、誤った解答を出したことでも知られている問題です。これは、

互いに取りあえないように、8個の王妃を8×8のチェス盤に配置せよ。

という一見単純な問題です。

▶ チェスの《王妃》は、将棋での《飛車》と《角》の働きをあわせもっており、縦・横・斜めのライン上のコマを取ることができます。

この問題の解答は92個あり、**Fig.5-13** は、そのうちの1個です。

互いに取りあえないように8個の王妃を配置。

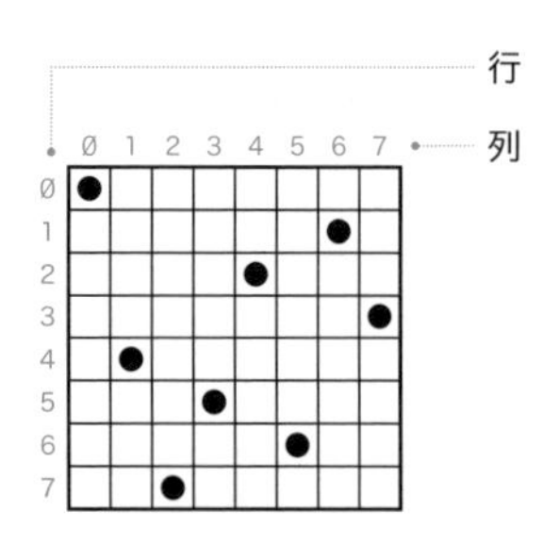

Fig.5-13　8王妃問題の解の一例

チェス盤の横方向の並びを**行**、縦方向の並びを**列**と呼び、配列の添字にあわせて、行と列とに0～7の番号をふることにします。

この図に配置されている王妃は、左側から順に、0行0列、4行1列、7行2列、5行3列、2行4列、6行5列、1行6列、3行7列です。

王妃の配置

8個の王妃を配置する組合せが全部で何通りあるかを考えてみましょう。チェス盤には8×8＝64個のマスがありますから、最初に王妃を1個置くときは、64マスの好きな場所を選べます。そして、次に王妃を置くときは、残りの63マスから任意に選択できます。

同様にして8個目まで考えると、実に、

$64 \times 63 \times 62 \times 61 \times 60 \times 59 \times 58 \times 57 = 178,462,987,637,760$

もの組合せとなります。この組合せをすべて列挙して、個々の配置が8王妃問題の条件を満足するかどうかを調べるのは、現実的ではありません。

王妃は自分と同じ列（縦方向）のコマを取れますから、次のようにしましょう。

【方針1】各列には王妃を1個だけ配置する。

これで王妃の配置の組合せは激減しますが、それでも、その数は、

$8 \times 8 \times 8 \times 8 \times 8 \times 8 \times 8 \times 8 = 16,777,216$

にもなります。**Fig.5-14** には、その配置のごく一部を示していますが、ここには、8王妃問題を満たす解は1個もありません。

しかも、すべての配置が8王妃問題の解でないことは一目瞭然です。というのも、王妃は自分と同じ行（横方向）のコマを取れるからです。

▶ 同じ行に王妃が2個以上配置されていれば、8王妃問題の解ではありません。

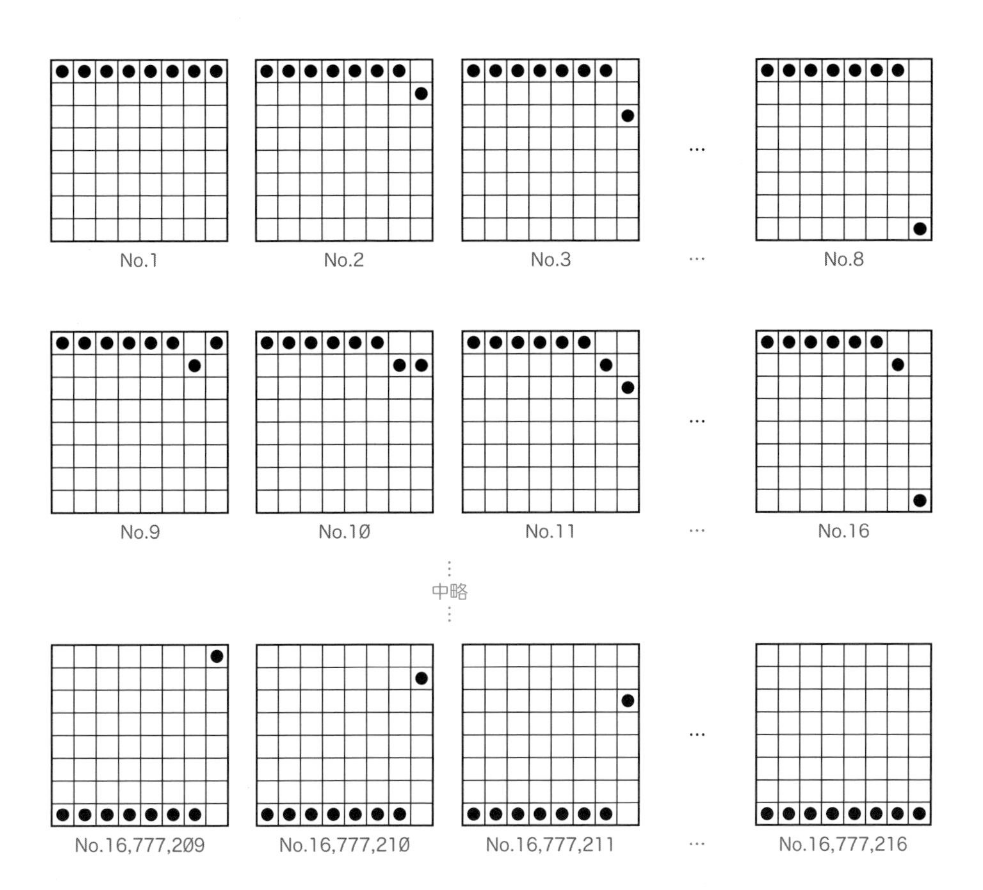

Fig.5-14 王妃を各列に1個だけ配置する組合せ

そこで、次の方針を加えることにします。

【方針2】各行には王妃を1個だけ配置する。

Fig.5-15 に示すのは、前ページの図の配置順の中で、【方針2】を満たす最初の4通りの配置です。組合せの数は、ずいぶんと少なくなります。

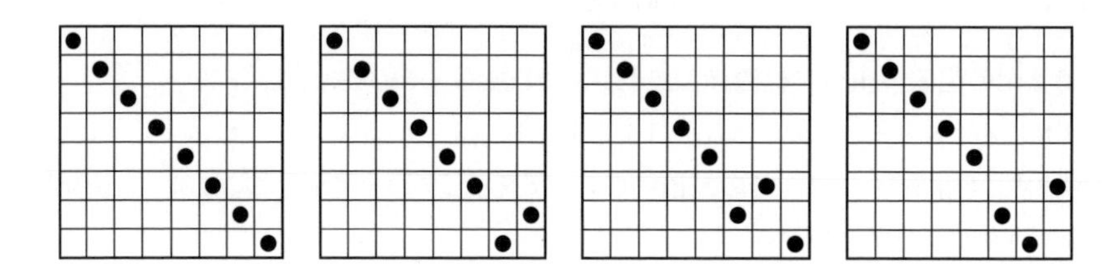

Fig.5-15 王妃を各行・各列に1個だけ配置する組合せの一例

それでは、この組合せを列挙するアルゴリズムは、どのようになるでしょう。簡単には作れそうにありません。

そこで、問題を整理するために、まず最初に【方針1】に基づいて組合せを列挙するアルゴリズムを考えていきましょう。

ここで、王妃の列挙を開始する直前の状態を **Fig.5-16** として表します。図中の?は、その列に**王妃が未配置である**ことを示します。

全列が未配置の状態。
王妃を配置して?を解決せよ。

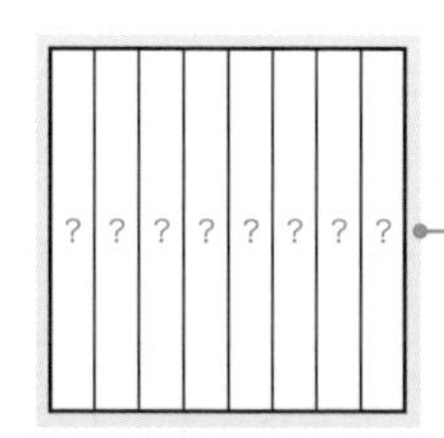

Fig.5-16 各列に王妃を1個だけ配置する原問題

最初はすべての列が?であり、8列すべての?を埋めると配置が完了します。

まずは0列目への王妃の配置を検討します。**Fig.5-17** に示す8通りがあります。図中の●は、その位置に王妃を配置したことを表しています。すなわち、1〜8の各図は、いずれも0列目の王妃の配置が確定し、それ以外の列が未配置の状態です。

▶ 少し難しい言葉で表現すると、**Fig.5-16** に示す『**原**(げん)**問題**』を『8個の**部分問題**』に“**分割**した”結果が **Fig.5-17** ということです。

0列目への王妃の配置が完了しましたので、次は1列目への王妃の配置を考えます。

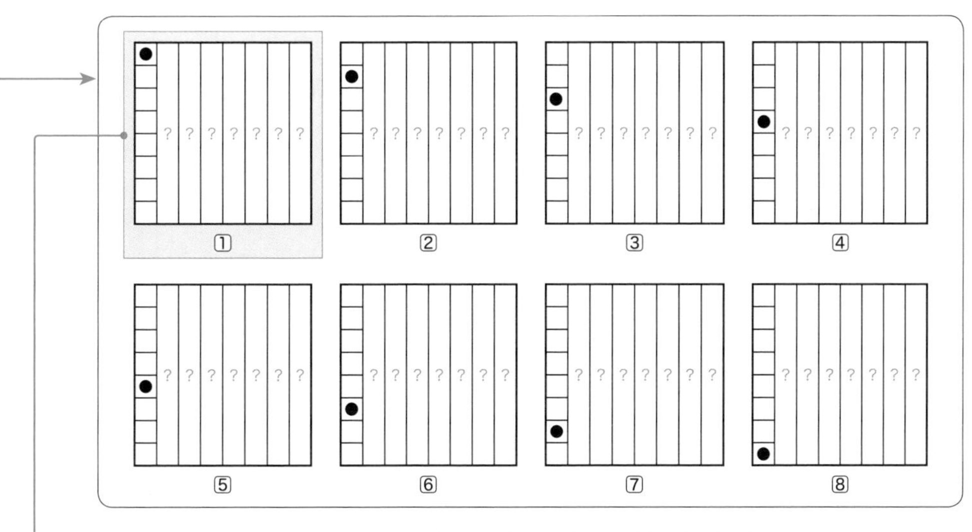

Fig.5-17　Ø列目に王妃を1個だけ配置する組合せ

たとえば、『**Fig.5-17** の①の局面に対して、1列目に王妃を配置する』組合せを列挙すると、**Fig.5-18** に示す8通りがあります。

▶　すなわち、**Fig.5-17** ①の問題を『8個の部分問題』に分割した結果が **Fig.5-18** です。

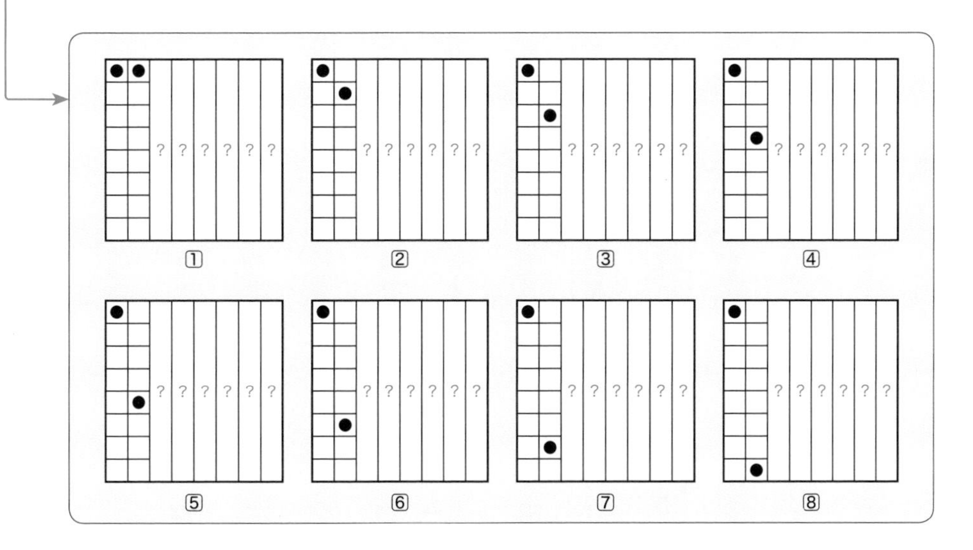

Fig.5-18　Fig.5−17 ①に対して1 列目に王妃を1個だけ配置する組合せ

Fig.5-17 の②〜⑧に対しても同様な配置を行うため、Ø列目と1列目が確定した配置は全部で64 通りとなります。

このような作業を繰り返して、すべて（7列目まで）の配置が完了した組合せを示したのが次ページの **Fig.5-19** です。全部で 16,777,216 通りです。

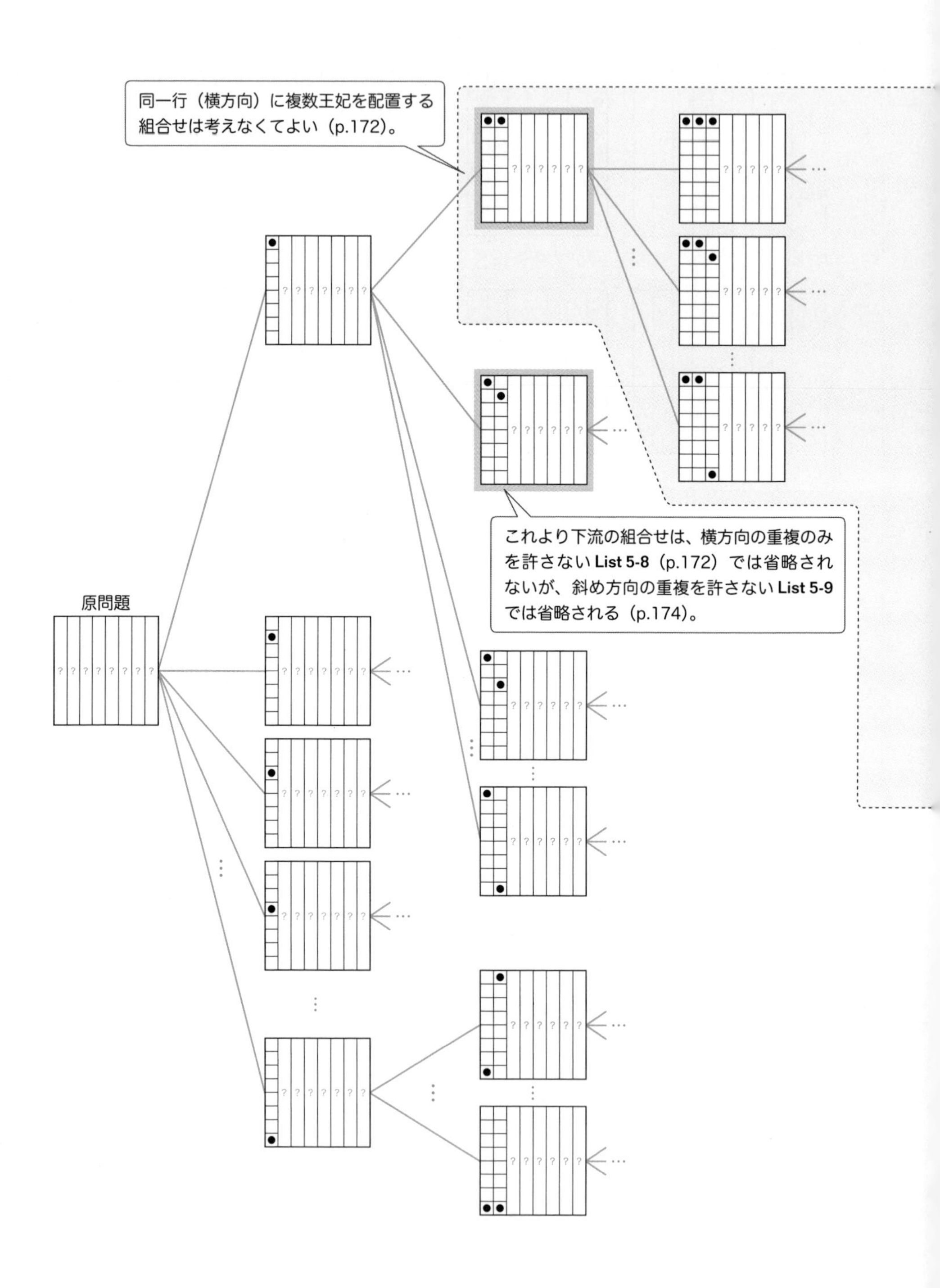

Fig.5-19 各列に王妃を1個だけ配置する組合せの列挙

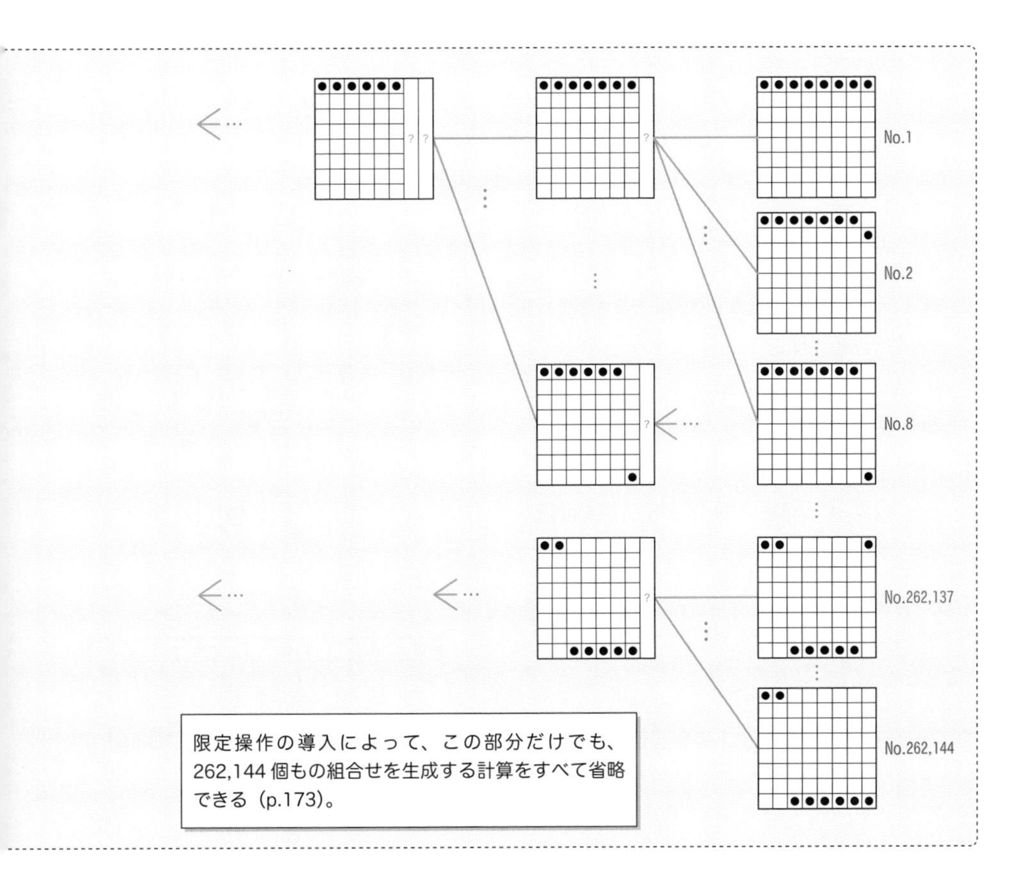

(p.173)

王妃を１個配置することによって、
問題を８個の部分問題に分割する作業を繰り返す。

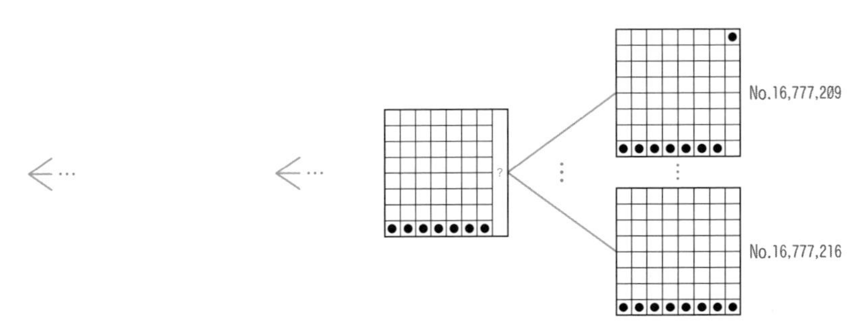

※本図には、次ページ以降で学習する内容も書き込まれています。

分枝操作

前ページの図のように、次々と枝分かれを行うことによって、すべての組合せを列挙するプログラムを作りましょう。それが、**List 5-7** に示すプログラムです。

▶ 組合せを生成するだけであって、8王妃問題を解いているわけではありません。

王妃の配置を表すのが配列 *pos* です。*i* 列目に配置されている王妃の位置が *j* 行目であれば、*pos*[*i*] の値を *j* とします。

具体例を示したのが **Fig.5-20** です。

たとえば、*pos*[0] の値 0 は、0 列目の王妃が 0 行目に配置されていることを表しています。

また、*pos*[1] の値 4 は、1 列目の王妃が 4 行目に配置されていることを表します。

＊

関数 **set** は、*pos*[*i*] に 0 から 7 の値を順次代入することによって、

> *i* 列に王妃を1個だけ配置する8通りの組合せを生成する。

という再帰的な関数です。仮引数 *i* に受け取るのが、配置の対象となる列です。

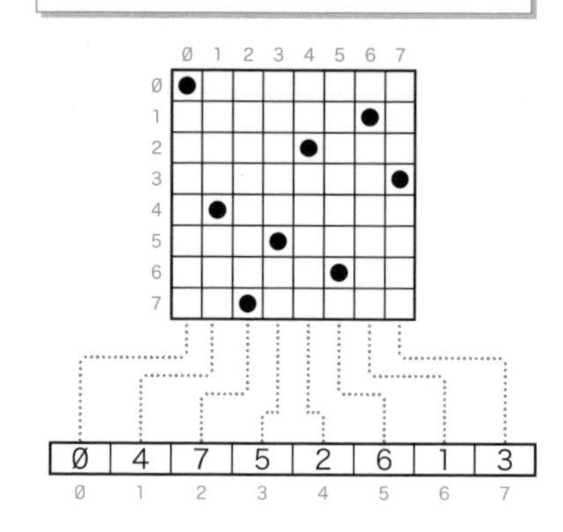

Fig.5-20 王妃の配置を表現する配列

＊

この関数を最初に呼び出すのが、プログラム網かけ部の以下の呼出しです。

```
set(0)
```

呼び出された関数 **set** は、仮引数 *i* に 0 を受け取ります。ここで行うのが、**Fig.5-17** (p.167) に示した、0 列目に1個だけ王妃を配置する作業です。

for 文による繰返しでは、*j* の値を 0 から 7 までインクリメントしながら *pos*[*i*] に *j* を代入することで、王妃を *j* 行目に配置します。この代入で 0 列目が確定しますので、次は、1 列目の確定が必要です。

そこで行うのが、関数末尾に置かれている、

```
set(i + 1)
```

という再帰呼出しです。これによって、同じ操作を、次の列である 1 列目に対して行わせます。

▶ **set(0)** と呼び出された関数 **set** は、for 文の繰返しによって、**Fig.5-17** (p.167) の①～⑧の組合せを列挙します。①の列挙時に呼び出された **set(1)** は、for 文の繰返しによって、**Fig.5-18** (p.167) の①～⑧の組合せを列挙します。

List 5-7 chap05/8queen_b.py

```
# 各列に1個の王妃を配置する組合せを再帰的に列挙

pos = [0] * 8    # 各列の王妃の位置

def put() -> None:
    """盤面（各列の王妃の位置）を出力"""
    for i in range(8):
        print(f'{pos[i]:2}', end=' ')
    print()

def set(i: int) -> None:
    """i列目に王妃を配置"""
    for j in range(8):
        pos[i] = j             # 王妃をj行に配置
        if i == 7:             # 全列に配置終了
            put()
        else:
            set(i + 1)         # 次の列に王妃を配置

set(0)                 # 0列目に王妃を配置
```

実行結果

```
0 0 0 0 0 0 0 0
0 0 0 0 0 0 0 1
0 0 0 0 0 0 0 2
0 0 0 0 0 0 0 3
0 0 0 0 0 0 0 4
0 0 0 0 0 0 0 5
0 0 0 0 0 0 0 6
0 0 0 0 0 0 0 7
0 0 0 0 0 0 1 0
0 0 0 0 0 0 1 1
0 0 0 0 0 0 1 2
0 0 0 0 0 0 1 3
0 0 0 0 0 0 1 4
0 0 0 0 0 0 1 5
0 0 0 0 0 0 1 6
   … 中略 …
7 7 7 7 7 7 7 6
7 7 7 7 7 7 7 7
```


同様に、再帰呼出しを繰り返していき、再帰の呼出しが深くなってiが7になると、8個の王妃が配置ずみとなります。

それ以上の配置は不要ですから、その時点で関数**put**を呼び出して盤面を出力します。出力するのは、配列**pos**の要素の値です。

プログラムを実行すると、**Fig.5-19** (p.168) に示した16,777,216個のすべての組合せが列挙されます。

▶ たとえば、最初に表示される『**0 0 0 0 0 0 0 0**』は、すべての王妃が0行目に配置されていることを表します（**Fig.5-19** のNo.1に相当します）。
　また、最後に表示される『**7 7 7 7 7 7 7 7**』は、すべての王妃が7行目に配置されていることを表します（**Fig.5-19** のNo.16,777,216に相当します）。

次々と枝分かれを行っていくことによって、配置の組合せを列挙しました。このような手法を、**分枝**（ぶんし）（*branching*）操作といいます。

*

ハノイの塔や、8王妃問題のように、問題を小問題（部分問題）に分割し、小問題の解を結合して全体の解を得ようとする手法を分割統治法（ぶんかつとうちほう）（*divide and conquer*）**と呼びます。**

もちろん、問題を分割する際は、小問題の解から、もとの問題の解が容易に導けるように設計しなければなりません。

▶ なお、第6章で学習するクイックソートやマージソートも、分割統治法によるアルゴリズムです。

限定操作と分枝限定法

分枝操作を行うことで、王妃の配置の組合せは列挙できますが、8王妃問題の解は得られません。そこで、p.172 に示した

【方針2】各行には王妃を1個だけ配置する。

という考えを組み入れましょう。そのプログラムが **List 5-8** です。

List 5-8 chap05/8queen_bb.py

```
# 各行・各列に1個の王妃を配置する組合せを再帰的に列挙

pos = [0] * 8          # 各列の王妃の位置
flag = [False] * 8     # 各行に王妃が配置ずみか

def put() -> None:
    """盤面（各列の王妃の位置）を出力"""
    for i in range(8):
        print(f'{pos[i]:2}', end=' ')
    print()

def set(i: int) -> None:
    """i列目の適切な位置に王妃を配置"""
    for j in range(8):
        if not flag[j]:          # j行には王妃は未配置
            pos[i] = j               # 王妃をj行に配置
            if i == 7:               # 全列に配置終了
                put()
            else:
                flag[j] = True
                set(i + 1)           # 次の列に王妃を配置
                flag[j] = False

set(0)           # 0列目に王妃を配置
```

実行結果

```
0 1 2 3 4 5 6 7
0 1 2 3 4 5 7 6
0 1 2 3 4 6 5 7
0 1 2 3 4 6 7 5
0 1 2 3 4 7 5 6
0 1 2 3 4 7 6 5
0 1 2 3 5 4 6 7
0 1 2 3 5 4 7 6
0 1 2 3 5 6 4 7
0 1 2 3 5 6 7 4
0 1 2 3 5 7 4 6
0 1 2 3 5 7 6 4
0 1 2 3 6 4 5 7
0 1 2 3 6 4 7 5
0 1 2 3 6 5 4 7
0 1 2 3 6 5 7 4
0 1 2 3 6 7 4 5
0 1 2 3 6 7 5 4
0 1 2 3 7 4 5 6
0 1 2 3 7 4 6 5
  … 中略 …
7 6 5 4 3 2 1 0
```

本プログラムでは、新たに flag という list 型の配列を導入しています。この配列は、同一行に重複して王妃を配置しないようにするための目印です。

j 行に王妃が配置ずみであれば flag[j] を True とし、未配置であれば False とします。

▶ 生成時の配列 flag は、全要素を False にしています。

具体的に考えましょう。0列目に王妃を配置するために呼び出された関数 set は、for 文の働きによって、j を 0 から 7 までインクリメントします。

そのため最初は、0行目に王妃を配置します（flag[0] が False であるため）。その際、あらかじめ flag[0] に対して、配置ずみを表す True を代入しておき、それから関数 set を再帰的に呼び出します。

呼び出された関数 set では、1列目への配置を考えます。1列目への配置を行う関数 set の働きを示したのが、Fig.5-21 です。

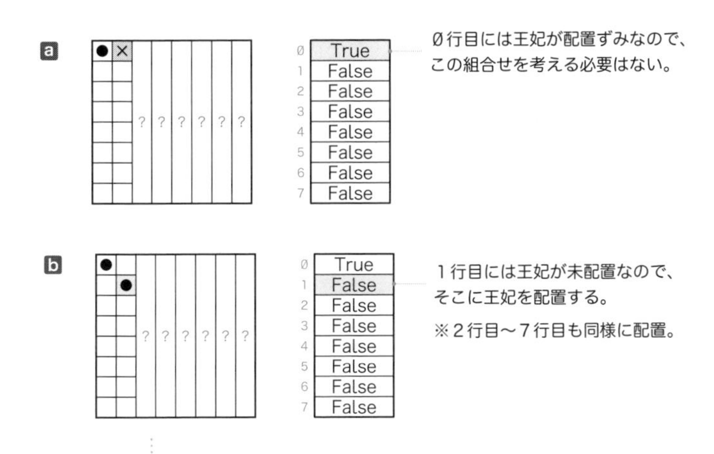

Fig.5-21　配列 flag による限定操作

for 文による繰返しでは、**0行目〜7行目**への配置を行います。

a　**0行目**への配置を検討します。`flag[0]` は `True` ですから、この行には王妃が配置ずみです。したがって、ここへの配置は不要です。プログラム網かけ部全体の実行がスキップされるため、関数 `set` の再帰呼出しは行われません。

その結果、**Fig.5-19**（p.168）の点線で囲んだ部分である 262,144 個もの組合せの列挙が**すべて省略されます**。

b　**1行目**への配置を検討します。`flag[1]` は `False` ですから、この行には王妃が未配置です。そこで、ここに王妃を配置するために、プログラム網かけ部を実行します。そのため、関数 `set` の再帰呼出しによって、次の列である2列目への配置が行われます。

▶　図や説明は省略しますが、2行目から7行目も、プログラム網かけ部を実行して配置を行います。

なお、再帰的に呼び出した関数 `set(i + 1)` から戻ってきたときには、王妃を `j` 行から取り除くために、`flag[j]` に対して未配置を表す `False` を代入します。

＊

関数 `set` では、王妃が未配置の行（`flag[j]` が `False` である行）に対してのみ王妃を配置していきます。このように、必要のない枝分かれを抑制して、不要な組合せの列挙を省く手法を**限定**（*bounding*）操作と呼びます。

分枝操作と限定操作を組み合わせて問題を解くのが、**分枝限定法**（*branching and bounding method*）です。

8王妃問題を解くプログラム

List 5-8 のプログラムは、王妃が行方向と列方向に重複しない組合せを列挙するものでした。すなわち、8王妃（クイーン）問題ではなく、8飛車（ルーク）問題（?）の解を求めるものです。

王妃は斜め方向のコマも取れますから、どの斜めライン上にも王妃を1個だけしか配置できないようにする限定操作の追加採用が必要です。

そうすると、**List 5-9** に示す、8王妃問題を解くプログラムが完成します。

List 5-9 chap05/8queen.py

```
# 8王妃問題

pos = [0] * 8           # 各列の王妃の位置
flag_a = [False] * 8    # 各行に王妃が配置ずみか
flag_b = [False] * 15   # ／対角線に王妃が配置ずみか
flag_c = [False] * 15   # ＼対角線に王妃が配置ずみか

def put() -> None:
    """盤面（各列の王妃の位置）を出力"""
    for i in range(8):
        print(f'{pos[i]:2}', end=' ')
    print()

def set(i: int) -> None:
    """i列目の適切な位置に王妃を配置"""
    for j in range(8):
        if (     not flag_a[j]            # j行に王妃は未配置
             and not flag_b[i + j]        # ／対角線に王妃は未配置
             and not flag_c[i - j + 7]):  # ＼対角線に王妃は未配置
            pos[i] = j          # 王妃をj行に配置
            if i == 7:          # 全列に配置終了
                put()
            else:
                flag_a[j] = flag_b[i + j] = flag_c[i - j + 7] = True
                set(i + 1)      # 次の列に王妃を配置
                flag_a[j] = flag_b[i + j] = flag_c[i - j + 7] = False

set(0)          # 0列目に王妃を配置
```

実行結果

```
0 4 7 5 2 6 1 3
0 5 7 2 6 3 1 4
0 6 3 5 7 1 4 2
0 6 4 7 1 3 5 2
1 3 5 7 2 0 6 4
1 4 6 0 2 7 5 3
1 4 6 3 0 7 5 2
    … 中略 …
7 2 0 5 1 4 6 3
7 3 0 2 5 1 6 4
```

Fig.5-22 に示すように、／方向および＼方向の対角線上に王妃が配置ずみかどうかを表すのが、新たに追加された配列 `flag_b` と `flag_c` です。

▶ 前のプログラムでの、行方向に王妃が配置ずみであるかどうかを表す配列 `flag` は、本プログラムでは `flag_a` という名前に変更しています。
図**a**に示すように、／方向を表す `flag_b` の添字 0 ～ 14 の値は `i + j` で得られます。また、図**b**に示すように、＼方向を表す `flag_c` の添字の 0 ～ 14 の値は、`i - j + 7` で得られます。

各コマに王妃の配置を検討する際は、同一行に王妃が配置ずみかどうかの判定に加えて、この図に示す点線のライン上に王妃が配置ずみかどうかの判定も行います（黒網部）。

横方向（同一行）・左斜め方向・右斜め方向の、どれか1個のライン上にでも王妃が配置ずみであれば、そのコマへの配置は不要です。その場合、青網部全体の実行をスキップします。

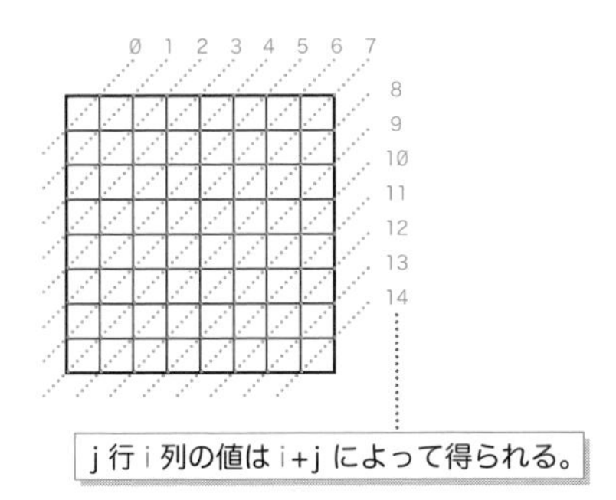

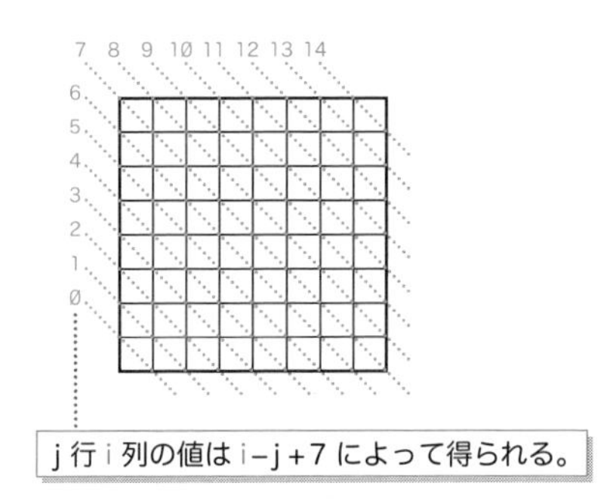

Fig.5-22 斜めのラインの配置

▶ 具体例を考えましょう。**Fig.5-21**（p.173）の図**b**では、1列目の**1**行目に王妃を配置しました。*flag*[1] が False だから（同じ行の左隣に王妃が未配置だから）でした。
今回の場合は、1列目の**1**行目への王妃の配置は行いません。というのも、*flag_c*[7] が True だから（左上の0列目の**0**行目に王妃が配置ずみだから）です。

三つの配列を利用した限定操作を行うことによって、8王妃問題を満たす配置を効率よく列挙できます。プログラムを実行すると、92 個の解が表示されます。

これで、8王妃問題を解くプログラムが完成しました。

＊

下に示すように、記号文字 '□' と '■' とを用いて盤面を表示すると、直感的に分かりやすくなります。

関数 ***put*** を、次のように書きかえましょう（'chap05/8queen2.py'）。

```
def put() -> None:
    """盤面を□と■で出力"""
    for j in range(8):
        for i in range(8):
            print('■' if pos[i] == j else '□', end='')
        print()
    print()
```

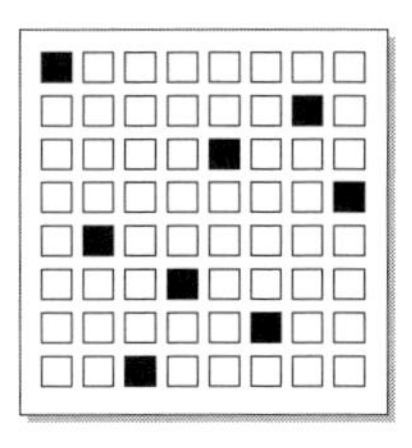
■□□□□□□□
□□□□□□■□
□□□□■□□□
□□□□□□□■
□■□□□□□□
□□□■□□□□
□□□□□■□□
□□■□□□□□

章末問題

▪ 平成29年度（2017年度）秋期 午前 問6

再帰呼出しの説明はどれか。

ア　あらかじめ決められた順番ではなく、起きた事象に応じた処理を行うこと
イ　関数の中で自分自身を用いた処理を行うこと
ウ　処理が終了した関数をメモリから消去せず、必要になったとき再び用いること
エ　処理に失敗したときに、その処理を呼び出す直前の状態に戻すこと

▪ 平成16年度（2004年度）秋期 午前 問42

再帰的プログラムの特徴として、最も適切なものはどれか。

ア　一度実行した後、ロードし直さずに再び実行を繰り返しても、正しい結果が得られる。
イ　実行中に自分自身を呼び出すことができる。
ウ　主記憶上のどこのアドレスに配置しても、実行することができる。
エ　同時に複数のタスクが共有して実行しても、正しい結果が得られる。

▪ 平成8年度（1996年度）秋期 午前 問17

問題を幾つかの互いに重ならない部分問題に分け、それぞれの解を得ることによって全体の解を求めようとする問題解決の方法はどれか。

ア　オブジェクト指向　　イ　再帰呼出し　　ウ　動的計画法
エ　二分探索法　　オ　分割統治法

▪ 令和元年度（2019年度）秋期 午前 問11

自然数 n に対して、次のとおり再帰的に定義される関数 $f(n)$ を考える。$f(5)$ の値はどれか。

$f(n)$: if $n \leqq 1$ then return 1 else return $n + f(n - 1)$

ア　6　　イ　9　　ウ　15　　エ　25

▪ 平成16年度（2004年度）春期 午前 問14

非負の整数 n に対して次のとおりに定義された関数 $F(n)$、$G(n)$ がある。$F(5)$ の値は幾らか。

$F(n)$: if $n \leqq 1$ then return 1 else return $n \times G(n - 1)$

$G(n)$: if $n = 0$ then return 0 else return $n + F(n - 1)$

ア　50　　イ　65　　ウ　100　　エ　120

■ 平成28年度（2016年度）秋期 午前 問7

整数x，y（$x > y \geqq 0$）に対して、次のように定義された関数$F(x, y)$がある。$F(231, 15)$の値は幾らか。ここで、$x \bmod y$はxをyで割った余りである。

$$F(x, y) = \begin{cases} x & (y = 0 \text{ のとき}) \\ F(y, x \bmod y) & (y > 0 \text{ のとき}) \end{cases}$$

ア　2　　イ　3　　ウ　5　　エ　7

■ 平成26年度（2014年度）秋期 午前 問7

次の関数$f(n, k)$がある。$f(4, 2)$の値は幾らか。

$$f(n, k) = \begin{cases} 1 & (k = 0), \\ f(n-1, k-1) + f(n-1, k) & (0 < k < n), \\ 1 & (k = n). \end{cases}$$

ア　3　　イ　4　　ウ　5　　エ　6

■ 平成28年度（2016年度）春期 午前 問7

nの階乗を再帰的に計算する$F(n)$の定義において、aに入れるべき式はどれか。ここで、nは非負の整数とする。

$n > 0$のとき、$F(n) =$ [a]
$n = 0$のとき、$F(n) = 1$

ア　$n + F(n-1)$　　イ　$n - 1 + F(n)$　　ウ　$n \times F(n-1)$　　エ　$(n-1) \times F(n)$

■ 平成9年度（1997年度）秋期 午前 問5

次に示す関数F(K)で、K＝7のときの関数値はどれか。

関数の定義

$F(0) = 0$、$F(1) = 1$、
$F(K) = F(K-1) + F(K-2) \quad (K \geqq 2)$

ア　5　　イ　8　　ウ　13　　エ　21

第６章

ソート

本章では、配列の要素を一定の順序に並べかえるためのソートアルゴリズムを学習します。

- ソート（整列）とは
- 昇順ソートと降順ソート
- 内部ソートと外部ソート
- ソートの安定性
- 単純交換ソート（バブルソート／泡立ちソート）
- シェーカーソート（双方向バブルソート）
- ソート過程の可視化
- 単純選択ソート
- 単純挿入ソート（シャトルソート）
- ２分挿入ソート
  bisect.insort を用いた２分挿入ソート
- シェルソート
- クイックソート
  非再帰的実現／枢軸の選択
- マージソート
  heapq モジュールを用いたマージソート
- ヒープソート
  heapq モジュールを用いたヒープソート
- 度数ソート

6-1 ソートとは

本章では、データを一定の順序で並びかえるソートアルゴリズムについて学習します。本節は、その導入です。

ソートとは

整列（*sorting*）すなわち**ソート**は、名前／学籍番号／身長といった、キーとなる項目の値の大小関係に基づいて、データの集合を一定の順序に並べかえる作業です。

データをソートすれば**探索が容易になる**のは、いうまでもありません。もしも辞書に収録されている数万語や数十万語にもおよぶ語句が、五十音やアルファベットの順でソートされていなければ、目的とする語句を見つけるのは、事実上不可能です。

Fig.6-1 に示すように、キーの小さいデータを先頭に並べるのが**昇順**（*ascending order*）のソートで、その逆が**降順**（*descending order*）のソートです。

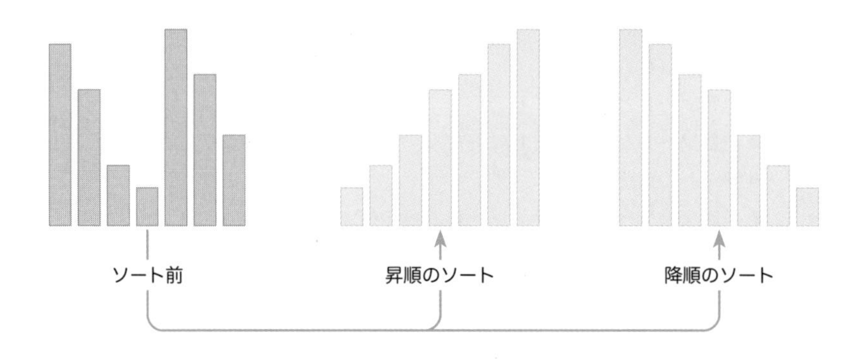

Fig.6-1　昇順ソートと降順ソート

ソートアルゴリズムの安定性

本章では、数多くのソートアルゴリズムから、代表的なものを学習します。それらのソートアルゴリズムは、**安定な**（*stable*）ものと、そうでないものとに分けられます。

安定なソートのイメージを表したのが、Fig.6-2 です。左の図に示しているのは、学籍番号順に並んだテストの点数の配列です。棒の高さが点数で、棒中の 1 から 9 の数値が学籍番号です。

点数をキーとしてソートすると、右の図のようになります。同じ点数の学生は、学籍番号の小さいものが前に位置し、学籍番号の大きいものが後ろに位置しています。このように、**同一キーをもつ要素の順序がソート前後で維持される**のが、安定なソートです。

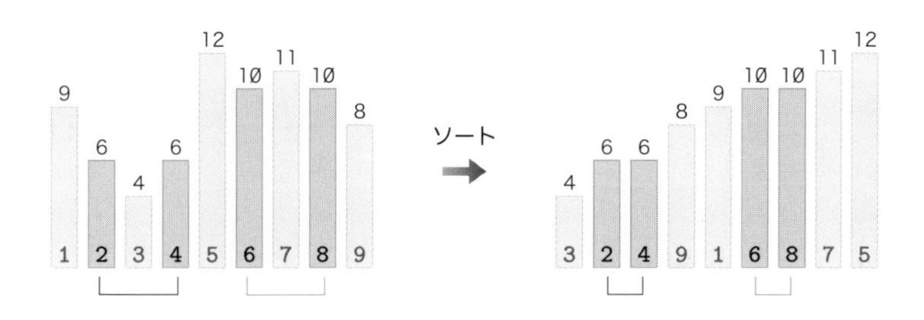

同一キーをもつ要素の順序がソート前後で維持される。

Fig.6-2　安定なソート

安定でないアルゴリズムでのソートを行うと、たまたま学籍番号順になる（同一キーをもつ要素の順序が維持される）こともありますが、それが保証されるわけではありません。

内部ソートと外部ソート

最大で30枚のカードを並べられる机の上でトランプのカードをソートすることを考えましょう。

もしカードが30枚以下であれば、すべてのカードを机に置いて、一度に見渡しながら作業を行えます。しかし、カードが500枚のように大量になると、机の上にすべてのカードは並べられません。そのため、大きな机を別に用意するなどして、作業を行うことになります。

プログラムも同様です。以下に示すように、ソートアルゴリズムは、**内部ソート**（*internal sorting*）と**外部ソート**（*external sorting*）の2種類に分類されます。

- **内部ソート**

  ソートの対象となるすべてのデータが、一つの配列上に格納できる場合に用いるアルゴリズムです。カードは、配列上に展開された要素に相当します。

- **外部ソート**

  ソートの対象となるデータが大量であり、一度に並べかえることができない場合に用いるアルゴリズムです。

外部ソートは、内部ソートの応用です。その実現には作業用ファイルなどが必要であり、アルゴリズムも複雑です。

本書で学習するアルゴリズムは、すべて内部ソートです。

ソートの考え方

ソートアルゴリズムの三大要素は、**交換**・**選択**・**挿入**の三つです。ほとんどのソートアルゴリズムは、これらの要素を応用したものです。

6-2 単純交換ソート（バブルソート）

隣り合う二つの要素の大小関係を調べて、必要に応じて交換を繰り返すのが、本節で学習する単純交換ソートです。

単純交換ソート（バブルソート）

次に示す数値の並びを例に、**単純交換ソート**（*straight exchange sort*）の手順を理解していきましょう。

6	4	3	7	1	9	8

まず、末尾の二つの要素9と8に着目します。昇順にソートするのであれば、左側の先頭側の値は、右側の末尾側の値と、同じか、あるいは小さくなければなりません。そこで、これらの2値を交換すると、並びは次のようになります。

6	4	3	7	1	8	9

引き続き、後ろから2番目と3番目の要素1と8に着目します。左側の1が右側の8よりも小さいため、交換の必要はありません。

このように、隣り合う要素を比較して必要ならば交換する作業を、先頭要素まで続けていく様子を示したのが**Fig.6-3**です。

要素数nの配列に対してn - 1回の比較・交換を行うと、**最小要素が先頭に移動します。**この一連の比較・交換の作業を**パス**と呼びます。

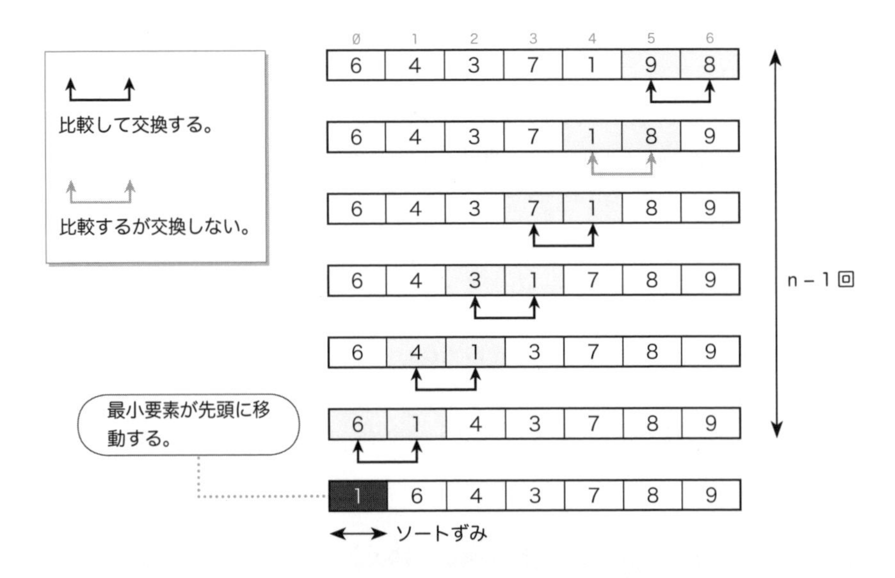

Fig.6-3　単純交換ソートにおける1回目のパス

引き続き、配列の2番目以降の要素に対して比較・交換のパスを行います。その様子を示したのが**Fig.6-4**です。

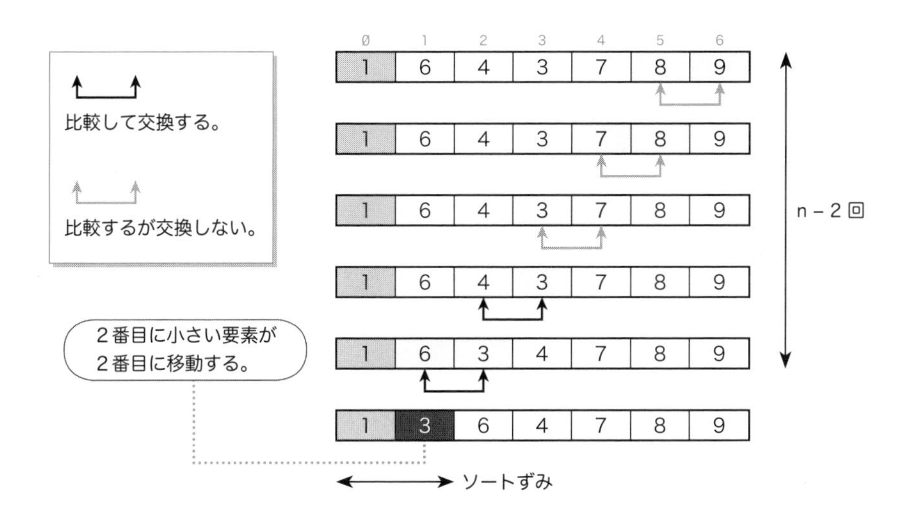

Fig.6-4 単純交換ソートにおける2回目のパス

このパスが完了すると、2番目に小さい要素である**3**が先頭から2番目の位置へと移動します。その結果、**先頭2個の要素がソートずみ**となります。

パスを行うたびにソートの対象要素が1個ずつ減っていきますので、2パス目の比較回数は、1パス目より1回少ない`n - 2`回です。

パスを`k`回行うと、**先頭側`k`個の要素がソートずみ**となることが分かりました。全体のソートを完了させるために必要なパスは`n - 1`回です。

▶ 行うパスの回数が、`n`回ではなくて`n - 1`回でよいのは、先頭`n - 1`個の要素がソートずみとなれば、最大要素が末尾に位置して全体がソートずみとなるからです。

*

液体中の気泡を想像しましょう。液体より軽い（値の小さい）気泡が、ブクブクと上にあがってきます。

そのイメージと似ているため、単純交換ソートは**バブルソート**（*bubble sort*）あるいは**泡立ち**（あわだ）**ソート**とも呼ばれます。

単純交換ソートのプログラム

単純交換ソートのアルゴリズムを、プログラムとして実現しましょう。

変数`i`の値を`0`から`n - 2`までインクリメントしてパスを`n - 1`回行うことにすると、プログラムは、**List 6-1**のようになります（次ページ）。

List 6-1 chap06/bubble_sort1.py

```
# 単純交換ソート

from typing import MutableSequence

def bubble_sort(a: MutableSequence) -> None:
    """単純交換ソート"""
    n = len(a)
    for i in range(n - 1):
        for j in range(n - 1, i, -1):
            if a[j - 1] > a[j]:
                a[j - 1], a[j] = a[j], a[j - 1]

if __name__ == '__main__':
    print('単純交換ソート（バブルソート）')
    num = int(input('要素数：'))
    x = [None] * num    # 要素数numの配列を生成

    for i in range(num):
        x[i] = int(input(f'x[{i}]：'))

    bubble_sort(x)      # 配列xを単純交換ソート

    print('昇順にソートしました。')
    for i in range(num):
        print(f'x[{i}]={x[i]}')
```

パス

実行例

```
単純交換ソート
（バブルソート）
要素数：7
x[0]：6
x[1]：4
x[2]：3
x[3]：7
x[4]：1
x[5]：9
x[6]：8
昇順にソートしました。
x[0] = 1
x[1] = 3
x[2] = 4
x[3] = 6
x[4] = 7
x[5] = 8
x[6] = 9
```


比較のために着目する2要素は、a[j - 1] と a[j] です（**Fig.6-5**）。

走査は配列の末尾から先頭に向かって行うため、走査における j の開始値は、すべてのパスで末尾要素の添字である n - 1 です。

走査の過程では、2要素 a[j - 1] と a[j] の値を比較して、前者のほうが大きければ交換します。これを先頭側に向かって行うのですから、j の値は一つずつデクリメントしていきます。

各パスにおいて、先頭 i 個の要素はソートずみであって、未ソート部は a[i] ～ a[n - 1] です。そのため、j のデクリメントは、その値が i + 1 になるまで行います。

▶ 前ページまでに示した二つの図で確認してみましょう。以下のようになっています。
- i が 0 である1回目のパスでは、j の値が 1 になるまで繰り返す（**Fig.6-3**）。
- i が 1 である2回目のパスでは、j の値が 2 になるまで繰り返す（**Fig.6-4**）。

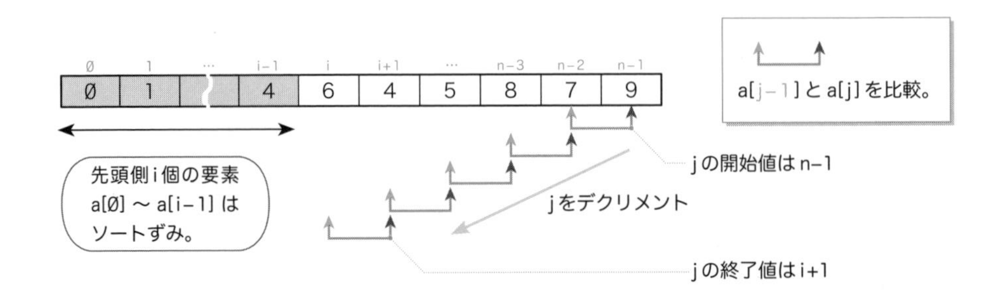

Fig.6-5 単純交換ソートにおける i 回目のパス

単純交換ソートは**安定です**。というのも、飛び越えた要素を一気に交換せず、隣り合う要素のみを交換するからです。

要素を**比較する回数**は、1回目のパスでは n - 1、2回目のパスでは n - 2、… ですから、その合計は次のようになります。

$$(n - 1) + (n - 2) + \cdots + 1 = n(n - 1) / 2$$

ただし、実際に要素を**交換する回数**は、配列の要素の値によって左右されます。その平均値は、比較回数の半分の $n(n - 1) / 4$ 回です。

交換過程の表示

関数 *bubble_sort* は、一種のブラックボックスです。具体的にどのような手順で行っているのかが分かりません。比較・交換の過程を詳細に表示しながら単純交換ソートを行うように書きかえたのが、**List 6-2** のプログラムです（追加箇所は網かけ部です）。

List 6-2　chap06/bubble_sort1_verbose.py

```
def bubble_sort_verbose(a: MutableSequence) -> None:
    """単純交換ソート《ソート過程を表示》"""
    ccnt = 0    # 比較回数
    scnt = 0    # 交換回数
    n = len(a)
    for i in range(n - 1):
        print(f'パス{i + 1}')
        for j in range(n - 1, i, -1):
            for m in range(0, n - 1):
               print(f'{a[m]:2}' + ('  ' if m != j - 1 else
                                  ' +' if a[j - 1] > a[j] else ' -'),
                     end='')
            print(f'{a[n - 1]:2}')
            ccnt += 1
            if a[j - 1] > a[j]:
                scnt += 1
                a[j - 1], a[j] = a[j], a[j - 1]
        for m in range(0, n - 1):
           print(f'{a[m]:2}', end='  ')
        print(f'{a[n - 1]:2}')
    print(f'比較は{ccnt}回でした。')
    print(f'交換は{scnt}回でした。')
```

実行例

```
パス1
 6   4   3   7   1   9 + 8
 6   4   3   7   1 - 8   9
 6   4   3   7 + 1   8   9
 6   4   3 + 1   7   8   9
 6   4 + 1   3   7   8   9
 6 + 1   4   3   7   8   9
 1   6   4   3   7   8   9
パス2
 1   6   4   3   7   8 - 9
 1   6   4   3   7 - 8   9
 1   6   4   3 - 7   8   9
 1   6   4 + 3   7   8   9
 1   6 + 3   4   7   8   9
 1   3   6   4   7   8   9
パス3
 1   3   6   4   7   8 - 9
 1   3   6   4   7 - 8   9
 1   3   6   4 - 7   8   9
 1   3   6 + 4   7   8   9
 1   3   4   6   7   8   9
パス4
 1   3   4   6   7   8 - 9
  … 中略 …
比較は21回でした。
交換は8回でした。
```

▶　配列の各要素を揃えて表示するため、要素の値が2桁以内であることを前提としています（そのため、値が3桁以上になると、表示がずれます）。
　なお、右に示す実行例では、値の入力の箇所などを省略しています。

比較する2要素間には、交換を行う場合は '+' を表示し、交換を行わない場合は '-' を表示します。

さらに、ソート終了後に、比較回数と交換回数を表示します。

アルゴリズムの改良（1）

Fig.6-4（p.183）では、2番目に小さい要素を並べるまでの様子を示しました。比較・交換の作業を続けましょう。**Fig.6-6** に示すのは、3パス目の手続きです。パス終了時に、3番目に小さい要素である **4** が3番目に位置します。

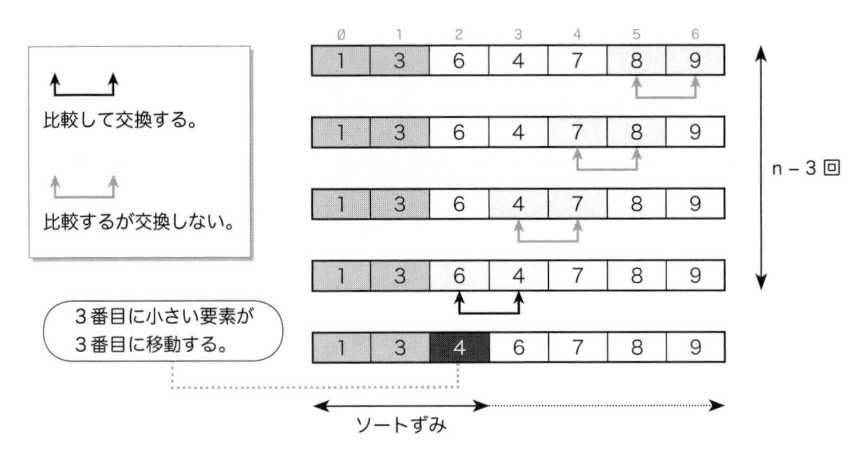

Fig.6-6　単純交換ソートにおける３回目のパス

次に行う4パス目の手続きを示したのが、**Fig.6-7** です。ここでは、要素の交換が一度も行われません。というのも、**3パス目でソートが完了している**からです。

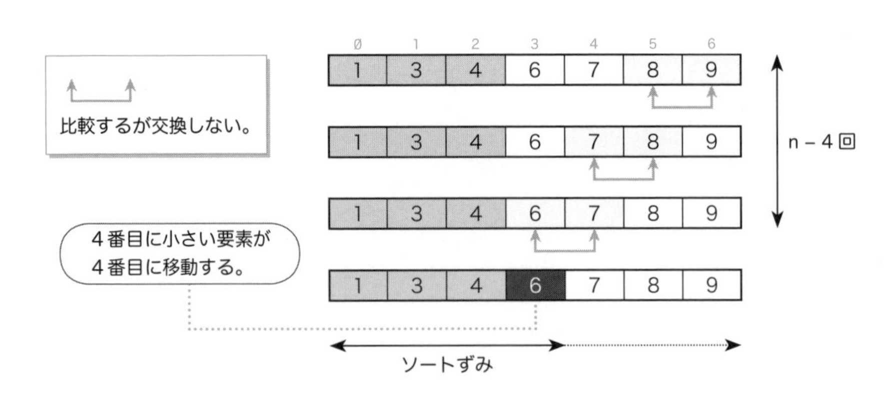

Fig.6-7　単純交換ソートにおける４回目のパス

ソートが完了すれば、それ以降のパスで交換が行われることはありません。

▶　図は省略しますが、5パス目と6パス目でも、要素の交換は行われません。

あるパスにおける要素の交換回数が 0 であれば、すべての要素がソートずみですから、**それ以降のパスは不要であって、ソート作業は打ち切れます。**

もしも、最初に与えられた配列が、たまたま以下のようにソートずみだったとします。

1	3	4	6	7	8	9

最初に行う1回目のパスで一度も交換が行われないため、1パス目が終了した時点でソート作業を終了できます。

この《打切り》を導入すると、ソートずみの配列や、それに近い状態の配列に対しては、行う必要のない比較が大幅に省略されるため、短時間でソートが完了します。

そのように改良した第2版の関数 *bubble_sort* を、**List 6-3** に示します。

List 6-3 chap06/bubble_sort2.py

```
def bubble_sort(a: MutableSequence) -> None:
    """単純交換ソート（第２版：交換回数による打切り）"""
    n = len(a)
    for i in range(n - 1):
        exchng = 0        # パスにおける交換回数
        for j in range(n - 1, i, -1):
            if a[j - 1] > a[j]:
                a[j - 1], a[j] = a[j], a[j - 1]
                exchng += 1
        if exchng == 0:
            break
```

パス

新しく導入したのが、変数 *exchng* です、パスの開始直前に 0 にしておき、要素を交換するたびにインクリメントしますので、パスが終了した（内側の for 文による繰返しが完了した）時点での変数 *exchng* の値は、**そのパスにおける交換回数**となります。

パス終了時点での *exchng* の値が 0 であれば、ソート完了と判断できるため、break 文によって外側の for 文を強制的に脱出して、関数の実行を終了します。

＊

第1版の **List 6-2**（p.185）と同様に、比較・交換の過程を表示するように、第2版を書きかえたプログラムを作りましょう（'chap06/bubble_sort2_verbose.py'）。

配列 **6, 4, 3, 7, 1, 9, 8** のソートにおける、比較・交換の様子は、右のようになり、パス4が完了した時点で、ソートが終了します。第1版よりも比較回数が減少します。

第1版：比較 21 回・交換 8 回
第2版：比較 18 回・交換 8 回

実行例

```
パス1
 6   4   3   7   1   9 + 8
 6   4   3   7   1 - 8   9
 6   4   3   7 + 1   8   9
 6   4   3 + 1   7   8   9
 6   4 + 1   3   7   8   9
 6 + 1   4   3   7   8   9
 1   6   4   3   7   8   9
パス2
 1   6   4   3   7   8 - 9
 1   6   4   3   7 - 8   9
 1   6   4   3 - 7   8   9
 1   6   4 + 3   7   8   9
 1   6 + 3   4   7   8   9
 1   3   6   4   7   8   9
パス3
 1   3   6   4   7   8 - 9
 1   3   6   4   7 - 8   9
 1   3   6   4 - 7   8   9
 1   3   6 + 4   7   8   9
 1   3   4   6   7   8   9
パス4
 1   3   4   6   7   8 - 9
 1   3   4   6   7 - 8   9
 1   3   4   6 - 7   8   9
 1   3   4   6   7   8   9
比較は18回でした。
交換は8回でした。
```

アルゴリズムの改良（2）

次は、配列1，3，9，4，7，8，6に対して単純交換ソートを行ってみます。最初のパスにおける比較・交換の過程を示したのが **Fig.6-8** です。

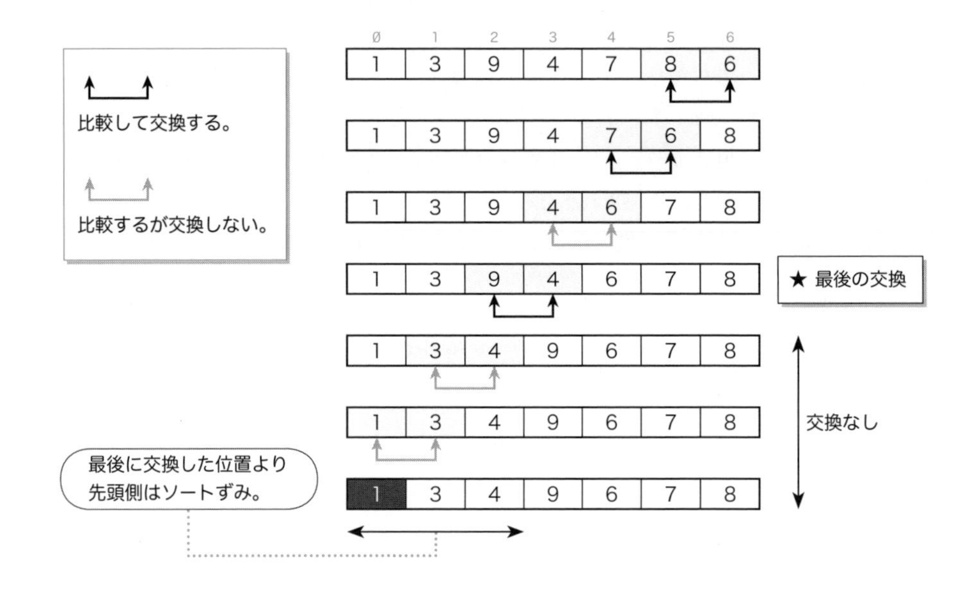

Fig.6-8　単純交換ソートにおける1回目のパス

★の交換が終了した時点で、先頭の3要素1，3，4がソートずみとなります。

この例が示すように、**一連の比較・交換を行うパスにおいて、ある時点以降に交換が行わなければ、それより先頭側はソートずみです。**

そのため、2回目のパスは、先頭を除いた6要素ではなく、4要素に絞り込めます。すなわち、**Fig.6-9** に示すように、4要素のみを比較・交換の対象とすればいいのです。

このアイディアに基づいて改良した関数を **List 6-4** に示します。

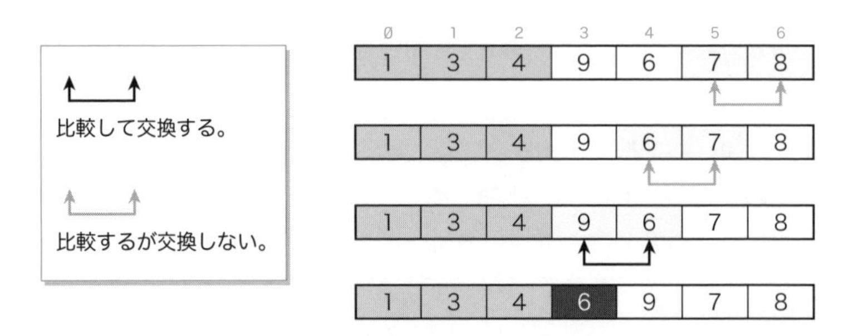

Fig.6-9　単純交換ソートにおける2回目のパス

List 6-4 chap06/bubble_sort3.py

```
def bubble_sort(a: MutableSequence) -> None:
    """単純交換ソート（第３版：走査範囲を限定）"""
    n = len(a)
    k = 0
    while k < n - 1:
        last = n - 1
        for j in range(n - 1, k, -1):
            if a[j - 1] > a[j]:
                a[j - 1], a[j] = a[j], a[j - 1]
                last = j
        k = last
```

パス

last は、各パスで最後に交換した２要素の右側要素の添字を格納するための変数です。交換を行うたびに、右側要素の添字の値を last に代入します。

パスが終了した（for 文による繰返しが完了した）時点で、last の値を k に代入することによって、次に行われるパスの走査範囲を a[k] までに限定します（次のパスで最後に比較される２要素は a[k] と a[k + 1] になります）。

▶ **Fig.6-8** の例であれば、パス終了時の last の値は 3 です。これは、9 と 4 を比較した際の右側の要素の添字です。そのため、次に行われる2回目のパス（**Fig.6-9**）では、j の値を 6, 5, 4 とデクリメントします。

なお、関数の冒頭で k の値を 0 に初期化しているのは、第１回目のパスで先頭までの全要素を走査するためです。

比較・交換の過程を表示するように書きかえたプログラムを作りましょう（'chap06/bubble_sort3_verbose.py'）。配列 1, 3, 9, 4, 7, 8, 6 のソートを、第１版～第３版で実行する様子は、次のようになります。

第１版

実行例

```
パス1:
 1   3   9   4   7   8 + 6
 1   3   9   4   7 + 6   8
 1   3   9   4 - 6   7   8
 1   3   9 + 4   6   7   8
 1   3 - 4   9   6   7   8
 1 - 3   4   9   6   7   8
 1   3   4   9   6   7   8
パス2:
 1   3   4   9   6   7 - 8
 1   3   4   9   6 - 7   8
 1   3   4   9 + 6   7   8
 1   3   4 - 6   9   7   8
 1   3 - 4   6   9   7   8
 1   3   4   6   9   7   8
パス3
 1   3   4   6   9   7 - 8
 1   3   4   6   9 + 7   8
 1   3   4   6 - 7   9   8
 1   3   4 - 6   7   9   8
 1   3   4   6   7   9   8
…中略（パス６まで行われる）…
比較は21回でした。
交換は6回でした。
```

第２版

実行例

```
パス1
 1   3   9   4   7   8 + 6
 1   3   9   4   7 + 6   8
 1   3   9   4 - 6   7   8
 1   3   9 + 4   6   7   8
 1   3 - 4   9   6   7   8
 1 - 3   4   9   6   7   8
 1   3   4   9   6   7   8
パス2
 1   3   4   9   6   7 - 8
 1   3   4   9   6 - 7   8
 1   3   4   9 + 6   7   8
 1   3   4 - 6   9   7   8
 1   3 - 4   6   9   7   8
 1   3   4   6   9   7   8
パス3
 1   3   4   6   9   7 - 8
 1   3   4   6   9 + 7   8
 1   3   4   6 - 7   9   8
 1   3   4 - 6   7   9   8
 1   3   4   6   7   9   8
…中略（パス５まで行われる）…
比較は20回でした。
交換は6回でした。
```

第３版

実行例

```
パス1
 1   3   9   4   7   8 + 6
 1   3   9   4   7 + 6   8
 1   3   9   4 - 6   7   8
 1   3   9 + 4   6   7   8
 1   3 - 4   9   6   7   8
 1 - 3   4   9   6   7   8
 1   3   4   9   6   7   8
パス2
 1   3   4   9   6   7 - 8
 1   3   4   9   6 - 7   8
 1   3   4   9 + 6   7   8
 1   3   4   6   9   7   8
パス3
 1   3   4   6   9   7 - 8
 1   3   4   6   9 + 7   8
 1   3   4   6   7   9   8
パス4
 1   3   4   6   7   9 + 8
 1   3   4   6   7   8   9
比較は12回でした。
交換は6回でした。
```

シェーカーソート（双方向バブルソート）

次に示すデータの並びをソートしてみます。

9 1 3 4 6 7 8

ほぼソートずみであるにもかかわらず、右に示すように、第3版のアルゴリズムでも、ソート作業を早期に打ち切ることができません。というのも、先頭に位置している最大の要素9が、1回のパスで一つずつしか後方に移動しないからです。

▶ 第1版、第2版、第3版のすべてのアルゴリズムで、右に示すように、21回の比較と6回の交換が行われます。

単純交換ソート（第1版〜第3版）

```
実行例
パス1
 9   1   3   4   6   7 - 8
 9   1   3   4   6 - 7   8
 9   1   3   4 - 6   7   8
 9   1   3 - 4   6   7   8
 9   1 - 3   4   6   7   8
 9 + 1   3   4   6   7   8
 1   9   3   4   6   7   8
パス2
 1   9   3   4   6   7 - 8
 1   9   3   4   6 - 7   8
 1   9   3   4 - 6   7   8
 1   9   3 - 4   6   7   8
 1   9 + 3   4   6   7   8
 1   3   9   4   6   7   8
パス3
 1   3   9   4   6   7 - 8
 1   3   9   4   6 - 7   8
 1   3   9   4 - 6   7   8
 1   3   9 + 4   6   7   8
 1   3   4   9   6   7   8
パス4
 1   3   4   9   6   7 - 8
 1   3   4   9   6 - 7   8
 1   3   4   9 + 6   7   8
 1   3   4   6   9   7   8
パス5
 1   3   4   6   9   7 - 8
 1   3   4   6   9 + 7   8
 1   3   4   6   7   9   8
パス6
 1   3   4   6   7   9 + 8
 1   3   4   6   7   8   9
比較は21回でした。
交換は6回でした。
```

そこで、奇数パスでは最小要素を先頭側に移動させ、偶数パスでは最大要素を末尾側に移動するというように、パスの走査方向を交互に変えると、ここで考えているような並びを、少ない比較回数でソートできます。

バブルソートを改良したこのアルゴリズムは、**双方向バブルソート**（*bidirection bubble sort*）あるいは**シェーカーソート**（*shaker sort*）という名称で知られています。

▶ シェーカーと聞くと、カクテル用のシェーカーを思い出すのではないでしょうか。shakerは、『振る人』『振るもの』『攪拌機』などの意味があります。

第3版を改良して、双方向バブルソートを行う関数 ***shaker_sort*** を List 6-5 に示します。

List 6-5 chap06/shaker_sort.py

```
def shaker_sort(a: MutableSequence) -> None:
    """シェーカーソート（双方向バブルソート）"""
    left = 0
    right = len(a) - 1
    last = right
    while left < right:
        for j in range(right, left, -1):
            if a[j - 1] > a[j]:
                a[j - 1], a[j] = a[j], a[j - 1]
                last = j
        left = last

        for j in range(left, right):
            if a[j] > a[j + 1]:
                a[j], a[j + 1] = a[j + 1], a[j]
                last = j
        right = last
```

```
実行例
パス1
 9   1   3   4   6   7 - 8
 9   1   3   4   6 - 7   8
 9   1   3   4 - 6   7   8
 9   1   3 - 4   6   7   8
 9   1 - 3   4   6   7   8
 9 + 1   3   4   6   7   8
 1   9   3   4   6   7   8
パス2
 1   9 + 3   4   6   7   8
 1   3   9 + 4   6   7   8
 1   3   4   9 + 6   7   8
 1   3   4   6   9 + 7   8
 1   3   4   6   7   9 + 8
 1   3   4   6   7   8   9
パス3
 1   3   4   6   7 - 8   9
 1   3   4   6 - 7   8   9
 1   3   4 - 6   7   8   9
 1   3 - 4   6   7   8   9
 1   3   4   6   7   8   9
比較は10回でした。
交換は6回でした。
```

while 文の中に、二つの for 文が入る構造です。最初の for 文では、第3版の単純挿入ソートと同様に、要素を末尾から先頭へと走査します。そして、２番目の`for`文では、要素を先頭から末尾へと走査します。

▶ 変数`left`は、走査範囲の先頭要素の添字で、変数`right`は、捜査範囲の末尾要素の添字です。

なお、左ページの実行例は、シェーカーソートにおける比較・交換の過程を表示するように書きかえたプログラム（'chap06/shaker_sort_verbose.py'）の出力結果です。

配列9, 1, 3, 4, 6, 7, 8のソートにおける比較回数が、21回から10回に減少しました。

Column 6-1 算術演算に利用する組込み関数

Pythonでは、四則演算以外の算術演算を行えるよう、数多くの組込み関数が提供されています。その一覧をTable 6C-1に示します。

Table 6C-1 算術演算に利用する組込み関数

abs(x)	数値xの絶対値を返却する。
bool(x)	xの論理値（TrueあるいはFalse）を返却する。
comp(real, imag)	値real + imag * 1jの複素数を返却するか、文字列や数値を複素数に変換した値を返却する。imagが省略された場合はゼロとみなす。realとimagの両方が省略された場合は0jを返却する。
divmod(a, b)	数値aをbで除したときの商と剰余で構成されるタプルを返却する。
float(x)	文字列あるいは数値xを浮動小数点数に変換した値を返却する。引数が省略された場合は0.0を返却する。
hex(x)	整数値xの、0xで始まる16進表記による文字列を返却する。
int(x, base)	xをint型整数に変換した値を返却する。baseは0～36の範囲でなければならず、省略された場合は10とみなす。
max(args)	引数の最大値を返却する。
min(args)	引数の最小値を返却する。
oct(x)	整数値xの、0oで始まる8進表記による文字列を返却する。
pow(x, y, z)	xのy乗（すなわちx ** y）を返却する。zが指定された場合は、xのy乗に対するzの剰余を返却する。pow(x, y) % zよりも効率よく計算される。
round(n, ndigits)	nの小数部をndigits桁に丸めた値を返却する。ndigitsがNoneであるか省略された場合、入力値に最も近い整数を返却する。
sum(x, start)	startとxの要素を先頭から末尾へと順に合計して総和を返却する。startのデフォルトは0である。

第１章では、１から*n*までの総和を`while`文や`for`文で求める方法を学習しましたが、

```
sum(range(1, n + 1))      # sum関数を呼び出して1からnまでの総和を求める
```

という呼出し式で求められます。

6-3 単純選択ソート

単純選択ソートは、最小要素を先頭に移動し、２番目に小さい要素を先頭から２番目に移動する、といった作業を繰り返すアルゴリズムです。

単純選択ソート

次に示す並びのソートを例に、**単純選択ソート**（*straight selection sort*）のアルゴリズムを考えていきましょう。まず最小の要素 **1** に着目します。

6	4	8	3	1	9	7

これは、配列の先頭に位置すべきものですから、先頭要素 **6** と交換します。そうすると、データの並びは次のようになります。

1	4	8	3	6	9	7

これで**最小の要素が先頭に位置しました。**

引き続き、２番目に小さい要素 **3** に着目します。先頭から２番目の要素 **4** と交換すると、次に示すように、２番目の要素までのソートが完了します。

1	3	8	4	6	9	7

同様な作業を続けていく様子を示したのが **Fig.6-10** です。未ソート部から最小の要素を選択して、未ソート部の先頭要素と交換する操作を繰り返します。

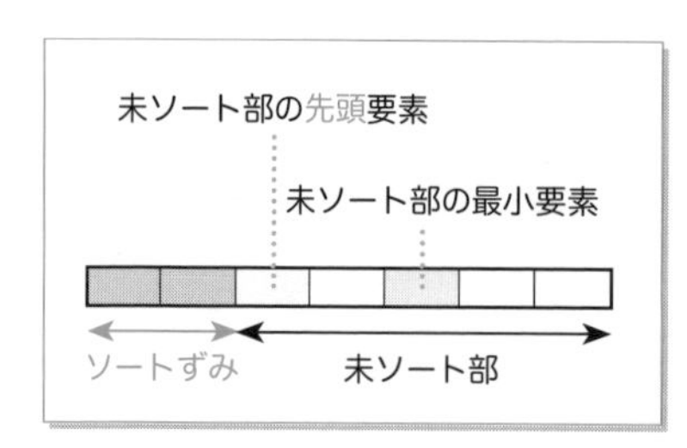

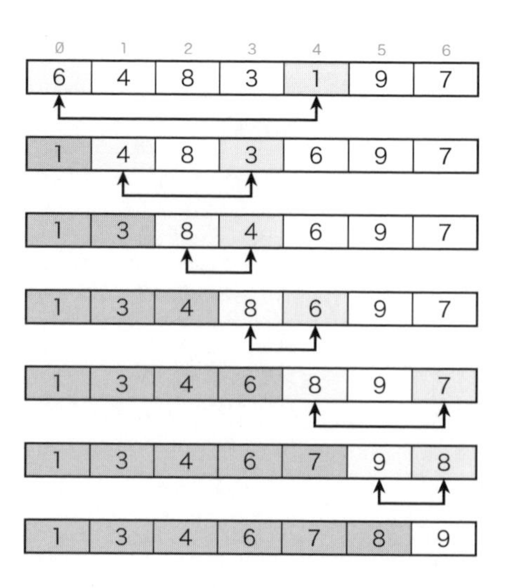

Fig.6-10 単純選択ソートの手順

交換の手順は、次のとおりです。

1 未ソート部から最小のキーをもつ要素 a[*min*] を選択する。

2 a[*min*] と未ソート部の先頭要素を交換する。

これを n - 1 回繰り返すと、未ソート部がなくなってソートが完了します。すなわち、アルゴリズムの概略は、次のようになります。

```
for i in range(n - 1):
    min ← a[i], …, a[n - 1]で最小のキーをもつ要素の添字。
    a[i]とa[min]の値を交換する。
```

単純選択ソートを行う関数を **List 6-6** に示します。

List 6-6 chap06/selection_sort.py

```
def selection_sort(a: MutableSequence) -> None:
    """単純選択ソート"""
    n = len(a)
    for i in range(n - 1):
        min = i                        # 未ソート部の最小要素の添字
        for j in range(i + 1, n):
            if a[j] < a[min]:
                min = j
        a[i], a[min] = a[min], a[i]    # 未ソート部の先頭要素と最小要素を交換
```

要素の値を比較する回数は $(n^2 - n) / 2$ です。

*

このソートアルゴリズムは、離れた要素を交換するため、**安定ではありません**。

安定でないソートが行われる具体例が **Fig.6-11** です。値 3 の要素が二つあります（識別のために、ソート前の先頭側を 3^L、末尾側を 3^R と表しています）が、これらの要素の順序は、ソート後には反転しています。

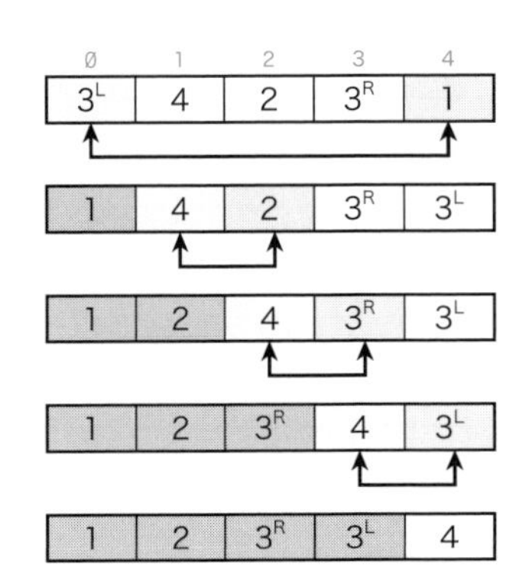

Fig.6-11 単純選択ソートが安定でないことを示す例

6-4 単純挿入ソート

単純挿入ソートは、着目要素をそれより先頭側の適切な位置に“挿入する”作業を繰り返してソートを行うアルゴリズムです。

単純挿入ソート

単純挿入ソート（*straight insertion sort*）は、トランプのカードを並べるときに使う方法に似たアルゴリズムです。次に示すデータの並びを考えましょう。

6	4	1	7	3	9	8

まず2番目の要素**4**に着目します。これは、先頭の**6**よりも先頭側に位置すべきですから先頭に挿入します。これに伴って**6**を右にずらすと、次のようになります。

4	6	1	7	3	9	8

次に3番目の要素**1**に着目し、先頭に挿入します。以下、同様な作業を行っていきます。その様子を示したのが**Fig.6-12**です。

図に示すように、**目的列**と**原列**とから配列が構成されると考えると、

原列の先頭要素を、目的列内の適切な位置に挿入する。

という操作を`n - 1`回繰り返せばソートが完了します。

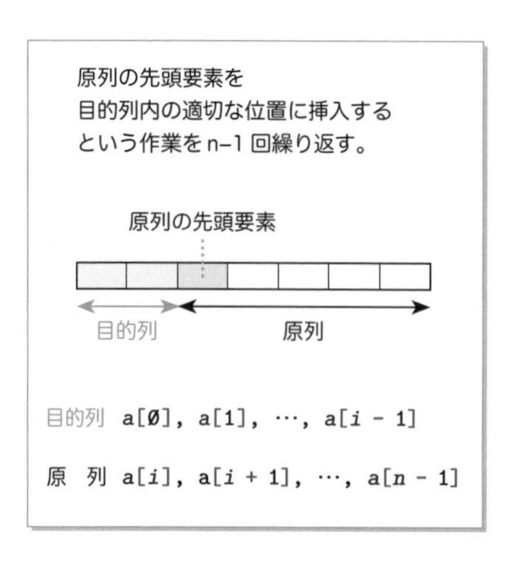

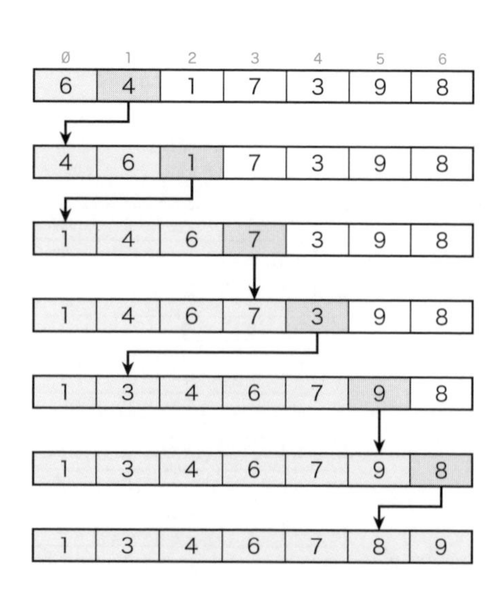

Fig.6-12 単純挿入ソートの手順

このとき、*i*を1，2，… ，*n* - 1とインクリメントしながら、添字*i*の要素を取り出し、それを目的列内の適切な位置に挿入します。

そのため、アルゴリズムの概略は、次のようになります。

```
for i in range(1, n):
    tmp ← a[i]
    tmpをa[0]，…，a[i - 1]の適切な位置に挿入する。
```

それでは、ある値を配列内の“適切な位置に挿入する”手続きを考えましょう。**Fig.6-13**に示す具体例は、値3の要素を、それより先頭側の適切な位置に挿入する手順です。

左隣の要素が、現在着目している要素の値よりも大きい限り、その値を代入する作業を繰り返します。ただし、挿入する値以下の要素に出会うと、そこから先は走査の必要がありませんので、そこに挿入する値を代入します。

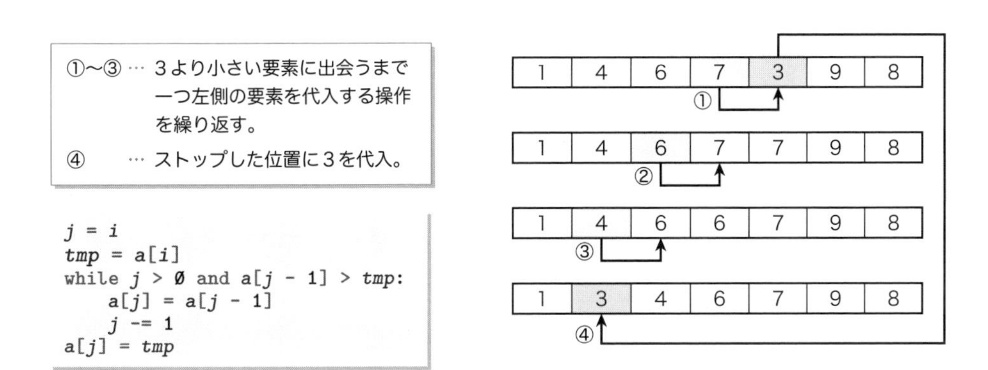

Fig.6-13 単純挿入ソートにおける《挿入》の手続き

すなわち、繰返し制御用の変数*j*に*i*を代入し、tmpにa[i]を代入しておき、

1. 目的列の左端に達した。
2. tmpと等しいか小さいキーをもった左隣の要素a[j - 1]が見つかった。

終了条件

のいずれか一方が成立するまで*j*をデクリメントしながら代入操作を繰り返します。

ド・モルガンの法則（**Column 1-12**：p.29）を用いると、以下に示す二つの条件の両方が成立しているあいだ繰り返すことになります。

1. *j*が0より大きい。
2. a[j - 1]の値がtmpより大きい。

継続条件

そして、この走査が終了すると、その位置の要素a[j]に、挿入すべき値であるtmpを代入します。

単純挿入ソートを行うプログラムを **List 6-7** に示します。

List 6-7 chap06/insertion_sort.py

```
# 単純挿入ソート

from typing import MutableSequence

def insertion_sort(a: MutableSequence) -> None:
    """単純挿入ソート"""
    n = len(a)
    for i in range(1, n):
        j = i
        tmp = a[i]
        while j > 0 and a[j - 1] > tmp:
            a[j] = a[j - 1]
            j -= 1
        a[j] = tmp

if __name__ == '__main__':
    print('単純挿入ソート')
    num = int(input('要素数：'))
    x = [None] * num    # 要素数numの配列を生成

    for i in range(num):
        x[i] = int(input(f'x[{i}]：'))

    insertion_sort(x)   # 配列xを単純挿入ソート

    print('昇順にソートしました。')
    for i in range(num):
        print(f'x[{i}]={x[i]}')
```

実行例

```
単純挿入ソート
要素数：7
x[0]：6
x[1]：4
x[2]：3
x[3]：7
x[4]：1
x[5]：9
x[6]：8
昇順にソートしました。
x[0] = 1
x[1] = 3
x[2] = 4
x[3] = 6
x[4] = 7
x[5] = 8
x[6] = 9
```

飛び越えた要素の交換が行われることはありませんので、このソートアルゴリズムは**安定です**。要素の比較回数と交換回数は、ともに n^2 / 2 です。

なお、単純挿入ソートは、**シャトルソート**（*shuttle sort*）とも呼ばれます。

単純ソートの時間計算量

ここまで学習してきた三つの単純ソートの時間計算量は、いずれも $O(n^2)$ であり、非常に効率の悪いものです。

次節以降では、これらのソートを改良した、効率のよいアルゴリズムを学習します。

Column 6-2 2分挿入ソート

単純挿入ソートは、配列の要素数が多くなると、要素の挿入に要する比較・代入のコストが大きくなってしまいます。

目的列はソートずみですから、要素を挿入すべき位置は2分探索法によって調べられます。それを利用したアルゴリズムは、**2分挿入ソート**（*binary insertion sort*）と呼ばれます。

List 6C-1 に示すのが、そのプログラムです。

List 6C-1 chap06/binary_insertion_sort.py

```
# 2分挿入ソート

from typing import MutableSequence

def binary_insertion_sort(a: MutableSequence) -> None:
    """2分挿入ソート"""
    n = len(a)
    for i in range(1, n):
        key = a[i]
        pl = 0      # 探索範囲の先頭要素の添字
        pr = i - 1  # 探索範囲の末尾要素の添字

        while True:
            pc = (pl + pr) // 2     # 探索範囲の中央要素の添字
            if a[pc] == key:        # 探索成功
                break
            elif a[pc] < key:
                pl = pc + 1
            else:
                pr = pc - 1
            if pl > pr:
                break
        # 挿入すべき位置の添字
        pd = pc + 1 if pl <= pr else pr + 1

        for j in range(i, pd, -1):
            a[j] = a[j - 1]
        a[pd] = key

if __name__ == '__main__':
    print('2分挿入ソート')
    num = int(input('要素数：'))
    x = [None] * num            # 要素数numの配列を生成

    for i in range(num):
        x[i] = int(input(f'x[{i}]：'))

    binary_insertion_sort(x)    # 配列xを2分挿入ソート

    print('昇順にソートしました。')
    for i in range(num):
        print(f'x[{i}]={x[i]}')
```

実行例

```
2分挿入ソート
要素数：7
x[0]：6
x[1]：4
x[2]：3
x[3]：7
x[4]：1
x[5]：9
x[6]：8
昇順にソートしました。
x[0] = 1
x[1] = 3
x[2] = 4
x[3] = 6
x[4] = 7
x[5] = 8
x[6] = 9
```

さて、本文で学習した“適切な位置への挿入”のアルゴリズムは、Pythonの標準ライブラリで提供されます。

bisectモジュールのinsort関数は、ソートされた配列（リスト）に、並びを崩すことなく要素を挿入します。この関数を利用すると、2分挿入ソートは**List 6C-2**のように簡潔になります。

List 6C-2 chap06/binary_insort.py

```
def binary_insertion_sort(a: MutableSequence) -> None:
    """2分挿入ソート（bisect.insortを利用）"""
    for i in range(1, len(a)):
        bisect.insort(a, a.pop(i), 0, i)
```

実質的に2行だけの関数です。

bisect.insort(a, x, lo, hi)と呼び出すと、aがソートされた状態を保ったまま、a[lo]からa[hi]のあいだにxが挿入されます（もしaの中にxと同じ値の要素が複数含まれていれば、最も右側の位置に挿入されます）。

6–5 シェルソート

シェルソートは、単純挿入ソートの長所を活かしたまま、その短所を補うことで、高速にソートするアルゴリズムです。

単純挿入ソートの特徴

次に示すデータの並びに対して、単純挿入ソートを適用してみましょう。

1	2	3	4	5	Ø	6

２番目の要素 **2**、３番目の要素 **3**、…、５番目の要素 **5** と順に着目していきます。ここまではソートずみであり、要素の移動（値の代入）は１回も発生しません。ここまでのステップは、順調であって素早く完了します。

しかし、６番目の要素 **Ø** の挿入では、**Fig.6-14** に示すように**6回もの移動（代入）**が必要です。

①〜⑤ … Øより小さい要素に出会うまで一つ左側の要素を代入する操作を繰り返す。
⑥ … ストップした位置にØを代入。

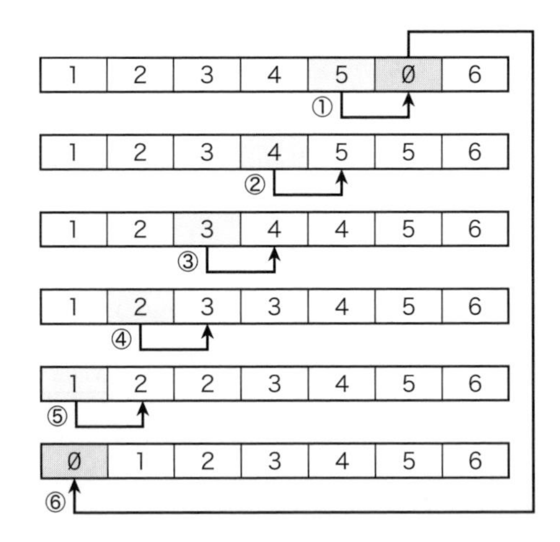

Fig.6-14　単純挿入ソートにおける要素の移動

この例は、単純挿入ソートに関する以下の特徴を示しています。

Ⓐ ソートずみ、あるいは、それに近い状態では高速である。
Ⓑ 挿入先が遠く離れている場合は、移動（代入）回数が多くなる。

もちろん、Ⓐは長所であり、Ⓑは短所です。

シェルソート

単純挿入ソートのⒶの長所を活かしつつ、Ⓑの短所を補うのが、D. L. Shell が考案した**シェルソート**（*shell sort*）という優れたアルゴリズムです。

まず最初に離れた要素をグループ化して大まかなソートを行い、そのグループを縮小しながらソートを繰り返すことによって移動回数を減らそうというアイディアです。

▶ 次節で学習するクイックソートが考案されるまでは、最高速のアルゴリズムとして知られていました。

Fig.6-15 に示すデータの並びを例にして、アルゴリズムを理解しましょう。

まずは、4個離れた要素を取り出した {8, 7}、{1, 6}、{4, 3}、{2, 5} の四つのグループに分けて、各グループをそれぞれソートします。

▶ すなわち、①では {8, 7} をソートして {7, 8} とし、②では {1, 6} をソートして {1, 6} とし、③では {4, 3} をソートして {3, 4} とし、④では {2, 5} をソートして {2, 5} とします。

このように、4個離れた要素のソートを行うことを“4－ソート”と呼びます。ソートは完了しないものの、ソートずみの状態に近づいています。

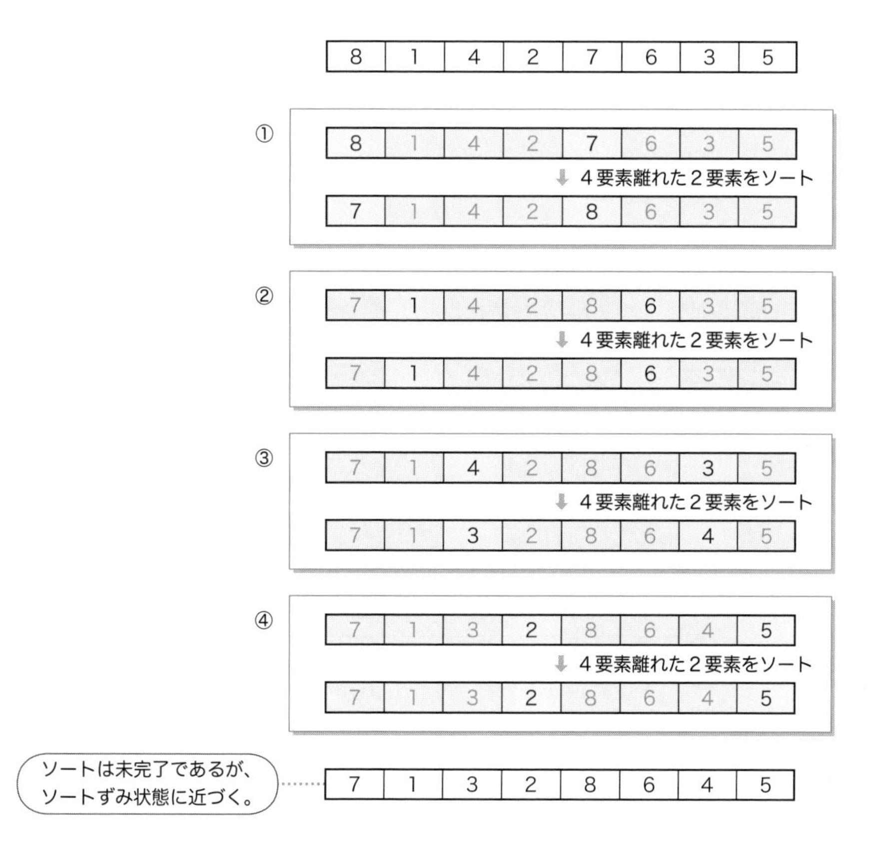

Fig.6-15 シェルソートにおける4－ソート

続いて、2個離れた要素を取り出した{7, 3, 8, 4}と{1, 2, 6, 5}の二つのグループに分けて“2－ソート”を行います。その様子を示したのがFig.6-16です。

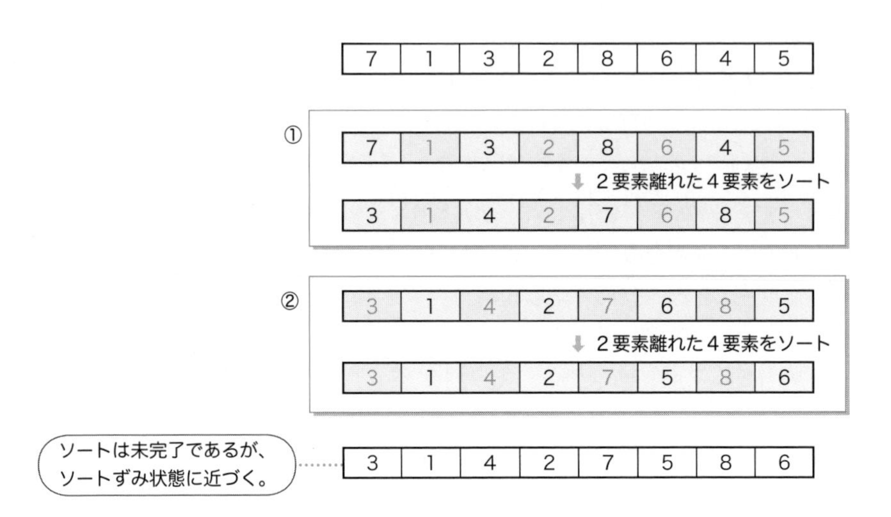

Fig.6-16 シェルソートにおける2－ソート

得られた配列は、さらにソートずみの状態に近づきました。最後に、“1－ソート”を適用して、1個離れた要素、すなわち配列全体をソートすると、ソートは完了します。

全体の流れを示したのが、**Fig.6-17**です。シェルソートの過程における個々のソートを、“h－ソート”と呼びます。この場合は、hの値を4, 2, 1と減らしながら、以下のように都合7回のソートを行うことによって、ソートを完了させました。

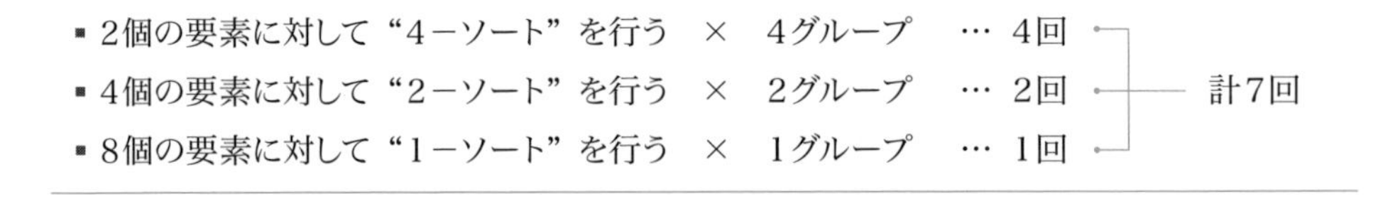

Fig.6-17 シェルソートの大まかな流れ

図aの配列に対して、単純挿入ソートをいきなり適用せずに、4－ソートや2－ソートによる“地ならし”をして、少しでもソートずみに近い図cの状態にしておき、それから単純挿入ソートを最後にもう一度行うことによって、ソートを完了させるのです。

▶ もちろん、7回のソートは、すべて単純挿入ソートによって行います。

このように、わざわざ何回もソートするのは、単純挿入ソートの長所を活かして欠点を補うためです。ソートの回数は増えても、全体としての要素の移動回数が少なくなることが期待できるからです。

List 6-8 に示すのが、シェルソートを行うプログラムです。

List 6-8 chap06/shell_sort1.py

```
# シェルソート

from typing import MutableSequence

def shell_sort(a: MutableSequence) -> None:
    """シェルソート"""
    n = len(a)
    h = n // 2
    while h > 0:
        for i in range(h, n):
            j = i - h
            tmp = a[i]
            while j >= 0 and a[j] > tmp:
                a[j + h] = a[j]
                j -= h
            a[j + h] = tmp
        h //= 2

if __name__ == '__main__':
    print('シェルソート')
    num = int(input('要素数：'))
    x = [None] * num    # 要素数numの配列を生成

    for i in range(num):
        x[i] = int(input(f'x[{i}]：'))

    shell_sort(x)       # 配列xをシェルソート

    print('昇順にソートしました。')
    for i in range(num):
        print(f'x[{i}]＝{x[i]}')
```

実行例

```
シェルソート
要素数：8
x[0]：8
x[1]：1
x[2]：4
x[3]：2
x[4]：7
x[5]：6
x[6]：3
x[7]：5
昇順にソートしました。
x[0]＝1
x[1]＝2
x[2]＝3
x[3]＝4
x[4]＝5
x[5]＝6
x[6]＝7
x[7]＝8
```

単純挿入ソートを行う網かけ部は、p.196 の **List 6-7** とほぼ同じです。異なるのは、着目要素と比較する要素が、隣接要素ではなく、*h* 個だけ離れた要素に変更されている点です。

その *h* の初期値は、*n* // 2として求めています（*n* の半分です）。そして、while 文で繰り返すたびに、2で割っていきます（半分の値となるように更新されます）。

▶ すなわち、*h* は以下のように変化していきます。
　要素数が8であれば、4 ⇨ 2 ⇨ 1。
　要素数が7であれば、3 ⇨ 1。

増分の選択

先ほどの例では、要素数 n が 8 のときに、h の値を次のように変化させました。

h = 4 ⇨ 2 ⇨ 1

増分 h は、ある値から減少していって最後に 1 となればよい性質のものです。実際には、どのような数列が適当でしょうか。

まずは、先ほどの例におけるグループ分けを検討してみます（**Fig.6-18**）。

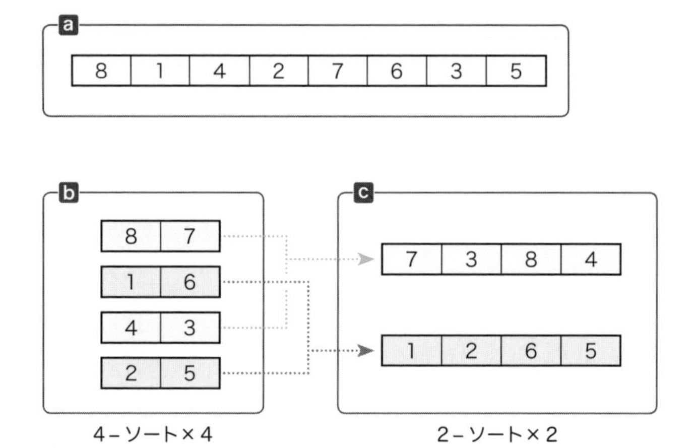

Fig.6-18 シェルソートにおけるグループ分け（h = 4, 2, 1）

ここで、図aに示す配列が、8人の学生の点数であると考えましょう。まず、図bのように、学生を2人ずつの4グループに分けてソートを行い、その後、図cのように、学生を4人ずつの2グループに分けてソートを行います。

ここで、図b内の2グループをあわせたものが、そのまま図cのグループとなっていることに着目しましょう。《青グループ》と《黒グループ》には、“交流”がありません。同じメンバーで構成されるグループの学生をソートしているため、**せっかくのグループ分けが十分に機能しないことを示唆しています。**

*

h の値が互いに倍数とならないようにすれば、要素が十分にかき混ぜられて、効率のよいソートの実行が期待できます。

単純に作り出せて、しかもよい結果が得られるのが、以下の数列です。

h = … ⇨ 121 ⇨ 40 ⇨ 13 ⇨ 4 ⇨ 1

逆算すると、1 から始めて、3倍した値に 1 を加える数列です。

ただし、*h* の初期値は、大きすぎると効果がないことが分かっていますので、配列の要素数 *n* を 9 で割った値を超えない値とします。

この数列を利用してシェルソートを行うプログラムが **List 6-9** です。

List 6-9 chap06/shell_sort2.py

```
# シェルソート（第２版：h = …, 40, 13, 4, 1）

from typing import MutableSequence

def shell_sort(a: MutableSequence) -> None:
    """シェルソート（第２版）"""
    n = len(a)
    h = 1

    while (h < n // 9):            # 1
        h = h * 3 + 1

    while h > 0:
        for i in range(h, n):
            j = i - h
            tmp = a[i]
            while j >= 0 and a[j] > tmp:    # 2
                a[j + h] = a[j]
                j -= h
            a[j + h] = tmp
        h //= 3

if __name__ == '__main__':
    print('シェルソート（第２版）')
    num = int(input('要素数：'))
    x = [None] * num    # 要素数numの配列を生成

    for i in range(num):
        x[i] = int(input(f'x[{i}]：'))

    shell_sort(x)        # 配列xをシェルソート

    print('昇順にソートしました。')
    for i in range(num):
        print(f'x[{i}]＝{x[i]}')
```

実行例

```
シェルソート（第２版）
要素数：8
x[0]：8
x[1]：1
x[2]：4
x[3]：2
x[4]：7
x[5]：6
x[6]：3
x[7]：5
昇順にソートしました。
x[0]＝1
x[1]＝2
x[2]＝3
x[3]＝4
x[4]＝5
x[5]＝6
x[6]＝7
x[7]＝8
```

1の while 文では、*h* の初期値を求めます。1 から始めて、3倍して 1 を加える作業を繰り返して、*n* // 9 を超えない最大値を *h* に代入します。

2の while 文は、基本的には第1版と同じです。異なるのは、*h* の変化のさせ方だけです。*h* の値を 3 で割っていきます（繰返しの最後に *h* は 1 となります）。

▶ 実行例の場合、要素数が 8 ですから、*h* の初期値は 1 となります（そのため、実質的に、シェルソートではなく、単純挿入ソートが行われます）。

＊

シェルソートの時間計算量は $O(n^{1.25})$ であり、極めて高速です。ただし、離れた要素を交換するため**安定ではありません**。

6-6 クイックソート

クイックソートは、最も高速なソートのアルゴリズムの一つとして知られるとともに、広く利用されています。

クイックソートの概略

クイックソート（*quick sort*）は、広く一般的に使われている高速なアルゴリズムです。素早いソートという名称は、高速性が劇的であることから、考案者のC.A.R.Hoare自身が付けたものです。

このアルゴリズムによって、8人のグループを身長順にソートする様子を示したのが**Fig.6-19**です。まず、ある一人の身長に着目します。身長が168cmのA君をピックアップすると、一つ下の段に示すように、A君以下のグループと、A君以上のグループとに分けられます。なお、グループ分けの基準のことを**枢軸**（すうじく）（*pivot*）と呼びます。

▶ 枢軸の選び方は任意であり、左側グループと右側グループのどちらに入れても構いません。

各グループに対して枢軸を設定して分割を繰り返していき、すべてのグループが1人だけになるとソートは完了です。

これで、アルゴリズムの概略は理解できました。詳細を学習していきましょう。

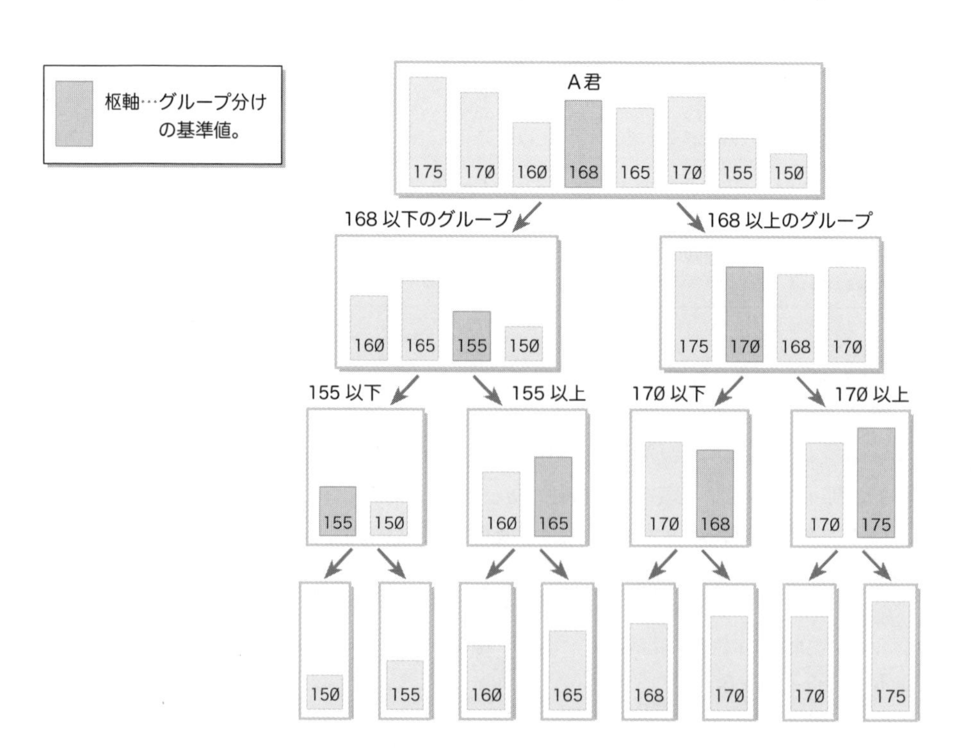

Fig.6-19　クイックソートの概略

分割の手順

まずは、配列を二つのグループに分割する手順を考えます。以下に示す配列 a から枢軸として 6 を選んで分割を行うものとします。なお、枢軸を *x* と表すとともに、左端の要素の添字 *pl* を**左カーソル**、右端の要素の添字 *pr* を**右カーソル**と呼びます。

pl								*pr*
0	1	2	3	4	5	6	7	8
5	7	1	4	6	2	3	9	8

分割を行うには、枢軸以下の要素を配列の左側（先頭側）に、枢軸以上の要素を配列の右側（末尾側）に移動させなければなりません。そのために行うのが、次のことです。

- a[*pl*] >= *x* が成立する要素が見つかるまで *pl* を右方向へ走査する。
- a[*pr*] <= *x* が成立する要素が見つかるまで *pr* を左方向へ走査する。

この走査によって、*pl* と *pr* は下図の位置でストップします。左カーソルが位置するのは枢軸以上の要素であり、右カーソルが位置するのは枢軸以下の要素です。

ここで、左右のカーソルが位置する要素 a[*pl*] と a[*pr*] の値を交換します。そうすると、枢軸以下の値が左側に移動して、枢軸以上の値が右側に移動します。

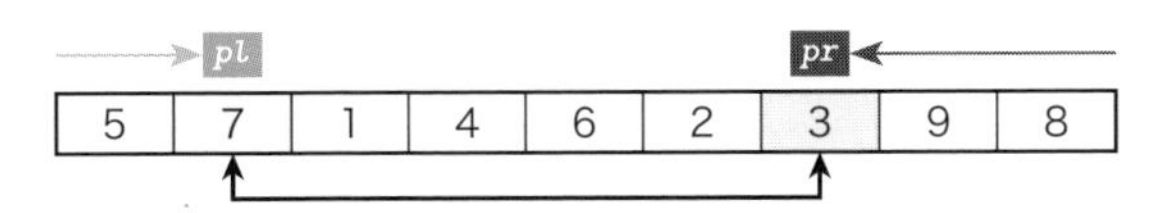

再び走査を続けると、左右のカーソルは下図の位置でストップします。そこで、これら二つの要素 a[*pl*] と a[*pr*] の値を交換します。

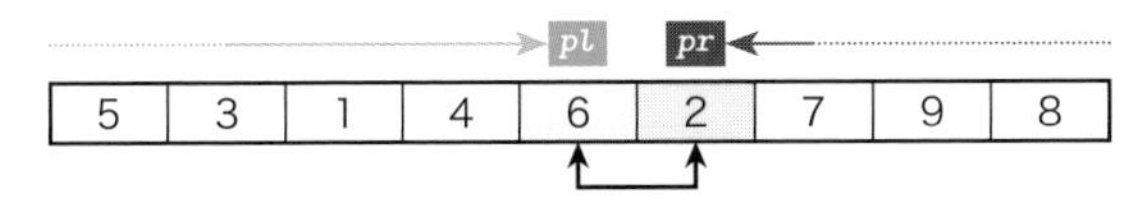

さらに走査を続けようとすると、下図のようにカーソルが交差します。

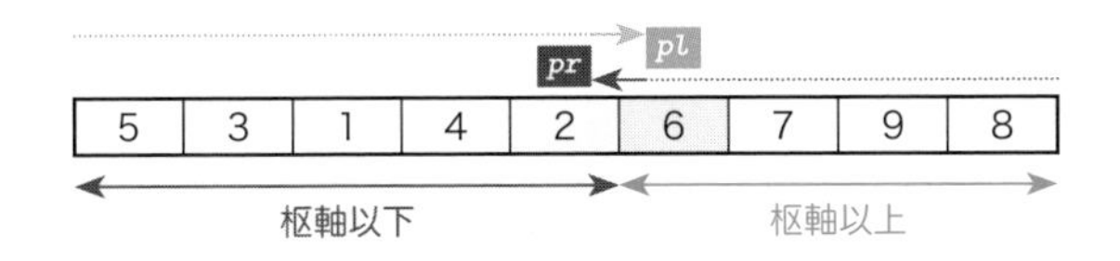

これで分割が完了しました。配列は、次のようにグループ分けされています。

- 枢軸以下のグループ　：a[0], … , a[*pl* - 1]
- 枢軸以上のグループ　：a[*pr* + 1], …, a[*n* - 1]

なお、*pl* ＞ *pr* + 1 のときに限り、次のグループができます（次ページで学習します）。

- 枢軸と一致するグループ　：a[*pr* + 1], … , a[*pl* - 1]

前ページの例では、枢軸と一致するグループは生成されませんでした。

枢軸と一致するグループが生成される例を **Fig.6-20** に示します。図**a**が最初の状態であり、枢軸の値は5です。

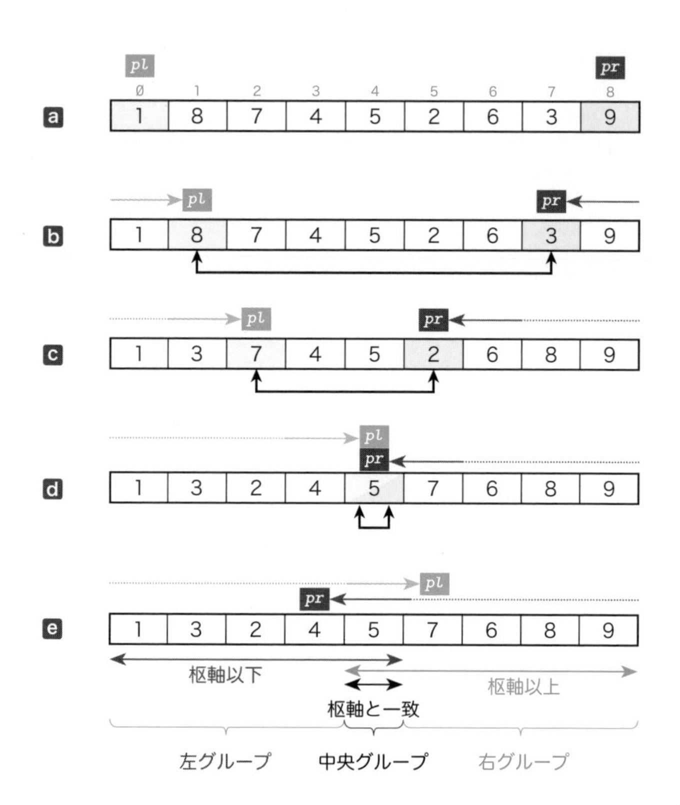

Fig.6-20　配列を分割する例

図**b**・図**c**・図**d**は、いずれも、左カーソル／右カーソルが、枢軸以上／枢軸以下の要素を見つけてストップした状態です。

3回目にストップした図**d**では、*pl* と *pr* の両方が a[4] 上に位置しています。このとき、同一要素である a[4] と a[4] の交換を行います。

▶ 『同一要素の交換』は無駄なように感じられるでしょうが、最大で1回しか行われません。ちなみに、同一要素の交換を回避するには、要素の交換を行おうとするたびに "*pl* と *pr* が同じ要素上にあるかどうか" のチェックが必要です。そのようなチェックを毎回行うよりも、高々1回しか行われない『同一要素の交換』を行ったほうが、（一般的には）コストは小さくなります。

走査を続けようとすると、*pl* と *pr* が交差するため、分割が完了します（図**e**）。

▶ 前ページで学習したように、中央グループができるのは、分割完了時に *pl* > *pr* + 1 が成立するときのみです。

以上のアイディアに基づいて、配列の分割を行うプログラムが **List 6-10** です。配列の中央に位置する要素を枢軸として選択し、網かけ部で分割を行っています。

List 6-10 chap06/partition.py

```
# 配列の分割

from typing import MutableSequence

def partition(a: MutableSequence) -> None:
    """配列を分割して表示"""
    n = len(a)
    pl = 0          # 左カーソル
    pr = n - 1      # 右カーソル
    x = a[n // 2]   # 枢軸（中央の要素）

    while pl <= pr:                          配列aを枢軸xで分割
        while a[pl] < x: pl += 1
        while a[pr] > x: pr -= 1
        if pl <= pr:
            a[pl], a[pr] = a[pr], a[pl]
            pl += 1
            pr -= 1

    print(f'枢軸の値は{x}です。')

    print('枢軸以下のグループ')
    print(*a[0 : pl])                      # a[0] 〜 a[pl - 1]

    if pl > pr + 1:
        print('枢軸と一致するグループ')
        print(*a[pr + 1 : pl])             # a[pr + 1] 〜 a[pl - 1]

    print('枢軸以上のグループ')
    print(*a[pr + 1 : n])                  # a[pr + 1] 〜 a[n - 1]

if __name__ == '__main__':
    print('配列を分割します。')
    num = int(input('要素数：'))
    x = [None] * num    # 要素数numの配列を生成

    for i in range(num):
        x[i] = int(input(f'x[{i}]：'))

    partition(x)        # 配列xを分割して表示
```

実行例

```
配列を分割します。
要素数：9
x[0]：1
x[1]：8
x[2]：7
x[3]：4
x[4]：5
x[5]：2
x[6]：6
x[7]：3
x[8]：9
枢軸の値は5です。
枢軸以下のグループ
1 3 2 4 5
枢軸と一致するグループ
5
枢軸以上のグループ
5 7 6 8 9
```

本プログラムでは、枢軸を“配列の中央に位置する要素”としています。枢軸の選択は、分割およびソートのパフォーマンスに影響を与えます。p.216で考察します。

▶ 当面は、配列の中央に位置する要素を枢軸とします。

クイックソート

配列の分割を発展させると、クイックソートのアルゴリズムとなります。

その考えを示すのが **Fig.6-21** です。要素が9個の配列 a を分割すると、図**a**に示すように、a[0] ～ a[4] の左グループと、a[5] ～ a[8] の右グループとに分割されます。

そこで、これら二つのグループに対しても同じ手続きを適用して再分割を行います。その様子を表したのが図**b**と図**c**です。図**b**では a[0] ～ a[4] を分割し、図**c**では a[5] ～ a[8] を分割します。

▶ スペースの都合上、図**b**以降の分割と図**c**以降の分割を省略しています（この分割の続きは、p.210 の **Fig.6C-1** と、p.213 の **Fig.6-22** に示しています）。

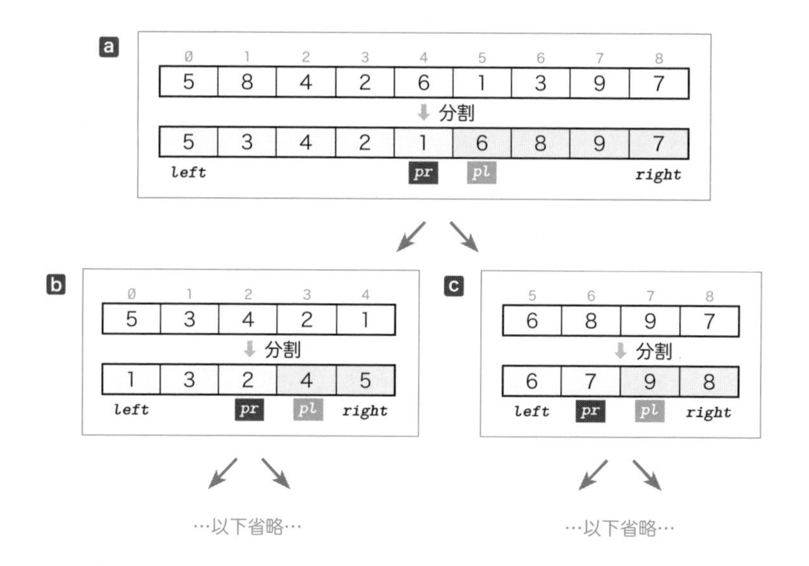

Fig.6-21　配列の分割によるクイックソート

要素数1のグループは、それ以上の分割は不要ですから、分割を適用するのは要素数が2以上のグループのみです。

そのため、配列の分割は、次のように繰り返すことになります。

- ***pr* が先頭より右側に位置する（*left* < *pr*）のであれば、左グループを分割する。**
- ***pl* が末尾より左側に位置する（*pl* < *right*）のであれば、右グループを分割する。**

▶ 中央グループ（a[*pr* + 1] ～ a[*pl* - 1]）ができた場合（p.206）、その部分は分割の対象から外します（分割の必要がないからです）。

クイックソートは、前章で学習した8王妃問題と同様、一種の**分割統治法**（p.171）であるため、再帰呼出しを用いて簡潔に実現できます。

クイックソートを行うプログラムを **List 6-11** に示します。関数 *qsort* は、配列 a と、分割すべき区間の先頭要素と末尾要素の添字を引数として受け取って、クイックソートを行います。

▶ **Fig.6-21** の各図における *left* と *right* は、次のようになります。
図a：*left* = 0・*right* = 8 ／図b：*left* = 0・*right* = 4 ／図c：*left* = 5・*right* = 8

List 6-11 chap06/quick_sort1.py

```
# クイックソート

from typing import MutableSequence

def qsort(a: MutableSequence, left: int, right: int) -> None:
    """a[left]～a[right]をクイックソート"""
    pl = left                    # 左カーソル
    pr = right                   # 右カーソル
    x = a[(left + right) // 2]   # 枢軸（中央の要素）

    while pl <= pr:                          # List 6-10と同じ
        while a[pl] < x: pl += 1
        while a[pr] > x: pr -= 1
        if pl <= pr:                         # ─1
            a[pl], a[pr] = a[pr], a[pl]
            pl += 1
            pr -= 1

    if left < pr:  qsort(a, left, pr)        # ─2
    if pl < right: qsort(a, pl, right)

def quick_sort(a: MutableSequence) -> None:
    """クイックソート"""
    qsort(a, 0, len(a) - 1)

if __name__ == '__main__':
    print('クイックソート')
    num = int(input('要素数：'))
    x = [None] * num      # 要素数numの配列を生成

    for i in range(num):
        x[i] = int(input(f'x[{i}]：'))

    quick_sort(x)         # 配列xをクイックソート

    print('昇順にソートしました。')
    for i in range(num):
        print(f'x[{i}]＝{x[i]}')
```

実行例

```
クイックソート
要素数：9
x[0]：5
x[1]：8
x[2]：4
x[3]：2
x[4]：6
x[5]：1
x[6]：3
x[7]：9
x[8]：7
昇順にソートしました。
x[0]＝1
x[1]＝2
x[2]＝3
x[3]＝4
x[4]＝5
x[5]＝6
x[6]＝7
x[7]＝8
x[8]＝9
```

分割を行う1は、**List 6-10**（p.207）と同じです。左右の各グループを再分割するための、関数末尾の2の再帰呼出しが追加されています。

▶ 本章の他のソート関数と異なり、関数 **qsort** は3個の引数を受け取ります。そのため、他の関数と同じように1個の引数を受け取る関数 **quick_sort** から関数 **qsort** を呼び出す構造としています。
　呼出し **qsort(a, 0, len(a) - 1)** によって、仮引数 *left* には先頭要素の添字 0 を与え、仮引数 *right* には末尾要素の添字を与えています。

クイックソートは、隣接していない遠く離れた要素を交換しますから、**安定ではありません。**

Column 6-3 クイックソートにおける分割の過程の表示

前ページに示したクイックソートのプログラムは、途中経過を表示しないため、配列が分割されていく様子が分かりません。クイックソートを行う関数を **List 6C-3** のように書きかえると、配列が分割されていく様子を表示できます（網かけ部の１行を追加するだけです）。

List 6C-3 chap06/quick_sort1_verbose.py

```
def qsort(a: MutableSequence, left: int, right: int) -> None:
    """a[left]～a[right]をクイックソート（配列の分割過程を表示）"""
    pl = left                     # 左カーソル
    pr = right                    # 右カーソル
    x = a[(left + right) // 2]    # 枢軸（中央の要素）

    print(f'a[{left}]～a[{right}]：', *a[left : right + 1])

    while pl <= pr:
        while a[pl] < x: pl += 1
        while a[pr] > x: pr -= 1
        if pl <= pr:
            a[pl], a[pr] = a[pr], a[pl]
            pl += 1
            pr -= 1

    if left < pr:  qsort(a, left, pr)
    if pl < right: qsort(a, pl, right)
```

実行例

```
a[0]～a[8]：5 8 4 2 6 1 3 9 7
a[0]～a[4]：5 3 4 2 1
a[0]～a[2]：1 3 2
a[0]～a[1]：1 2
a[3]～a[4]：4 5
a[5]～a[8]：6 8 9 7
a[5]～a[6]：6 7
a[7]～a[8]：9 8
```

なお、ここに示す実行例は、前ページの実行例と同じ値を入力した場合に表示される値です。配列は、**Fig.6C-1** のように分割されます。

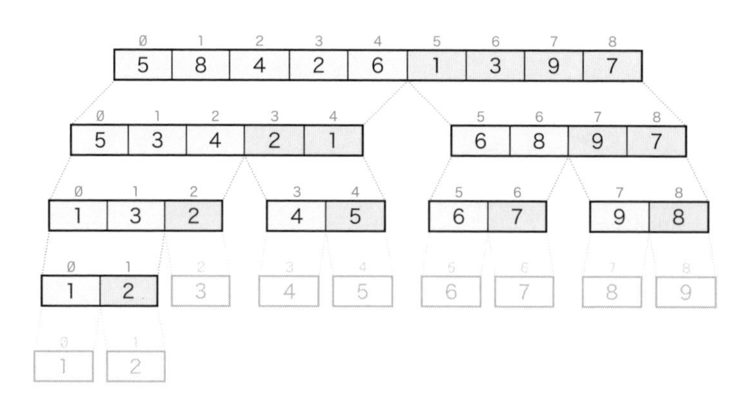

Fig.6C-1 クイックソートにおける配列の分割の過程

非再帰的クイックソート

5-2 節では、再帰的な関数 **recur** を非再帰的に実現する方法を学習しました。関数 **qsort** を非再帰的に実現しましょう。**List 6-12** に示すのが、そのプログラムです。

▶ 本プログラムを実行するときは、**List 4C-1** (p.129) のスクリプトファイル `'stack.py'` を、本スクリプトファイル `'quick_sort1_non_recur.py'` と同一ディレクトリ上に置きます。

List 6-12 chap06/quick_sort1_non_recur.py

```
# クイックソート（非再帰版）

from stack import Stack                                   List 4C-1 (p.129)
from typing import MutableSequence

def qsort(a: MutableSequence, left: int, right: int) -> None:
    """a[left]〜a[right]をクイックソート（非再帰版）"""
    range = Stack(right - left + 1)                       スタックの生成

    range.push((left, right))

    while not range.is_empty():
        pl, pr = left, right = range.pop()  # 左右のカーソルを取り出す
        x = a[(left + right) // 2]          # 枢軸（中央の要素）

        while pl <= pr:
            while a[pl] < x: pl += 1
            while a[pr] > x: pr -= 1
            if pl <= pr:                                  List 6-10・List 6-11と同じ
                a[pl], a[pr] = a[pr], a[pl]
                pl += 1
                pr -= 1

        if left < pr:  range.push((left, pr))    # 左グループのカーソルを保存
        if pl < right: range.push((pl, right))   # 右グループのカーソルを保存
```

非再帰的に実現した関数 **recur** では、データの一時的な保存のために《スタック》を使いました。今回のクイックソートも同様です。

関数 **qsort** で利用しているのは、次のスタックです。

- **range** … 分割すべき範囲の先頭（左端）要素の添字と
  分割すべき範囲の末尾（右端）要素の添字とを組み合わせたタプルのスタック

このスタックを生成するのが、プログラム青網部です。スタックの容量は **right - left + 1** としています。これは、分割すべき配列の要素数と同じです。

▶ 実際に必要となる容量については、後で考察します。

プログラムの主要部を再掲します。

右ページの **Fig.6-22** と対比しながら理解していきましょう。

▶ 図に示すのは、要素数が9で、要素の値が5, 8, 4, 2, 6, 1, 3, 9, 7の配列を分割する様子です。

```
range.push((left, right))          ← 0

while not lstack.is_empty():        1
    pl, pr = left, right = range.pop()

    # 中略：a[left]〜a[right]を分割
                                    2
    if left < pr:  range.push((left, pr))
    if pl < right: range.push((pl, right))
```


0　タプル（left, right）を、スタックrangeにプッシュします。これは、分割すべき配列の範囲、すなわち《先頭要素の添字》と《末尾要素の添字》を組み合わせたタプルです。

この場合、図aに示すように、タプル（0, 8）をプッシュします。

▶ 呼出し式range.push((left, right))は、( )が2重に使われています。外側の( )は呼出し演算子で、内側の( )はleftとrightをタプル化するための式結合演算子です。

while文は、スタックが空でないあいだ処理を繰り返します（スタックに入っているのは、分割すべき配列の範囲です。空になったら、分割すべき配列がないということですし、スタックが空でなければ、分割すべき配列があるということです）。

1　スタックからポップしたタプルを、（pl, pr）と、（left, right）に代入します（図b）。

その結果、plとleftは0となり、prとrightは8となります。これらの値が表すのは、ソート（分割）すべき配列の範囲（左端＝先頭要素の添字と、右端＝末尾要素の添字を組み合わせたタプル）です。

そこで、a[0]〜a[8]を分割します。そうすると、配列はa[0]〜a[4]の左グループとa[5]〜a[8]の右グループに分割されます（plは5となり、prは4となります）。

2　最初のif文でスタックにタプル（0, 4）をプッシュし、2番目のif文でタプル（5, 8）をプッシュします。その結果、スタックは図cの状態となります。

＊

while文の働きによって、ループ本体が繰り返されます。

1　スタックからポップしたタプルを、（pl, pr）と、（left, right）に代入します（図d）。

その結果、plとleftは5となり、prとrightは8となります。

そこで、配列a[5]〜a[8]の分割を行います。そうすると、a[5]〜a[6]の左グループとa[7]〜a[8]の右グループに分割されます（plは7となり、prは6となります）。

2　最初のif文でスタックにタプル（5, 6）をプッシュし、2番目のif文でタプル（7, 8）をプッシュします。その結果、スタックは図eの状態となります。

＊

分割が完了すると、左グループの範囲と右グループの範囲をプッシュします。そして、スタックからポップした範囲を分割する作業を繰り返すことによってソートを行います。

ソートが完了するのは、スタックが空になったときです（図n）。

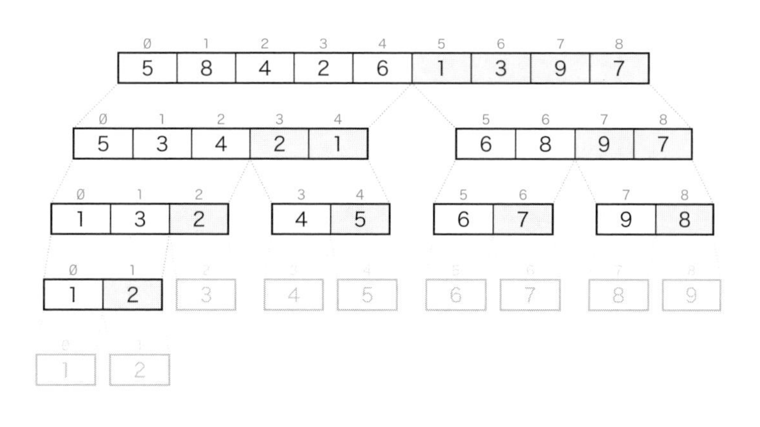

分割すべき配列の先頭（左端）要素の添字
分割すべき配列の末尾（右端）要素の添字

スタックから取り出した値 Ø と 8 を left と right に代入して、配列を分割。

a (Ø, 8) ／ Ø 8
b (Ø, 8) を分割
c (Ø, 4), (5, 8) ／ 5 8 ／ Ø 4
d (5, 8) を分割 ／ Ø 4
e (5, 6), (7, 8) ／ 7 8 ／ 5 6 ／ Ø 4
f (7, 8) を分割 ／ 5 6 ／ Ø 4
g (5, 6) を分割 ／ Ø 4
h (Ø, 4) を分割
i (Ø, 2), (3, 4) ／ 3 4 ／ Ø 2
j (3, 4) を分割 ／ Ø 2
k (Ø, 2) を分割
l (Ø, 1) ／ Ø 1
m (Ø, 1) を分割
n 終了

Fig.6-22 非再帰的クイックソートにおける配列の分割とスタックの変化

スタックの容量

スタックの容量を、ソート対象の配列の要素数と同じ値にしています（p.211）。どのくらいの大きさが適当かを検討します。

スタックへのプッシュの順序として、以下に示す二つの方針を考えます。

A 要素数の大きいほうのグループを先にプッシュする。

B 要素数の小さいほうのグループを先にプッシュする。

これらの違いを、**Fig.6-23** に示すソートの例で検証していきましょう。

A 要素数の大きいグループを先にプッシュ（要素数が小さいグループを先に分割）

Fig.6-24 が、スタックの変化の様子です。

たとえば、図bで取り出された a[0] ～ a[7] は、a[0] ～ a[1] の左グループと、a[2] ～ a[7] の右グループに分割されます。

要素数が大きいほうの (2, 7) を先にプッシュするため、スタックは図cとなります。先にポップされて分割されるのは、要素数が小さいほうのグループ (0, 1) です（図d）。

スタックに同時に積まれる数は、最大で２個です（図c・図f・図i）。

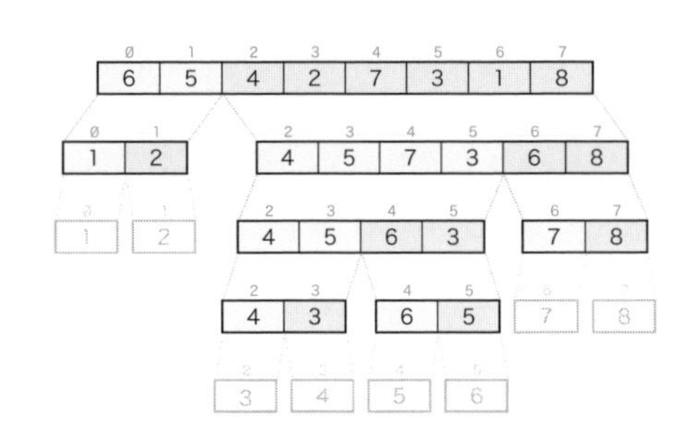

Fig.6-23　クイックソートによる分割

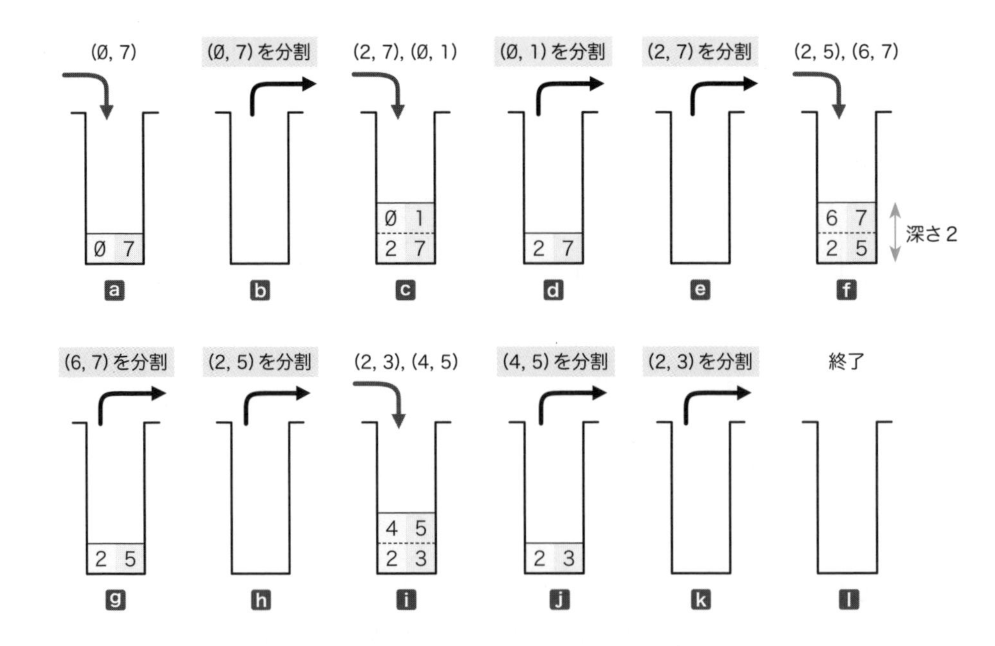

Fig.6-24　非再帰的クイックソートにおけるスタックの変化（大きいグループを先にプッシュ）

B 要素数の小さいグループを先にプッシュ（要素数の大きいグループを先に分割）

スタックの変化の様子を示したのが **Fig.6-25** です。

たとえば、図bから取り出されたa[0]～a[7]は、a[0]～a[1]の左グループと、a[2]～a[7]の右グループに分割されます。

要素数が小さいほうの（0, 1）を先にプッシュするため、スタックは図cとなります。先にポップされて分割されるのは、要素数が大きいほうのグループ（2, 7）です（図d）。

スタックに同時に積まれる数は、最大で4個です（図g）。

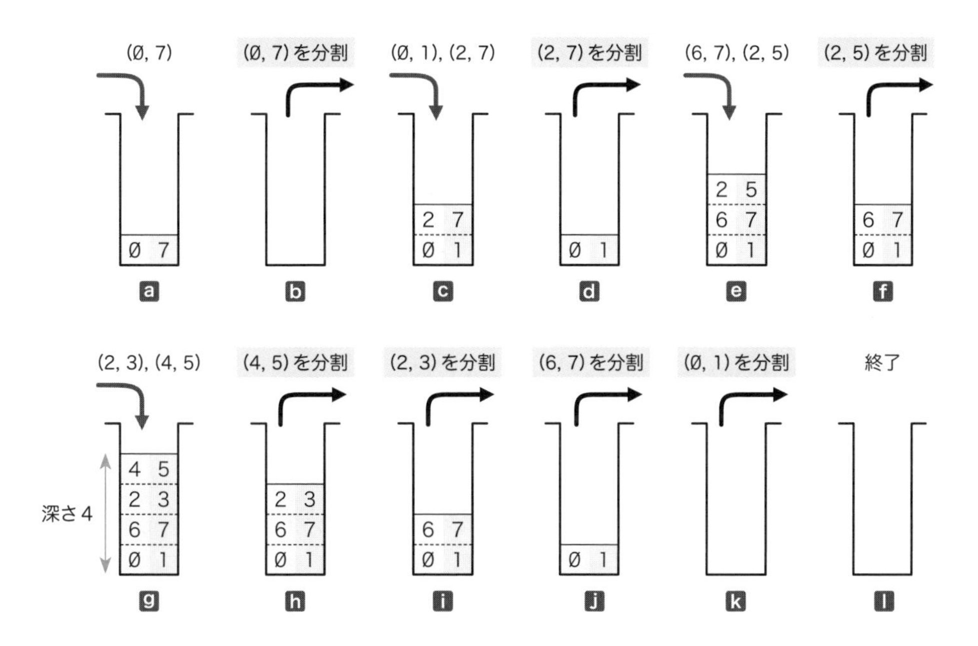

Fig.6-25 非再帰的クイックソートにおけるスタックの変化（小さいグループを先にプッシュ）

一般的には、要素数が小さい配列ほど、少ない回数での分割終了が期待できます。そのため、Aのように、**要素数が大きいグループの分割を後回しにして、小さいグループの分割を先に行ったほうが、スタックに同時に積まれる値は少なくなります。**

▶ スタックに対する出し入れの回数はAもBも同じです。あくまでも、『“同時に積まれる” データ数の最大値』が異なるだけです。

方針Aを採用すると、配列の要素数が*n*であれば、スタックに同時に積まれるデータの数は log *n* で収まります。そのため、たとえ要素数*n*が**1,000,000**であっても、スタックの容量は**20**で十分です。

枢軸の選択

枢軸の選択法は、クイックソートの実行効率に大きく影響を与えます。ここでは、以下の配列を例に検討します。

8	7	6	5	4	3	2	1	0

枢軸として左端の要素8を採用してみましょう。この配列は枢軸8だけのグループと、それ以外のグループとに分割されます。ただ一つの要素と、それ以外の全要素とに分けられるような**偏**(かたよ)**った分割**を繰り返すのでは、高速なソートは期待できません。

配列のソート後に中央に位置する値、すなわち、**値としての中央値**を枢軸とするのが理想です。配列が偏ることなく半分の大きさに分割されるからです。

しかし、中央値を求めるには、それなりの処理が必要であり、そのために多大な計算時間をかけるのでは、本末転倒です。

以下の方針を採用すれば、少なくとも最悪の場合を避けられます。

【方針1】 分割すべき配列の要素数が3以上であれば、任意の3個の要素を取り出し、その中央値をもつ要素を枢軸として選択する。

たとえば、上に示した配列で、先頭要素8、中央要素4、末尾要素0の中央値である4を枢軸とすれば、偏りはなくなります。

▶ 3値の中央値を求めるアルゴリズムは、**Column 1-5**（p.8）で学習しました。

さて、このアイディアをもう一段階進めたのが、次の方針です。

【方針2】 分割すべき配列の先頭要素／中央要素／末尾要素の3要素をソートして、さらに中央要素と末尾から2番目の要素を交換する。枢軸として末尾から2番目の要素の値 a[*right* - 1] を採用するとともに、分割の対象を a[*left* + 1] ～ a[*right* - 2] に絞り込む。

Fig.6-26 に示す具体例で理解しましょう。

a ソート前の状態です。先頭要素8、中央要素4、末尾要素0の3要素に着目し、これらをソートします。

b 先頭要素は0、中央要素は4、末尾要素は8となりました。ここで、中央要素4と、末尾から2番目の要素1とを交換します。

c 末尾から2番目の要素に位置する値4を枢軸として採用します。a[*left*] の0は枢軸以下の値であり、a[*right* - 1] と a[*right*] の4と8は枢軸以上の値です。

そこで、走査のためのカーソルの開始位置を、以下のように変更します（分割の対象範囲を絞り込みます）。

- 左カーソル *pl* の開始位置 … *left* ⇨ *left* + 1　　※右に一つずらす
- 右カーソル *pr* の開始位置 … *right* ⇨ *right* - 2　　※左に二つずらす

この手法は、分割の偏りを避けることが期待できる上に、分割のための走査対象の要素を3個減らせます。その結果、平均して数％程度高速化することが分かっています。

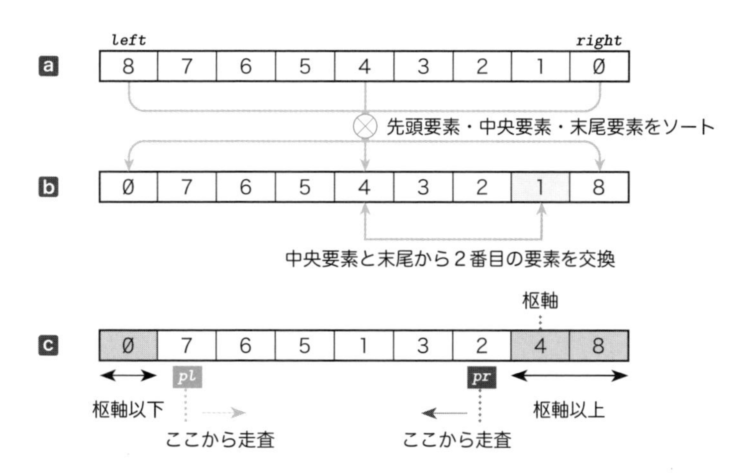

Fig.6-26　枢軸の選択と分割範囲の縮小

時間計算量

クイックソートでは、配列が次々と分割され、より小さい問題を解く、という処理が繰り返されるため、時間計算量は O(n log n) です。

もっとも、ソートする配列の要素の初期値や枢軸の選択法によっては、遅くなってしまう場合もあります。たとえば、ただ一つの要素と、それ以外の要素へという分割を毎回繰り返すと、n 回の分割が必要です。そのため、最悪の時間計算量は $O(n^2)$ となります。

＊

クイックソートは、要素数が小さい場合は、それほど高速ではないことが知られています。そこで、次のようにプログラムを変更しましょう。

- 要素数が小さい場合は、単純挿入ソートに切りかえる。
- 前ページの【方針2】を採用する。

この方針で作成したプログラムを、次ページの **List 6-13** に示します。

List 6-13 chap06/quick_sort2.py

```
# クイックソート（第2版）

from typing import MutableSequence

def sort3(a: MutableSequence, idx1: int, idx2: int, idx3: int):
    """a[idx1], a[idx2], a[idx3]を昇順にソートして中央値の添字を返却"""
    if a[idx2] < a[idx1]: a[idx2], a[idx1] = a[idx1], a[idx2]
    if a[idx3] < a[idx2]: a[idx3], a[idx2] = a[idx2], a[idx3]
    if a[idx2] < a[idx1]: a[idx2], a[idx1] = a[idx1], a[idx2]
    return idx2

def insertion_sort(a: MutableSequence, left: int, right: int) -> None:
    """a[left]～a[right]を単純挿入ソート"""
    for i in range(left + 1, right + 1):
        j = i
        tmp = a[i]
        while j > 0 and a[j - 1] > tmp:
            a[j] = a[j - 1]
            j -= 1
        a[j] = tmp

def qsort(a: MutableSequence, left: int, right: int) -> None:
    """a[left]～a[right]をクイックソート"""
    if right - left < 9:    # 要素数が9未満であれば単純挿入ソートに切りかえる
        insertion_sort(a, left, right)
    else:
        pl = left                      # 左カーソル
        pr = right                     # 右カーソル
        m = sort3(a, pl, (pl + pr) // 2, pr)
        x = a[m]

        a[m], a[pr - 1] = a[pr - 1], a[m]
        pl += 1
        pr -= 2
        while pl <= pr:
            while a[pl] < x: pl += 1
            while a[pr] > x: pr -= 1
            if pl <= pr:
                a[pl], a[pr] = a[pr], a[pl]
                pl += 1
                pr -= 1

        if left < pr:  qsort(a, left, pr)
        if pl < right: qsort(a, pl, right)

def quick_sort(a: MutableSequence) -> None:
    """クイックソート"""
    qsort(a, 0, len(a) - 1)

if __name__ == '__main__':
    print('クイックソート（第2版）')
    num = int(input('要素数：'))
    x = [None] * num    # 要素数numの配列を生成

    for i in range(num):
        x[i] = int(input(f'x[{i}]：'))

    quick_sort(x)       # 配列xをクイックソート

    print('昇順にソートしました。')
    for i in range(num):
        print(f'x[{i}]＝{x[i]}')
```

実行例

```
クイックソート（第2版）
要素数：12
x[0]：5
x[1]：8
x[2]：4
x[3]：2
x[4]：6
x[5]：1
x[6]：3
x[7]：9
x[8]：7
x[9]：0
x[10]：3
x[11]：5
昇順にソートしました。
x[0]＝0
x[1]＝1
x[2]＝2
x[3]＝3
x[4]＝3
x[5]＝4
x[6]＝5
x[7]＝5
x[8]＝6
x[9]＝7
x[10]＝8
x[11]＝9
```

Column 6-4　sorted 関数によるソート

Python は、ソートを行うための **sorted 関数**を組込み関数として提供します。この関数は、受け取った（任意の型の）イテラブルオブジェクトの要素をソートして、list 型のリストとして返却します。

すなわち、sorted は、「ソートを行う関数」というよりも、「ソートを行った後の並びを新しいリストとして生成して返却する関数」です。

この関数を利用すると、少数の変数値のソートは、以下のように簡潔に実現できます。

```
a, b       = sorted([a, b])          # 2値を昇順にソート
a, b, c    = sorted([a, b, c])       # 3値を昇順にソート
a, b, c, d = sorted([a, b, c, d])    # 4値を昇順にソート
```

いずれの例でも、変数 a, b, … を並べたリストを sorted 関数に渡して、返却されたリストをアンパックして変数 a, b, … に代入しています。

ソートは昇順が基本ですが、キーワード引数 reverse に True を与えると、降順のソートが行えます。

＊

List 6C-4 に示すのが、sorted 関数を利用して、リストのソートを行うプログラム例です。昇順ソートと降順ソートの両方を行っています。

List 6C-4　chap06/sorted_sort.py

```
# sorted関数によるソート

print('sorted関数によるソート')
num = int(input('要素数：'))
x = [None] * num     # 要素数numの配列を生成

for i in range(num):
    x[i] = int(input(f'x[{i}]：'))

# 配列xを昇順にソート
x = sorted(x)
print('昇順にソートしました。')
for i in range(num):
    print(f'x[{i}]＝{x[i]}')

# 配列xを降順にソート
x = sorted(x, reverse=True)
print('降順にソートしました。')
for i in range(num):
    print(f'x[{i}]＝{x[i]}')
```

実行例

```
sorted関数によるソート
要素数：5
x[0]：6
x[1]：4
x[2]：3
x[3]：7
x[4]：1
昇順にソートしました。
x[0] = 1
x[1] = 3
x[2] = 4
x[3] = 6
x[4] = 7
降順にソートしました。
x[0] = 7
x[1] = 6
x[2] = 4
x[3] = 3
x[4] = 1
```

なお、タプルはイミュータブル（変更不能）ですから、タプル自体をソートすることはできません。タプルをソートする必要がある場合は、以下のように2段階で行います。

① sorted 関数でソートした並びをリストとして生成する。

② 生成されたリストをタプルに変換する。

基本対話モードで確認しましょう。

```
>>> x = (1, 3, 2)                  ← タプル
>>> x = tuple(sorted(x))           ← ソートずみのリストをタプルに変換
>>> x
(1, 2, 3)
```

6-7 マージソート

マージソートは、配列を前半部と後半部の二つに分けて、それぞれをソートしたものをマージする作業を繰り返すことによってソートを行うアルゴリズムです。

ソートずみ配列のマージ

まず、“**二つのソートずみ配列の併合＝マージ**（*merge*）”を理解しましょう。各配列の着目要素の値を比較して、小さいほうの値をもつ要素を取り出して、目的の配列に格納する作業を繰り返すことでソートずみの配列を作ります。

そのプログラム例が **List 6-14** です。関数 `merge` は、要素数 `na` の配列 `a` と、要素数 `nb` の配列 `b` とをマージして、配列 `c` に格納します（**Fig.6-27**）。

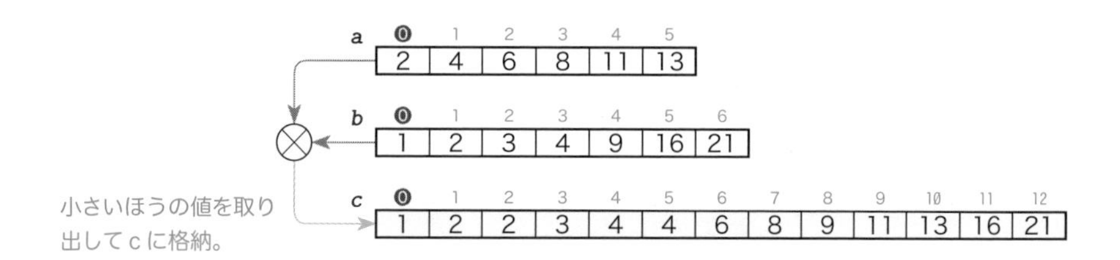

Fig.6-27　ソートずみ配列のマージ

配列 `a`, `b`, `c` の走査で着目する要素の添字が `pa`, `pb`, `pc` です（ここでは**カーソル**と呼びます）。図中●で示すように、最初は先頭要素に着目しますので、すべて `0` で初期化します。

1　配列 `a` の着目要素 `a[pa]` と、配列 `b` の着目要素 `b[pb]` のうち、小さいほうの値を `c[pc]` に格納するとともに、コピー元とコピー先のカーソルを一つ進めます。

図の例では、`b[0]` の `1` が `a[0]` の `2` よりも小さいため、`c[0]` に `1` を代入します。代入後は、カーソル `pb` と `pc` を進めます（値を取り出していない配列 `a` のカーソル `pa` は進めません）。

このように、`a[pa]` と `b[pb]` の小さいほうの値を `c[pc]` に代入し、取り出したほうの配列のカーソルと配列 `c` のカーソル `pc` を進める作業を繰り返します。カーソル `pa` が配列 `a` の末尾に到達するか、カーソル `pb` が配列 `b` の末尾に到達すると、`while` 文が終了します。

2　この `while` 文が実行されるのは、**1**で配列 `b` の全要素を配列 `c` にコピーしたものの、配列 `a` に未コピーの要素が残っている（カーソル `pa` が配列 `a` の末尾に達していない）場合です。

カーソルを進めながら、未コピーの全要素を配列 `c` にコピーします。

3　この `while` 文が実行されるのは、**1**で配列 `a` の全要素を配列 `c` にコピーしたものの、配列 `b` に未コピーの要素が残っている（カーソル `pb` が配列 `b` の末尾に達していない）場合です。

カーソルを進めながら、未コピーの全要素を配列 `c` にコピーします。

List 6-14　　chap06/merge.py

```
# ソートずみ配列のマージ

from typing import Sequence, MutableSequence

def merge_sorted_list(a: Sequence, b: Sequence, c: MutableSequence) -> None:
    """ソートずみ配列aとbをマージしてcに格納"""
    pa, pb, pc = 0, 0, 0                          # カーソル
    na, nb, nc = len(a), len(b), len(c)           # 要素数

    while pa < na and pb < nb:            # 小さいほうを格納
        if a[pa] <= b[pb]:
            c[pc] = a[pa]
            pa += 1
        else:                                                         ─1
            c[pc] = b[pb]
            pb += 1
        pc += 1

    while pa < na:                        # aに残った要素をコピー
        c[pc] = a[pa]
        pa += 1                                                       ─2
        pc += 1

    while pb < nb:                        # bに残った要素をコピー
        c[pc] = b[pb]
        pb += 1                                                       ─3
        pc += 1

if __name__ == '__main__':
    a = [2, 4, 6, 8, 11, 13]
    b = [1, 2, 3, 4, 9, 16, 21]
    c = [None] * (len(a) + len(b))
    print('二つのソートずみ配列のマージ')

    merge_sorted_list(a, b, c)      # 配列aとbをマージしてcに格納

    print('配列aとbをマージして配列cに格納しました。')
    print(f'配列a：{a}')
    print(f'配列b：{b}')
    print(f'配列c：{c}')
```

実行結果

```
二つのソートずみ配列のマージ
配列aとbをマージして配列cに格納しました。
配列a：[2, 4, 6, 8, 11, 13]
配列b：[1, 2, 3, 4, 9, 16, 21]
配列c：[1, 2, 2, 3, 4, 4, 6, 8, 9, 11, 13, 16, 21]
```

三つの繰返し文が並べられただけの単純なアルゴリズムで実現されています。マージに要する時間計算量は O(n) です。

▶ Python の標準ライブラリでマージを行うのであれば、次のようにします。

```
c = list(sorted(a + b))        # aとbを連結してソートしたものをlistに変換
```

この方法は、a と b がソートずみでなくても適用できるというメリットがある反面、その結果として高速ではないというデメリットがあります。

高速にマージするには、heapq モジュールの merge 関数を使います（'chap06/heapq_merge.py'）。

```
import heapq

a = [2, 4, 6, 8, 11, 13]
b = [1, 2, 3, 4, 9, 16, 21]
c = list(heapq.merge(a, b))                # 配列aとbをマージしてcに格納
```

マージソート

ソートずみ配列のマージを応用して、分割統治法によってソートを行うアルゴリズムが**マージソート**（*merge sort*）です。

その考えを示したのが **Fig.6-28** です。まず、配列を前半部と後半部の二つに分けます。この例では、配列の要素数が 12 ですから、6個ずつの配列に分割します。

前半部と後半部をそれぞれソートすれば、それらをマージするだけで、配列全体がソートできます。

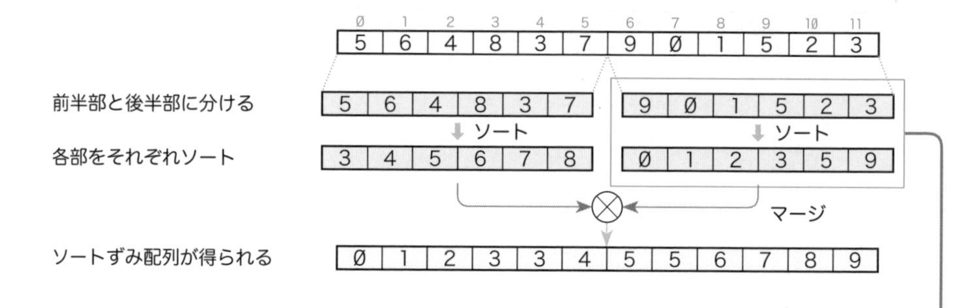

Fig.6-28　マージソートの考え方

前半部のソートと後半部のソートも、まったく同じ手続きで行います。

たとえば、後半部のソートは **Fig.6-29** のようになります。

もちろん、この過程で新たに作られる前半部 `9, 0, 1` と後半部 `5, 2, 3` も同じ手続きによってソートします。

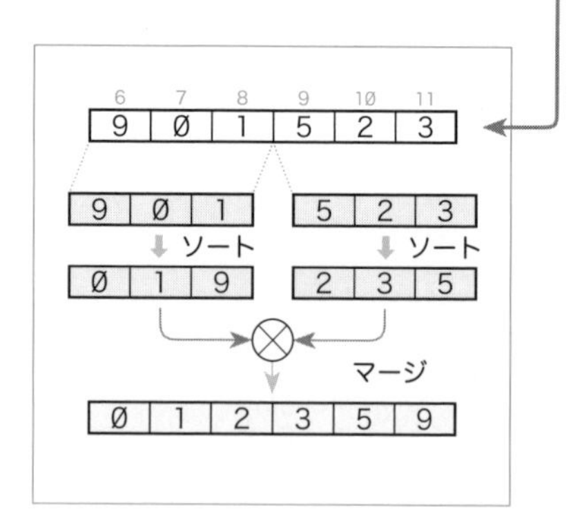

Fig.6-29　後半部のソート

マージソートのアルゴリズム

マージソートの手順を整理すると、次のようになります。

配列の要素数が 2 以上であれば、以下の手続きを適用する。

- 配列の前半部をマージソートによってソートする。
- 配列の後半部をマージソートによってソートする。
- 配列の前半部と後半部をマージする。

マージソートを行うプログラムを **List 6-15** に示します。

List 6-15 chap06/merge_sort.py

```
# マージソート

from typing import MutableSequence

def merge_sort(a: MutableSequence) -> None:
    """マージソート"""

    def _merge_sort(a: MutableSequence, left: int, right: int) -> None:
        """a[left]～a[right]を再帰的にマージソート"""
        if left < right:
            center = (left + right) // 2

            _merge_sort(a, left, center)          # 前半部をマージソート
            _merge_sort(a, center + 1, right)     # 後半部をマージソート

            p = j = 0
            i = k = left

            while i <= center:
                buff[p] = a[i]
                p += 1
                i += 1

            while i <= right and j < p:
                if buff[j] <= a[i]:
                    a[k] = buff[j]
                    j += 1
                else:
                    a[k] = a[i]
                    i += 1
                k += 1

            while j < p:
                a[k] = buff[j]
                k += 1
                j += 1

    n = len(a)
    buff = [None] * n              # 作業用配列を生成
    _merge_sort(a, 0, n - 1)       # 配列全体をマージソート
    del buff                       # 作業用配列を解放

if __name__ == '__main__':
    print('マージソート')
    num = int(input('要素数：'))
    x = [None] * num    # 要素数numの配列を生成

    for i in range(num):
        x[i] = int(input(f'x[{i}]：'))

    merge_sort(x)       # 配列xをマージソート

    print('昇順にソートしました。')
    for i in range(num):
        print(f'x[{i}]＝{x[i]}')
```

実行例

```
マージソート
要素数：9
x[0]：5
x[1]：8
x[2]：4
x[3]：2
x[4]：6
x[5]：1
x[6]：3
x[7]：9
x[8]：7
昇順にソートしました。
x[0]＝1
x[1]＝2
x[2]＝3
x[3]＝4
x[4]＝5
x[5]＝6
x[6]＝7
x[7]＝8
x[8]＝9
```

▶ 前半部と後半部のマージを、heapqモジュールのmerge関数を使って行うように書きかえたマージソートのプログラムは'chap06/heapq_merge_sort.py'です。

プログラムを理解していきましょう（主要部を再掲します）。

```
def merge_sort(a: MutableSequence) -> None:

    def _merge_sort(a: MutableSequence, left: int, right: int) -> None:
        """a[left]～a[right]を再帰的にマージソート"""
        if left < right:
            center = (left + right) // 2

            _merge_sort(a, left, center)          # 前半部をマージソート
            _merge_sort(a, center + 1, right)     # 後半部をマージソート

            # 中略：前半部と後半部をマージ

    n = len(a)
    buff = [None] * n               # 作業用配列を生成 ─A
    _merge_sort(a, 0, n - 1)        # 配列全体をマージソート ─B
    del buff                        # 作業用配列を解放
```

まず最初に、ソートの前準備として、マージ結果を一時的に格納するための作業用配列 **buff** を生成します（A）。

それから実際にソート作業を行う内部関数 **_merge_sort** を呼び出します（B）。

＊

関数 **_merge_sort** は、ソートする配列 a と、ソートすべき部分の先頭要素と末尾要素の添字 *left* と *right* を受け取ります。関数全体を占める if 文が機能しますから、実際に処理を行うのは、*left* の値が *right* より小さいときのみです。

最初に行うのは、前半部 a[*left*] ～ a[*center*] と、後半部 a[*center* + 1] ～ a[*right*] のそれぞれに対して関数 **_merge_sort** を再帰的に適用することです。

そうすると、**Fig.6-30** に示すように、配列の前半部と後半部のそれぞれがソートずみとなります。

▶ 実際には、呼び出された関数 **_merge_sort** が、再帰的に関数 **_merge_sort** を何度も呼び出すことによって、ソートが行われます。

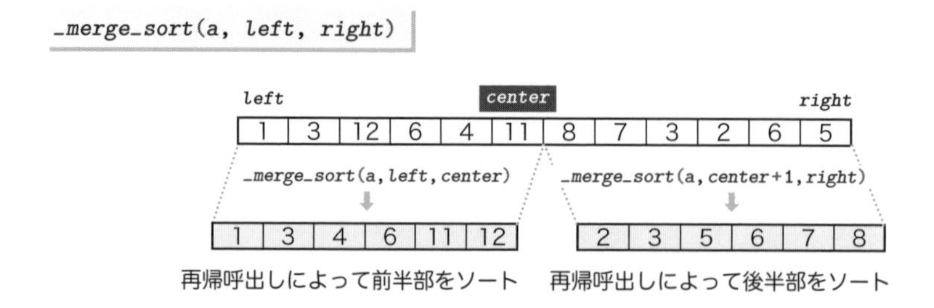

Fig.6-30　前半部と後半部のソート

ソートずみとなった前半部と後半部のマージは、作業用の配列 **buff** を使って行います。**Fig.6-31** に示すように、3段階のステップで構成されています。

```
p = j = 0
i = k = left

❶ while i <= center:
      buff[p] = a[i]
      p += 1
      i += 1

❷ while i <= right and j < p:
      if buff[j] <= a[i]:
          a[k] = buff[j]
          j += 1
      else:
          a[k] = a[i]
          i += 1;
      k += 1

❸ while j < p:
      a[k] = buff[j]
      k += 1
      j += 1
```

❶　配列の前半部 a[*left*]～a[*center*] を、**buff**[0]～**buff**[*center* - *left*] にコピーします。

while 文終了時の *p* の値は、コピーした要素の個数 *center* - *left* + 1 となります（図a）。

❷　配列の後半部 a[*center* + 1]～a[*right*] と、**buff** にコピーした配列の前半部の *p* 個をマージした結果を配列 a に格納します（図b）。

❸　配列 **buff** に残った未格納部分の要素を配列 a にコピーします（図c）。

＊

配列のマージの時間計算量は O(n) でした。データの要素数が n であるとき、マージソートの階層としては log n の深さが必要ですから、全体の時間計算量は O(n log n) です。

なお、離れた要素を交換することはありませんので、マージソートは**安定です**。

a 配列 a の前半部を配列 buff にコピー。

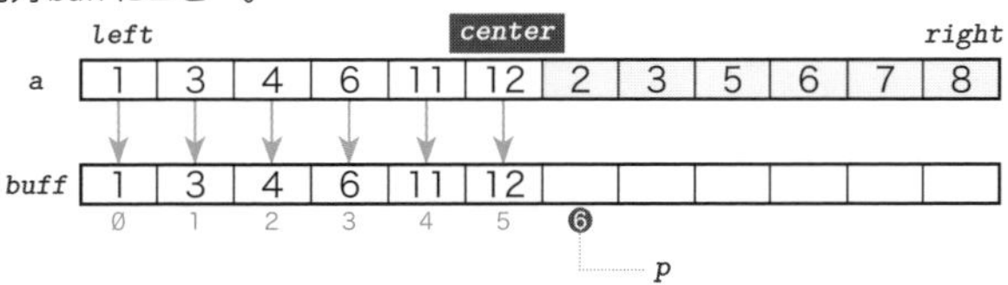

b 配列 a の後半部と配列 buff を配列 a にマージ。

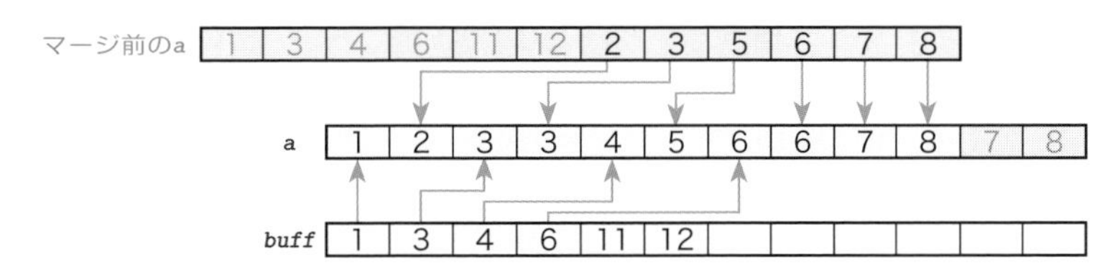

c 配列 buff の残り要素を配列 a にコピー。

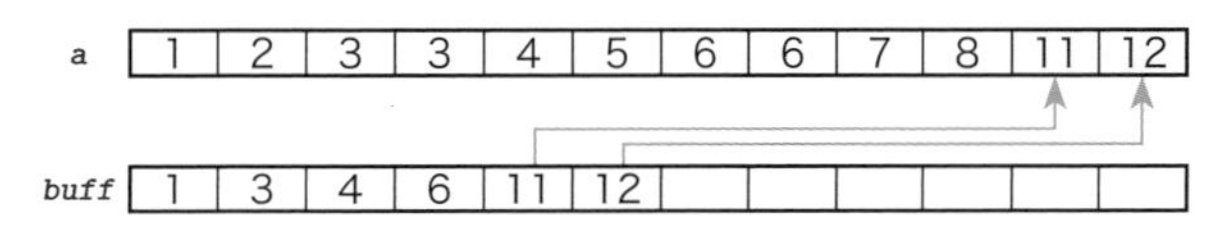

Fig.6-31　マージソートにおける配列前半部と後半部のマージ

6-8 ヒープソート

選択ソートの応用的なアルゴリズムであるヒープソートは、ヒープの特性をうまく利用してソートを行います。

ヒープ

ヒープソート（*heap sort*）は、**ヒープ**（*heap*）の特性を利用してソートを行うアルゴリズムです。ヒープとは、親の値が子の値以上であるという条件を満たす完全2分木（p.316）です。

▶ もともとヒープは『累積（るいせき）』あるいは『積み重なったもの』という意味の語句です。もちろん、一貫していれば値の大小関係は反対（親の値が子の値以下となる）でも構いません。
　ヒープソートを難しく感じる、あるいは、木に関する用語などをご存じなければ、第9章を先に学習して、それから戻ってきて学習を進めるとよいでしょう。

Fig.6-32 aは、ヒープではない完全2分木です。これをヒープ化したのが図bです。どの親子に着目しても、“親の値 ≧ 子の値”の関係が成立します。

当然、**ヒープの最上流に位置する根は、最大値です。**

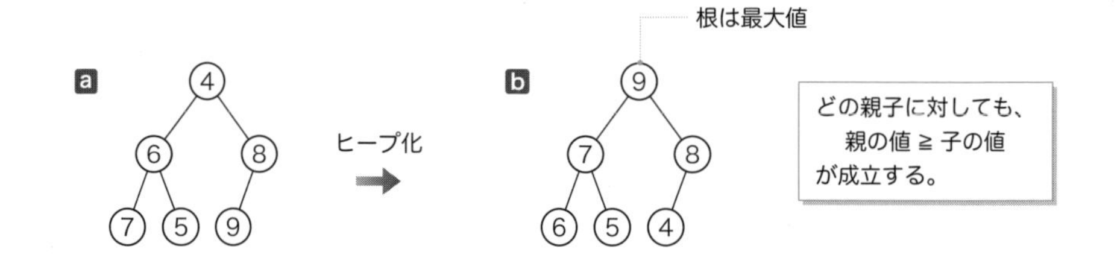

Fig.6-32　完全2分木のヒープ化

なお、ヒープでの**兄弟の大小関係は任意**です。たとえば、図bでは、兄弟である7と8の小さいほうの7が左側に位置していますが、6と5については、小さいほうの5が右側に位置しています。

▶ そのため、ヒープは**半順序木**（*partial ordered tree*）とも呼ばれます。

ヒープ上の要素を、どのように配列に格納するのかを示したのが**Fig.6-33**です。

まず、最も上流に位置する根を`a[0]`に格納します。そして、一つ下流にくだって、要素を左から右へとなぞっていきます。その過程で添字の値を一つずつ増やしていきながら配列の各要素に格納していきます。

この作業を最下流まで繰り返すと、ヒープの配列への格納は完了します。

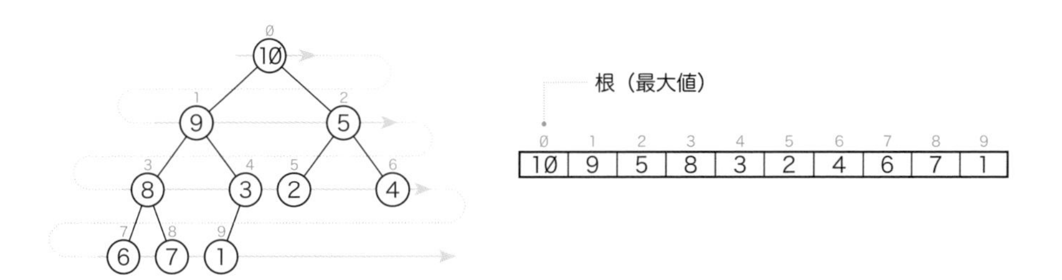

Fig.6-33 ヒープ上の要素と配列の要素との対応

この手順でヒープを配列に格納すると、親の添字と、左右の子の添字のあいだには、以下の関係が成立します。

任意の要素 a[*i*] に対して：

- 親　　 … a[(*i* - 1) // 2]
- 左の子 … a[*i* * 2 + 1]
- 右の子 … a[*i* * 2 + 2]

実際に確認してみましょう。たとえば、a[3] の親は a[1] で、左右の子はそれぞれ a[7] と a[8] です。また、a[2] の親は a[0] で、左右の子はそれぞれ a[5] と a[6] です。

いずれも、上記の関係を満たしています。

ヒープソート

ヒープソートは、“最大値が根に位置する” ことを利用してソートを行うアルゴリズムです。具体的には、

- ヒープから最大値である根を取り出す。
- 根以外の部分をヒープ化する。

という作業を繰り返します。この過程で取り出した値を並べていけば、ソートずみの配列が完成します。すなわち、**ヒープソートは、選択ソートの応用的なアルゴリズムです。**

＊

なお、ヒープから最大値である根を取り出した後は、残った要素から再び最大値を求める必要があります。

たとえば、ヒープとなっている 10 個の要素から最大値を取り除くと、残り 9 個の要素から最大値を求める必要があります。そこで、残り 9 個の要素から構成される木もヒープとなるように再構築しなければなりません。

根を削除したヒープの再構築

それでは、根を削除してヒープを再構築する手順を、**Fig.6-34** に示す例で考えていきましょう。

a ヒープから根である10を取り出します。空いた根の位置に、ヒープの最後の要素（最下流の最も右側に位置する要素）である1を移動します。

このとき、移動した1以外の要素はヒープの要件を満たしています。そのため、この値を**適切な位置へと移動すればよい**ことが分かります。

b 移動すべき1の二つの子は9と5です。ヒープを構築するには、これら3値の最大値が、上流に位置する必要があります。というのも、"親の値 ≧ 子の値" というヒープの要件を満たさねばならないからです。

そこで、二つの子を比較して、大きいほうの値である9と交換します。そうすると、1が左に下りてきて右図となります。

c 1の二つの子は8と3です。先ほど同様、大きいほうの子である8と交換します。そうすると、1が左に下りてきて右図となります。

d 1の二つの子は6と7です。大きいほうの値をもつのは、右の子7です。交換を行うと1が右に下りてきて、右図となります。

これ以上は下流にたどることができませんので、作業はこれで終了します。

得られた木は、ヒープとなっています。どの親子を比べても、"親の値 ≧ 子の値" ですし、最大値である9は、ちゃんと根に位置しています。

*

この例では、最下流である葉の位置まで1が移動しました。ただし、移動すべき要素の値よりも左右両方の子が小さくなると、それ以上は交換できませんので、その時点で走査を終了しなければなりません。

そのため、根を削除して再ヒープ化するために、要素を適切な位置へと下ろしていく手続きをまとめると、次のようになります。

---

1. 根を取り出す。
2. 最後の要素（最下流の最も右側に位置する要素）を根に移動する。
3. 自身より大きいほうの子と交換して一つ下流に下りる作業を、根から始めて以下の条件のいずれか一方が成立するまで繰り返す。
   - 子のほうが値が小さい。
   - 葉に到達した。

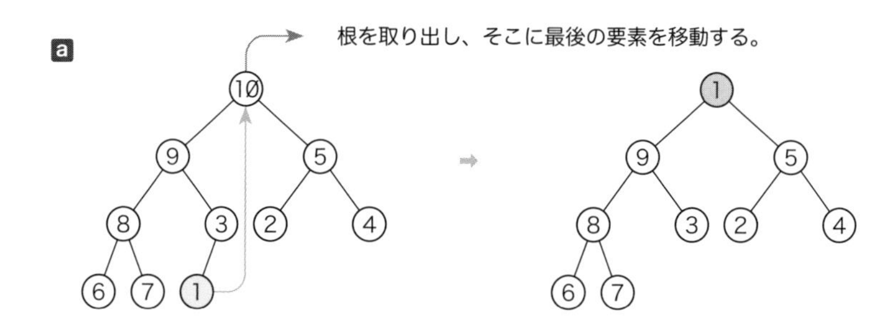

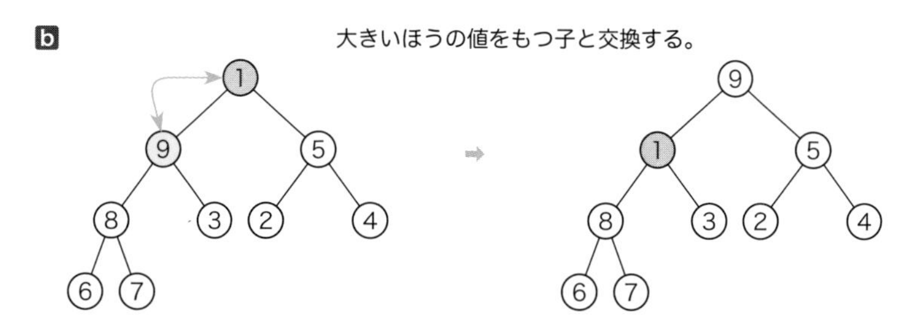

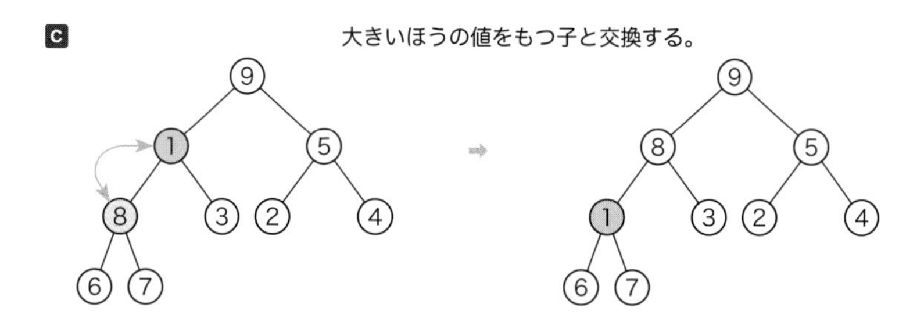

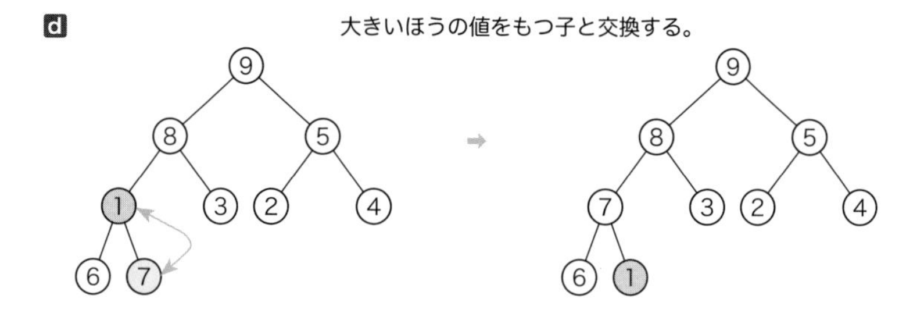

Fig.6-34　根を削除したヒープの再構築

ヒープソートへの拡張

次は、ヒープソート自体のアルゴリズムです。**Fig.6-35** を例にとって、アルゴリズムの流れを理解していきましょう。

a ヒープの根 a[0] に位置する最大値 10 を取り出して、配列の末尾要素である a[9] と交換します。

b 最大値を a[9] に移動した結果、a[9] がソートずみとなりました。

前ページに示した手順に基づいて a[0] ～ a[8] の要素をヒープ化します。その結果、2番目に大きい 9 が根に位置します。

ヒープの根 a[0] に位置する最大値 9 を取り出して、未ソート部の末尾要素 a[8] と交換します。

c 2番目に大きい値を a[8] に移動した結果、a[8] ～ a[9] がソートずみとなりました。

前ページに示した手順に基づいて a[0] ～ a[7] の要素をヒープ化します。その結果、3番目に大きい 8 が根に位置します。

ヒープの根 a[0] に位置する最大値 8 を取り出して、未ソート部の末尾要素 a[7] と交換します。

以下同様に、**d**、**e**、… と続けると、配列の末尾側に、大きいほうから順に一つずつ値が格納されていきます。

＊

以上の手続きを一般的にまとめると、次のようになります（配列の要素数を n とします）。

---

1. 変数 i の値を n - 1 で初期化する。
2. a[0] と a[i] を交換する。
3. a[0], a[1], …, a[i - 1] をヒープ化する。
4. i の値をデクリメントして 0 になれば終了。そうでなければ2に戻る。

この手順によってソートが行えます。

＊

しかし、肝心なことが一つ抜けています。それは、**配列の初期状態がヒープの要件を満たしているという保証がない**ことです。

すなわち、ここに示した手続きを適用する前に、**配列をヒープ化する必要があります。**

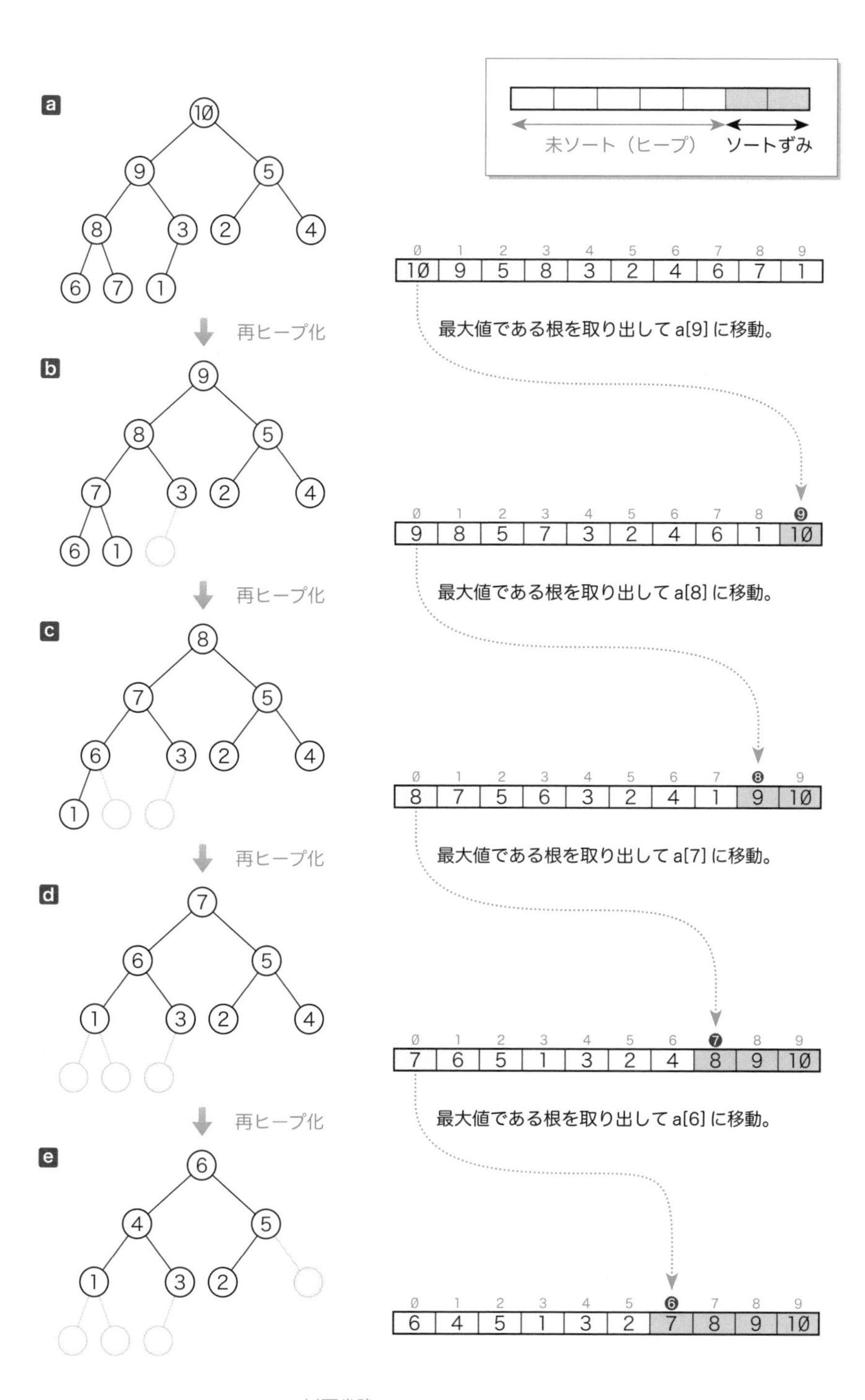

Fig.6-35 ヒープソートの考え方

配列のヒープ化

ここで、**Fig.6-36** に示す2分木を考えましょう。4を根とする部分木Aはヒープではありません。ただし、左の子8を根とする部分木Bと、右の子5を根とする部分木Cは、いずれもヒープという状態です。

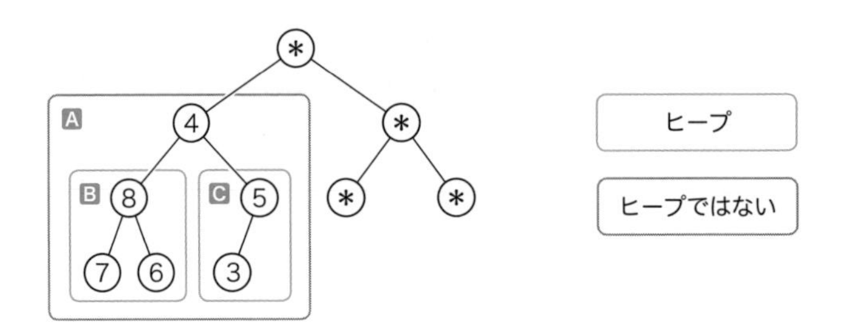

Fig.6-36 左部分木と右部分木がヒープとなっている部分木

根を削除したときは、最後の要素を根に移動させて、それを適切な位置まで“下ろして”いくことでヒープを再構築しました（p.228）。ここでも同じ手順が適用できます。根の4を適切な位置まで“下ろして”いけば、部分木Aをヒープ化できます。

*

このことは、下流側の小さい部分木からボトムアップ的に積み上げれば、配列のヒープ化が可能であることを示しています。その具体例が **Fig.6-37** です。

最下流の右側から始めて左側へと進んでいき、そのレベルが終了したら一つ上流側へと移動しながら、部分木をヒープ化していきます。

a この木はヒープではありません（無作為に並べられています）。最後の（最下流で最も右側の）部分木である {9, 10} に着目します。要素9を下ろすとヒープになります。

b 一つ左側の部分木である {7, 6, 8} に着目します。要素7を右側に下ろすとヒープになります。

c 最下流が終わりましたので、一つ上流の最後の（最も右側の）部分木 {5, 2, 4} に着目します。たまたまヒープとなっており、要素を移動する必要はありません。

d 一つ左側の部分木である、3を根とする部分木に着目します。ここでは、要素3を右下側へと下ろすと、ヒープ化は完了します。

e 一つ上流に移動すると最上流に到達しますので、木全体に着目します。左の子10を根とする部分木、右の子5を根とする部分木は、いずれもヒープです。そこで、要素1を適切な位置まで下ろすと、ヒープ化が完了します。

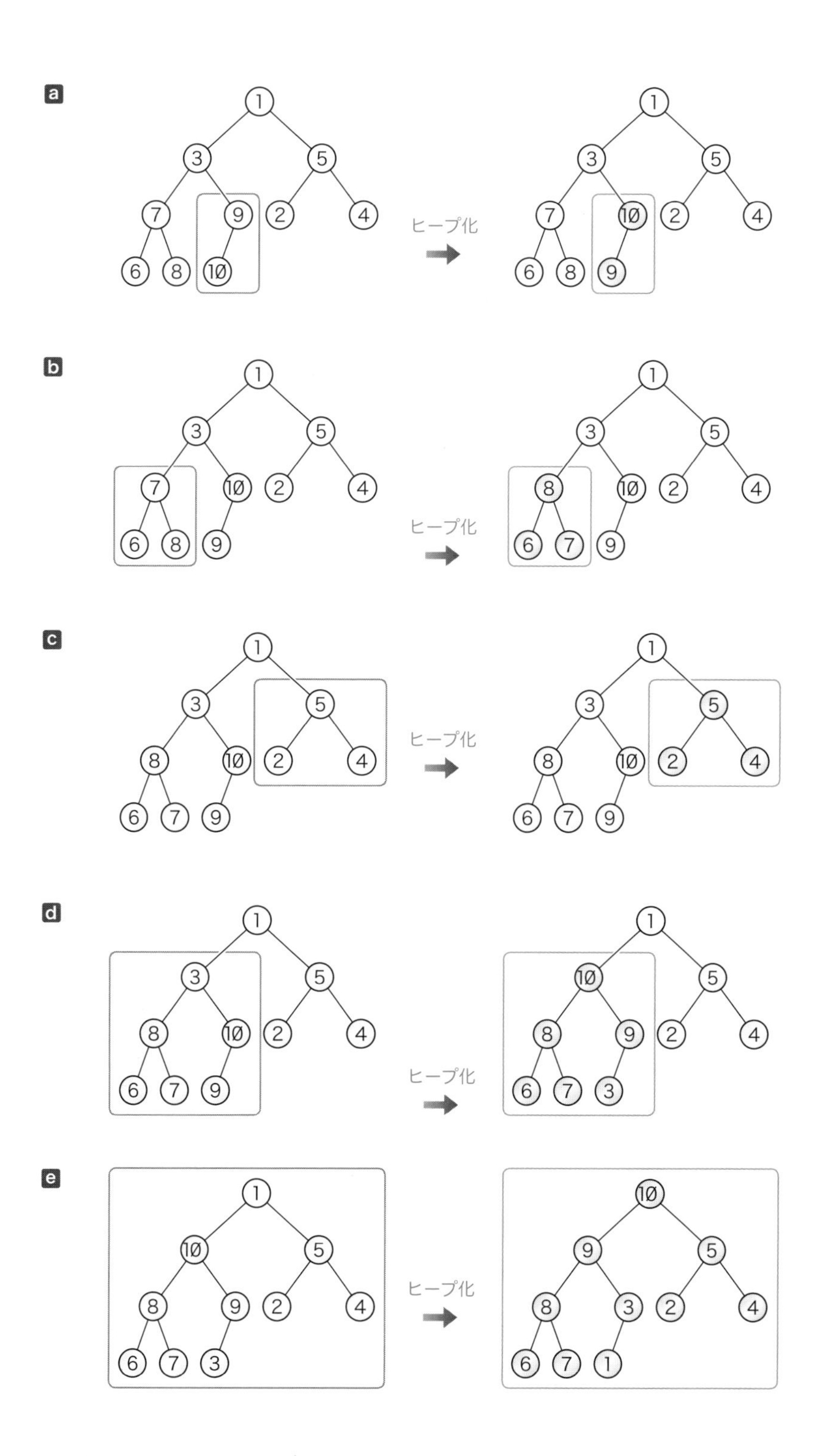

Fig.6-37 配列のヒープ化

ヒープソートのプログラムを作成するための準備がすべて整いました。プログラムを **List 6-16** に示します。

List 6-16 chap06/heap_sort.py

```
# ヒープソート

from typing import MutableSequence

def heap_sort(a: MutableSequence) -> None:
    """ヒープソート"""

    def down_heap(a: MutableSequence, left: int, right: int) -> None:
        """a[left]〜a[right]をヒープ化"""
        temp = a[left]          # 根

        parent = left
        while parent < (right + 1) // 2:
            cl = parent * 2 + 1         # 左の子
            cr = cl + 1                 # 右の子
            child = cr if cr <= right and a[cr] > a[cl] else cl # 大きいほう
            if temp >= a[child]:
                break
            a[parent] = a[child]
            parent = child
        a[parent] = temp

    n = len(a)

    for i in range((n - 1) // 2, -1, -1):   # a[i]〜a[n-1]をヒープ化        ―1
        down_heap(a, i, n - 1)

    for i in range(n - 1, 0, -1):
        a[0], a[i] = a[i], a[0]     # 最大要素と未ソート部末尾要素を交換 ―2
        down_heap(a, 0, i - 1)      # a[0]〜a[i-1]をヒープ化

if __name__ == '__main__':
    print('ヒープソート')
    num = int(input('要素数：'))
    x = [None] * num    # 要素数numの配列を生成

    for i in range(num):
        x[i] = int(input(f'x[{i}]：'))

    heap_sort(x)          # 配列xをヒープート

    print('昇順にソートしました。')
    for i in range(num):
        print(f'x[{i}]＝{x[i]}')
```

実行例

```
ヒープソート
要素数：7
x[0]：6
x[1]：4
x[2]：3
x[3]：7
x[4]：1
x[5]：9
x[6]：8
昇順にソートしました。
x[0] = 1
x[1] = 3
x[2] = 4
x[3] = 6
x[4] = 7
x[5] = 8
x[6] = 9
```

■ 関数 down_heap

配列 a 中の a[*left*] 〜 a[*right*] の要素をヒープ化する関数です。先頭要素である a[*left*] 以外はヒープ化されているという前提に基づいて、a[*left*] を下流の適切な位置まで下ろすことでヒープ化を行います。

▶ この関数は、関数 **heap_sort** の内部関数として定義されています。ここで行うのは、pp.228 〜 229 の手続きです。

関数 heap_sort

要素数 n の配列 a をヒープソートする関数です。二つのステップで構成されます。

1. 関数 *down_heap* を利用して配列 a をヒープ化します。
   ▶ ここで行うのは、pp.232 ～ 233 の手続きです。

2. 最大値である根すなわち a[0] を取り出して、配列の末尾側と交換し、配列の残り部分を再ヒープ化する手続きを繰り返すことでソートを行います。
   ▶ ここで行うのは、pp.230 ～ 231 の手続きです。

ヒープソートの時間計算量

既に学習したとおり、ヒープソートは選択ソートの応用的アルゴリズムです（p.227）。

単純選択ソートでは、未ソート部の全要素を対象として最大値を選択します。ヒープソートでは、先頭要素を取り出すだけで最大値が求められるものの、残った要素の"再ヒープ化"が必要です。

とはいえ、単純選択ソートにおける最大要素選択の時間計算量が O(n) であるのに対して、ヒープソートにおける再ヒープ化の作業の時間計算量は O(log n) です。

▶ 根を適切な位置まで下ろしていく作業は、2分探索と似た作業であり、走査のたびに選択の幅が半分になっていくからです。

なお、再ヒープ化の作業を繰り返しますので、ソート全体に要する時間計算量は、単純選択ソートの $O(n^2)$ に対して、ヒープソートは O(n log n) です。

Column 6-5 heapq モジュールを用いたヒープソート

heapq モジュールでは、ヒープに対してプッシュを行う **heappush** 関数と、ヒープからのポップを行う **heappop** 関数が提供されます（プッシュやポップは、ヒープの要件を維持するように行われます）。

そのため、これらの関数を利用すると、ヒープソートを行う関数は、**List 6C-5** のように極めて簡潔に実現できます。

List 6C-5 chap06/heapq_heap_sort.py

```
def heap_sort(a: MutableSequence) -> None:
    """ヒープソート（heapq.pushとheapq.popを利用）"""

    heap = []
    for i in a:
        heapq.heappush(heap, i)
    for i in range(len(a)):
        a[i] = heapq.heappop(heap)
```

ヒープである *heap* に全要素をプッシュして、それを取り出すだけです。

6-9 度数ソート

分布数え上げソートとも呼ばれる度数ソートは、要素の大小関係を判定することなく高速なソートを行うアルゴリズムです。

度数ソート

これまでのソートアルゴリズムは、何らかの形で二つの要素のキー値を比較するものでした。ここで学習する**度数ソート**（*counting sort*）は、**比較の必要がない**という特徴があります。

ここでは、10 点満点のテストの、学生 9 人分の点数を例にとって、度数ソートのアルゴリズムを考えていきます（**Fig.6-38**）。

▶ 以下、ソートする配列は a で、その要素数は *n*、点数の最大値は *max* とします。

Step1 度数分布表の作成

まず最初に、配列 a をもとに『**各点数の学生が何人いるか**』を表す**度数分布表**を作成します。格納先は、要素数 11 の配列 *f* です。

まず、配列 *f* のすべての要素の値を 0 にしておきます（図⓪）。その後、配列 a を先頭から走査しながら度数分布表を完成させます。

先頭の a[0] は 5 点ですから *f*[5] をインクリメントして 1 とします（図❶）。続く a[1] は 7 点ですから、*f*[7] をインクリメントして 1 とします（図❷）。

この作業を配列の末尾 a[*n* - 1] まで行うと、度数分布表が完成します。

▶ たとえば、*f*[3] の値 2 は、3 点が計 2 人いることを表します。

```
for i in range(n):
    f[a[i]] += 1
```

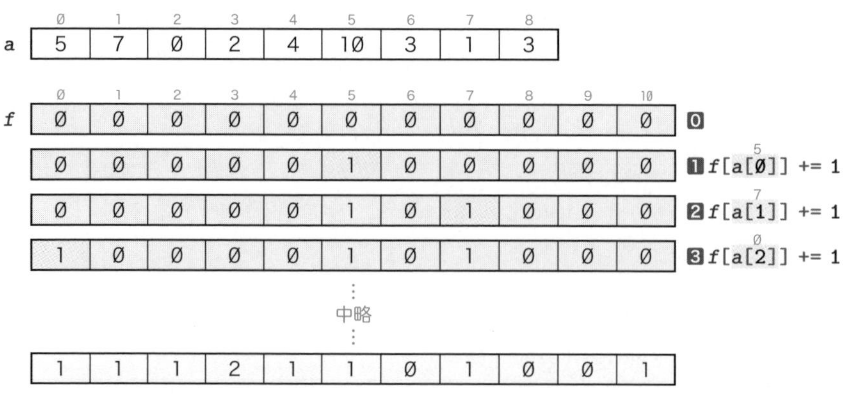

Fig.6-38 度数分布表の作成

Step2　累積度数分布表の作成

次に、『**0点からその点数までに何人の学生がいるか**』を表す**累積度数分布表**を作成します。**Fig.6-39** に示すように、配列 `f` の２番目以降の要素に対して、一つ手前の要素の値を加えます。

最下段が最終的に得られた累積度数分布表です。

▶ たとえば、`f[4]` の値 **6** は、**0** 点から **4** 点までに累計６人いることを表し、`f[10]` の値 **9** は、**0** 点から **10** 点までに累計９人いることを表します。

```
for i in range(1, max + 1):
    f[i] += f[i - 1]
```

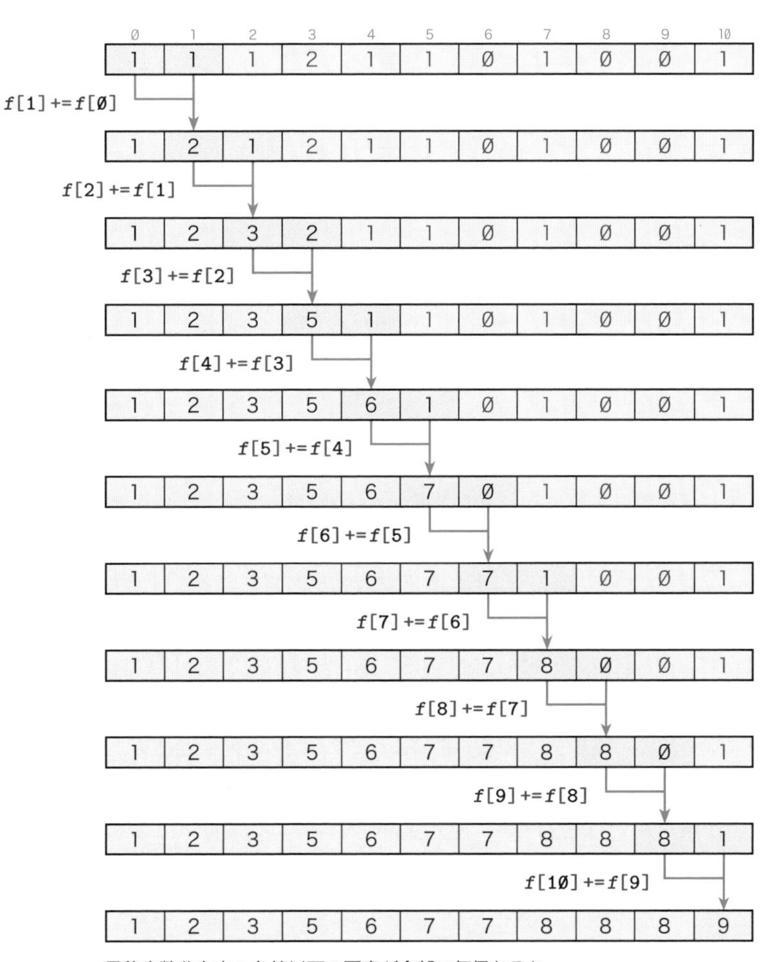

Fig.6-39　累積度数分布表の作成

Step 3　目的配列の作成

```
for i in range(n - 1, -1, -1):
    f[a[i]] -= 1           ─1
    b[f[a[i]]] = a[i]      ─2
```

各点数の学生が何番目に位置するのかが判明したのですから、この時点で、ソートはほとんど完了したも同然です。

残る作業は、配列 a の各要素の値と、累積度数分布表 f とをつきあわせて、ソートずみの配列を作ることです。ただし、その作業では、配列 a と同じ要素数をもった作業用の目的配列が必要です。ここでは、その配列を b とします。

配列 a の要素を末尾側から先頭へと走査しながら、つきあわせを行います（**Fig.6-40**）。

＊

図a … 末尾要素 a[8] の値は 3 です。累積度数を表す配列 f[3] の値が 5 ですから、0 点から 3 点までに 5 人います。

そこで、作業用の目的配列の b[4] に 3 を格納します（この代入は2で行います）。

▶ 配列の 5 番目の要素は、添字が 4 であることに注意しましょう。

この格納の前に、1によって、f[a[i]] すなわち f[3] の値を 5 から 4 にデクリメントします。その理由はcで理解しますので、配列 a の走査を続けていきましょう。

図b … 一つ前の要素である a[7] に着目すると、その値は 1 です。累積度数を表す配列 f[1] の値 2 は、0 点から 1 点までに 2 人いることを示しています。

そこで、作業用の目的配列の b[1] に 1 を格納します。

▶ 配列の 2 番目の要素は、添字が 1 です。なお、この格納を行う前にも、f[1] の値を 2 から 1 にデクリメントします。

図c … さらに走査を続けます。次に着目する a[6] の値は 3 です。3 点の学生の格納を行うのは 2 回目です。先ほど a[8] の値である 3 を目的配列に格納する際に、f[3] の値をデクリメントして 5 から 4 にしていましたので、目的配列の 4 番目の要素である b[3] に格納します。

＊

ソート前の配列の末尾側の 3 が b[4] に格納されて、先頭側の 3 が b[3] に格納されました。

目的配列に値を格納する際に、参照した配列 f の要素の値をデクリメントするのは、同じ値の要素が存在する場合に、格納先が重複しないようにするための配慮であることが分かりました。

＊

さて、以上の作業を a[0] まで行うと、配列 a の全要素を、目的配列 b の適切な位置に格納できます。これでソートは完了です。

Step 4　配列のコピー

```
for i in range(n):
    a[i] = b[i]
```

ソートが完了したとはいっても、ソート結果が格納されているのは作業用の配列 b であって、配列 a はソート前のままです。

そこで、配列 b の全要素を、配列 a にコピーし直します。

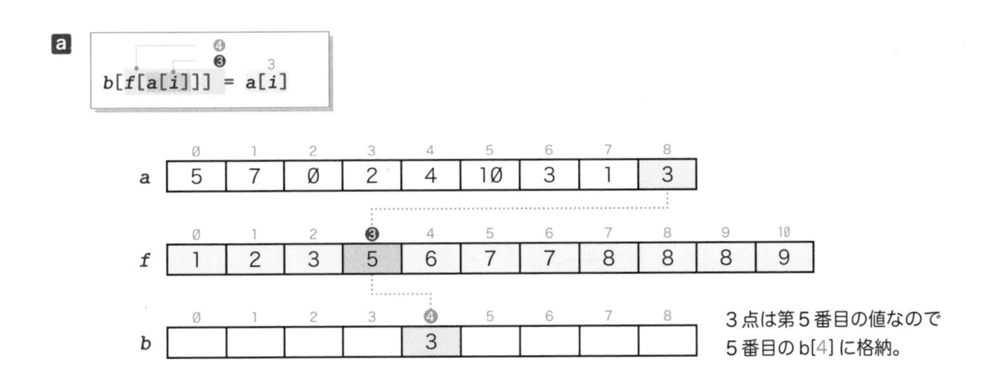

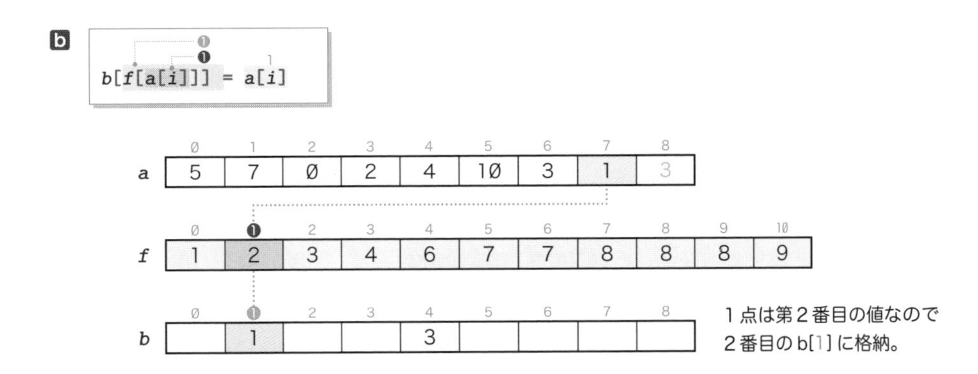

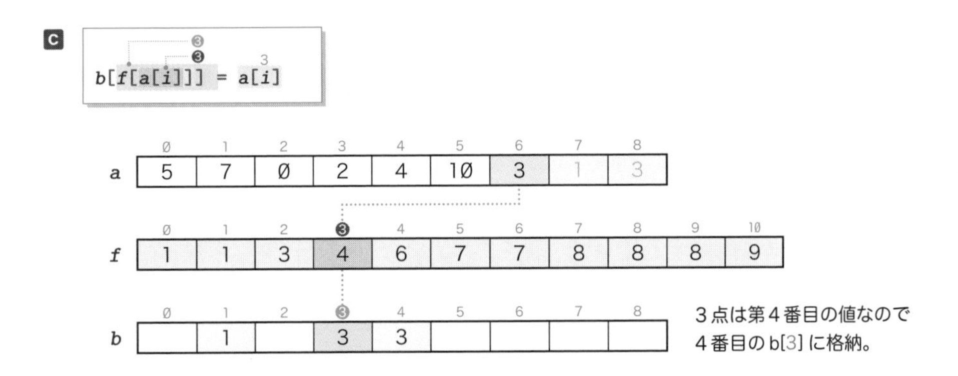

Fig.6-40 目的配列の作成

度数ソートは、if 文が一つもなく、for 文による繰返しだけでソートできる、極めて美しいアルゴリズムです。

度数ソートを行うプログラムを **List 6-17** に示します。

List 6-17 chap06/counting_sort.py

```
# 度数ソート

from typing import MutableSequence

def fsort(a: MutableSequence, max: int) -> None:
    """度数ソート（配列要素の値は0以上max以下）"""
    n = len(a)
    f = [0] * (max + 1)         # 累積度数
    b = [0] * n                 # 作業用目的配列

    for i in range(n):              f[a[i]] += 1                     # [Step 1]
    for i in range(1, max + 1):     f[i] += f[i - 1]                 # [Step 2]
    for i in range(n - 1, -1, -1):  f[a[i]] -= 1; b[f[a[i]]] = a[i]  # [Step 3]
    for i in range(n):              a[i] = b[i]                      # [Step 4]

def counting_sort(a: MutableSequence) -> None:
    """度数ソート"""
    fsort(a, max(a))

if __name__ == '__main__':
    print('度数ソート')
    num = int(input('要素数：'))
    x = [None] * num        # 要素数numの配列を生成

    for i in range(num):                    正の値のみを読み込む
        while True:
            x[i] = int(input(f'x[{i}]：'))
            if x[i] >= 0: break

    counting_sort(x)        # 配列xを度数ソート

    print('昇順にソートしました。')
    for i in range(num):
        print(f'x[{i}]＝{x[i]}')
```

実行例

```
度数ソート
要素数：7
x[0]：22
x[1]：5
x[2]：11
x[3]：32
x[4]：99
x[5]：68
x[6]：70
昇順にソートしました。
x[0]＝5
x[1]＝11
x[2]＝22
x[3]＝32
x[4]＝68
x[5]＝70
x[6]＝99
```

度数ソートを行うのが関数 *fsort* です。配列の全要素の値が、0 以上 *max* 以下であることを前提に、配列 a をソートします。

関数 *counting_sort* は、配列 a と、その要素の最大値 max(a) を関数 *fsort* に与えて呼び出す関数です。

実行例の場合であれば、要素の最大値が 99 であるため、呼出し式 *fsort*(a, max(a)) は、*fsort*(a, 99) とみなされます。

▶ 本プログラムの網かけ部では、キーボードから読み込む値を 0 以上の値のみに限定しています。

関数 *fsort* 内の冒頭では、二つの配列 *f* と *b* を生成します。

既に学習したとおり、配列 *f* は、度数分布および累積度数を格納するための配列であり、配列 *b* は、ソートした配列を一時的に格納するための目的配列です。

いずれの配列も、すべての要素の値が `0` になるように初期化します。

▶ 配列 `f` は、`0` ～ `max` の添字をもつ要素が必要ですから、その要素数は `max + 1` です。また、配列 `b` は、ソート結果を一時的に保存するための配列ですから、配列 `a` と同じ要素数 `n` です。

関数は四つのステップで構成されています。Step 1 から Step 4 までの各ステップのプログラム部分は、これまで学習したとおりです。

*

度数ソートのアルゴリズムは、データの比較や交換の作業が不要であって極めて高速です。プログラムは `for` 文の集まりであって、再帰呼出しも2重ループもありませんから、効率のよいアルゴリズムであることは、一目瞭然です。

もっとも、度数分布表が必要ですから、たとえば、`0, 1, …, 100` という整数値のみを取り得るテストの点数のように、データの最小値と最大値があらかじめ分かっている場合にしか適用できません。

▶ 関数 `fsort` は、配列 `a` の要素の値が `0` 以上 `max` 以下であることを前提にしています。

各ステップでは、配列の要素を飛び越えることなく順に走査しますので、このソートアルゴリズムは**安定です**。

ただし、Step 3 での配列 `a` の走査を、末尾側からではなく先頭側から行うと、安定ではなくなることに注意しましょう。

▶ 先頭側から末尾側へ走査を行うと安定でなくなることは、以下のように確認できます：
　走査を先頭側から行うと、**Fig.6-40** の図**a**と図**c**の実行順序が逆になります。その結果、もともとの配列の先頭側に位置していた **3** が `a[4]` に格納され、末尾側に位置していた **3** が `a[3]` に格納されます。すなわち、同一キー値の順序関係がソート前後で反転します。

章末問題

▪ 平成13年度(2001年度)春期 午前 問13

n 個のデータをバブルソートを使って整列するとき、データ同士の比較回数は幾らか。

ア　$n \log n$　　イ　$n(n+1)/4$　　ウ　$n(n-1)/2$　　エ　n^2

▪ 平成19年度(2007年度)春期 午前 問14

配列 A[i]（$i = 1, 2, ..., n$）を、次のアルゴリズムによって整列する。行 2 ～ 3 の処理が初めて終了したとき、必ず実現されている配列の状態はどれか。

〔アルゴリズム〕

行番号

1　i を 1 から $n-1$ まで 1 ずつ増やしながら行 2 ～ 3 を繰り返す

2　　j を n から $i+1$ まで減らしながら行 3 を繰り返す

3　　　もし A[j] ＜ A[$j-1$] ならば、A[j] と A[$j-1$] を交換する

ア　A[1] が最小値になる。　　イ　A[1] が最大値になる。

ウ　A[n] が最小値になる。　　エ　A[n] が最大値になる。

▪ 平成14年度(2002年度)秋期 午前 問13

未整列の配列 $A[i]$（$i = 1, 2, ..., n$）を、次のアルゴリズムで整列する。要素同士の比較回数のオーダを表す式はどれか。

〔アルゴリズム〕

(1)　$A[1]$ ～ $A[n]$ の中から最小の要素を探し、それを $A[1]$ と交換する。

(2)　$A[2]$ ～ $A[n]$ の中から最小の要素を探し、それを $A[2]$ と交換する。

(3)　同様に、範囲を狭めながら処理を繰り返す。

ア　$O(\log_2 n)$　　イ　$O(n)$　　ウ　$O(n \log_2 n)$　　エ　$O(n^2)$

▪ 平成14年度(2002年度)春期 午前 問14

四つの数の並び（4, 1, 3, 2）を、ある整列アルゴリズムに従って昇順に並べ替えたところ、数の入替えは右のとおり行われた。この整列アルゴリズムはどれか。

(1, 4, 3, 2)
(1, 3, 4, 2)
(1, 2, 3, 4)

ア　クイックソート　　イ　選択ソート　　ウ　挿入ソート　　エ　バブルソート

▪ 平成12年度(2000年度)秋期 午前 問13

次の手順はシェルソートによる整列を示している。データ列 “7, 2, 8, 3, 1, 9, 4, 5, 6” を手順 (1) ～ (4) に従って整列すると、手順 (3) を何回繰り返して完了するか。ここで、[　] は小数点以下を切り捨てる。

〔手順〕

(1)　[データ数 ÷ 3] → H とする。

(2)　データ列を互いに H 要素分だけ離れた要素の集まりからなる部分列とし、それぞれの部分列を挿入法を用いて整列する。

(3)　[H ÷ 3] → H とする。

(4)　H が 0 であればデータ列の整列は完了し、0 でなければ (2) に戻る。

ア　2　　イ　3　　ウ　4　　エ　5

▪ 平成7年度(1995年度)春期 午前 問16

データの整列と併合に関する次の記述中の [　　] に入れるべき適切な字句の組合せはどれか。

キーの値の小さなものから大きなものへデータを並べることを、[a] に [b] するという。対象とするデータ列が補助記憶装置にある場合、この操作を [c] と呼ぶ。

また、一定の順序に [b] された二つ以上のファイルを一つのファイルに統合することを [d] という。

	a	b	c	d
ア	降順	整列	外部整列	併合
イ	昇順	併合	外部併合	整列
ウ	降順	併合	内部併合	整列
エ	昇順	整列	外部整列	併合
オ	昇順	併合	内部併合	整列

▪ 平成9年度(1997年度)秋期 午前 問9

データ全体をある値より大きいデータと小さいか等しいデータに二分する。次に二分されたそれぞれのデータの集まりにこの操作を適用する。これを繰り返してデータ全体を大きさの順に並べ替える整列法はどれか。

ア　クイックソート　　イ　バブルソート

ウ　ヒープソート　　エ　マージソート

▪ 平成17年度(2005年度)春期 午前 問14

データの整列方法に関する記述のうち、適切なものはどれか。

ア　クイックソートでは、ある一定間隔おきに取り出した要素から成る部分列をそれぞれ整列し、更に間隔を詰めて同様の操作を行い、間隔が1になるまでこれを繰り返す。

イ　シェルソートでは、隣り合う要素を比較して、大小の順が逆であれば、それらの要素を入れ替えるという操作を繰り返して行う。

ウ　バブルソートでは、中間的な基準値を決めて、それよりも大きな値を集めた区分と小さな値を集めた区分に要素を振り分ける。次に、それぞれの区分の中で同様な処理を繰り返す。

エ　ヒープソートでは、未整列の部分を順序木に構成し、そこから最大値又は最小値を取り出して既整列の部分に移す。これらの操作を繰り返して、未整列部分を縮めていく。

▪ 平成14年度(2002年度)春期 午前 問13

次の流れ図は、最大値選択法によって値を大きい順に整列するものである。＊印の処理（比較）が実行される回数を表す式はどれか。

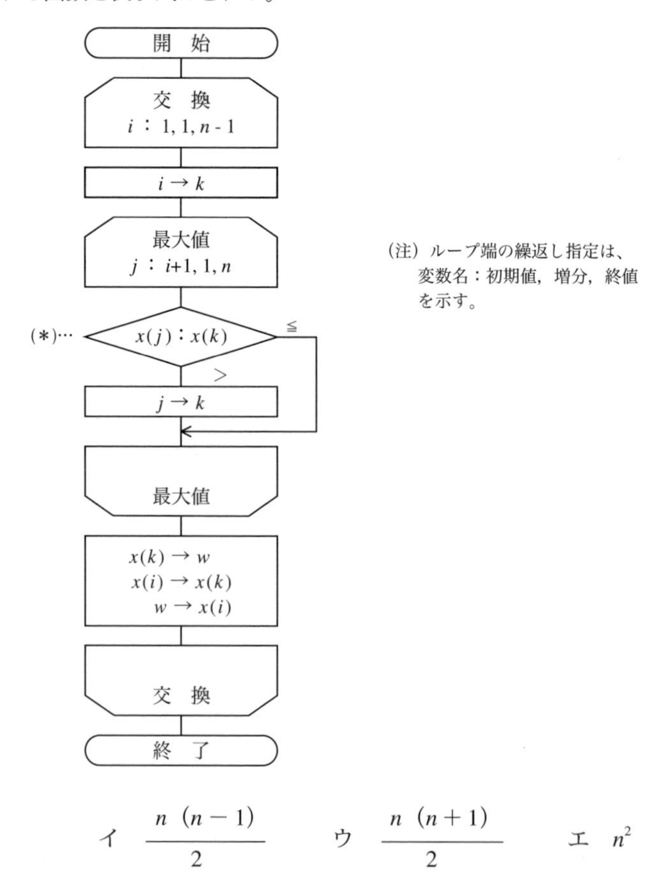

ア　$n-1$　　　イ　$\dfrac{n(n-1)}{2}$　　　ウ　$\dfrac{n(n+1)}{2}$　　　エ　n^2

■ 平成30年度(2018年度)秋期 午前 問6

クイックソートの処理方法を説明したものはどれか。

ア　既に整列済みのデータ列の正しい位置に、データを追加する操作を繰り返していく方法である。

イ　データ中の最小値を求め、次にそれを除いた部分の中から最小値を求める。この操作を繰り返していく方法である。

ウ　適当な基準値を選び、それより小さな値のグループと大きな値のグループにデータを分割する。同様にして、グループの中で基準値を選び、それぞれのグループを分割する。この操作を繰り返していく方法である。

エ　隣り合ったデータの比較と入替えを繰り返すことによって、小さな値のデータを次第に端の方に移していく方法である。

■ 平成8年度(1996年度)秋期 午前 問8

次の流れ図が表す整列アルゴリズムはどれか。

ア　クイックソート

イ　シェーカソート

ウ　シェルソート

エ　挿入ソート

オ　バブルソート

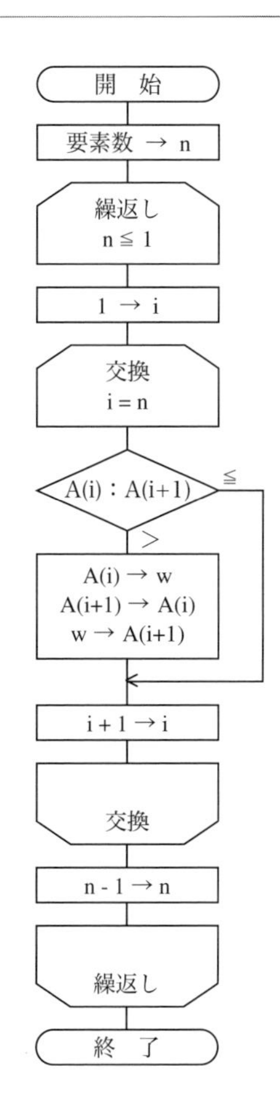

第7章

文字列探索

本章では、文字の中に含まれる文字列を探索する文字列探索のアルゴリズムを学習します。

- 文字列探索
- テキストとパターン
- 力まかせ法（単純法・素朴法）
- KMP 法
- Boyer–Moore 法
- 言語機能と標準ライブラリによる文字列探索

7-1 力まかせ法

本章では、文字列の中に含まれる文字列を探索するアルゴリズムを学習します。最初に学習するのは、最も基礎的かつ単純な《力まかせ法》です。

文字列探索

本章で学習するのは、**文字列探索**（*string searching*）のアルゴリズムです。

文字列探索とは、ある文字列中に別の文字列が含まれているかどうか、含まれているのであれば、その位置を調べることです。

たとえば、文字列 'STRING' から 'IN' を探索すると成功します。一方、文字列 'QUEEN' から 'IN' を探索しても失敗します。

Fig.7-1 に示すように、探索される側の文字列を**テキスト**（*text*）と呼び、探し出す文字列を**パターン**（*pattern*）と呼びます。

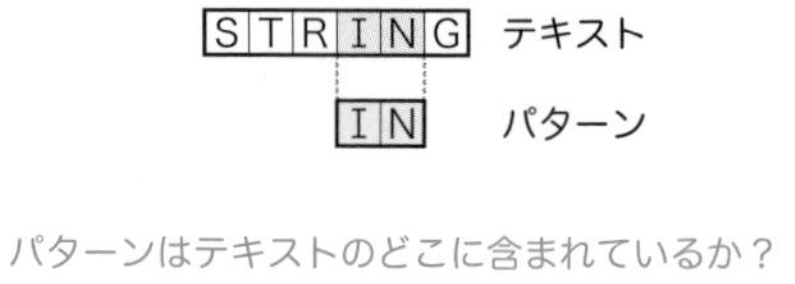

S T R I N G　テキスト
I N　パターン
パターンはテキストのどこに含まれているか？

Fig.7-1　文字列探索

力まかせ法（単純法）

まず最初に学習するのが、**力まかせ法**（*brute force method*）です。

テキスト 'ABABCDEFGHA' から、パターン 'ABC' を力まかせ法によって探索する手順の概略を示したのが **Fig.7-2** です。

a テキストの先頭文字 'A' から始まる３文字が、パターン 'ABC' と一致するかどうかを照合します。'A' と 'B' は一致しますが、最後の 'C' が一致しません。

b パターンを１文字後方にずらして、テキストの２文字目以降と一致するかどうかを照合します。パターンの先頭文字 'A' とテキストの 'B' が一致しません。

c パターンをさらに１文字後方にずらします。パターン中の文字 'A', 'B', 'C' のすべてが一致しますので、探索に成功します。

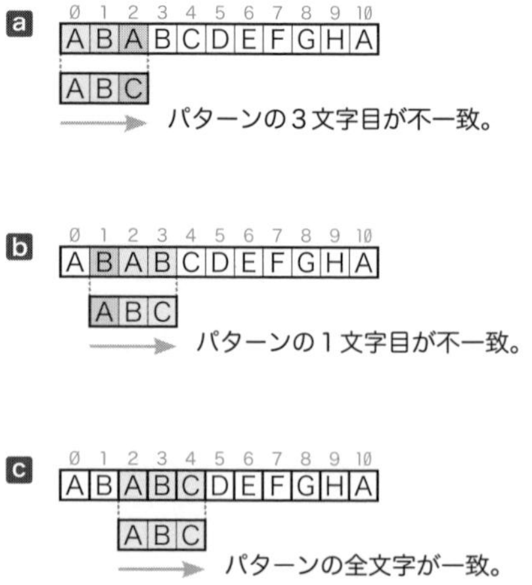

a
0 1 2 3 4 5 6 7 8 9 10
A B A B C D E F G H A
A B C
パターンの３文字目が不一致。

b
0 1 2 3 4 5 6 7 8 9 10
A B A B C D E F G H A
A B C
パターンの１文字目が不一致。

c
0 1 2 3 4 5 6 7 8 9 10
A B A B C D E F G H A
A B C
パターンの全文字が一致。

Fig.7-2　力まかせ法の概略

力まかせ法は、線形探索を拡張した単純なアルゴリズムであることから、**単純法**や**素朴法**（そぼく）などとも呼ばれます。

＊

このアルゴリズムを、もう少し詳しく具体化していきましょう。

Fig.7-3 に示すのが、先ほどの図における照合の過程の詳細です。

a テキストとパターンの先頭文字を重ねて、先頭文字から順に照合します。すなわち、テキストの添字⓿の文字と、パターンの添字⓪の文字とを重ねます。

図1・図2のように、文字が一致するあいだは、照合を順に続けます。

ただし、図3のように異なる文字に出会うと、**それ以上の照合は不要**と判断できます。そこで、次のステップへ進みます。

b パターンを照合する位置を1文字後方にずらします。すなわち、テキストの添字❶の文字と、パターンの添字⓪の文字とを重ねます。

図4に示すように、先頭文字でいきなり照合に失敗します。それ以上の照合は不要と判断できますので、次のステップへ進みます。

c パターンを照合する位置をさらに1文字後方にずらします。すなわち、テキストの添字❷の文字と、パターンの添字⓪の文字とを重ねます。

パターンの先頭文字から順に5・6・7と照合していくと、今回は、**すべての文字が一致します**。

これで探索に成功します。

図3では、テキスト側の照合位置が❷まで進んでいますが、次の4では❶に戻っています。

テキスト側の照合位置が、前進するだけでなく**後退することがある**のは、力まかせ法の効率の悪さを表します。

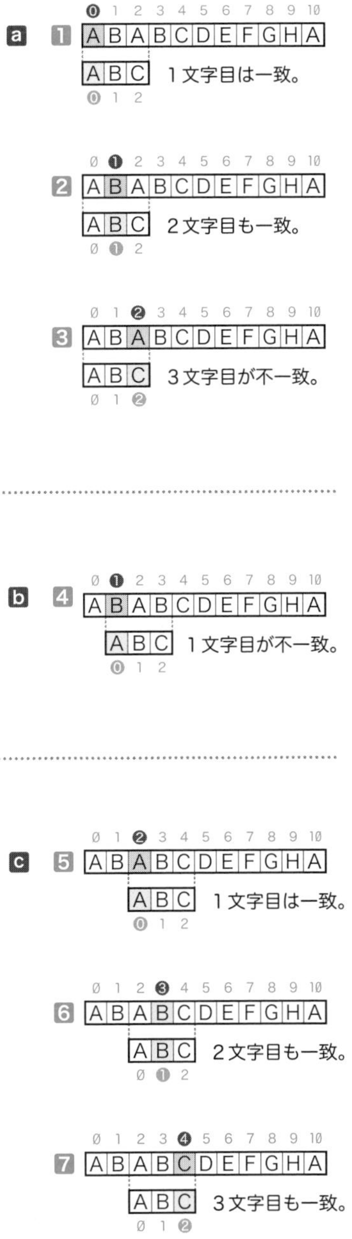

a 1 ABABCDEFGHA / ABC 1文字目は一致。
2 ABABCDEFGHA / ABC 2文字目も一致。
3 ABABCDEFGHA / ABC 3文字目が不一致。

b 4 ABABCDEFGHA / ABC 1文字目が不一致。

c 5 ABABCDEFGHA / ABC 1文字目は一致。
6 ABABCDEFGHA / ABC 2文字目も一致。
7 ABABCDEFGHA / ABC 3文字目も一致。

Fig.7-3 力まかせ法による探索

力まかせ法によって文字列探索を行うプログラムを **List 7-1** に示します。

List 7-1 chap07/bf_match.py

```
# 力まかせ法による文字列探索

def bf_match(txt: str, pat: str) -> int:
    """力まかせ法による文字列探索"""
    pt = 0              # txtをなぞるカーソル
    pp = 0              # patをなぞるカーソル

    while pt != len(txt) and pp != len(pat):
        if txt[pt] == pat[pp]:
            pt += 1
            pp += 1
        else:
            pt = pt - pp + 1
            pp = 0

    return pt - pp if pp == len(pat) else -1

if __name__ == '__main__':
    s1 = input('テキスト：')     # テキスト用文字列
    s2 = input('パターン：')     # パターン用文字列

    idx = bf_match(s1, s2)      # 文字列s1から文字列s2を力まかせ法で探索

    if idx == -1:
        print('テキスト中にパターンは存在しません。')
    else:
        print(f'{(idx + 1)}文字目にマッチします。')
```

実行例

```
テキスト：ABABCDEFGHA⏎
パターン：ABC⏎
3文字目にマッチします。
```

関数 **bf_match** は、文字列 **txt** から文字列 **pat** を探索し、照合に成功した位置の **txt** 側の添字を返します。文字列 **txt** 中に文字列 **pat** が複数含まれる場合に返すのは、最も先頭側の位置の添字です。

なお、探索に失敗した場合は、**-1** を返します。

*

テキストを格納した文字列 **txt** を走査するための変数が **pt** であり、前ページ **Fig.7-3** の●で示した値に相当します。また、パターンを格納した文字列 **pat** を走査するための変数が **pp** であり、●で示した値に相当します。

いずれも最初は **0** に初期化しておき、走査あるいはパターンの移動のたびに更新します。

Column 7-1 文字コードを扱う ord 関数と chr 関数

Boyer-Moore 法のプログラム（**List 7-3**：p.259）で利用している **ord** 関数は、単一の Unicode 文字を表す文字列を受け取って、その Unicode コードポイントを表す整数を返却する組込み関数です。たとえば、**ord('a')** は整数 97 を返却します。

なお、この関数と逆の変換を行う組込み関数が **chr** 関数です。たとえば、**chr(97)** は、単一文字のみで構成される文字列 **'a'** を返却します。

Column 7-2　言語機能と標準ライブラリによる文字列探索

ある文字列が、別の文字列の中に含まれているかどうかの判定は、言語レベル、あるいは、標準ライブラリの利用によっても実現できます。

▪ 言語レベルでの判定

帰属性判定演算子（*membership test operator*）すなわち **in 演算子**と **not in 演算子**を使うと、ある文字列が、別の文字列に含まれるか／含まれないかを調べられます。たとえば、文字列 *ptn* が *txt* 内に含まれるかどうか／含まれないかどうかの判定は、以下のように行います。

```
ptn in txt               # ptnはtxtに含まれるか？
ptn not in txt           # ptnはtxtに含まれないか？
```

ただし、これらの方法では、含まれるかどうかの判定は行えますが、含まれる位置は分かりません。

▪ find 系メソッド／index 系メソッドによる判定

ある文字列が別の文字列の中に含まれる位置を調べるために提供されるのが、str クラス型に所属する **find メソッド**、**rfind メソッド**、**index メソッド**、**rindex メソッド**です。

`str.find(sub[, start[, end]])`

文字列 str の [start:end] に、sub が含まれれば、その最小のインデックスを返却し、そうでなければ -1 を返却します（省略可能な引数 start と end はスライス表記と同様の指定です）。

※引数を囲む [ ] は、その中の引数が省略可能であることを示す解説上の表記です。

本メソッドの場合、受け取る引数は sub、start、end の３個で、３番目の end のみの省略か、あるいは、２番目の start と３番目の end の両方の省略が可能です（先頭の sub は省略できません）。

`str.rfind(sub[, start[, end]])`

文字列 str の [start:end] に sub が含まれれば、その最大のインデックスを返却し、そうでなければ -1 を返却します（省略可能な引数 start と end はスライス表記と同様に解釈されます）。

`str.index(sub[, start[, end]])`

find() と同様です。ただし、sub が見つからなければ ValueError 例外を送出します。

`str.rindex(sub[, start[, end]])`

rfind() と同様です。ただし、sub が見つからなければ ValueError 例外を送出します。

なお、index メソッドを利用したプログラム例は 'chap07/index.py' で、find 系メソッドを利用したプログラム例は 'chap07/with.py' です。

▪ with 系メソッドによる判定

文字列が、他の文字列を先頭あるいは末尾に含むかどうかを判定するのが with 系のメソッドです。

`str.startswith(prefix[, start[, end]])`

文字列の先頭が prefix で始まれば True を、そうでなければ False を返却します。prefix は見つけるべき複数の接頭語のタプルでも構いません。省略可能な start が指定されていれば、その位置から判定を始めます。省略可能な end が指定されていれば、その位置で比較を止めます。

`str.endswith(suffix[, start[, end]])`

文字列の末尾が suffix で終われば True を、そうでなければ False を返却します。suffix は見つけるべき複数の接尾語のタプルでも構いません。省略可能な start が指定されていれば、その位置から判定を始めます。省略可能な end が指定されていれば、その位置で比較を止めます。

7-2 KMP法

不一致文字に出会うとパターンを移動して再びパターンの先頭から照合を行う力まかせ法とは異なり、それまでの照合結果を有効に利用するのがKMP法です。

KMP法

前節で学習した力まかせ法は、不一致文字に出会った段階で、それまでの照合結果を捨て去ってパターンの先頭文字からの照合を行い直すアルゴリズムでした。

照合結果を捨て去ることなく有効に活用するのが、D.E.KnuthとV.R.Prattの二人と、J.H.Morrisとが、ほぼ同時期に考案した**Knuth–Morris–Pratt法**、略して**KMP法**です。

テキスト'ZABCABXACCADEF'からパターン'ABCABD'を探索する例で、KMP法のアルゴリズムを考えていきます。

まず最初は、以下の図に示すように、テキストとパターンの先頭文字から順に照合を行います。テキストの先頭文字'Z'は、パターンに含まれない文字ですから不一致です。

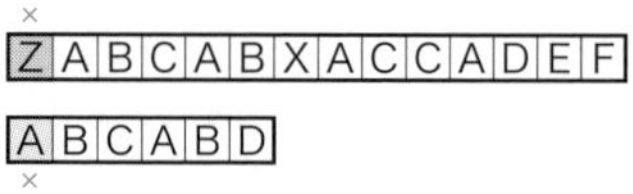

```
×
Z A B C A B X A C C A D E F
A B C A B D
×
```

そこで、パターンを1文字後方にずらします。パターンの先頭から順に照合を行っていくと、パターンの末尾文字'D'がテキストの'X'と一致しません。

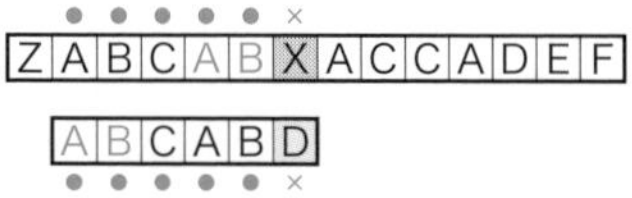

```
  ● ● ● ● ● ×
Z A B C A B X A C C A D E F
  A B C A B D
  ● ● ● ● ● ×
```

ここで、水色の文字で示している、テキスト内の'AB'とパターン内の'AB'とが一致していることに着目します。この部分を"照合ずみ"とみなせば、テキストの'X'以降の部分が、パターンの'CABD'と一致するかを調べればよいことになります。

そこで、以下に示すように、'AB'が重なるようにパターンを一気に3文字ずらし、3文字目の'C'から照合を開始します。

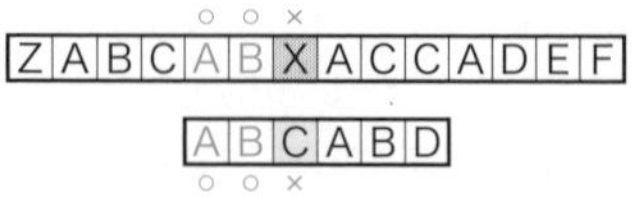

```
        ○ ○ ×
Z A B C A B X A C C A D E F
        A B C A B D
        ○ ○ ×
```

このように、KMP法は、テキストとパターン中の重なっている部分をうまく見つけ出して照合を再開する位置を求め、パターンの移動をなるべく大きくしようというアルゴリズムです。

もっとも、何文字目から照合を再開するのかを、パターンを移動するたびに計算し直すのでは、高い効率は望めません。そこで、その値を事前に《表》として作成しておきます。

その考え方を示すのが**Fig.7-4**です。左側の図は、テキストとパターンが不一致の状態を表しています。その際に、何文字目から照合を再開できるのかを示したのが、右側の図です。

Fig.7-4 KMP法における照合再開値

a〜d … パターンの1〜4文字目で照合に失敗した場合は、パターン移動後に先頭文字から照合を再開する必要があります。

e … パターンの5文字目で照合に失敗した場合は、パターン移動後に先頭文字が一致しますので、**2文字目から再開できます**。

f … パターンの6文字目で照合に失敗した場合は、**3文字目から再開できます**。

表の作成にあたっては、パターン内の“重複した文字の並び”を見つけます。その過程でもKMP法と同じ考え方を適用します。

パターンの1文字目が不一致の場合、**パターンを1文字ずらして先頭文字から照合を行わなければならない**のは自明ですから、2文字目以降を考えていきます。また、パターンとテキストを重ね合わせるのではなく、パターンどうしを重ね合わせて計算します。

- パターン`'ABCABD'`どうしを1文字ずらして重ね合わせます。下の図で、青い部分に重なりはなく、パターン移動時に先頭の1文字目から照合を再開しなければならないことが分かります。そこで、2文字目`'B'`の再開値を`0`とします。

▶ パターンの1文字目の添字は`0`であり、その位置から照合を再開するからです。

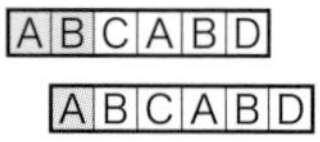

```
ABCABD
 ABCABD
```

A	B	C	A	B	D
−	0				

- パターンを1文字ずらします。やはり文字は一致しませんので、3文字目`'C'`の再開値を`0`とします。

```
ABCABD
  ABCABD
```

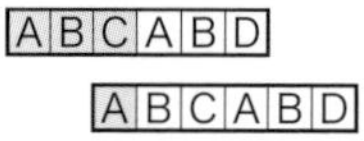

A	B	C	A	B	D
−	0	0			

- パターンを1文字ずらすと`'AB'`が一致します。ここで、次のことが分かります。
  - パターンの4文字目`'A'`までが一致していれば、パターン移動後に`'A'`をスキップして2文字目から照合できる（前ページ図e）。
  - パターンの5文字目`'B'`までが一致していれば、パターン移動後に`'AB'`をスキップして3文字目から照合できる（前ページ図f）。

そこで、これらの文字の再開値を**1**および**2**とします。

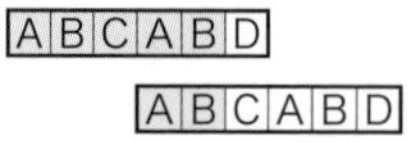

```
ABCABD
   ABCABD
```

A	B	C	A	B	D
−	0	0	1	2	

- 引き続きパターンを2文字ずらすと、文字は一致しません。そこで、パターンの末尾文字`'D'`の再開値を`0`とします。

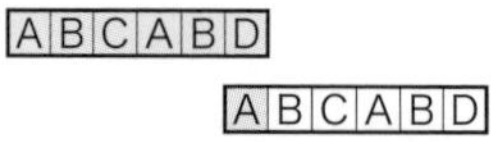

```
ABCABD
     ABCABD
```

A	B	C	A	B	D
−	0	0	1	2	0

これで表の作成が終了しました。

KMP 法によって文字列探索を行うプログラムを **List 7-2** に示します。

List 7-2 chap07/kmp_match.py

```
# KMP法による文字列探索

def kmp_match(txt: str, pat: str) -> int:
    """KMP法による文字列探索"""
    pt = 1              # txtをなぞるカーソル
    pp = 0              # patをなぞるカーソル
    skip = [0] * (len(pat) + 1)     # スキップテーブル

    # スキップテーブルの作成
    skip[pt] = 0
    while pt != len(pat):
        if pat[pt] == pat[pp]:
            pt += 1
            pp += 1
            skip[pt] = pp
        elif pp == 0:
            pt += 1
            skip[pt] = pp
        else:
            pp = skip[pp]

    # 探索
    pt = pp = 0
    while pt != len(txt) and pp != len(pat):
        if txt[pt] == pat[pp]:
            pt += 1
            pp += 1
        elif pp == 0:
            pt += 1
        else:
            pp = skip[pp]

    return pt - pp if pp == len(pat) else -1

if __name__ == '__main__':
    s1 = input('テキスト：')      # テキスト用文字列
    s2 = input('パターン：')      # パターン用文字列

    idx = kmp_match(s1, s2)      # 文字列s1から文字列s2をKMP法で探索

    if idx == -1:
        print('テキスト中にパターンは存在しません。')
    else:
        print(f'{(idx + 1)}文字目にマッチします。')
```

1 表の作成
2 探索

関数 **kmp_match** が受け取る引数や返却値は、力まかせ法の関数 **bf_match** と同じです。

1では再開値の表（スキップテーブル）を作成し、2では実際の探索を行います。

KMP 法では、テキストを走査するカーソル **pt** は、前進するだけで**後退することはありません**。これは、力まかせ法にはない特徴です。

しかし、本アルゴリズムは、複雑であるにもかかわらず、次節で学習する Boyer-Moore 法と同等以下の性能しか発揮できません。そのため、現実のプログラムでは、あまり利用されません。

7-3 Boyer-Moore 法

理論的にも実践的にもKMP法より優れていて、実際の（実用的なプログラムでの）文字列探索でも広く利用されているのがBoyer-Moore法です。

Boyer-Moore 法

R.S.BoyerとJ.S.MooreによるBoyer-Moore法（通称BM法）は、理論的にも実践的にもKMP法より優れたアルゴリズムです。

パターンの**末尾文字から先頭側へと照合を行う**過程で不一致文字を見つけた場合に、事前に用意した表に基づいてパターンの移動量を決定するのが、基本方針です。

ここでは、テキスト'ABCXDEZCABACABAC'からパターン'ABAC'を探索する例で、このアルゴリズムについて考えていきます。

まずは、**Fig.7-5** a に示すように、テキストとパターンの先頭文字を重ねた上でパターンの末尾文字'C'に着目します。対応する位置にあるテキスト側の'X'は、パターンには含まれません。そのため、図b～図dのようにパターンを1～3文字移動しても、文字'X'とパターン内の文字とは一致しないことが分かります。

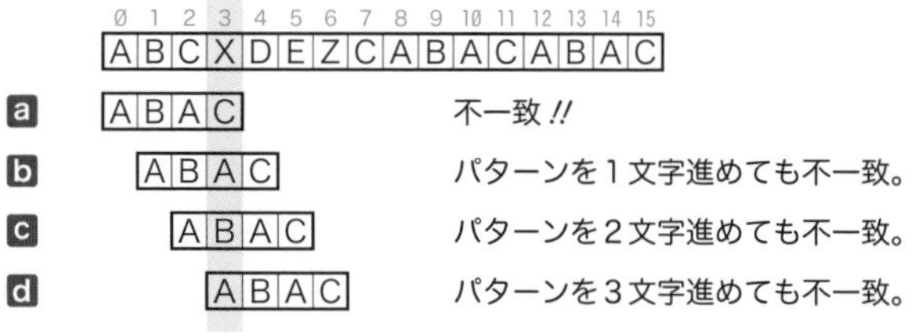

```
 0 1 2 3 4 5 6 7 8 9 10 11 12 13 14 15
 A B C X D E Z C A B A  C  A  B  A  C
a A B A C                               不一致!!
b   A B A C                             パターンを1文字進めても不一致。
c     A B A C                           パターンを2文字進めても不一致。
d       A B A C                         パターンを3文字進めても不一致。
```

Fig.7-5 パターンの末尾文字が不一致

このように、パターンに含まれない文字をテキスト中に発見した場合、**そこまでの文字はスキップできます**。そこで、図b～図dに示す比較を飛ばして、パターンを一気に4文字後ろに移動して、**Fig.7-6**のステップに進みます。

ここで、パターンの末尾文字'C'をテキストと比較すると一致します。そこで、一つ前の文字'A'へ戻って**Fig.7-7**に進みます。

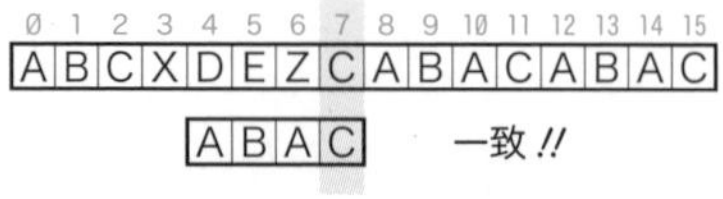

```
 0 1 2 3 4 5 6 7 8 9 10 11 12 13 14 15
 A B C X D E Z C A B A  C  A  B  A  C
         A B A C                        一致!!
```

Fig.7-6 パターンの末尾文字が一致

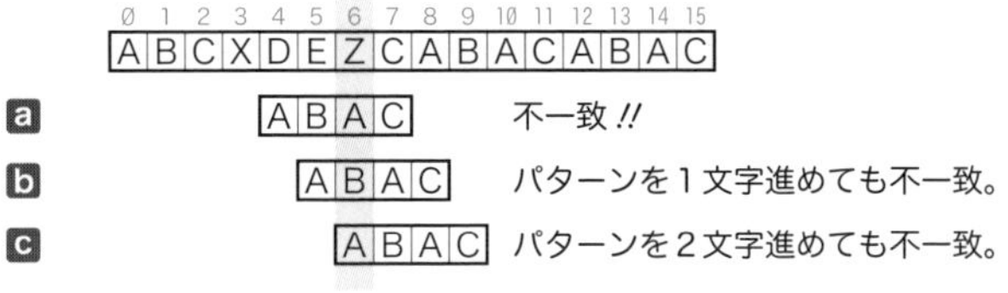

0 1 2 3 4 5 6 7 8 9 10 11 12 13 14 15
ABCXDEZCABACABAC
a ABAC 不一致!!
b ABAC パターンを1文字進めても不一致。
c ABAC パターンを2文字進めても不一致。

Fig.7-7 パターンとテキストの文字が不一致

パターンの文字 'A' は、テキストの 'Z' とは一致しません。この場合、図bや図cのように、パターンを1ないし2文字移動しても、文字 'Z' とパターン内の文字は一致しません。

そこで、パターンを一気に3文字移動して **Fig.7-8** に進みます。

▶ パターンの長さが n 文字であるとします。パターンに存在しない文字に出会った場合は、パターンを n 文字移動するのではなく、**着目している文字の位置が n 文字ずれるようにパターンを移動すること**に注意しましょう。
　たとえば、**Fig.7-6** では、パターンを4文字移動して着目点を4文字ずらしましたが、今回はパターンを3文字移動して着目点を4文字ずらします。

0 1 2 3 4 5 6 7 8 9 10 11 12 13 14 15
ABCXDEZCABACABAC
a ABAC 不一致!!
b ABAC パターンを1文字進めればよい。
c ABAC パターンを2文字進めても不一致。
d ABAC パターンを3文字進めては駄目。

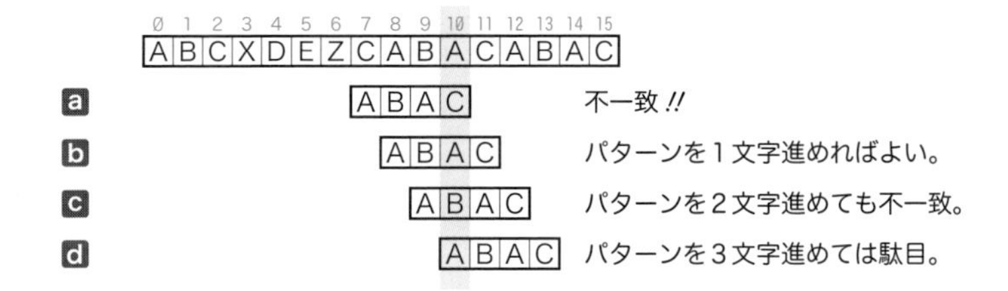

Fig.7-8 パターンとテキストの文字が不一致

テキスト側の 'A' は、パターンの末尾文字 'C' と一致しません(図a)。ところが、文字 'A' は、パターンの1文字目と3文字目の2箇所に含まれます。そこで、図bに示すように、後ろ側の 'A' が重なるように、パターンを1文字だけ移動します。

▶ このときに、図dに示すように、パターンの先頭側の 'A' を重ねようとして一気に3文字移動しては駄目です。

パターンを1文字移動して **Fig.7-9** へ進みます。末尾側から順に文字を比較すると、すべての文字が一致しますので、探索に成功します。

0 1 2 3 4 5 6 7 8 9 10 11 12 13 14 15
ABCXDEZCABACABAC
ABAC
すべての文字が一致。

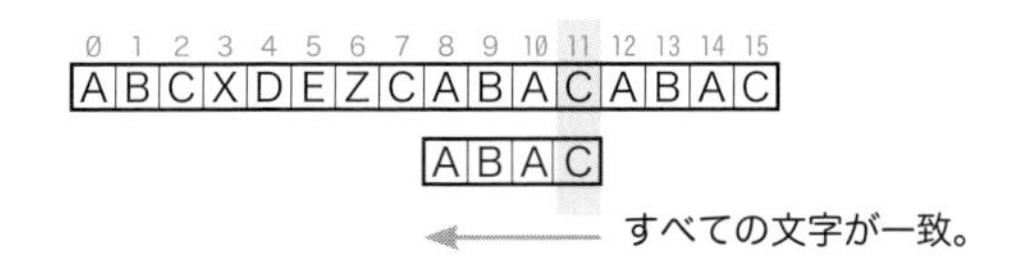

Fig.7-9 探索成功

さて、このアルゴリズムを利用するには、各文字に出会ったときの移動量（照合中の文字を何文字分ずらせばよいのか）を格納した表を、事前に作っておく必要があります。

パターン文字列の長さが`n`であるときの移動量は、次のように決定します。

▪ パターンに含まれない文字

▫ 移動量は`n`。

▶ 前々ページの**Fig.7-5**の例に該当します。`'X'`はパターンに含まれないため4文字移動します。

▪ パターンに含まれる文字

▫ 最後に出現する位置の添字が`k`であれば移動量は`n - k - 1`。

▶ 前ページの**Fig.7-8**の例に該当します。`'A'`はパターン中2箇所に含まれます。パターンを1文字だけずらします（3文字進めることはできません）。

▫ 同一文字がパターン内に存在しない、パターン末尾文字の移動量は`n`。

▶ このような文字（ここで考えている`'ABAC`の`'C'`）に出会ったら移動の必要はありませんので、便宜的に`n`とします。

そのため、ここに示した例では**Fig.7-10**に示す表となります。

▶ この図に示す移動量は、大文字のアルファベットのみです。この表にない文字（数字や記号文字など）の移動量は、すべて4です。

テキスト … `'ABCXDEZCABACABAC'`　パターン … `'ABAC'`

A	B	C	D	E	F	G	H	I	J	K	L	M
1	2	4	4	4	4	4	4	4	4	4	4	4

N	O	P	Q	R	S	T	U	V	W	X	Y	Z
4	4	4	4	4	4	4	4	4	4	4	4	4

Fig.7-10　スキップテーブル

Boyer-Moore法のプログラムを**List 7-3**に示します。関数`bm_match`が受け取る引数や返却値は、これまでの二つの関数と同じです。

パターン中に存在し得るすべての文字の移動量を計算しなければなりませんので、スキップテーブルを格納する配列`skip`の要素数は256としています（そのため、漢字文字などには対応していません）。

▶ ここで解説した、一つの配列を利用して照合を行うアルゴリズムは、**簡略BM法**と呼ばれるものです。本来のBM法は、二つの配列を用意して照合を行います。

List 7-3 chap07/bm_match.py

```
# Boyer-Moore法による文字列探索（対象は0～255の文字）

def bm_match(txt: str, pat: str) -> int:
    """Boyer-Moore法による文字列探索"""
    skip = [None] * 256     # スキップテーブル

    # スキップテーブルの作成
    for pt in range(256):
        skip[pt] = len(pat)
    for pt in range(len(pat)):
        skip[ord(pat[pt])] = len(pat) - pt - 1

    # 探索
    while pt < len(txt):
        pp = len(pat) - 1
        while txt[pt] == pat[pp]:
            if pp == 0:
                return pt
            pt -= 1
            pp -= 1
        pt += skip[ord(txt[pt])] if skip[ord(txt[pt])] > len(pat) - pp \
             else len(pat) - pp

    return -1
```

実行例

```
テキスト：ABABCDEFGHA⏎
パターン：ABC⏎
3文字目にマッチします。
```

▶ 本プログラムで利用している ord 関数は、**Column 7-1**（p.250）で学習しました。

Column 7-3 文字列探索アルゴリズムの時間計算量と実用度

テキストの文字数が n であり、パターンの文字数が m であるとして、本章で学習した三つの文字列探索アルゴリズムについて考察しましょう。

■ 力まかせ法

アルゴリズムの時間計算量は O(*mn*) ですが、作為的なわざとらしいパターンでない限り、実質的な時間計算量は O(*n*) となることが知られています。単純なアルゴリズムですが、実際には、意外と高速に動作します。

■ KMP 法

アルゴリズムの時間計算量は、最悪でも O(*n*) と高速です。その一方で、処理が複雑であることや、パターン内に繰返しがなければ効果が薄いといった欠点があります。ただし、探索の過程で、着目点を前方に戻す必要が一切ないため、順ファイルからの読込みを行いながらの探索などに適しています。

■ Boyer–Moore 法

アルゴリズムの時間計算量は、最悪でも O(*n*)、平均的には O(*n* / *m*) と高速です。なお、本来のアルゴリズムである、二つの配列を用いた方法は、KMP 法と同様に、配列の作成に複雑な処理が必要なため、効果が相殺されてしまいます。したがって、簡略 BM 法でも十分に高速です。

プログラムでは、標準ライブラリ（**Column 7-2**：p.251）を使うのが基本です。標準ライブラリ以外の手段を使うのであれば、簡略 BM 法（あるいは、それを改良したもの）、場合によっては、力まかせ法が利用されることが多いようです。

章末問題

▪ 平成26年度(2014年度)春期 午前 問8

長さm、nの文字列をそれぞれ格納した配列X、Yがある。図は、配列Xに格納した文字列の後ろに、配列Yに格納した文字列を連結したものを、配列Zに格納するアルゴリズムを表す流れ図である。図中のa、bに入れる処理として、適切なものはどれか。ここで、1文字が一つの配列要素に格納されるものとする。

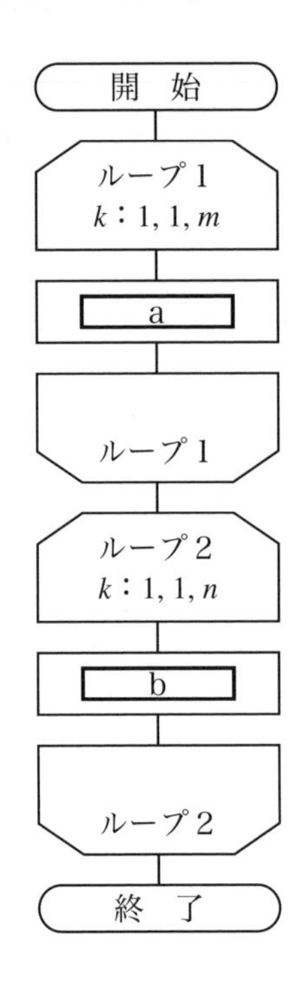

(注) ループ端の繰返し指定は、
変数名：初期値, 増分, 終値
を示す。

	a	b
ア	$X(k) \rightarrow Z(k)$	$Y(k) \rightarrow Z(m+k)$
イ	$X(k) \rightarrow Z(k)$	$Y(k) \rightarrow Z(n+k)$
ウ	$Y(k) \rightarrow Z(k)$	$X(k) \rightarrow Z(m+k)$
エ	$Y(k) \rightarrow Z(k)$	$X(k) \rightarrow Z(n+k)$

▪ 平成19年度(2007年度)春期 午前 問13

文字列 A が "aababx△"、文字列 B が "ab△" であるとき、流れ図の終了時点の k は幾らか。ここで、文字列の先頭の文字を 1 番目と数えるものとし、A[i] は A の i 番目の文字を、B[j] は B の j 番目の文字を、"△" は終端を示す文字を表す。

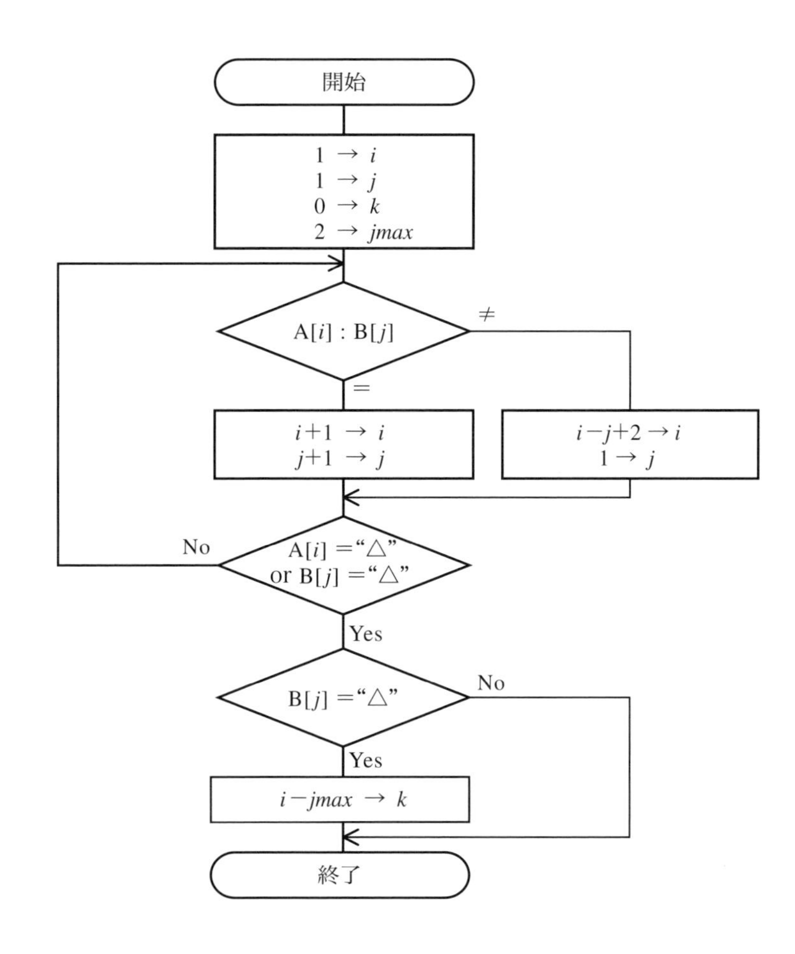

ア 0　　イ 1　　ウ 2　　エ 4

第8章

線形リスト

本章では、データが順序付けられて並んだ構造である線形リストについて学習します。

- リスト構造
- 線形リスト（連結リスト）
- 循環リスト
- 重連結リスト（双方向リスト）
- 循環・重連結リスト
- ノード（要素）
- 自己参照型
- 後続ポインタと先行ポインタ
- カーソルによる線形リスト
- フリーリストによる削除ノードの管理と再利用
- イテラブルオブジェクトとイテレータの実装

8-1 線形リストとは

リストは、データが順序付けられて並んだデータ構造です。本節では、最も単純なリスト構造である線形リストを学習します。

線形リスト

本章で学習するのは**リスト**（*list*）です。**Fig.8-1** のように、**リストは、データが順序付けられて並んでいるデータ構造です。**

▶ 第４章で学習したスタックとキューも、リスト構造の一種です。なお、ここでのリストは、Pythonが提供する、組込み型の“リスト型（`list` 型）”とは異なります（**Column 8-1**：p.267）。

リストは、順序付けられたデータの並びのこと

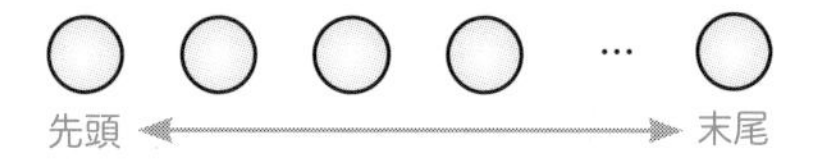

Fig.8-1　リスト

最も単純な構造をもつのが、**線形リスト**（*linear list*）あるいは**連結リスト**（*linked list*）と呼ばれるリストです。

線形リストの一例を **Fig.8-2** に示しています。AからFまでのデータが先頭から順に並んでいます。ちょうど、AがBに連絡して、BがCに連絡して、… と順にたぐっていく《電話連絡簿》のような構造です。その構造上、誰かを飛ばして電話する、あるいは、前の人に電話をする、といったことはできません。

リスト上の個々の**要素**（*element*）は、**ノード**（*node*）と呼ばれます。各ノードがもつのは、データと、後続ノードを指す（参照する）**ポインタ**（*pointer*）です。

先頭に位置するノードは**先頭ノード**（*head node*）と呼ばれ、末尾に位置するノードは**末尾ノード**（*tail node*）と呼ばれます。

また、個々のノードにとっての、一つ先頭側のノードは**先行ノード**（*predecessor node*）と呼ばれ、一つ末尾側のノードは**後続ノード**（*successor node*）と呼ばれます。

データを鎖状につないだデータ構造

先頭ノード　末尾ノード

A　B　C　D　E　F

後続ノードを指すポインタ

Fig.8-2　線形リスト

線形リストの実現

ここで考えている《電話連絡簿》の線形リストを、タプル（`tuple`）のリスト（`list`）として実現した例が **Fig.8-3** です。

▶　各会員を表すタプルは、`int` 型の会員番号と、`str` 型の名前と電話番号とで構成されています。スペースの都合上、右側の図では《会員番号》のみを示しています。

```
data = [
    (12, 'John', '999-999-1234'),
    (33, 'Paul', '999-999-1235'),
    (57, 'Mike', '999-999-1236'),
    (69, 'Rita', '999-999-1237'),
    (41, 'Alan', '999-999-1238'),
    None,
    None,
]
```

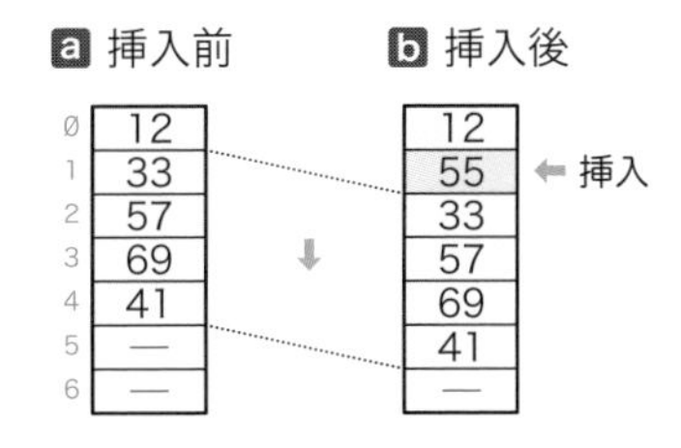

挿入した位置以降の全要素を一つずつ後方にシフトする（ずらす）。

Fig.8-3　配列による線形リストへの挿入

`list` 型の配列 `data` の要素数は 7 です。現在の会員は 5 人であって、`data[5]` と `data[6]` は未登録の状態です。

後続ノードの取出し

配列の各要素には、電話連絡を行う順番でデータが格納されています。電話をかけるのに必要な《後続ノードの取出し》は、**一つ大きな値の添字をもった要素のアクセス**によって実現できます。

ノードの挿入と削除

会員番号 55 の会員が新しく入会して、そのデータを会員番号 12 と 33 のあいだに挿入するとします。その場合、図**b**に示すように、挿入要素以降の全要素を**一つずつ後方に"ごっそり"とずらします**。

削除を行う場合も同様です。配列内の要素をごっそりと移動せねばなりません。

＊

単純な配列による線形リストには、次のような問題があります。

データの挿入・削除に伴ってデータの移動が生じるため効率がよくない。

8-2 線形リスト

本節では、後続ノードを指す《ポインタ》を各ノードにもたせることによって実現する線形リストを学習します。

ポインタによる線形リスト

線形リストへのデータ挿入の際にノード用のインスタンスを生成し、削除の際にノード用のインスタンスを破棄すると、前ページで浮上した問題が解決します。

そのようなノードを実現するのが、**Fig.8-4** に示すクラス ***Node*** です。データ用のフィールド **data** とは別に、**自身と同じクラス型のインスタンスを参照する（指す）**ための参照用フィールド ***next*** をもちます。

このような、自身と同じ型のインスタンスを参照するフィールドをもつ構造は**自己参照**（じこさんしょう）（*self-referential*）**型**と呼ばれます。

自己参照型は自身と同じ型のインスタンスへの参照をもつ構造

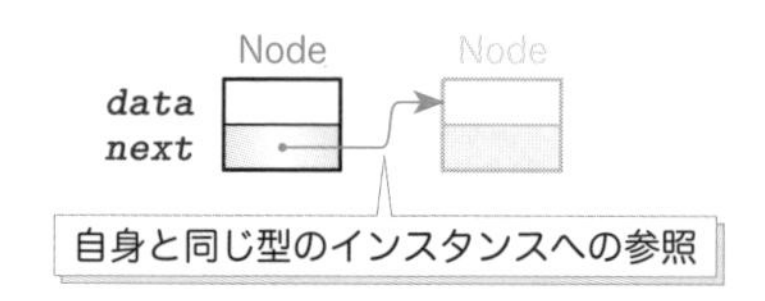

Fig.8-4 線形リスト用のノードNode

なお、***Node*** をもう少し厳密に図示すると、**Fig.8-5** のようになります。**data** はデータそのものではなく、データへの参照であり、***next*** はノードへの参照です。

▶ ノードを参照する矢印に加えて、データを参照する矢印を図示すると、煩雑になるため、以降の図では、データを参照する矢印は省略します。

後続ノードを参照するフィールド ***next*** を、**後続ポインタ**と呼ぶことにしましょう。

後続ポインタ ***next*** には後続ノードへの参照を格納するのが基本です。

ただし、後続ノードが存在しない末尾ノードの後続ポインタの値は、None とします。

*

ノードの型がクラス ***Node*** 型である線形リストを、クラス ***LinkedList*** 型として実現したプログラムを **List 8-1** に示します。

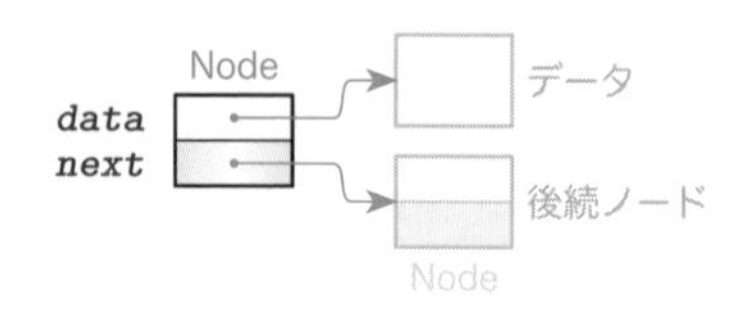

Fig.8-5 Nodeのイメージ

List 8-1 [A]　chap08/linked_list.py

```
# 線形リスト

from __future__ import annotations
from typing import Any, Type

class Node:
    """線形リスト用ノードクラス"""

    def __init__(self, data: Any = None, next: Node = None):
        """初期化"""
        self.data = data     # データ
        self.next = next     # 後続ポインタ
```
➡

ノードクラスNode

ノードクラス **Node** には、２個のフィールドと **__init__** メソッドがあります。

▪フィールド

既に学習したとおり、ノードクラス **Node** は、２個のフィールドで構成されます。

- ***data*** … データ（データへの参照：型は任意）。
- ***next*** … 後続ポインタ（後続ノードへの参照：型は **Node** 型）。

▪__init__メソッド

__init__ メソッドは、引数として受け取った **data** と ***next*** を、対応するフィールドに代入します。いずれの引数も呼出し時に省略可能であり、省略した場合は **None** とみなします。

▶ 本書執筆時点での Python の仕様では、メソッドに対するアノテーションとして、そのメソッドが所属するクラスの名前の記述は行えません。たとえば、**__init__** メソッドの３番目の引数 **next** の型が、自身の所属するクラスである **Node** 型であることを示すために、“**: Node**” というアノテーションを記述するとエラーになります。

エラー回避のために行っているのが、プログラム冒頭の **import** 文であり、**__future__** モジュールから **annotations** をインポートしています。これは、将来サポートされる機能を先取りするための **import** 文と理解しておくとよいでしょう。

将来的な Python のアップデートによって、機能が正式にサポートされた場合は、この **import** 文は不要となります。

Column 8-1　Pythonのリスト（list）はリスト構造ではない

線形リスト（連結リスト）は、任意の位置への要素の挿入や、任意の位置の要素の削除が高速に行えるというメリットがある反面、記憶域や速度の面で、（全要素を連続した記憶域上に配置する）配列に劣る、という性格のものです。

Python の組込み型のリスト（list）は、線形リストではなく、全要素を連続した記憶域上に配置する《配列》として内部的に実現されています。そのため、極端に速度が劣ることはありません。

なお、要素を１個ずつ追加・挿入しても、そのたびに、記憶域の確保・解放が内部的に行われることはありません。あらかじめ、実際に必要な最低限の記憶域よりも余分に記憶域がとられているからです。

List 8-1 [B]　　chap08/linked_list.py

```
class LinkedList:
    """線形リストクラス"""

    def __init__(self) -> None:
        """初期化"""
        self.no = 0             # ノードの個数
        self.head = None        # 先頭ノード
        self.current = None     # 着目ノード

    def __len__(self) -> int:
        """線形リスト上のノード数を返却する"""
        return self.no
```


線形リストクラス LinkedList

線形リストクラス *LinkedList* は、3個のフィールドで構成されます。

▪ *no*

リストに登録されているノードの個数です。

▪ *head*

先頭ノードへの参照です。

▪ *current*

現在着目しているノードへの参照であり、本書では、**着目ポインタ**と呼びます。リストからノードを“探索”して、そのノードに着目した直後に、そのノードを“削除”する、といった用途で利用します。

▶ 各メソッドの実行によって、着目ポインタ *current* がどのように更新されるかを、**Table 8-1** (p.278) にまとめています。
これまでと同様に、本文中の解説やコードでは、フィールドの前に必要な“**self.**”は省略します。

初期化：__init__

線形リストクラス *LinkedList* の **__init__** メソッドは、ノードが1個もない**空の線形リスト**を生成します。**Fig.8-6** に示すように、先頭ノードを参照するための *Node* 型フィールド *head* に None を代入します。

フィールド *head* が、**先頭ノードへの参照であって、先頭ノードそのものではない**ことに注意しましょう。ノードが存在しない空の線形リストでは、*head* の参照先がない（参照すべきノードが存在しない）ため、その値を None とします。

▶ 着目ポインタ *current* にも None を代入して、いかなる要素にも着目していないことにします。

Fig.8-6　空の線形リスト

ノード数を返却する：__len__

線形リスト上のノード数を返却するメソッドです。*no* の値をそのまま返します。

▶ 本メソッドの実装によって、線形リストを len 関数の引数として与えられるようになります。

■ 空の線形リスト

左ページの **Fig.8-6** に示すように、線形リストが空である（ノードが1個も存在しない）とき、***head*** の値は None です。そのため、線形リストが空であるかどうかは、以下の式で調べられます。

```
head is None                    # 線形リストは空か？
```

■ ノードが1個の線形リスト

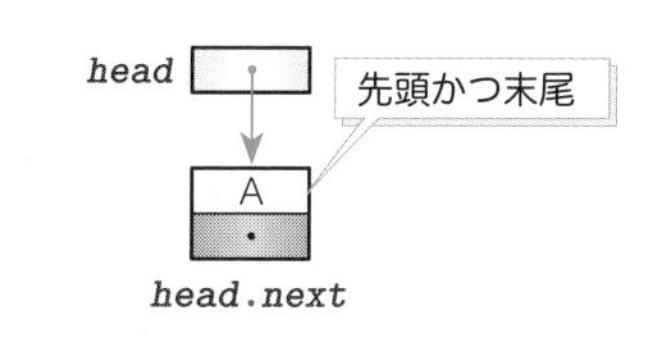

Fig.8-7 ノードが1個の線形リスト

Fig.8-7 に示すのは、ノードが1個だけ存在する線形リストです。

Node 型のフィールド ***head*** の参照先は、先頭ノードAです。その先頭ノードAは、リストの末尾ノードでもあるため、その後続ポインタの値は None です。

head の参照先ノードがもっている後続ポインタの値が None ですから、線形リスト上に存在するノードが1個のみであるかどうかの判定は、以下の式で行えます。

```
head.next is None               # 線形リスト上のノードは1個か？
```

■ ノードが2個の線形リスト

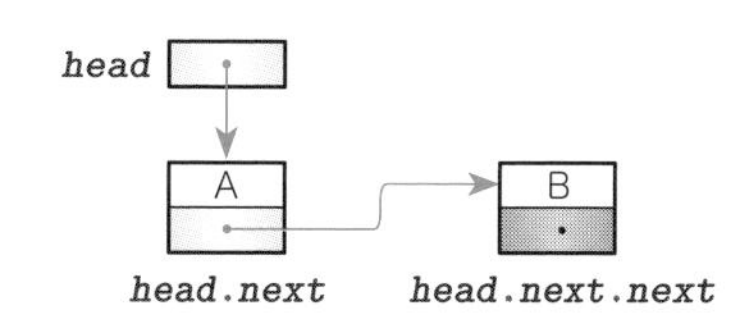

Fig.8-8 ノードが2個の線形リスト

Fig.8-8 に示すのは、ノードが2個存在する線形リストであり、先頭ノードはノードAで、末尾ノードはノードBです。

このとき、***head*** の参照先ノードAの後続ポインタ ***next*** が、ノードBを参照しています（すなわち、***head.next*** の参照先がノードBです）。

末尾に位置するノードBの後続ポインタが None ですから、線形リスト上のノードが2個であるかどうかの判定は、以下の式で行えます。

```
head.next.next is None          # 線形リスト上のノードは2個か？
```

▶ 後続ポインタではなく、データを表す式を考えましょう。ノードAのデータへの参照を表す式は ***head.data*** となり、ノードBのデータへの参照を表す式は ***head.next.data*** となります。
なお、本ページの三つの判定は、***no*** == 0、***no*** == 1、***no*** == 2 でも行えます。

■ 末尾ノードの判定

Node 型の変数 ***p*** が、リスト上のノードを参照しているとします。変数 ***p*** が参照しているノードが、線形リストの末尾ノードであるかどうかの判定は、以下の式で行えます。

```
p.next is None                  # pが参照するノードは末尾ノードか？
```

探索：search

引数として与えられたデータ data と等価なノードを探索するメソッドです。

探索アルゴリズムは線形探索です。**Fig.8-9** に示すように、目的とするノードに出会うまで、先頭ノードから順に走査します。図は、ノードDを探索する様子であり、①⇨②⇨③⇨④と走査すると探索に成功します。

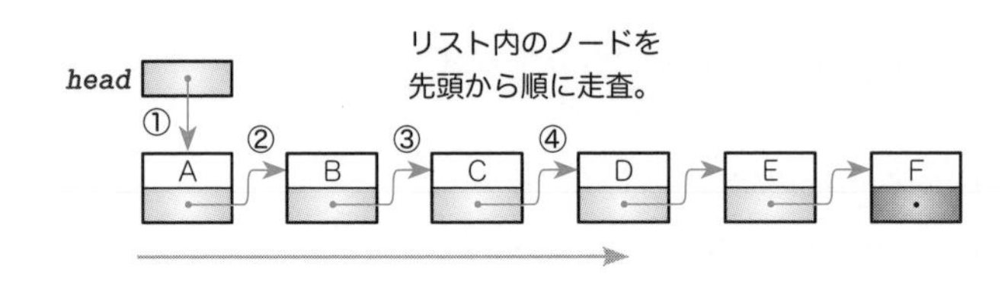

Fig.8-9 ノードの探索（線形探索）

ノード走査の終了条件は、以下に示す条件のいずれか一方が成立することです。

---

1 探索条件を満たすノードが見つからず末尾ノードを通り越しそうになった。

2 探索条件を満たすノードを見つけた。

具体的な探索の様子を示した **Fig.8-10** と対比しながら、プログラムを理解しましょう。

1 走査中のノードを参照するための変数 *ptr* を *head* で初期化します。図**a**に示すように、*ptr* の参照先は、*head* が参照している先頭ノードAとなります。また、先頭から何番目の要素を走査しているのかを表すカウンタ用の変数 *cnt* を 0 にします。

2 終了条件1の判定を行います。*ptr* の値が None でなければ、ループ本体の**3**と**4**を実行します。*ptr* の値が None であれば、走査すべきノードは存在しませんので、while 文の実行を終了して**5**に進みます。

3 終了条件2の判定を行うために、探索すべき data と、走査中ノードのデータ ptr.data との等価性を判定します。等価であれば**探索成功**です。着目ポインタ *current* に *ptr* を代入するとともに、見つけたのが何番目のノードであるかを示すカウンタ *cnt* を返却します。

▶ *cnt* は 0 から始まる値です（見つけたのが先頭であれば 0 です）。

4 *ptr* に *ptr.next* を代入することによって、走査を次のノードへと進めます。

▶ *ptr* がノードAを参照している図**a**の状態で *ptr = ptr.next* の代入を実行すると、図**b**となります。後続ノードBへの参照である *ptr.next* が *ptr* に代入される結果、*ptr* の参照先が、ノードAからノードBへと更新されるからです。

5 プログラムの流れがここに到達するのは、探索に失敗したときです。**探索失敗**であることを示す -1 を返します。

List 8-1 [C]　chap08/linked_list.py

```
    def search(self, data: Any) -> int:
        """dataと等価なノードを探索"""
        cnt = 0
        ptr = self.head
        while ptr is not None:
            if ptr.data == data:
                self.current = ptr
                return cnt
            cnt += 1
            ptr = ptr.next
        return -1

    def __contains__(self, data: Any) -> bool:
        """線形リストにdataは含まれているか"""
        return self.search(data) >= 0
```


データが含まれているかどうかを判定する：__contains__

リスト上に data と等価なノードが含まれるかどうかを判定するメソッドです。含まれていれば True を、そうでなければ False を返します。

▶ 本メソッドの実装によって、線形リストに対して in 演算子が適用できるようになります。

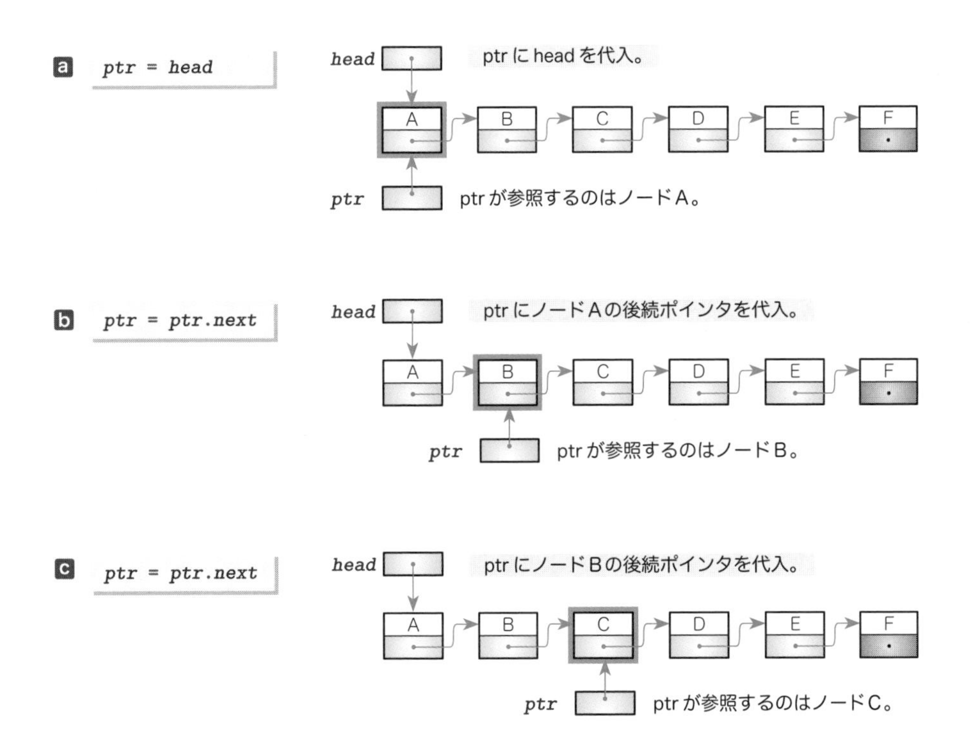

Fig.8-10　ノードの探索

先頭へのノードの挿入：add_first

リストの先頭にノードを挿入するメソッドです。

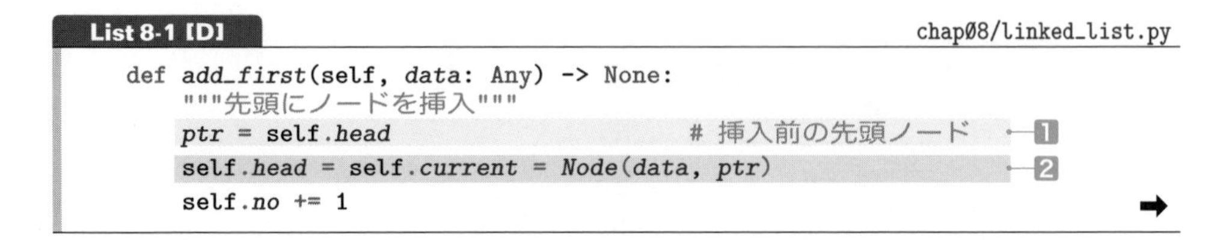

List 8-1 [D]　chap08/linked_list.py

```
    def add_first(self, data: Any) -> None:
        """先頭にノードを挿入"""
        ptr = self.head                              # 挿入前の先頭ノード  ―1
        self.head = self.current = Node(data, ptr)                        ―2
        self.no += 1
```

Fig.8-11 に示すのが、挿入の手続きの具体例であり、図aのリストの先頭にノードGを挿入した後の状態が図bです。

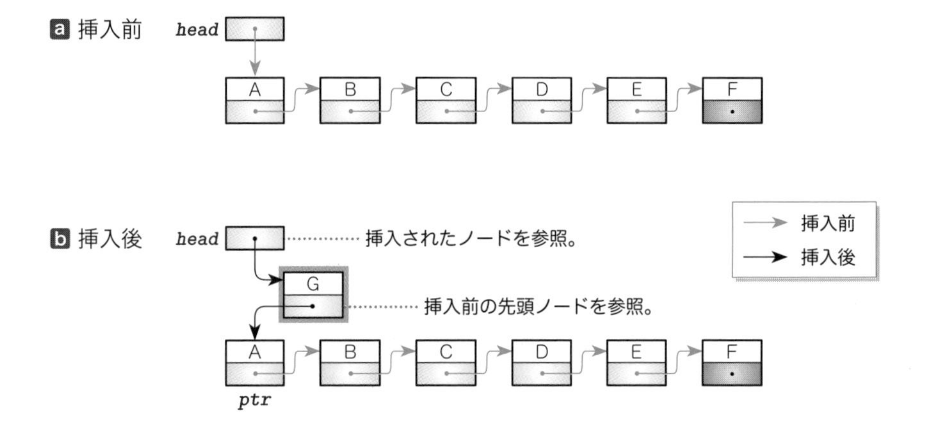

Fig.8-11　先頭へのノードの挿入

1　挿入前の先頭ノードAを参照するポインタを **ptr** に保存しておきます。

2　挿入するノードGを、**Node(data, ptr)** で生成します。生成されたノードGのデータは **data** となり、後続ポインタの参照先は **ptr**（挿入前の先頭ノードA）となります。

このとき行われる代入によって、**head** は挿入したノードを参照するように更新されます。

▶ 着目ポインタ **current** も、挿入したノードを参照するように更新されます（この後で学習するメソッド **add_last** も同様です）。

末尾へのノードの挿入：add_last

リストの末尾にノードを挿入するメソッドです。リストが空であるか（**head is None** が成立するか）どうかで異なる処理をします。

List 8-1 [E]　　chap08/linked_list.py

```
    def add_last(self, data: Any):
        """末尾にノードを挿入"""
        if self.head is None:                # リストが空であれば
            self.add_first(data)             # 先頭に挿入
        else:
            ptr = self.head
            while ptr.next is not None:      while文終了時、ptrは末尾ノードを参照する。 ―3
                ptr = ptr.next
            ptr.next = self.current = Node(data, None)    ―4
            self.no += 1
```


■ リストが空のとき

先頭へのノード挿入と同じ処理を行うために、メソッド **add_first** に挿入処理をゆだねます。

■ リストが空でないとき

Fig.8-12 に示すのが、挿入の手続きの具体例であり、図aのリストの末尾にノードGを挿入した後の状態が図bです。

3　ここで行うのは、末尾ノードを見つける処理です。先頭ノードを参照するように初期化された **ptr** の参照先を、その後続ポインタに更新する処理を繰り返すことで、ノードを先頭から順に走査します。while 文の繰返しが終了するのは、**ptr.next** の参照先が None となったときです。このとき、**ptr** の参照先は末尾ノードFとなっています。

4　挿入するノードGを、**Node(data, None)** で生成します。後続ポインタを None にするのは、末尾に位置するノードGがいかなるノードも参照しないようにするためです。

ノードFの後続ポインタ **ptr.next** の参照先が、新しく挿入されたノードGとなるように更新します。

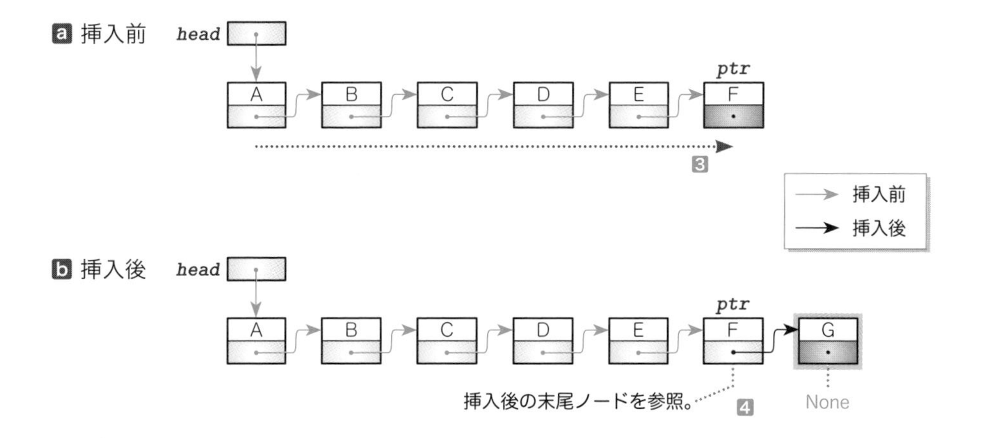

Fig.8-12　末尾へのノードの挿入

先頭ノードの削除：remove_first

先頭ノードを削除するメソッドです。実質的な処理を行うのは、リストが空でない（すなわち ***head*** is not None が成立する）ときのみです。

List 8-1 [F] chap08/linked_list.py

```
    def remove_first(self) -> None:
        """先頭ノードを削除"""
        if self.head is not None:            # リストが空でなければ
            self.head = self.current = self.head.next
        self.no -= 1
```

Fig.8-13 に示すのが、削除の手続きの具体例であり、図aのリストから先頭ノードAを削除した後の状態が図bです。

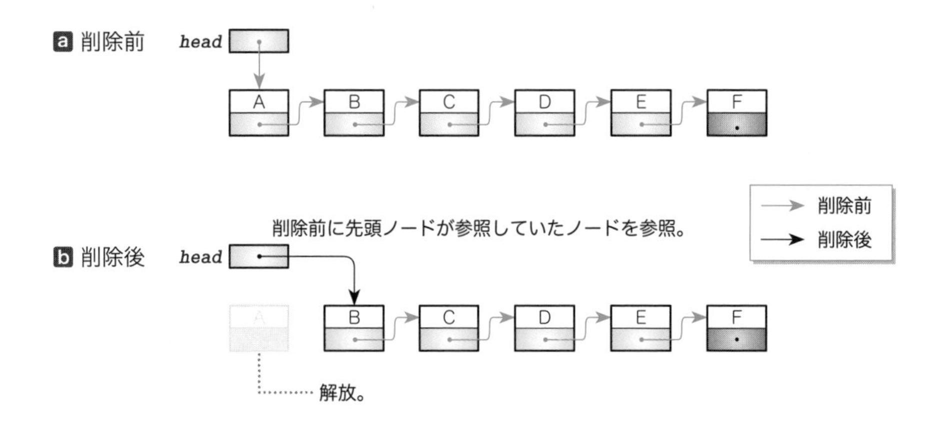

Fig.8-13　先頭ノードの削除

先頭ノードへの参照である ***head*** に対して、先頭から２番目のノードBへの参照である ***head.next*** を代入することで、***head*** の参照先をノードBに更新します（このとき、着目ポインタ ***current*** の参照先も、ノードBに更新します）。

その結果、削除前の先頭ノードAは、どこからも参照されなくなります。

▶ リスト上にノードが１個しかない場合（**Fig.8-7**：p.269）でも、正しく削除処理が行われてリストは空になります。削除前の先頭ノードは末尾ノードでもあるため、その後続ポインタ ***head.next*** の値は None です。その None が ***head*** に代入されると、リストは空になります。

末尾ノードの削除：remove_last

末尾ノードを削除するメソッドです。削除処理を行うのは、リストが空でないときのみです。リストに存在するノードが１個だけであるかどうかで異なる処理をします。

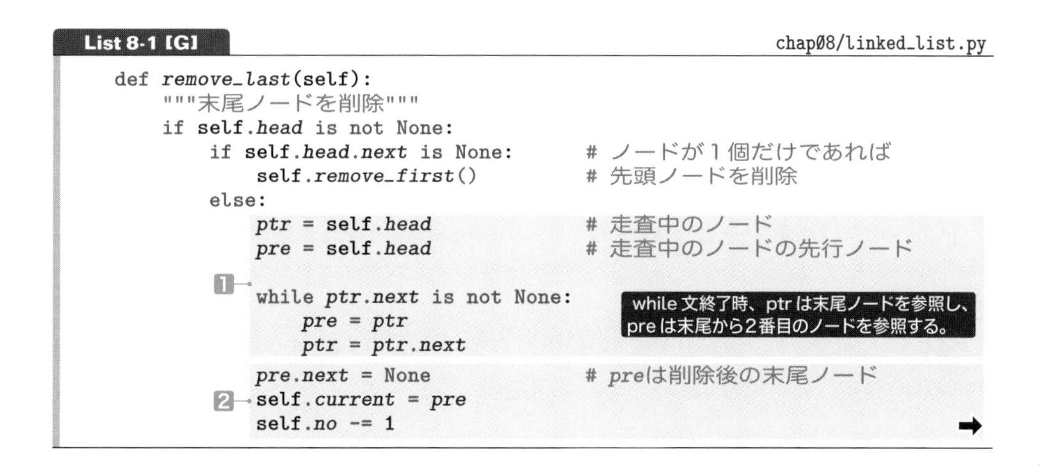

List 8-1 [G]　　chap08/linked_list.py

```
    def remove_last(self):
        """末尾ノードを削除"""
        if self.head is not None:
            if self.head.next is None:      # ノードが1個だけであれば
                self.remove_first()         # 先頭ノードを削除
            else:
                ptr = self.head             # 走査中のノード
                pre = self.head             # 走査中のノードの先行ノード

                while ptr.next is not None:
                    pre = ptr
                    ptr = ptr.next
                pre.next = None             # preは削除後の末尾ノード
                self.current = pre
                self.no -= 1
```

1：while文終了時、ptrは末尾ノードを参照し、preは末尾から2番目のノードを参照する。

▪リスト上にノードが1個だけ存在するとき

先頭ノードを削除するわけですから、メソッド **remove_first** に処理をゆだねます。

▪リスト上にノードが2個以上存在するとき

Fig.8-14 に示すのが、削除の手続きの具体例であり、図aのリストから末尾ノードFを削除した後の状態が図bです。

1　ここでは、《末尾ノード》と《末尾から2番目のノード》を見つけます。そのための走査は、p.273 のメソッド **add_last** の3とほぼ同じです。ただし、走査中のノードの《先行ノード》を参照する変数 **pre** が追加されている点が異なります。

図の場合、**while** 文終了時の **pre** の参照先はノードEで、**ptr** の参照先はノードFです。

2　末尾から2番目のノードEの後続ポインタに **None** を代入します。その結果、ノードFは、どこからも参照されなくなります。

▶　着目ポインタ **current** の参照先は、削除後の末尾ノード **pre** に更新します。

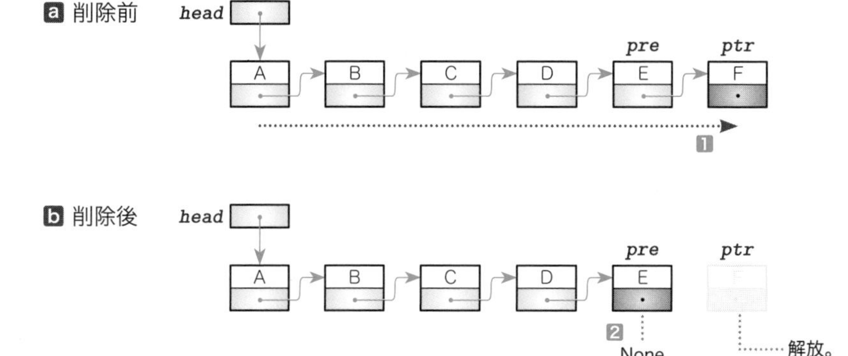

Fig.8-14　末尾ノードの削除

任意のノードの削除：remove

任意のノードを削除するメソッドです。削除処理を行うのは、リストが空でなく、引数で与えられたノード*p*（*p*が参照するノード）が存在するときのみです。

▪ pが先頭ノードのとき

先頭ノードを削除することになりますので、メソッド**remove_first**に処理をゆだねます。

▪ pが先頭ノードでないとき

Fig.8-15に示すのが、削除の手続きの具体例であり、図aのリストから*p*が参照するノードDを削除した後の状態が図bです。

1 ここで行うのは、ノード*p*の先行ノードを見つける処理です。

while文は、走査を先頭ノードから開始して、走査中のノード*ptr*の後続ポインタである*ptr.next*が*p*と等しくなるまで繰り返します。

ただし、Noneに出会った場合は、*p*が参照するノードが存在しないということです。削除処理を行うことなく、return文によってメソッドを終了します。

*ptr.next*が*p*と等しくなるとwhile文は終了します。このとき、*ptr*の参照先は、削除すべきノードDの先行ノードであるノードCとなっています。

2 ノードDの後続ポインタ*p.next*をノードCの後続ポインタ*ptr.next*に代入することによって、ノードCの後続ポインタの参照先を、ノードEに更新します。

その結果、ノードDは、どこからも参照されなくなります。

▶ 着目ポインタcurrentの参照先は、削除したノードの先行ノード（この図ではノードC）となるように更新します。

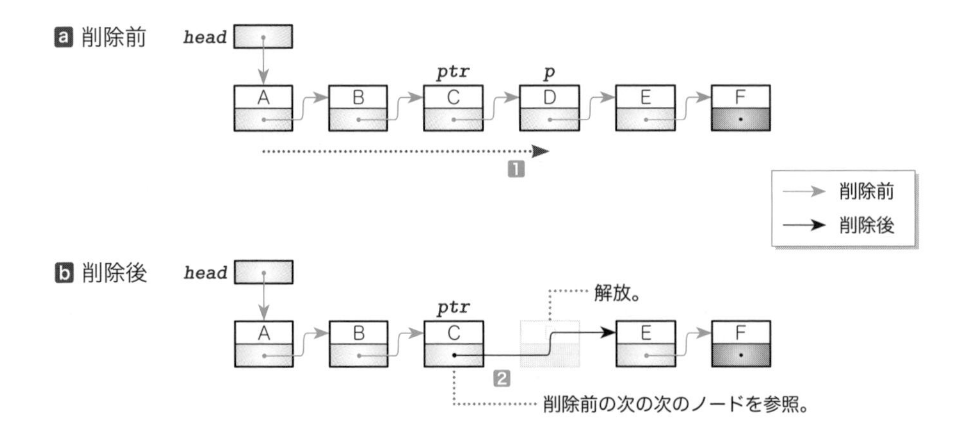

Fig.8-15 ノードの削除

List 8-1 [H]　　chap08/linked_list.py

```
    def remove(self, p: Node) -> None:
        """ノードpを削除"""
        if self.head is not None:
            if p is self.head:                  # pが先頭ノードであれば
                self.remove_first()             # 先頭ノードを削除
            else:
                ptr = self.head

                while ptr.next is not p:
                    ptr = ptr.next
                    if ptr is None:
                        return                  # ptrはリスト上に存在しない      ─1
                ptr.next = p.next
                self.current = ptr                                              ─2
                self.no -= 1

    def remove_current_node(self) -> None:
        """着目ノードを削除"""
        self.remove(self.current)

    def clear(self) -> None:
        """全ノードを削除"""
        while self.head is not None:            # 空になるまで
            self.remove_first()                 # 先頭ノードを削除
        self.current = None
        self.no = 0

    def next(self) -> bool:
        """着目ノードを一つ後方に進める"""
        if self.current is None or self.current.next is None:
            return False                        # 進めることはできなかった
        self.current = self.current.next
        return True
```

➡

■ 着目ノードの削除：remove_current_node

現在着目しているノードを削除するメソッドです。着目ポインタ **current** を **remove** メソッドに渡して処理をゆだねます。

▶ 着目ポインタ current の参照先は、削除したノードの先行ノードに更新します。

■ 全ノードの削除：clear

すべてのノードを削除するメソッドです。線形リストが空になる（**head** が None になる）まで、先頭要素の削除を繰り返して全ノードを削除します。

▶ リストが空になりますので、着目ポインタ current の値も None に更新します。

■ 着目ノードを一つ後方に進める：next

着目ノードを一つ後方に進めるメソッドです。ただし、着目ノードを一つ進めるのは、リストが空でなく、着目ノードに後続ノードが存在するときのみです。

具体的には、着目ポインタ **current** を **current.next** に更新します。

着目ノードを進めたときは True を、そうでないときは False を返します。

List 8-1 [I] chap08/linked_list.py

```
    def print_current_node(self) -> None:
        """着目ノードを表示"""
        if self.current is None:
            print('着目ノードはありません。')
        else:
            print(self.current.data)

    def print(self) -> None:
        """全ノードを表示"""
        ptr = self.head

        while ptr is not None:
            print(ptr.data)
            ptr = ptr.next
```
➡

着目ノードの表示：print_current_node

着目ノードを表示するメソッドです。具体的には、着目ポインタ current の参照先ノードのデータ current.data を表示します。

ただし、着目ノードが存在しない（current が None である）場合は、『着目ノードはありません。』と表示します。

全ノードの表示：print

リスト順に全ノードのデータを表示するメソッドです。

ptr を利用して、先頭ノードから末尾ノードまで走査しながら、各ノードのデータ ptr.data を表示します。

▶ これら二つのメソッドは、着目ポインタ current の値を更新しません。

＊

各メソッド実行後の current の値をまとめたのが、**Table 8-1** です。

Table 8-1 メソッド実行後の current の値

__init__	None。
search	探索に成功すれば見つけたノード。
add_first	挿入した先頭ノード。
add_last	挿入した末尾ノード。
remove_first	削除後の先頭ノード（リストが空になれば None）。
remove_last	削除後の末尾ノード（リストが空になれば None）。
remove	削除したノードの先行ノード。
remove_current_node	削除したノードの先行ノード。
clear	None。
next	移動後の着目ノード。
print_current_node	更新しない。
print	更新しない。

List 8-1 [J]　chap08/linked_list.py

```
    def __iter__(self) -> LinkedListIterator:
        """イテレータを返却"""
        return LinkedListIterator(self.head)

class LinkedListIterator:
    """クラスLinkedListのイテレータ用クラス"""

    def __init__(self, head: Node):
        self.current = head

    def __iter__(self) -> LinkedListIterator:
        return self

    def __next__(self) -> Any:
        if self.current is None:
            raise StopIteration
        else:
            data = self.current.data
            self.current = self.current.next
            return data
```


イテラブルオブジェクトとイテレータの実装

str型の文字列、list型のリスト、tuple型のタプルなどには、**"イテラブル＝反復可能**（*iterable*）**である"**という共通点があります。イテラブルオブジェクトは、要素を1個ずつ取り出せる構造のオブジェクトです。

イテラブルオブジェクトを、組込み関数である**iter関数**に引数として与えると、そのオブジェクトに対する**イテレータ**（*iterator*）が返却されます。

イテレータとは、データの並びを表現するオブジェクトです。イテレータの__next__メソッドを呼び出すか、組込み関数である**next関数**にイテレータを与えると、その並びの要素が順次取り出されます。

なお、取り出すべき要素が尽きた場合は、**StopIteration例外**が送出されます。

▶ next関数の初回の呼出しでは先頭要素が取り出され、2回目の呼出しでは2番目の要素が取り出される、… といった具合で、呼び出すたびに"次の要素"が取り出されます。

クラス*LinkedList*は、イテラブルとなるように、イテレータを実装しています。イテレータを表すのが、クラス*LinkedListIterator*です。

▶ イテレータとなるクラスは、次のように実装します。
- __next__メソッドをもつイテレータを返却する__iter__メソッドを実装する。
- __next__メソッドは、次の要素を取り出して返却する。ただし、返却する要素がなくなった場合はStopIterationを送出する。

なお、本プログラムのイテレータは、着目ポインタ*current*は更新しません。

▶ 線形テスト*LinkedList*を利用する**List 8-2**（p.281）のプログラムでは、"(12) 走査"のメニューでイテレータを利用しています（*LinkedList*型の*lst*をfor文の対象としています）。

線形リストを利用するプログラム

線形リストクラス *LinkedList* を利用するプログラム例を **List 8-2** に示します。

実行例

```
(1) 先頭に挿入 (2) 末尾に挿入 (3) 先頭を削除 (4) 末尾を削除 (5) 着目を表示 (6)着目
を進める (7) 着目を削除 (8) 全削除 (9) 探索 (10) 帰属性判定 (11) 全ノードを表示
(12) 走査 (13) 終了：1↵
値：1↵ ………………………………………………………… ①を先頭に挿入
(1) 先頭に挿入 (2) 末尾に挿入 …中略… (13) 終了：2↵
値：5↵ ………………………………………………………… ⑤を末尾に挿入
(1) 先頭に挿入 (2) 末尾に挿入 …中略… (13) 終了：1↵
値：10↵ ………………………………………………………… ⑩を先頭に挿入
(1) 先頭に挿入 (2) 末尾に挿入 …中略… (13) 終了：2↵
値：12↵ ………………………………………………………… ⑫を末尾に挿入
(1) 先頭に挿入 (2) 末尾に挿入 …中略… (13) 終了：1↵
値：14↵ ………………………………………………………… ⑭を先頭に挿入
(1) 先頭に挿入 (2) 末尾に挿入 …中略… (12) 走査 (13) 終了：4↵ …… 末尾の⑫を削除
(1) 先頭に挿入 (2) 末尾に挿入 …中略… (12) 走査 (13) 終了：9↵
値：12↵
該当するデータはありません。 ………………………………… ⑫を探索／失敗
(1) 先頭に挿入 (2) 末尾に挿入 …中略… (12) 走査 (13) 終了：9↵
値：10↵
その値のデータは2番目にあります。 …………………………… ⑩を探索／成功
(1) 先頭に挿入 (2) 末尾に挿入 …中略… (12) 走査 (13) 終了：5↵
10 ………………………………………………………………… 着目ノードは⑩
(1) 先頭に挿入 (2) 末尾に挿入 …中略… (12) 走査 (13) 終了：11↵
14
10
1 ………………………………………………………………… 全ノードを表示
5
(1) 先頭に挿入 (2) 末尾に挿入 …中略… (12) 走査 (13) 終了：9↵
値：1↵
その値のデータは3番目にあります。 …………………………… ①を探索／成功
(1) 先頭に挿入 (2) 末尾に挿入 …中略… (12) 走査 (13) 終了：7↵ …… 着目ノードを削除
(1) 先頭に挿入 (2) 末尾に挿入 …中略… (12) 走査 (13) 終了：3↵ …… 先頭ノードを削除
(1) 先頭に挿入 (2) 末尾に挿入 …中略… (12) 走査 (13) 終了：11↵
10
5 ………………………………………………………………… 全ノードを表示
(1) 先頭に挿入 (2) 末尾に挿入 …中略… (12) 走査 (13) 終了：9↵
値：10↵
その値のデータは1番目にあります。 …………………………… ⑩を探索／成功
(1) 先頭に挿入 (2) 末尾に挿入 …中略… (12) 走査 (13) 終了：6↵ …… 着目を進める
(1) 先頭に挿入 (2) 末尾に挿入 …中略… (12) 走査 (13) 終了：5↵
5 ………………………………………………………………… 着目ノードは⑤
(1) 先頭に挿入 (2) 末尾に挿入 …中略… (12) 走査 (13) 終了：10↵
値：7↵
その値のデータは含まれません。 ……………………………… 帰属性を判定
(1) 先頭に挿入 (2) 末尾に挿入 …中略… (12) 走査 (13) 終了：12↵
10 ………………………………………………………………… 全ノードを走査
5
(1) 先頭に挿入 (2) 末尾に挿入 …中略… (12) 走査 (13) 終了：13↵
```

List 8-2 chap08/linked_list_test.py

```
# 線形リストクラスLinkedListの利用例

from enum import Enum
from linked_list import LinkedList

Menu = Enum('Menu', ['先頭に挿入', '末尾に挿入', '先頭を削除', '末尾を削除',
                     '着目を表示', '着目を進める', '着目を削除', '全削除',
                     '探索', '帰属性判定', '全ノードを表示', '走査', '終了'])

def select_Menu() -> Menu:
    """メニュー選択"""
    s = [f'({m.value}){m.name}' for m in Menu]
    while True:
        print(*s, sep='  ', end='')
        n = int(input('：'))
        if 1 <= n <= len(Menu):
            return Menu(n)

lst = LinkedList()                              # 線形リストを生成

while True:
    menu = select_Menu()                        # メニュー選択

    if menu == Menu.先頭に挿入:                    # 先頭に挿入
        lst.add_first(int(input('値：')))

    elif menu == Menu.末尾に挿入:                  # 末尾に挿入
        lst.add_last(int(input('値：')))

    elif menu == Menu.先頭を削除:                  # 先頭を削除
        lst.remove_first()

    elif menu == Menu.末尾を削除:                  # 末尾を削除
        lst.remove_last()

    elif menu == Menu.着目を表示:                  # 着目を表示
        lst.print_current_node()

    elif menu == Menu.着目を進める:                 # 着目を進める
        lst.next()

    elif menu == Menu.着目を削除:                  # 着目を削除
        lst.remove_current_node()

    elif menu == Menu.全削除:                     # 全削除
        lst.clear()

    elif menu == Menu.探索:                      # 探索
        pos = lst.search(int(input('値：')))
        if pos >= 0:
            print(f'その値のデータは{pos + 1}番目にあります。')
        else:
            print('該当するデータはありません。')

    elif menu == Menu.帰属性判定:                  # 帰属性判定
        print('その値のデータは含まれま'
              + ('す。' if int(input('値：')) in lst else 'せん。'))

    elif menu == Menu.全ノードを表示:               # 全ノードを表示
        lst.print()

    elif menu == Menu.走査:                      # 全ノードを走査
        for e in lst:
            print(e)
    else:                                       # 終了
        break
```

8-3 カーソルによる線形リスト

本節では、各ノードを配列内の要素に格納し、その要素を巧みにやりくりすることによって実現する線形リストを学習します。

カーソルによる線形リスト

前節で学習した線形リストには、『ノードの挿入や削除を、データの移動を伴わずに行える』という特徴がありました。とはいえ、**挿入や削除のたびにノード用インスタンスの生成と破棄が内部的に行われるため、記憶域の確保・解放に要するコストは決して小さくありません。**

プログラムの実行中にデータ数が大きく変化しない場合や、データ数の上限が予測できる場合などでは、**Fig.8-16** に示すように、配列内の要素を巧みにやりくりすれば、効率のよい運用が期待できます。

a 線形リストの論理的なイメージ

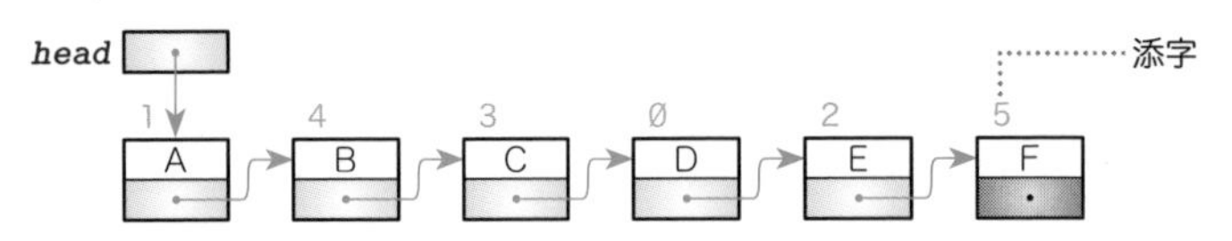

b 配列における物理的な実現

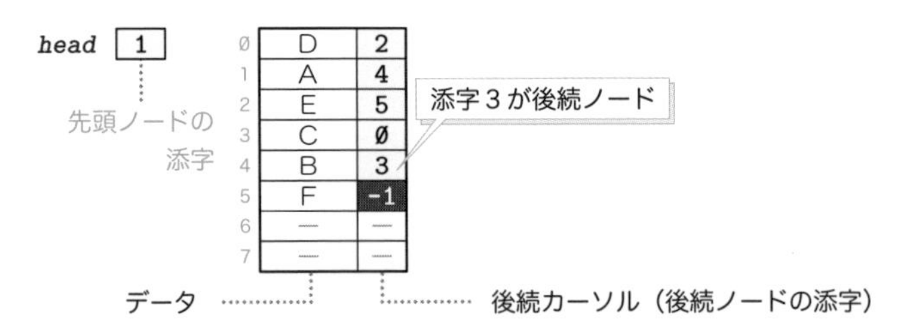

Fig.8-16 カーソルによる線形リスト

後続ポインタは、後続ノードが格納されている**要素の添字（すなわち `int` 型の整数値）**です。ここでは、整数値である添字によって表すポインタのことを**カーソル**（*cursor*）と呼びます。

たとえば、ノードBの後続カーソル 3 は、後続ノードCが添字 3 の位置に入っていることを表します。

なお、末尾ノードの後続カーソルは -1 とします。この例では、末尾ノードFの後続カーソルが -1 となっています。

先頭ノードを表す ***head*** もカーソルです。図の例では、先頭ノードAが格納されている添字である 1 が、***head*** の値となっています。

本手法では、ノードの挿入や削除に伴う要素の移動が不要である点が、前節のリストとは異なります。たとえば、**Fig.8-16** の線形リストの先頭にノードGを挿入すると、**Fig.8-17** のように変化します。***head*** を **1** から **6** に更新して、ノードGの後続カーソルを **1** にするだけです。

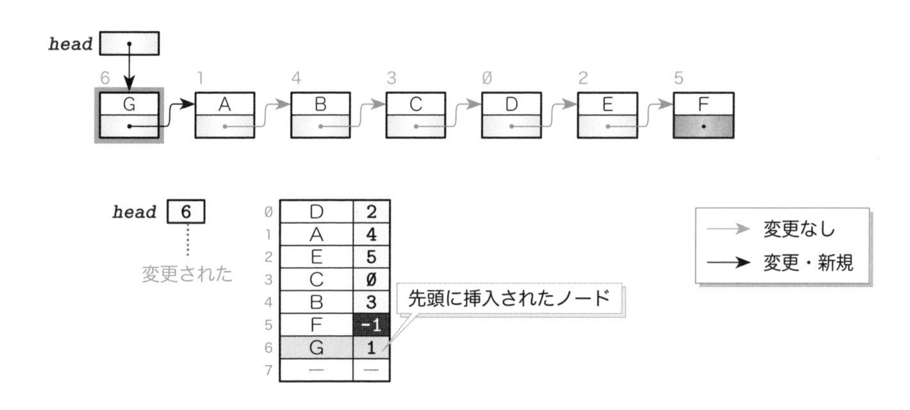

Fig.8-17　先頭へのノードの挿入

以上のアイディアに基づいて実現した線形リストのプログラムを **List 8-3** に示します。

List 8-3 [A]　chap08/array_list.py

```
# 線形リスト（配列カーソル版）

from __future__ import annotations
from typing import Any, Type

Null = -1

class Node:
    """線形リスト用ノードクラス（配列カーソル版）"""

    def __init__(self, data = Null, next = Null, dnext = Null):
        """初期化"""
        self.data  = data   # データ
        self.next  = next   # リストの後続ポインタ
        self.dnext = dnext  # フリーリストの後続ポインタ

class ArrayLinkedList:
    """線形リストクラス（配列カーソル版）"""

    def __init__(self, capacity: int):
        """初期化"""
        self.head = Null              # 先頭ノード
        self.current = Null           # 着目ノード
        self.max = Null               # 利用中の末尾レコード
        self.deleted = Null           # フリーリストの先頭ノード
        self.capacity = capacity      # リストの容量
        self.n = [Node()] * self.capacity      # リスト本体
        self.no = 0
```

List 8-3 [B]　　chap08/array_list.py

```
    def __len__(self) -> int:
        """線形リスト上のノード数を返却する"""
        return self.no

    def get_insert_index(self):
        """次に挿入するレコードの添字を求める"""
        if self.deleted == Null:                # 削除レコードは存在しない
            if self.max < self.capacity:
                self.max += 1
                return self.max                 # 新しいレコードを利用
            else:
                return Null                     # 容量オーバ
        else:
            rec = self.deleted                      # フリーリストから
            self.deleted = self.n[rec].dnext        # 先頭recを取り出す
            return rec

    def delete_index(self, idx: int) -> None:
        """レコードidxをフリーリストに登録"""
        if self.deleted == Null:                # 削除レコードは存在しない
            self.deleted = idx                  # idxをフリーリストの
            self.n[idx].dnext = Null            # 先頭に登録
        else:
            rec = self.deleted                  # idxをフリーリストの
            self.deleted = idx                  # 先頭に挿入
            self.n[idx].dnext = rec

    def search(self, data: Any) -> int:
        """dataと等価なノードを探索"""
        cnt = 0
        ptr = self.head                         # 現在走査中のノード
        while ptr != Null:
            if self.n[ptr].data == data:
                self.current = ptr
                return cnt                      # 探索成功
            cnt += 1
            ptr = self.n[ptr].next              # 後続ノードに着目
        return Null                             # 探索失敗

    def __contains__(self, data: Any) -> bool:
        """線形リストにdataは含まれているか"""
        return self.search(data) >= 0

    def add_first(self, data: Any):
        """先頭にノードを挿入"""
        ptr = self.head                         # 挿入前の先頭ノード
        rec = self.get_insert_index()
        if rec != Null:
            self.head = self.current = rec  # 第recレコードに挿入
            self.n[self.head] = Node(data, ptr)
            self.no += 1

    def add_last(self, data: Any) -> None:
        """末尾にノードを挿入"""
        if self.head == Null:                   # リストが空であれば
            self.add_first(data)                # 先頭に挿入
        else:
            ptr = self.head
            while self.n[ptr].next != Null:
                ptr = self.n[ptr].next
            rec = self.get_insert_index()
```

```
        if rec != Null:                    # 第recレコードに挿入
            self.n[ptr].next = self.current = rec
            self.n[rec] = Node(data)
            self.no += 1

def remove_first(self) -> None:
    """先頭ノードを削除"""
    if self.head != Null:                  # リストが空でなければ
        ptr = self.n[self.head].next
        self.delete_index(self.head)
        self.head = self.current = ptr
        self.no -= 1

def remove_last(self) -> None:
    """末尾ノードを削除"""
    if self.head != Null:
        if self.n[self.head].next == Null:  # ノードが1個だけであれば
            self.remove_first()             # 先頭ノードを削除
        else:
            ptr = self.head      # 走査中のノード
            pre = self.head      # 走査中のノードの先行ノード

            while self.n[ptr].next != Null:
                pre = ptr
                ptr = self.n[ptr].next
            self.n[pre].next = Null      # preは削除後の末尾ノード
            self.delete_index(ptr)
            self.current = pre
            self.no -= 1

def remove(self, p: int) -> None:
    """レコードpを削除"""
    if self.head != Null:
        if p == self.head:              # pが先頭ノードであれば
            self.remove_first()         # 先頭ノードを削除
        else:
            ptr = self.head

            while self.n[ptr].next != p:
                ptr = self.n[ptr].next
                if ptr == Null:
                    return              # pはリスト上に存在しない
            self.n[ptr].next = Null
            self.delete_index(p)
            self.n[ptr].next = self.n[p].next
            self.current = ptr
            self.no -= 1

def remove_current_node(self) -> None:
    """着目ノードを削除"""
    self.remove(self.current)

def clear(self) -> None:
    """全ノードを削除"""
    while self.head != Null:     # 空になるまで
        self.remove_first()      # 先頭ノードを削除
    self.current = Null

def next(self) -> bool:
    """着目ノードを一つ後方に進める"""
    if self.current == Null or self.n[self.current].next == Null:
        return False             # 進めることはできなかった
    self.current = self.n[self.current].next
    return True
```

➡

List 8-3 [C]　chap08/array_list.py

```
    def print_current_node(self) -> None:
        """着目ノードを表示"""
        if self.current == Null:
            print('着目ノードはありません。')
        else:
            print(self.n[self.current].data)

    def print(self) -> None:
        """全ノードを表示"""
        ptr = self.head

        while ptr != Null:
            print(self.n[ptr].data)
            ptr = self.n[ptr].next

    def dump(self) -> None:
        """配列をダンプ"""
        for i in self.n:
            print(f'[{i}]  {i.data} {i.next} {i.dnext}')

    def __iter__(self) -> ArrayLinkedListIterator:
        """イテレータを返却"""
        return ArrayLinkedListIterator(self.n, self.head)

class ArrayLinkedListIterator:
    """クラスArrayLinkedListのイテレータ用クラス"""

    def __init__(self, n: list, head: Node):
        self.n = n
        self.current = head

    def __iter__(self) -> ArrayLinkedListIterator:
        return self

    def __next__(self) -> Any:
        if self.current == Null:
            raise StopIteration
        else:
            data = self.n[self.current].data
            self.current = self.n[self.current].next
            return data
```

配列内の空き要素

クラス内の各メソッドは、前節のポインタ版（**List 8-1**）とほぼ一対一に対応していますので、大きく異なる《削除されたノードの管理》に絞って学習していきます。

まずは、**Fig.8-18** を例に、ノードの削除について考えていきましょう。

a 線形リストに4個のノードが { A⇨B⇨C⇨D } の順序で並んでいて、右図の配列に格納されている状態です。

b 線形リストの先頭にノードEを挿入した後の状態です。添字 **4** の位置にノードEが格納されています。

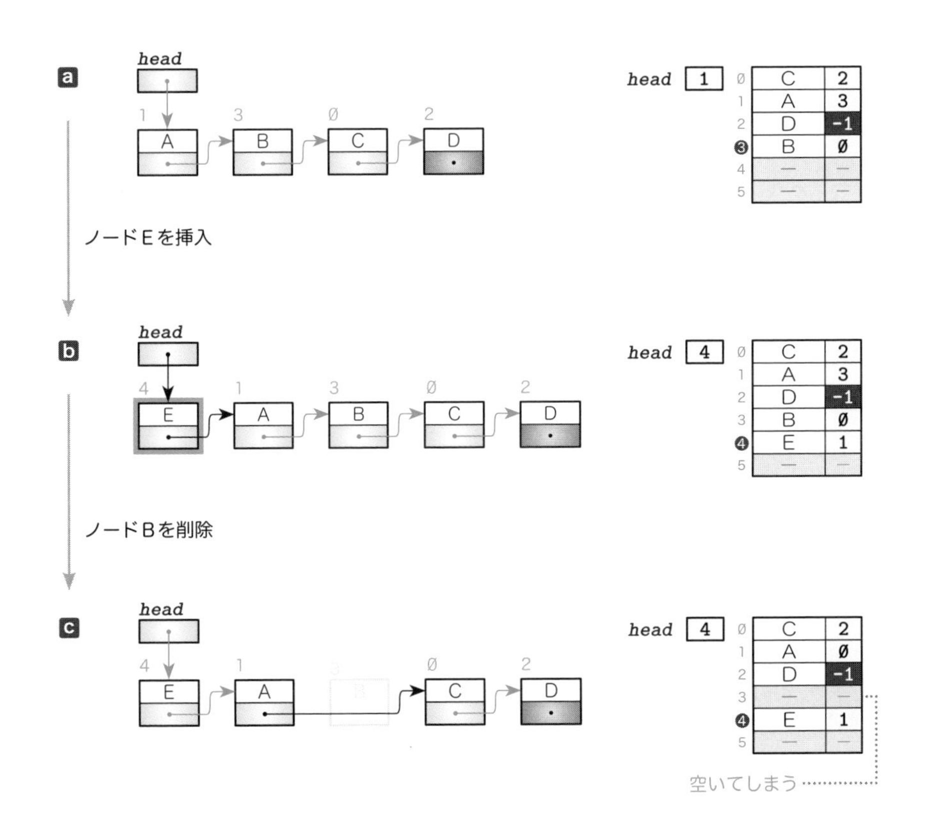

Fig.8-18 線形リストに対するノードの挿入と削除

挿入されたノードの格納場所は、「**配列内で最も末尾側の添字の位置**」です（「**線形リストとしての末尾**」でないことに注意しましょう）。

当然のことですが、**配列上の物理的な位置関係と、線形リスト上の論理的な順序関係とが一致するわけではありません**。すなわち、リスト上で第 **n** 番目に位置するノードが、配列の添字 **n** の要素に格納されるとは限りません。

これ以降、リストの順序と区別するために、添字 **n** の要素に格納されているノードのことを**第nレコード**と呼びます。

▶ 挿入されたノードEは、第4レコードに格納されたわけです。

c 図**b**の状態から、リスト上の3番目に位置するノードBを削除した後の状態です。それまでノードBのデータが格納されていた第3レコードが空きます。

*

もし削除が何度も繰り返されると、**配列の中は空きレコードだらけ**となってしまいます。削除されるレコードが高々一つであれば、その添字を何らかの変数に入れておいて管理することによって、そのレコードを容易に再利用できます。

しかし、実際には複数のレコードが削除されるわけですから、そう単純にはいきません。

フリーリスト

削除されたレコード群の管理のために用いているのが、その順序を格納する《線形リスト》であるフリーリスト（*free list*）です。

データそのものの順序を表す線形リストと、フリーリストとを組み合わせていますので、ノードクラス `Node` と、線形リストクラス `ArrayLinkedList` には、ポインタ版には存在しないフィールドが追加されています。

▪ ノードクラスNodeに追加されたフィールド

▫ `dnext`

フリーリストの後続ポインタ（フリーリストの後続ノードを参照するカーソル）です。

▪ 線形リストクラスArrayLinkedListに追加されたフィールド

▫ `deleted`

フリーリストの先頭ノードを参照するカーソルです。

▫ `max`

配列中の最も末尾側の位置に格納されているノードのレコード番号です。

▶ 前ページの**Fig.8-18**の●内の値が`max`です（この値は、3⇨4⇨4と変化していました）。

＊

Fig.8-19を見ながら、ノードの挿入と削除に伴うフリーリストの変化を理解しましょう。

a リストに5個のノードが{A⇨B⇨C⇨D⇨E}の順序で並んでいます。`max`が7であって、第8レコード以降が未使用の状態です。なお、3個のレコード1, 3, 5が削除ずみであって、フリーリストは{3⇨1⇨5}となっています。

▶ 図にも示すように、本来のデータの並びとしての線形リストに加えて、削除されたレコード群を管理するための線形リスト＝フリーリストが存在します。
　線形リストクラス`ArrayLinkedList`のフィールド`deleted`の値3は、フリーリストの先頭ノードの添字（図**a**では3）です。

b リストの末尾にノードFが挿入された状態です。その格納先は、フリーリスト{3⇨1⇨5}中の《**先頭ノード**》です。ノードFを第3レコードに格納するとともに、フリーリストから3を削除して{1⇨5}とします。

このように、フリーリスト上に空きレコードが登録されている限り、“未使用レコード（第`max`レコード以降のレコード）を求めて`max`を増やして、その位置にデータを格納する”といったことは行いません。そのため、`max`の値は7のままです。

c ノードDを削除した状態です。第7レコードに格納されているデータが削除されるため、それをフリーリストの《先頭ノード》として登録します。その結果、フリーリストは{7⇨1⇨5}となります。

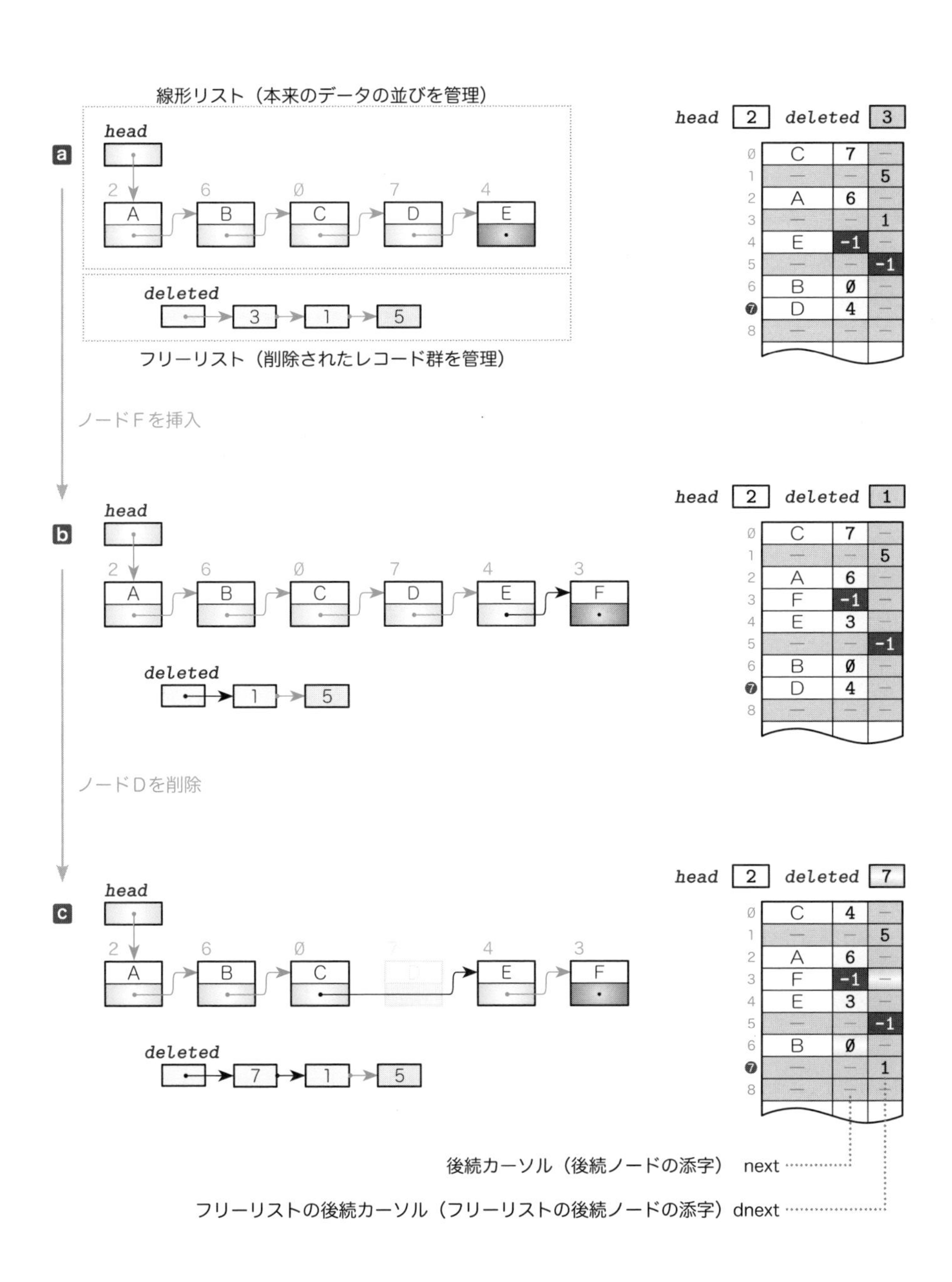

Fig.8-19 ノードの挿入と削除に伴うフリーリストの変化

▶ 削除されたレコードをフリーリストに登録するのがメソッド **delete_index** です。

また、ノードの挿入時に、格納するレコード番号を決定するのがメソッド **get_insert_index** です。図**b**では削除レコードが存在するため、フリーリストに登録されているレコードに挿入されたノードを格納しています。もし削除レコードが存在せずフリーリストが空であれば、**max** を増やして配列末尾側の未使用レコードを利用します。

配列カーソル版の線形リストを利用するプログラム

配列カーソル版の線形リストクラス *ArrayLinkedList* を利用するプログラム例を **List 8-4** に示します。

▶ プログラムの実行結果は省略します。

Column 8-2 論理演算子

多くのプログラミング言語では、論理演算子（論理積・論理和・論理否定の各演算子）は、評価の結果として、True や False などの論理値を生成するのが一般的です。ところが、Python の論理演算子は、**Table 8C-1** に示すように、他の言語のそれとは、まったく異なる性格をもっています。

Table 8C-1 論理演算子

x and y	x を評価して偽であれば、その値を生成。そうでなければ y を評価して、その値を生成。
x or y	x を評価して真であれば、その値を生成。そうでなければ y を評価して、その値を生成。
not x	x が真であれば False を、そうでなければ True を生成。

▶ 優先度は、高いほうから順に not 演算子、and 演算子、or 演算子です。

この表が示すように、**and 演算子**と **or 演算子**が生成する値は、**最後に評価した式の値**です。

たとえば、式 “5 or 3” の評価結果は 5 ですし、式 “0 or 3” の評価結果は 3 です。また、“5 and 3” の評価結果は 3 です（True や False ではありません）。

さらに、これらの演算子は、論理演算の評価結果が、左オペランドの評価の結果のみで明確になる場合に、右オペランドの評価を省略する**短絡評価**（*short circuit evaluation*）を行います。具体的には、次のように評価を行います。

- and 演算子の左オペランドを評価した値が偽であれば、右オペランドの評価は省略される。
- or 演算子の左オペランドを評価した値が真であれば、右オペランドの評価は省略される。

すなわち、Python の論理演算子の働きをまとめると、**Fig.8C-1** のようになります。

a 論理積（and演算子）

x	y	x and y
真	真	y
真	偽	y
偽	真	x
偽	偽	x

両方とも真であれば真

b 論理和（or演算子）

x	y	x or y
真	真	x
真	偽	x
偽	真	y
偽	偽	y

一方でも真であれば真

c 論理否定（not演算子）

x	not x
真	False
偽	True

偽であれば True

黒網部のオペランドは評価されません（実質的に無視されます）。
青文字の真と偽が、演算結果として採用されるオペランドです。
※たとえば、x and y を評価した値は、“真 and 偽” では、偽である y の値となり、
“偽 and 真” では、偽である x の値となります。

Fig.8C-1 Python の and 演算子と or 演算子と not 演算子

List 8-4　　chap08/array_list_test.py

```
# 配列版線形リストクラスArrayLinkedListの利用例

from enum import Enum
from array_list import ArrayLinkedList

Menu = Enum('Menu', ['先頭に挿入', '末尾に挿入', '先頭を削除', '末尾を削除',
                     '着目を表示', '着目を進める', '着目を削除', '全削除',
                     '探索', '帰属性判定', '全ノードを表示', '走査', '終了'])

def select_Menu() -> Menu:
    """メニュー選択"""
    s = [f'({m.value}){m.name}' for m in Menu]
    while True:
        print(*s, sep='  ', end='')
        n = int(input('：'))
        if 1 <= n <= len(Menu):
            return Menu(n)

lst = ArrayLinkedList(100)                          # 線形リストを生成

while True:
    menu = select_Menu()                            # メニュー選択

    if menu == Menu.先頭に挿入:                      # 先頭に挿入
        lst.add_first(int(input('値：')))

    elif menu == Menu.末尾に挿入:                    # 末尾に挿入
        lst.add_last(int(input('値：')))

    elif menu == Menu.先頭を削除:                    # 先頭を削除
        lst.remove_first()

    elif menu == Menu.末尾を削除:                    # 末尾を削除
        lst.remove_last()

    elif menu == Menu.着目を表示:                    # 着目を表示
        lst.print_current_node()

    elif menu == Menu.着目を進める:                  # 着目を進める
        lst.next()

    elif menu == Menu.着目を削除:                    # 着目を削除
        lst.remove_current_node()

    elif menu == Menu.全削除:                        # 全削除
        lst.clear()

    elif menu == Menu.探索:                          # 探索
        pos = lst.search(int(input('値：')))
        if pos >= 0:
            print(f'そのキーをもつデータは{pos + 1}番目にあります。')
        else:
            print('該当するデータはありません。')

    elif menu == Menu.帰属性判定:                    # 帰属性判定
        print('その値のデータは含まれま'
              + ('す。' if int(input('値：')) in lst else 'せん。'))

    elif menu == Menu.全ノードを表示:                # 全ノードを表示
        lst.print()

    elif menu == Menu.走査:                          # 全ノードを走査
        for e in lst:
            print(e)
    else:                                           # 終了
        break
```

8-4 循環・重連結リスト

本節では、前節までに学習したリストよりも複雑な構造をもつリストである循環・重連結リストを学習します。

循環リスト

Fig.8-20 に示すように、線形リストの末尾ノードに、先頭ノードを指すポインタを与えたものを**循環リスト**（*circular list*）と呼びます。環状に並んだデータの表現に適した構造です。

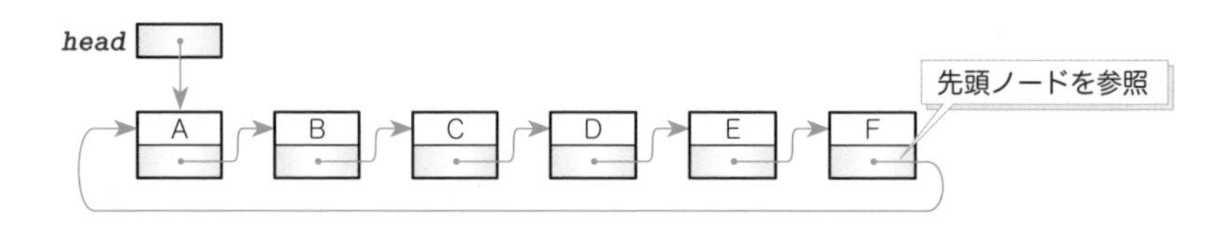

Fig.8-20 循環リスト

線形リストとの大きな違いは、末尾ノードFの後続ポインタが、None でなく、先頭ノードへのポインタとなっている点です。

▶ 個々のノードの型は、線形リストと同じです。

重連結リスト

線形リストの最大の欠点は、後続ノードを見つけるのが容易である一方で、**先行ノードを見つけるのが困難であること**です。

この欠点を解消するリスト構造が、**重連結リスト**（*doubly linked list*）です。**Fig.8-21** に示すように、各ノードには、後続ノードへのポインタに加えて、**先行ノードへのポインタ**が与えられます。

▶ 重連結リストは、**双方向リスト**（*bidirectional linked list*）とも呼ばれます。

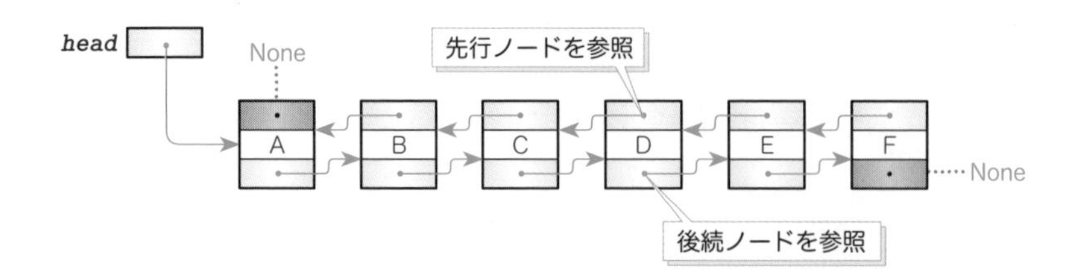

Fig.8-21 重連結リスト

重連結リストのノードは、**Fig.8-22** に示すように3個のフィールドで構成されるクラス`Node`として実現できます。

- `data` … データ（データへの参照：型は任意）。
- `prev` … 先行ノードへの参照（**先行ポインタ**と呼びます：型は`Node`型）。
- `next` … 後続ノードへの参照（**後続ポインタ**と呼びます：型は`Node`型）。

データと先行ポインタと後続ポインタをもつ構造

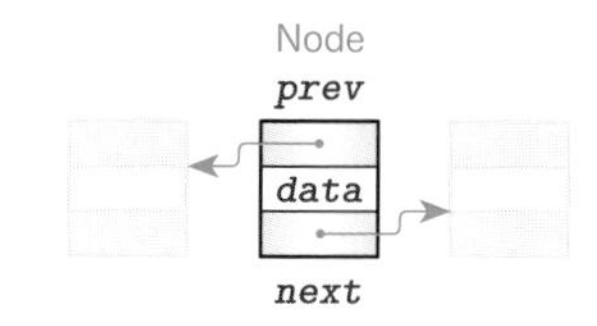

Fig.8-22　重連結リスト用のノード

循環・重連結リスト

循環リストと重連結リストを組み合わせたものが **Fig.8-23** に示す**循環・重連結リスト**（*circular doubly linked list*）です。

▶　個々のノードの型は、重連結リストと同じです。

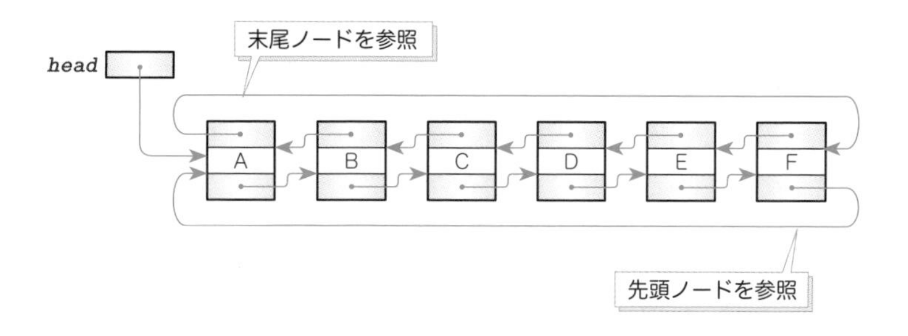

Fig.8-23　循環・重連結リスト

循環・重連結リストの実現

本節では、循環・重連結リストを学習します。循環・重連結リストを実現するプログラムを、次ページの **List 8-5** に示します。

List 8-5 [A] chap08/double_list.py

```
# 循環・重連結リスト

from __future__ import annotations
from typing import Any, Type

class Node:
    """循環・重連結リスト用ノードクラス"""

    def __init__(self, data: Any = None, prev: Node = None,
                       next: Node = None) -> None:
        """初期化"""
        self.data = data              # データ
        self.prev = prev or self      # 先行ポインタ
        self.next = next or self      # 後続ポインタ

class DoubleLinkedList:
    """循環・重連結リストクラス"""

    def __init__(self) -> None:
        """初期化"""
        self.head = self.current = Node()     # ダミーノードを生成
        self.no = 0

    def __len__(self) -> int:
        """線形リスト上のノード数を返却する"""
        return self.no

    def is_empty(self) -> bool:
        """リストは空か"""
        return self.head.next is self.head
```

➡

これまでと同様に、ノード用のクラスとリスト用のクラスが定義されています。

ノードクラスNode

循環・重連結リスト用のノードクラス**Node**は、3個のフィールドで構成されます。

フィールド**data**と**next**は、8-2節の線形リストと同じですが、先行ポインタ用のフィールド**prev**が追加されています。これは、前ページの**Fig.8-22**に示したとおりです。

*

__init__メソッドは、ノードの初期化を行うために、仮引数**data**と**prev**と**next**に受け取った値を対応するフィールドに代入します。

なお、仮引数**prev**あるいは**next**に受け取った値がNoneである場合、先行ポインタ**prev**や後続ポインタ**next**には、Noneではなく、**self**を代入します。その結果、先行ポインタと後続ポインタは、自身のインスタンスを参照することになります。

▶ 代入は"**self.prev = prev or self**"となっています。右辺でor演算子が利用されているため、代入は以下のように行われます（**Column 8-2**：p.290）。
- **prev**が真であれば（Noneでなければ）：**self.prev**には**prev**を代入する。
- **prev**が偽であれば（Noneであれば）：**self.prev**には**self**を代入する。

なお、**self.next**に対する代入も同様です。

循環・重連結リストクラス DoubleLinkedList

循環・重連結リストを表すクラスです。**List 8-1** の線形リストクラス *LinkedList* と同様に、3個のフィールドで構成されます。

- *no* … リスト上のノードの個数。
- *head* … 先頭ノードへの参照。
- *current* … 着目ノードへの参照（着目ポインタ）。

初期化：__init__

__init__ メソッドは、空の循環・重連結リストを生成します。その際、**Fig.8-24** に示すように、**データをもたないノードを1個だけ作ります**。

このノードは、ノードの挿入や削除の処理を円滑に行うために、リストの先頭位置に存在し続ける**ダミーノード**です。

Node() によって生成されたノードの *prev* と *next* は、クラス *Node* の __init__ メソッドの働きによって、自身のノードを参照するように初期化されます。

head と *current* の参照先は、生成したダミーノードとなります。

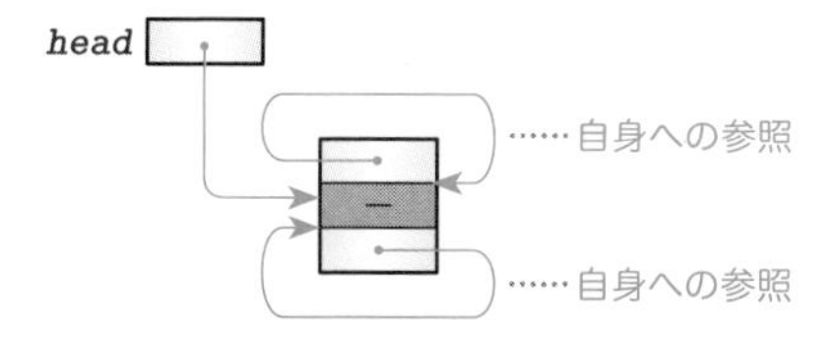

Fig.8-24 空の循環・重連結リスト

ノード数を返却する：__len__

リスト上に登録されているデータ数を返すメソッドです。*no* の値をそのまま返します。

リストが空であるかを調べる：is_empty

リストが空であるか（ダミーノードのみが存在するか）を調べるメソッドです。

ダミーノードの後続ポインタ *head.next* が、ダミーノードである *head* を参照していれば、リストは空です。

▶ 図に示すように、空のリストでは、*head* の参照先と、*head.next* の参照先と、*head.prev* の参照先のすべてがダミーノードとなります（すべて *head* と同じ値になります）。

リストが空であれば True を、そうでなければ False を返却します。

ノードの探索：search

引数として与えられたデータ **data** と等価なノードを線形探索するメソッドです。

先頭ノードから始めて、後続ポインタを順次たぐって走査する手順は、線形リストクラス *LinkedList* のメソッド *search* と、ほぼ同じです。ただし、リストの**実質的な先頭ノード**が、先頭のダミーノードではなく、その後続ノードであるため、探索の開始点が異なります。

それを示すのが **Fig.8-25** です。*head* が参照するノードはダミーノードです。そして、ダミーノードの後続ポインタが参照しているノードAが、実質的な先頭ノードです。

そのため、探索の開始は *head* ではなく、*head.next* となります。

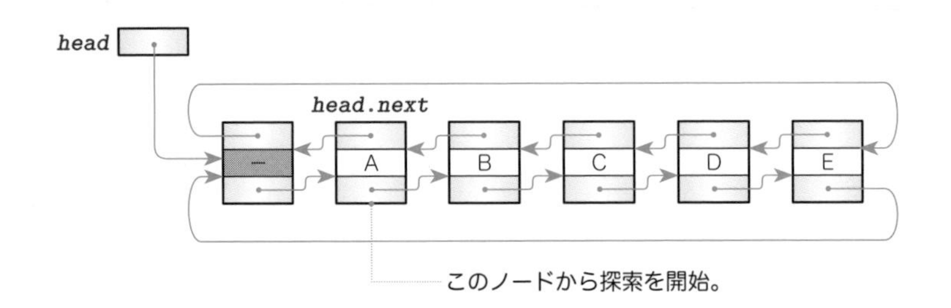

Fig.8-25　ノードの探索

▶ ダミーノード、リストの（実質的な）先頭ノード、リストの末尾ノードを参照する式は、それぞれ *head*、*head.next*、*head.prev* です。
なお、*Node* 型の変数 a, b, c, d, e が、それぞれノードA、ノードB、…、ノードEを参照しているとき、各ノードを参照する式は、次のようになります。

ダミーノード	head	e.next	d.next.next	a.prev	b.prev.prev
ノードA	a	head.next	e.next.next	b.prev	c.prev.prev
ノードB	b	a.next	head.next.next	c.prev	d.prev.prev
ノードC	c	b.next	a.next.next	d.prev	e.prev.prev
ノードD	d	c.next	b.next.next	e.prev	head.prev.prev
ノードE	e	d.next	c.next.next	head.prev	a.prev.prev

while 文による走査の過程で等価と判断されれば**探索成功**であり、カウンタ **cnt** の値を返却します（このとき、着目ポインタ *current* がノード *ptr* を参照するように更新します）。

目的とするノードが見つからず**走査が一巡して先頭ノードに戻ってきたとき**（*ptr* が *head* と等しくなったとき）に **while** 文は終了です。**探索失敗**であることを示す **-1** を返します。

▶ 図の例であれば、*ptr* が着目しているのがノードEであるときに、

```
ptr = ptr.next
```

を実行すると、*ptr* の参照先がダミーノードとなります。そのため、*ptr* の参照先が *head* と等しくなって走査を終了します。

List 8-5 [B] chap08/double_list.py

```
    def search(self, data: Any) -> Any:
        """dataと等価なノードを探索"""
        cnt = 0
        ptr = self.head.next                    # 現在走査中のノード
        while ptr is not self.head:
            if data == ptr.data:
                self.current = ptr
                return cnt                      # 探索成功
            cnt += 1
            ptr = ptr.next                      # 後続ノードに着目
        return -1                               # 探索失敗

    def __contains__(self, data: Any) -> bool:
        """線形リストにdataは含まれているか"""
        return self.search(data) >= 0
```

➡

空のリストからの探索を行うと、必ず失敗するはずです。このメソッドが、ちゃんと探索に失敗して -1 を返却するかどうかを Fig.8-26 で検証しましょう。

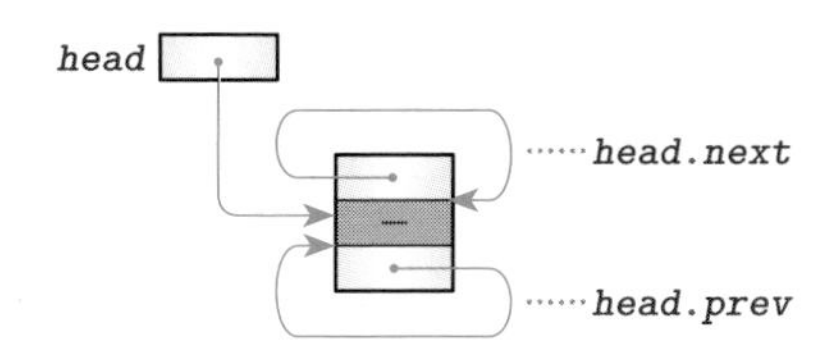

Fig.8-26 空の循環・重連結リストからの探索

メソッド冒頭で ptr に代入される **head.next** は、ダミーノードへの参照です。そのため、**head** と同じ値が ptr に代入されます。

そうすると、while 文の判定式 *ptr* is not *head* が偽となります。while 文の繰返しはスキップされて、メソッド末尾の return 文によって、-1 が返却されます。

▶ *Node* 型の変数 *p* がリスト上のノードを参照しているとします。*p* が参照しているノードのリスト上の位置については、以下の式で判定できます（左ページの **Fig.8-25** と対比しながら理解しましょう）。

```
p.prev is head         # pは先頭ノードか？（ダミーノードは含まない）
p.prev.prev is head    # pは先頭から２番目のノードか？（ダミーノードは含まない）
p.next is head         # pは末尾ノードか？
p.next.next is head    # pは末尾から２番目のノードか？
```

データが含まれているかどうかを判定する：__contains__

リスト上に data と等価なノードが存在するかどうかを判定するメソッドです。存在すれば True を、そうでなければ False を返します。

▶ 内部でメソッド **search** を呼び出すことによって実現されています。

着目ノードの表示：print_current_node

着目ノードのデータ `current.data` を表示するメソッドです。

なお、リストが空であれば、着目ノードが存在しないため『着目ノードはありません。』と表示します。

全ノードの表示：print

リスト上の全ノードを先頭から末尾へと順に表示するメソッドです。

走査を `head.next` から開始して、**後続ポインタ**をたぐっていきながら、各ノードのデータを表示します。一巡して `head` に戻ったら走査を終了します。

Fig.8-27 の例であれば、①⇨②⇨③ … とポインタをたぐっていきます。⑥をたぐると、ダミーノードに戻ります（`ptr` の参照先が `head` の参照先と等しくなります）ので、走査を終了します。

▶ 表示の開始位置は、①をたぐった後の `head.next` が参照するノードです。

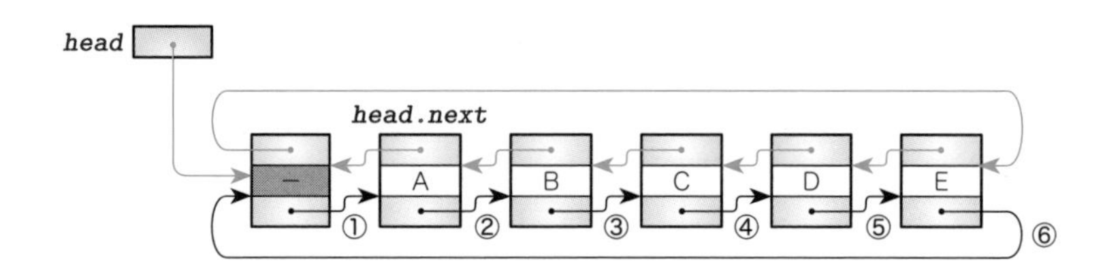

Fig.8-27　全ノードの走査

全ノードの逆順表示：print_reverse

リスト上の全ノードを末尾から逆順に表示するメソッドです。

走査を `head.prev` から開始して、**先行ポインタ**をたぐっていきながら、各ノードのデータを表示します。一巡して `head` に戻ったら、走査は終了します。

Fig.8-28 の例であれば、①⇨②⇨③ … とポインタをたぐっていきます。⑥をたぐると、ダミーノードに戻ります（`ptr` の参照先が `head` の参照先と等しくなります）ので、走査を終了します。

▶ 表示の開始位置は、①をたぐった後の `head.prev` が参照するノードです。

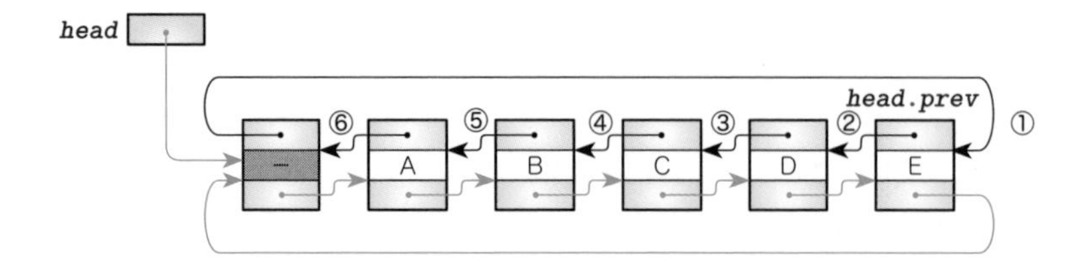

Fig.8-28　全ノードの逆順走査

List 8-5 [C]　　chap08/double_list.py

```
    def print_current_node(self) -> None:
        """着目ノードを表示"""
        if self.is_empty():
            print('着目ノードはありません。')
        else:
            print(self.current.data)

    def print(self) -> None:
        """全ノードを表示"""
        ptr = self.head.next         # ダミーノードの後続ノード
        while ptr is not self.head:
            print(ptr.data)
            ptr = ptr.next

    def print_reverse(self) -> None:
        """全ノードを逆順に表示"""
        ptr = self.head.prev         # ダミーノードの先行ノード
        while ptr is not self.head:
            print(ptr.data)
            ptr = ptr.prev

    def next(self) -> bool:
        """着目ノードを一つ後方に進める"""
        if self.is_empty() or self.current.next is self.head:
            return False         # 進めることはできなかった
        self.current = self.current.next
        return True

    def prev(self) -> bool:
        """着目ノードを一つ前方に進める"""
        if self.is_empty() or self.current.prev is self.head:
            return False         # 進めることはできなかった
        self.current = self.current.prev
        return True
```

➡

着目ノードを後方に進める：next

着目ノードを一つ**後方のノード**に進めるメソッドです。リストが空でなく、かつ、着目ノードに後続ノードが存在するときのみ、着目ノードを一つ進めます。

具体的には、着目ポインタ *current* を *current.next* に更新します。

着目ノードを進めたときは True を、そうでないときは False を返します。

着目ノードを前方に進める：prev

着目ノードを一つ**前方のノード**に進めるメソッドです。リストが空でなく、かつ、着目ノードに先行ノードが存在するときのみ、着目ノードを一つ進めます。

具体的には、着目ポインタ *current* を *current.prev* に更新します。

着目ノードを進めたときは True を、そうでないときは False を返します。

ノードの挿入：add

着目ノードの直後にノードを挿入するメソッドです。

挿入の手続きを **Fig.8-29** に示す具体例で考えましょう。着目ポインタ `current` がノードBを参照している状態が図**a**で、その直後にノードDを挿入したのが図**b**です。ノードが挿入される位置は、`current` が参照するノードと、`current.next` が参照するノードのあいだです。

挿入の手順は、次のようになります。

1. 新しく挿入するノードを、`Node(data, current, current.next)` で生成します。その結果、生成されたノードのデータは `data`、先行ポインタの参照先はノードB、後続ポインタの参照先はノードCとなります。

2. ノードBの後続ポインタ `current.next` とノードCの先行ポインタ `current.next.prev` の両方が、新たに挿入したノード `node` を参照するように更新します。

3. 着目ポインタ `current` が、挿入したノードを参照するように更新します。

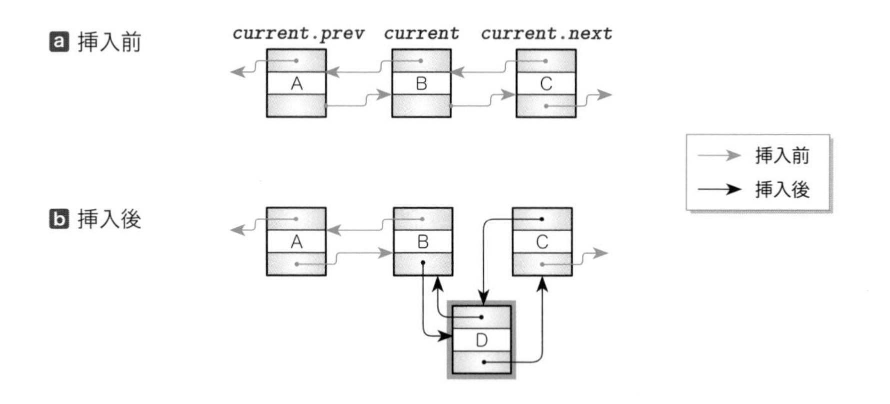

Fig.8-29 循環・重連結リストへのノードの挿入

なお、前節までの線形リストのプログラムとは異なり、リストの先頭にダミーノードがあるため、**空のリストに対する挿入処理や、リストの先頭への挿入処理を特別扱いする必要がありません。**

たとえば、右ページの **Fig.8-30** に示すのは、ダミーノードのみが存在する空のリストにノードAを挿入する例です。挿入前の `current` と `head` はともにダミーノードを参照していますので、挿入処理は次のように行われます。

---

1. 生成されたノードの先行ポインタと後続ポインタにダミーノードを参照させる。
2. ダミーノードの後続ポインタと先行ポインタの参照先をノードAとする。
3. 着目ポインタ `current` の参照先を挿入したノードとする。

List 8-5 [D]　　chap08/double_list.py

```
    def add(self, data: Any) -> None:
        """着目ノードの直後にノードを挿入"""
        node = Node(data, self.current, self.current.next)   ─1
        self.current.next.prev = node                         ┐
        self.current.next = node                              ┘─2
        self.current = node                                   ─3
        self.no += 1

    def add_first(self, data: Any) -> None:
        """先頭にノードを挿入"""
        self.current = self.head         # ダミーノードheadの直後に挿入
        self.add(data)

    def add_last(self, data: Any) -> None:
        """末尾にノードを挿入"""
        self.current = self.head.prev    # 末尾ノードhead.prevの直後に挿入
        self.add(data)
```

➡

先頭へのノードの挿入：add_first

リストの先頭にノードを挿入するメソッドです。

ダミーノードの直後にノードを挿入するために、着目ポインタ **current** の参照先を **head** に更新した上でメソッド **add** を呼び出します。

▶ 左ページの **Fig.8-29** にしたがって挿入が行われます。

末尾へのノードの挿入：add_last

リストの末尾にノードを挿入するメソッドです。

末尾ノードの直後すなわちダミーノードの直前にノードを挿入するために、着目ポインタ **current** の参照先を **head.prev** に更新した上でメソッド **add** を呼び出します。

▶ 左ページの **Fig.8-29** にしたがって挿入が行われます。

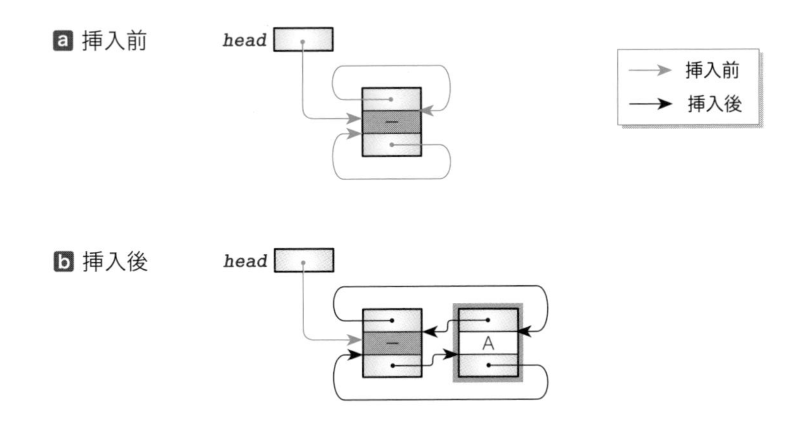

Fig.8-30　空の循環・重連結リストへのノードの挿入

着目ノードの削除：remove_current_node

着目ノードを削除するメソッドです。ダミーノードを削除するわけにはいかないため、まずリストが空でないかどうかをチェックして、リストが空でないときにだけ削除処理を行います。

削除の手続きをFig.8-31に示す例で考えましょう。*current*がノードBを参照している状態が図aで、そのノードBを削除したのが図bです。*current.prev*の参照先ノードAと、*current.next*の参照先ノードCにはさまれたノードを削除します。その手順は、次のようになります。

1 ノードAすなわち*current.prev*の後続ポインタ*current.prev.next*の参照先が、ノードC *current.next*となるように更新します。

2 ノードCすなわち*current.next*の先行ポインタ*current.next.prev*の参照先が、ノードA *current.prev*となるように更新します。
ノードBは、どこからも参照されなくなり、削除処理は終了します。

3 着目ポインタ*current*が、削除したノードBの先行ノードAを参照するように更新します。

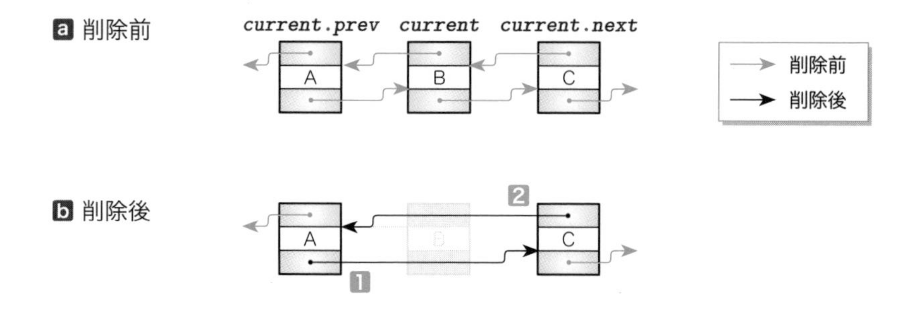

Fig.8-31 循環・重連結リストからのノードの削除

任意のノードの削除：remove

ノード*p*（*p*が参照するノード）を削除するメソッドです。削除処理を行うのは、リストが空でなく、引数で与えられたノード*p*が存在するときのみです。

while文で全ノードを走査する過程で、ノード*p*を見つけると、*current*の参照先を*p*に更新して、メソッド*remove_current_node*を呼び出します。

先頭ノードの削除：remove_first

先頭ノードを削除するメソッドです。

着目ポインタ*current*の参照先を先頭ノード*head.next*に更新した上で、メソッド*remove_current_node*を呼び出します。

List 8-5 [E]　　chap08/double_list.py

```
    def remove_current_node(self) -> None:
        """着目ノードを削除"""
        if not self.is_empty():
            self.current.prev.next = self.current.next    ─1
            self.current.next.prev = self.current.prev    ─2
            self.current = self.current.prev              ─3
            self.no -= 1
            if self.current is self.head:
                self.current = self.head.next

    def remove(self, p: Node) -> None:
        """ノードpを削除"""
        ptr = self.head.next

        while ptr is not self.head:
            if ptr is p:        # pを見つけた
                self.current = p
                self.remove_current_node()
                break
            ptr = ptr.next

    def remove_first(self) -> None:
        """先頭ノードを削除"""
        self.current = self.head.next     # 先頭ノードhead.nextを削除
        self.remove_current_node()

    def remove_last(self) -> None:
        """末尾ノードを削除"""
        self.current = self.head.prev     # 末尾ノードhead.prevを削除
        self.remove_current_node()

    def clear(self) -> None:
        """全ノードを削除"""
        while not self.is_empty():  # 空になるまで
            self.remove_first()     # 先頭ノードを削除
        self.no = 0
```
➡

ダミーノードを削除するわけにはいかないため、**head**が参照するダミーノードではなく、その後続ノード（実質的な先頭ノード）である**head.next**を削除します。

末尾ノードの削除：remove_last

末尾ノードを削除するメソッドです。

着目ポインタ**current**の参照先を末尾ノード**head.prev**に更新した上で、メソッド**remove_current_node**を呼び出します。

全ノードの削除：clear

ダミーノード以外の全ノードを削除するメソッドです。

リストが空になるまで、**remove_first**によって先頭ノードの削除を繰り返します。

▶ その結果、着目ポインタ**current**の参照先は、ダミーノード**head**に更新されます。

List 8-5 [F]　　chap08/double_list.py

```
    def __iter__(self) -> DoubleLinkedListIterator:
        """イテレータを返却"""
        return DoubleLinkedListIterator(self.head)

    def __reversed__(self) -> DoubleLinkedListReverseIterator:
        """降順イテレータを返却"""
        return DoubleLinkedListReverseIterator(self.head)

class DoubleLinkedListIterator:
    """DoubleLinkedListのイテレータ用クラス"""

    def __init__(self, head: Node):
        self.head    = head
        self.current = head.next

    def __iter__(self) -> DoubleLinkedListIterator:
        return self

    def __next__(self) -> Any:
        if self.current is self.head:
            raise StopIteration
        else:
            data = self.current.data
            self.current = self.current.next
            return data

class DoubleLinkedListReverseIterator:
    """DoubleLinkedListの降順イテレータ用クラス"""

    def __init__(self, head: Node):
        self.head    = head
        self.current = head.prev

    def __iter__(self) -> DoubleLinkedListReverseIterator:
        return self

    def __next__(self) -> Any:
        if self.current is self.head:
            raise StopIteration
        else:
            data = self.current.data
            self.current = self.current.prev
            return data
```


イテレータの実装

前節までの線形リストとは異なり、重連結リストは双方向に走査できます。

そのため、*DoubleLinkedList* では、後方に走査するための通常のイテレータ *DoubleLinkedListIterator* に加えて、前方に走査するための *DoubleLinkedListReverseIterator* も定義しています。

▶ 循環・重連結リスト *DoubleLinkedList* を利用する **List 8-6** (p.306) のプログラムでは、"(15) 走査" と "(16) 逆走査" のメニューで、それぞれのイテレータを利用しています。

　前者では、*DoubleLinkedList* 型の *lst* を for 文の対象としていますが、後者では、(*lst* ではなく) reversed(*lst*) を for 文の対象としています。

Column 8-3 Pythonの代入について

List 8-5 [D]（p.301）のメソッド**add**は、次のようになっていました。

```
def add(self, data: Any) -> None:
    """着目ノードの直後にノードを挿入"""
    node = Node(obj, self.current, self.current.next)
    self.current.next.prev = node
    self.current.next = node
    self.current = node
    self.no += 1
```

網かけ部に着目します。代入=は連続適用できますので、（特に、他のプログラミング言語の経験者であれば）二つの代入を以下のようにまとめられるのでは、と感じられるかもしれません。

```
# Pythonでは正しく動作しない（CやJavaなどでは同等なコードは正しく動作）
self.current.next = self.current.next.prev = node
```

他の多くのプログラミング言語では、同等なコードによって期待する実行結果が得られます。ところが、Pythonでは、期待する実行結果は得られません。

C言語やJavaなどの言語では、代入演算子=は、右結合の演算子です。そのため、上記の連続代入は、次のように解釈されます（関数内の網かけ部と同じです）。

```
self.current.next.prev = node       # 代入[1]
self.current.next = node            # 代入[2]
```

Fig.8C-2の場合、代入[1]によって、《ノードĊの先行ポインタ》が、新しく挿入されるDを参照することになり、代入[2]によって、【ノードBの後続ポインタ】もDを参照することになります。

ところがPythonでは、上記の連続代入は、以下のように行われます（順序が逆です）。

```
self.current.next = node            # 代入[X]
self.current.next.prev = node       # 代入[Y]
```

すなわち、代入[X]が先に行われて、【ノードBの後続ポインタ】がDを参照することになります。その結果として、代入[Y]での代入先は、ノードCの先行ポインタではなく、《ノードḊの先行ポインタ》となってしまうのです（**self.current.next**がノードDを参照しているからです）。当然、ノードCの先行ポインタには、何も代入されず更新されないままです。

Column 2-1（p.46）でも学習しましたが、そもそもPythonの=は演算子ではありませんし、ましてや、右結合の演算子ではありません。

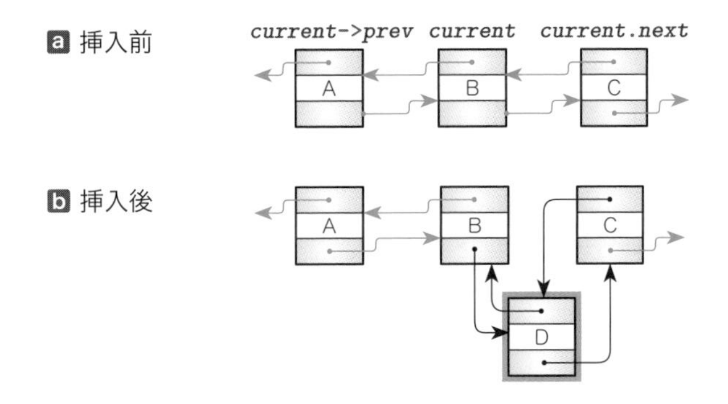

Fig.8C-2 ノードの挿入

循環・重連結リストを利用するプログラム

List 8-6 に、循環・重連結リストクラス *DoubleLinkedList* を利用するプログラム例を示します。

List 8-6 chap08/double_list_test.py

```
# 循環・重連結リストクラスDoubleLinkedListの利用例

from enum import Enum
from double_list import DoubleLinkedList

Menu = Enum('Menu', ['先頭に挿入', '末尾に挿入', '着目の直後に挿入',
                     '先頭を削除', '末尾を削除', '着目を表示',
                     '着目を進める', '着目を戻す', '着目を削除',
                     '全削除', '探索', '帰属性判定', '全ノードを表示',
                     '全ノードを逆順に表示', '走査', '逆走査', '終了'])

def select_Menu() -> Menu:
    """メニュー選択"""
    s = [f'({m.value}){m.name}' for m in Menu]
    while True:
        print(*s, sep='   ', end='')
        n = int(input(' : '))
        if 1 <= n <= len(Menu):
            return Menu(n)

lst = DoubleLinkedList()                         # 循環・重連結リストを生成

while True:
    menu = select_Menu()                         # メニュー選択

    if menu == Menu.先頭に挿入:                  # 先頭に挿入
        lst.add_first(int(input('値 : ')))

    elif menu == Menu.末尾に挿入:                # 末尾に挿入
        lst.add_last(int(input('値 : ')))

    elif menu == Menu.着目の直後に挿入:          # 着目の直後に挿入
        lst.add(int(input('値 : ')))

    elif menu == Menu.先頭を削除:                # 先頭を削除
        lst.remove_first()

    elif menu == Menu.末尾を削除:                # 末尾を削除
        lst.remove_last()

    elif menu == Menu.着目を表示:                # 着目を表示
        lst.print_current_node()

    elif menu == Menu.着目を進める:              # 着目を進める
        lst.next()

    elif menu == Menu.着目を戻す:                # 着目を戻す
        lst.prev()

    elif menu == Menu.着目を削除:                # 着目を削除
        lst.remove_current_node()

    elif menu == Menu.全削除:                    # 全削除
        lst.clear()

    elif menu == Menu.探索:                      # 探索
        pos = lst.search(int(input('値 : ')))
        if pos >= 0:
            print(f'その値のデータは{pos + 1}番目にあります。')
        else:
            print('該当するデータはありません。')
```

```
    elif menu == Menu.帰属性判定:                    # 帰属性判定
        print('その値のデータは含まれま'
              + ('す。' if int(input('値：')) in lst else 'せん。'))

    elif menu == Menu.全ノードを表示:                # 全ノードを表示
        lst.print()

    elif menu == Menu.全ノードを逆順に表示:          # 全ノードを逆順に表示
        lst.print_reverse()

    elif menu == Menu.走査:                          # 全ノードを走査
        for e in lst:
            print(e)

    elif menu == Menu.逆走査:                        # 全ノードを逆順に走査
        for e in reversed(lst):
            print(e)
    else:                                            # 終了
        break
```

全ノードを逆順に走査する網かけ部では、循環・重連結リスト *lst* を組込み関数 **reversed** に与えています。

ここで呼び出している **reversed** は、要素を逆順に取り出すイテレータを返却するための組込み関数です（**Column 2-4**：p.59）。

そのため、クラス *DoubleLinkedList* 内の **__reversed__** メソッドの働きによって、*DoubleLinkedListReverseIterator* が返却されます。

実行例

```
(1)先頭に挿入 (2)末尾に挿入 (3)着目の直後に挿入 (4)先頭を削除 (5)末尾を削除 (6)着目を表示
(7)着目を進める (8)着目を戻す (9)着目を削除 (10)全削除 (11)探索 (12)帰属性判定 (13)全ノー
ドを表示 (14)全ノードを逆順に表示 (15)走査 (16)逆走査 (17)終了：1↵
値：2↵                                          ②を先頭に挿入

…中略（挿入の結果、先頭から順に 1⇨2⇨3⇨4⇨5 となっている）…

(1)先頭に挿入 (2)末尾に挿入 … 中略 … (17)終了：11↵
値：3↵                                          ③を探索／着目
その値のデータは3番目にあります。
(1)先頭に挿入 (2)末尾に挿入 … 中略 … (17)終了：9↵     着目した③を削除
(1)先頭に挿入 (2)末尾に挿入 … 中略 … (17)終了：6↵
2                                               着目を表示
(1)先頭に挿入 (2)末尾に挿入 … 中略 … (17)終了：8↵     着目を前方向に
(1)先頭に挿入 (2)末尾に挿入 … 中略 … (17)終了：6↵
1                                               着目を表示
(1)先頭に挿入 (2)末尾に挿入 … 中略 … (17)終了：15↵    後方に走査
1
2
4
5
(1)先頭に挿入 (2)末尾に挿入 … 中略 … (17)終了：16↵    前方に走査
5
4
2
1
(1)先頭に挿入 (2)末尾に挿入 … 中略 … (17)終了：17↵
```

章末問題

▪ 平成21年度(2009年度)春期 午前 問6

配列と比較した場合の連結リストの特徴に関する記述として、適切なものはどれか。

ア　要素を更新する場合、ポインタを順番にたどるだけなので、処理時間は短い。
イ　要素を削除する場合、削除した要素から後ろにあるすべての要素を前に移動するので、処理時間は長い。
ウ　要素を参照する場合、ランダムにアクセスできるので、処理時間は短い。
エ　要素を挿入する場合、数個のポインタを書き換えるだけなので、処理時間は短い。

▪ 平成10年度(1998年度)秋期 午前 問13

図は単方向リストを表している。“東京” がリストの先頭であり、そのポインタには次のデータのアドレスが入っている。また、“名古屋” はリストの最後であり、そのポインタには0が入っている。

アドレス150に置かれた “静岡” を、“熱海” と “浜松” の間に挿入する処理として正しいものはどれか。

先頭データへのポインタ：10

アドレス	データ	ポインタ
10	東京	50
30	名古屋	0
50	新横浜	90
70	浜松	30
90	熱海	70
150	静岡	

ア　静岡のポインタを50とし、浜松のポインタを150とする。
イ　静岡のポインタを70とし、熱海のポインタを150とする。
ウ　静岡のポインタを90とし、浜松のポインタを150とする。
エ　静岡のポインタを150とし、熱海のポインタを90とする。

▪ 平成8年度(1996年度)秋期 午前 問12

図のような単方向リストがある。“ナリタ” がリストの先頭であり、そのポインタには次に続くデータのアドレスが入っている。また、“ミラノ” はリストの最後であり、そのポインタには0が入っている。

“ロンドン” を “パリ” に置き換える場合の適切な処理はどれか。

先頭データへのポインタ

120

アドレス	データ部分	ポインタ
100	ウィーン	160
120	ナリタ	180
140	パリ	999
160	ミラノ	0
180	ロンドン	100

ア　パリのポインタを100とし、ナリタのポインタを140とする。

イ　パリのポインタを100とし、ロンドンのポインタを0とする。

ウ　パリのポインタを100とし、ロンドンのポインタを140とする。

エ　パリのポインタを180とし、ナリタのポインタを140とする。

オ　パリのポインタを180とし、ロンドンのポインタを140とする。

■ 平成18年度(2006年度)秋期 午前 問13

表は、配列を用いた連結セルによるリストの内部表現であり、リスト［東京，品川，名古屋，新大阪］を表している。このリストを［東京，新横浜，名古屋，新大阪］に変化させる操作はどれか。ここで、A(i, j)は表の第 i 行第 j 列の要素を表す。例えば、A(3, 1) = “名古屋”であり、A(3, 2) = 4である。また、→は代入を表す。

列

行	A	1	2
	1	“東京”	2
	2	“品川”	3
行	3	“名古屋”	4
	4	“新大阪”	0
	5	“新横浜”	

	第1の操作	第2の操作
ア	5 → A(1, 2)	A(A(1, 2), 2) → A(5, 2)
イ	5 → A(1, 2)	A(A(2, 2), 2) → A(5, 2)
ウ	A(A(1, 2), 2) → A(5, 2)	5 → A(1, 2)
エ	A(A(2, 2), 2) → A(5, 2)	5 → A(1, 2)

▪ 平成17年度(2005年度)秋期 午前 問13

データ構造に関する記述のうち、適切なものはどれか。

ア　2分木は、データ間の関係を階層的に表現する木構造の一種であり、すべての節が二つの子をもつデータ構造である。

イ　スタックは、最初に格納したデータを最初に取り出す先入れ先出しのデータ構造である。

ウ　線形リストは、データ部と次のデータの格納先を指すポインタ部から構成されるデータ構造である。

エ　配列は、ポインタの付替えだけでデータの挿入・削除ができるデータ構造である。

▪ 平成22年度(2010年度)春期 午前 問5

双方向のポインタをもつリスト構造のデータを表に示す。この表において新たな社員Gを社員Aと社員Kの間に追加する。追加後の表のポインタa～fの中で追加前と比べて値が変わるポインタだけをすべて列記したものはどれか。

追加前

アドレス	社員名	次ポインタ	前ポインタ
100	社員A	300	0
200	社員T	0	300
300	社員K	200	100

追加後

アドレス	社員名	次ポインタ	前ポインタ
100	社員A	a	b
200	社員T	c	d
300	社員G	e	f
400	社員K	x	y

ア　a, b, e, f　　イ　a, e, f　　ウ　a, f　　エ　b, e

第９章

木構造と２分探索木

本章では、データの階層的な関係を表す木構造と、効率の良い探索などが行える２分探索木について学習します。

- 木と木構造
- ノード（節／節点）
- 枝
- 上流と下流
- 根／葉／非終端節／親と子／兄弟／先祖と子孫
- レベル／度数／高さ
- 部分木
- 空木
- 順序木と無順序木
- 幅優先探索（横型探索）
- 深さ優先探索（縦型探索）
- 行きがけ順（前順／先行順）
- 通りがけ順（間順／中間順）
- 帰りがけ順（後順／後行順）
- ２分木
- 完全２分木
- ２分探索木
- 平衡探索木

9-1 木構造

前章で学習した《リスト》は、順序付けられたデータの並びを表現するデータ構造でした。本章では、データ間の階層的な関係を表現するデータ構造である《木構造》を学習します。

木とは

本章で学習するのは**木構造**です。まずは、**木**（*tree*）とは何かを理解するとともに、木に関する用語を **Fig.9-1** を見ながら学習しましょう。

木に関する用語

階層的なデータ構造を表す木は、**節／ノード**（*node*）と**枝**（*edge*）とで構成されます。各ノードは枝を通じて他のノードと結び付きます。図中の ○ がノードで、 ── が枝です。

▶ 節は、**節点**とも呼ばれます。

なお、図の上側を**上流**と呼び、下側を**下流**と呼びます。

根　最も上流のノードが**根**（*root*）です。一つの木に対して、根は1個だけ存在します。
植物の木の根と同じようなものです。図の上下を逆にすると、木のイメージをつかみやすくなります。

葉　最下流のノードが**葉**（*leaf*）です。**終端節**（*terminal node*）や**外部節**（*external node*）とも呼ばれます。

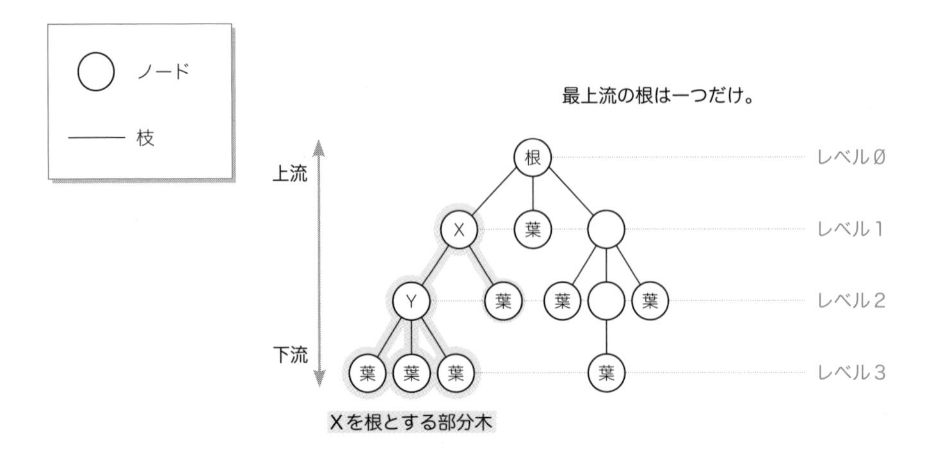

Fig.9-1　木

非終端節　葉を除いたノード（根を含みます）が**非終端節**（*non-terminal node*）です。**内部節**（*internal node*）とも呼ばれます。

子　あるノードと枝で結ばれた下流側のノードが**子**（*child*）です。各ノードは何個でも子をもつことができます。
たとえば、ノードXは2個の子を、ノードYは3個の子をもっています。
なお、最下流の**葉は子をもちません**。

親　あるノードと枝で結ばれた上流側のノードが**親**（*parent*）です。各ノードにとって親は1個だけです。たとえば、ノードYにとっての親はノードXです。
なお、**根だけは親をもちません**。

兄弟　共通の親をもつノードが**兄弟**（*sibling*）です。

先祖　あるノードから上流側にたどれるすべてのノードが**先祖**（*ancestor*）です。

子孫　あるノードから下流側にたどれるすべてのノードが**子孫**（*descendant*）です。

レベル　根からどれくらい離れているかを示すのが**レベル**（*level*）です。最上流である根のレベルは0であり、枝を一つ下流へとたぐっていくたびに、レベルは一つずつ増加します。

度数　各ノードがもつ子の数が**度数**（どすう）（*degree*）です。たとえば、ノードXの度数は2で、ノードYの度数は3です。
なお、すべてのノードの度数がn以下である木を**n進木**（しんぎ）と呼びます。ここに示す木は、すべてのノードの子が3個以下ですから、3進木です。
もし、すべてのノードの子の数が2個以下であれば、その木は2進木です。

高さ　根から最も遠い葉までの距離、すなわち葉のレベルの最大値が、**高さ**（*height*）です。ここに示す木の高さは3です。

部分木　あるノードを根とし、その子孫から構成される木が**部分木**（ぶぶんぎ）（*subtree*）です。水色で囲んだ部分は、ノードXを根とする部分木です。

空木　ノードや枝がまったく存在しない木が**空木**（くうぎ）（*None tree*）です。

順序木と無順序木

兄弟ノードの順序関係を区別するかどうかで、木は2種類に分類されます。

兄弟関係にあるノードの順序関係を区別する木が**順序木**（じゅんじょぎ）（*ordered tree*）で、区別しない木が**無順序木**（*unordered tree*）です。

たとえば、**Fig.9-2** に示す図aと図bは、順序木としてみれば別の木ですが、無順序木としてみれば同じ木です。

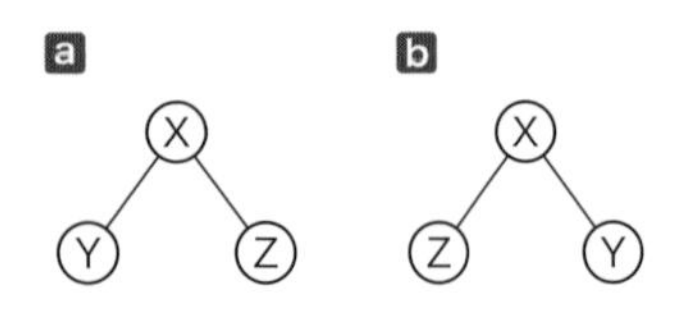

二つの木は、異なる順序木であって、同一の無順序木である。

Fig.9-2　順序木と無順序木

順序木の探索

順序木のノードを走査する方法には、大きく二つの手法があります。ここでは、2進木を例に考えていきましょう。

幅優先探索／横型探索（breadth-first search）

幅優先探索（はば）とも呼ばれる**横型探索**（よこがた）は、レベルの低い点から始めて、**左側から右側へとなぞり**、それが終わると次のレベルにくだる方法です。

Fig.9-3 に示すのが、横型探索でノードを走査する例です。

ノードをなぞる順は、次のようになります。

A ➡ B ➡ C ➡ D ➡ E ➡ F ➡ G
➡ H ➡ I ➡ J ➡ K ➡ L

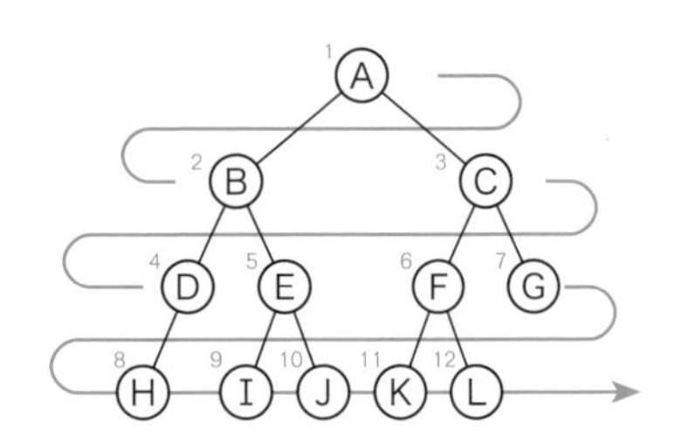

Fig.9-3　横型探索

深さ優先探索／縦型探索（depth-first search）

深さ優先探索とも呼ばれる**縦型探索**（たてがた）は、葉に到達するまで**下流にくだる**のを優先する方法です。

葉に到達した場合は、いったん親に戻って、それから次のノードへとたどっていきます。

Fig.9-4 に示すのが、縦型探索の走査の概略です。

＊

ここで、ノードAに着目しましょう。右ページの **Fig.9-5** に示すように、走査の過程でAに立ち寄るのは全部で3回です。

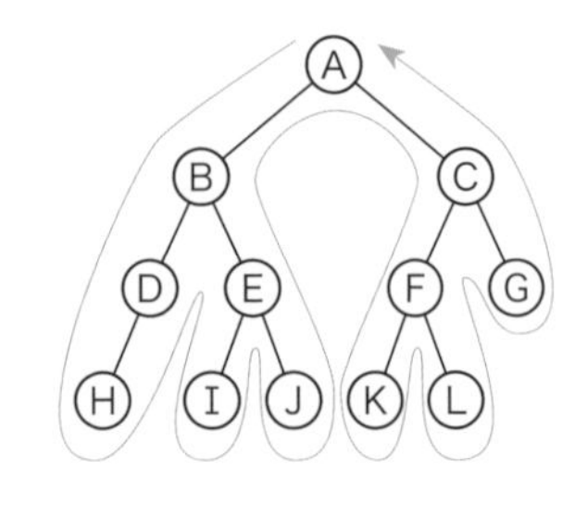

Fig.9-4　縦型探索

- AからBにくだる直前。
- BからCに行く途中。
- CからAに戻ってきたとき。

他のノードでも同様です。二つの子の一方あるいは両方がなければ回数は少なくなるものの、各ノードを最大3回通過します。

3回の通過のうち、どの時点で実際に **"立ち寄る"** かによって、縦型探索は、次の3種類の走査法に分類されます。

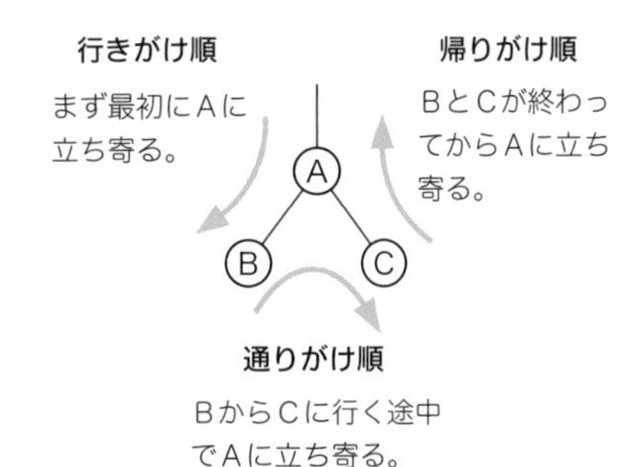

Fig.9-5 縦型探索と走査

▪ 行きがけ順（preorder：前順（まえ）／先行順）

次の手順で走査します。

ノードに立ち寄る ➡ 左の子にくだる ➡ 右の子にくだる

Fig.9-4 の木を考えましょう。たとえばノードAの通過タイミングに着目すると、{ Aに立ち寄る➡Bにくだる➡Cにくだる } という手順です。

そのため、木全体の走査は、次のようになります。

A ➡ B ➡ D ➡ H ➡ E ➡ I ➡ J ➡ C ➡ F ➡ K ➡ L ➡ G

▪ 通りがけ順（inorder：間順（あいだ）／中間順）

次の手順で走査します。

左の子にくだる ➡ **ノードに立ち寄る** ➡ 右の子にくだる

たとえばノードAの通過タイミングに着目すると、{ Bにくだる➡Aに立ち寄る➡Cにくだる } という手順です。

そのため、木全体の走査は、次のようになります。

H ➡ D ➡ B ➡ I ➡ E ➡ J ➡ A ➡ K ➡ F ➡ L ➡ C ➡ G

▪ 帰りがけ順（postorder：後順（あと）／後行順）

次の手順で走査します。

左の子にくだる ➡ 右の子にくだる ➡ **ノードに立ち寄る**

たとえばノードAの通過タイミングに着目すると、{ Bにくだる➡Cにくだる➡Aに立ち寄る } という手順です。

そのため、木全体の走査は、次のようになります。

H ➡ D ➡ I ➡ J ➡ E ➡ B ➡ K ➡ L ➡ F ➡ G ➡ C ➡ A

9-2 2分木と2分探索木

本節では、単純でありながら、現実のプログラムで頻繁に利用される2分木と2分探索木を学習します。

2分木

各ノードが**左の子**（*left child*）と**右の子**（*right child*）をもつ木を**2分木**（*binary tree*）と呼びます。ただし、二つの子の一方あるいは両方が存在しないノードがあっても構いません。**Fig.9-6** に示すのが、2分木の一例です。

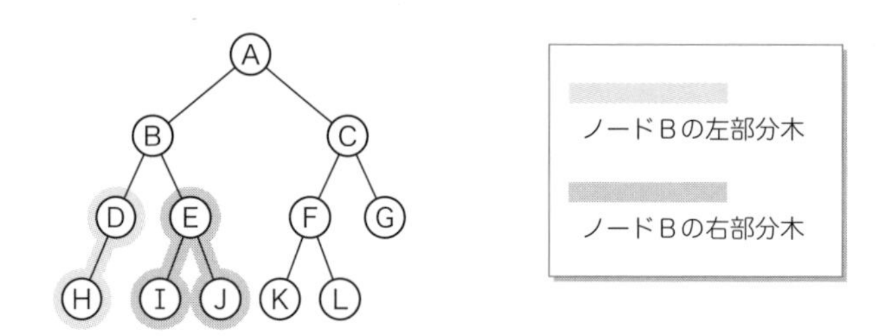

Fig.9-6 2分木

単なる2進木（p.313）との違いは、**左の子と右の子とが区別されること**です。たとえば、図に示す例では、ノードBにとって、左の子はDで、右の子はEです。

なお、左の子を根とする部分木を**左部分木**（*left subtree*）と呼び、右の子を根とする部分木を**右部分木**（*right subtree*）と呼びます。図の例では、水色の部分がノードBの左部分木で、黒色の部分がノードBの右部分木です。

完全2分木

根から下方のレベルへと、ノードが空くことなく詰まっていて、かつ、同一のレベル内では左から右へノードが空くことなく詰まっている2分木を、**完全2分木**（*complete binary tree*）と呼びます。

Fig.9-7 に示すように、ノードの詰まり方は、次のようになります。

- 最下流でないレベルは、すべてノードが詰まっている。
- 最下流のレベルに限っては、左側から詰まっていればよく、途中までしかノードがなくてもよい。

高さがkである完全2分木がもつことのできるノード数は、最大で$2^{k+1}-1$個ですから、n個のノードを格納できる完全2分木の高さはlog nとなります。

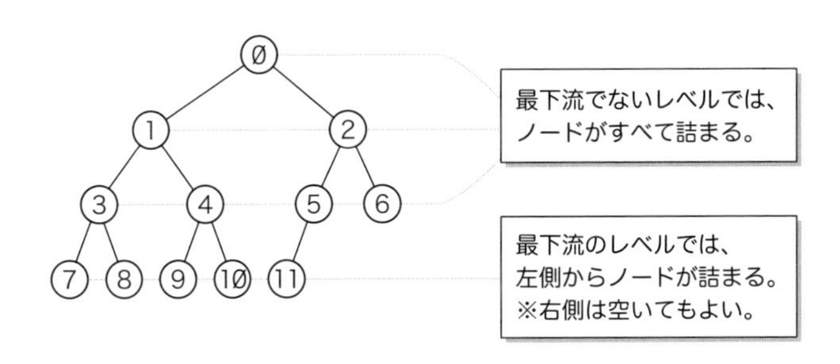

Fig.9-7　完全2分木

この図に示すように、横型探索で走査する順に、**Ø，1，2，**…　と値を与えると、ちょうど**配列に格納する添字に対応させる**ことができます。

▶　この手法は、第6章で学習したヒープソートで利用しました。

Column 9-1　平衡探索木

次ページ以降で学習する2分探索木は、キーの昇順にノードが挿入されるような状況では、木の高さが深くなる、といった欠点があります。

たとえば、空の2分探索木に対して、キー1、2、3、4、5の順にノードを挿入すると、**Fig.9C-1**に示すような、直線的な木になります（実質的に線形リストと同じになってしまい、高速な探索が行えません）。

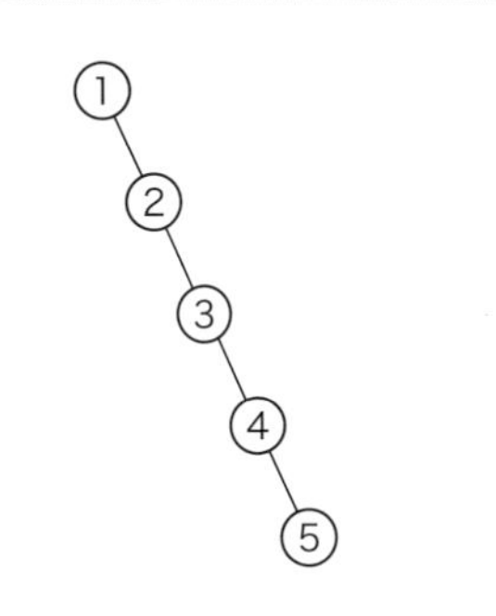

Fig.9C-1　偏った2分探索木

高さをO(log n)に抑えるように工夫された構造をもつ探索木は、**平衡探索木**（*self-balancing search tree*）と呼ばれます。

2分の平衡探索木としては、次のような種類の探索木が考案されています。

- **AVL木**（*AVL tree*）
- **赤黒木**（*red-black tree*）

なお、2分ではない平衡探索木としては、次のようなものが考案されています。

- **B木**（*B tree*）
- **2－3木**（*2-3 tree*）

2分探索木

2分探索木（*binary search tree*）は、すべてのノードが次の条件を満たす2分木です。

左部分木のノードのキーは、そのノードのキーより小さく、
右部分木のノードのキーは、そのノードのキーより大きい。

そのため、同一キーをもつノードが複数存在することは許されません。

2分探索木の例を **Fig.9-8** に示します。

ここで、ノード5に着目してみます。左部分木のノード `{4, 1}` は、いずれも5より小さくなっており、右部分木のノード `{7, 6, 9}` は、いずれも5より大きくなっています。

もちろん、他のノードも同様です。

Fig.9-8　2分探索木

＊

2分探索木を**通りがけ順の縦型探索**で走査すると、キーの昇順でノードが得られます。

この図の例では、1 ⇨ 4 ⇨ 5 ⇨ 6 ⇨ 7 ⇨ 9 ⇨ 11 ⇨ 12 ⇨ 13 ⇨ 14 ⇨ 15 ⇨ 18 です。

2分探索木は、

- 構造が単純である。
- 通りがけ順の縦型探索によってキーの昇順でノードが得られる。
- 2分探索法と似た要領での高速な探索が可能である。
- ノードの挿入が容易である。

などの特徴から、幅広く利用されています。

以下、2分探索木について、プログラムと対比しながら学習していきます。

2分探索木の実現

2分探索木を実現するプログラムを **List 9-1** に示します。

ノードクラス Node

2分探索木上のノードを表すのがクラス *Node* です。次の4個のフィールドで構成されます。

- *key* … キー（型は任意）。
- *value* … 値（型は任意）。
- *left* … 左子ノードへの参照（**左ポインタ**と呼びます）。
- *right* … 右子ノードへの参照（**右ポインタ**と呼びます）。

List 9-1 [A]　chap09/bst.py

```
# 2分探索木

from __future__ import annotations
from typing import Any, Type

class Node:
    """2分探索木のノード"""
    def __init__(self, key: Any, value: Any, left: Node = None,
                 right: Node = None):
        """コンストラクタ"""
        self.key   = key     # キー
        self.value = value   # 値
        self.left  = left    # 左ポインタ（左の子への参照）
        self.right = right   # 右ポインタ（右の子への参照）

class BinarySearchTree:
    """2分探索木"""

    def __init__(self):
        """初期化"""
        self.root = None     # 根
```


ノードのイメージを表したのが **Fig.9-9** です。ノードクラス *Node* の `__init__` メソッドは、4個の仮引数に受け取った値を、各フィールドに代入します。

▶ 第3引数 *left* と第4引数 *right* には、デフォルト値 `None` が指定されています。

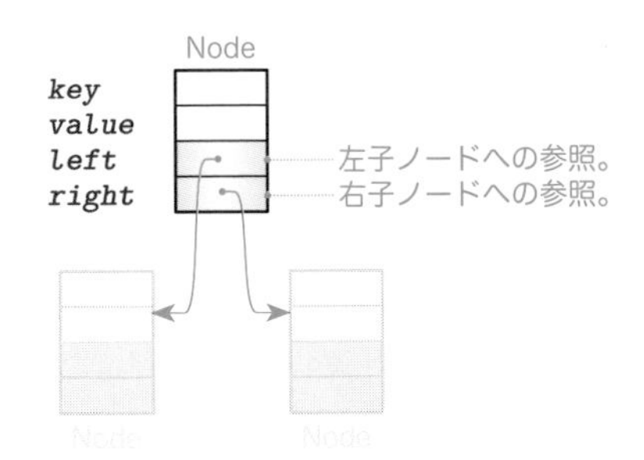

Fig.9-9　ノードクラス Node のイメージ

2分探索木クラス BinarySearchTree

2分探索木を表すのが、クラス *BinarySearchTree* です。このクラスの唯一のフィールドが、根への参照を保持する *root* です。

クラス *BinarySearchTree* の `__init__` メソッドは、*root* に `None` を代入することによって、ノードが1個も存在しない空の2分探索木を生成します。

Fig.9-10 に示すのが、生成された、ノードが1個も存在しない空の2分探索木です。

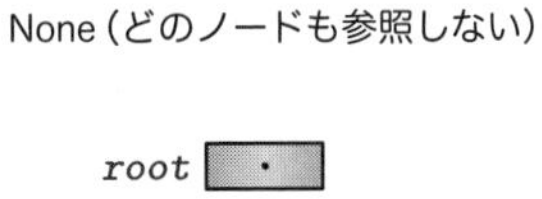

None（どのノードも参照しない）

root

Fig.9-10　空の2分探索木

キーによるノードの探索：search

2分探索木における探索の具体例を **Fig.9-11** を見ながら考えていきましょう。図**a**は探索に成功する例で、図**b**は探索に失敗する例です。

a 探索に成功する例

2分探索木からキー **3** をもつノードを探索する例です。

1. 根に着目します。キーは**5**です。目的とする**3**は、これよりも小さいため、左の子へと進みます。
2. 着目するノードのキーは**2**です。目的とする**3**は、これよりも大きいため、右の子へと進みます。
3. 着目するノードのキーは**4**です。目的とする**3**は、これよりも小さいため、左の子へと進みます。
4. キーが **3** のノードに到達しました。**探索成功**です。

a 3の探索（探索成功）

① 根である5に着目。
目的とする3は、5より小さいので、
左の子ノードをたどる。

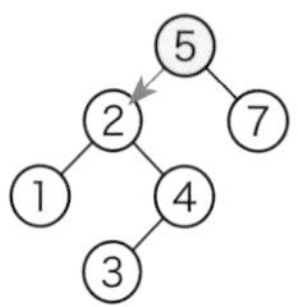

② 左の子ノード2に着目。
目的とする3は、2より大きいので、
右の子ノードをたどる。

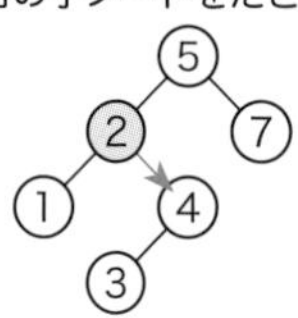

③ 右の子ノード4に着目。
目的とする3は、4より小さいので、
左の子ノードをたどる。

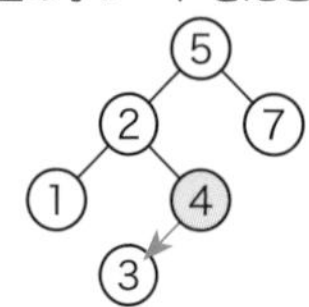

④ 左の子ノード3に着目。
目的とする3と等しいので、
探索に成功する。

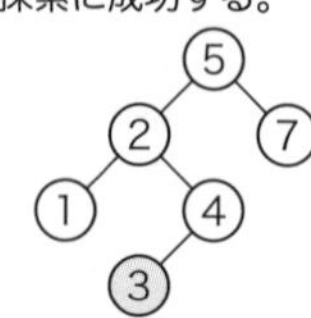

b 8の探索（探索失敗）

❶ 根である5に着目。
目的とする8は、5より大きいので、
右の子ノードをたどる。

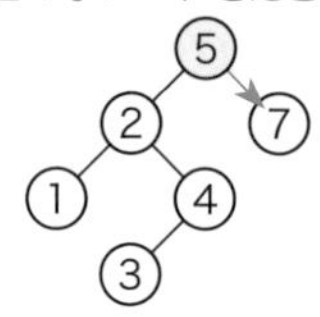

❷ 右の子ノードに着目。
右の子ノードは存在しないので、
探索に失敗する。

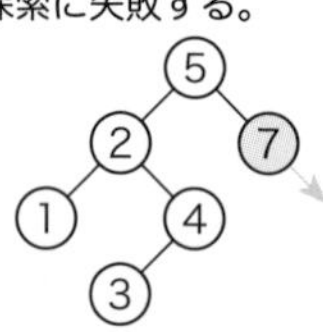

Fig.9-11　2分探索木からのノードの探索

b 探索に失敗する例

2分探索木からキー 8 をもつノードを探索する例です。

❶ 根に着目します。キーは5です。目的とする8は、これよりも大きいため、右の子へと進みます。

❷ 着目するノードのキーは7 です。着目ノードは葉であって右の子ノードは存在しないため、これ以上の走査は不可能です。**探索失敗**です。

*

このように、根から始めてキーの大小関係を判定し、その結果に応じて、左または右の部分木をたどっていくことで探索を行います。アルゴリズムは次のようになります。

---

1 根に着目する。ここで、着目するノードを *p* とする。
2 *p* が None であれば探索失敗（終了）。
3 探索するキー *key* と着目ノード *p* のキーとを比較する。
- 一致すれば探索成功（終了）。
- *key* のほうが小さければ、着目ノードを左子ノードに移す。
- *key* のほうが大きければ、着目ノードを右子ノードに移す。

4 2に戻る。

このアルゴリズムに基づいて、2分探索木から任意のキーをもつノードの探索を行うのがメソッド *search* です。

List 9-1 [B] chap09/bst.py

```
    def search(self, key: Any) -> Any:
        """キーkeyをもつノードを探索"""
        p = self.root           # 根に着目
        while True:
            if p is None:       # これ以上進めなければ
                return None     # …探索失敗
            if key == p.key:    # keyとノードpのキーが等しければ
                return p.value  # …探索成功
            elif key < p.key:   # keyのほうが小さければ
                p = p.left      # …左部分木から探索
            else:               # keyのほうが大きければ
                p = p.right     # …右部分木から探索
```
➡

キーが *key* であるノードを探索し、探索に成功すると、そのノードの値を返します。

■ ノードの挿入：add

ノードの挿入は、挿入後の木が２分探索木の要件を維持するように行わなければなりません。そのため、挿入すべき《適切な場所》を見つけた上で挿入を行います。

挿入の具体例を**Fig.9-12**に示します。四つのノード{2, 4, 6, 7}から構成される２分探索木に対してノード１を挿入するのが図aで、そのノード１が挿入された２分探索木にノード５を挿入するのが図bです。

a １の挿入

① 探索と同様にたどる。
追加すべき値１は２より小さく、
左の子ノードが存在しないので、
ここでストップする。

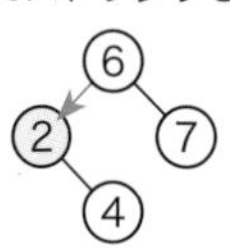

② ２の左の子ノードとなるように
挿入を行う。

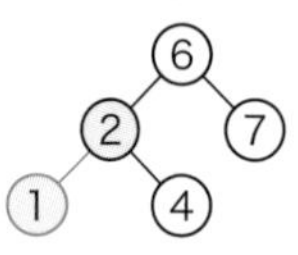

b ５の挿入

① 探索と同様にたどる。
追加すべき値５は４より大きく、
右の子ノードが存在しないので、
ここでストップする。

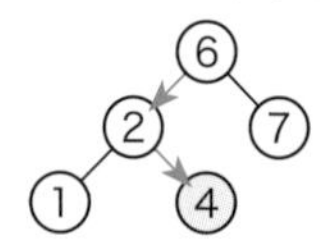

② ４の右の子ノードとなるように
挿入を行う。

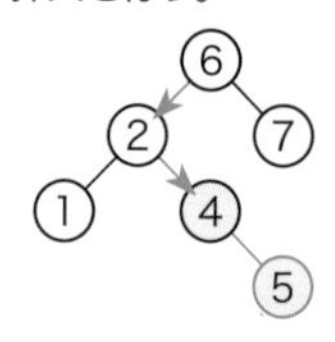

Fig.9-12　２分探索木へのノードの挿入

`node`を根とする部分木に対して、キーが`key`であるノードを挿入するアルゴリズムは、次のようになります（`node`は`None`ではないとします）。

---

1 根に着目する。ここで、着目するノードを`node`とする。
2 挿入する`key`と着目ノード`node`のキーとを比較する。
  - 一致すれば挿入失敗（終了）。
  - `key`のほうが小さければ：
    - 左子ノードがなければ（例：図a）、そこにノードを挿入（終了）。
    - 左子ノードがあれば、着目ノードを左子ノードに移す。
  - `key`のほうが大きければ：
    - 右子ノードがなければ（例：図b）、そこにノードを挿入（終了）。
    - 右子ノードがあれば、着目ノードを右子ノードに移す。
3 2に戻る。

以上のアルゴリズムに基づいてノードを挿入するのがメソッド**add**です。キーが*key*で、値が*value*のノードを挿入します。

▶ **key**と同じキーをもつノードが存在する場合は、挿入は行いません（**False**を返却します）。

List 9-1 [C] chap09/bst.py

```
    def add(self, key: Any, value: Any) -> bool:
        """キーがkeyで値がvalueのノードを挿入"""

        def add_node(node: Node, key: Any, value: Any) -> None:
            """nodeを根とする部分木にキーがkeyで値がvalueのノードを挿入"""
            if key == node.key:
                return False            # keyは２分探索木上に既に存在
            elif key < node.key:
                if node.left is None:
                    node.left = Node(key, value, None, None)
                else:
                    add_node(node.left, key, value)
            else:
                if node.right is None:
                    node.right = Node(key, value, None, None)
                else:
                    add_node(node.right, key, value)
            return True

        if self.root is None:
            self.root = Node(key, value, None, None)      # 1
            return True
        else:
            return add_node(self.root, key, value)        # 2
```

➡

挿入は、*root*の値に応じて、以下のように行います。

1 rootがNoneのとき

木が空の状態ですから、**根のみで構成される木**を作らねばなりません。

Node(*key*, *value*, None, None)によって、キーが*key*、値が*value*、左ポインタと右ポインタがともにNoneのノードを生成した上で、そのノードを*root*が参照するようにします（**Fig.9-13**）。

▶ *root*は『根そのもの』ではなく、『根への参照』であることに注意しましょう。

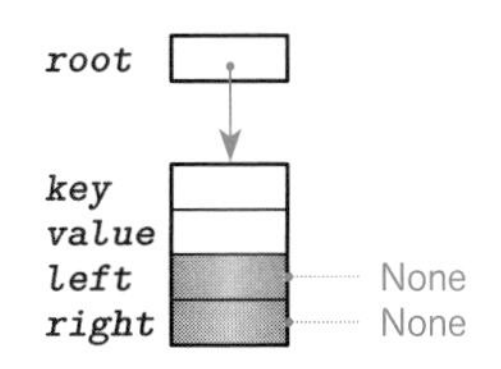

Fig.9-13 根だけの２分探索木

2 rootがNoneでないとき

木は空ではありません。内部関数*add_node*を呼び出すことによってノードを挿入します。

内部関数*add_node*は、*node*を根とする部分木に対して、キーが*key*で値が*value*のノードを挿入します。左ページに示したアルゴリズムを再帰呼出しによって実現しています。

ノードの削除：remove

ノードの削除は手続きが複雑です。次のように、三つのケースに分けて学習します。

- A 子ノードをもたないノードの削除
- B 一つだけ子ノードをもつノードの削除
- C 二つの子ノードをもつノードの削除

A 子ノードをもたないノードの削除

Fig.9-14 aは、子ノードをもたないノード3を削除する例です。

ノード3を指している《親ノード4の左ポインタ》が、**ノード3を指さないように更新します**（**左ポインタを None にします**）。

その結果、どこからも指されなくなるノード3が、2分探索木から削除されます。

a 3の削除

① 探索と同様にたどる。
削除するノード3の位置でストップする。

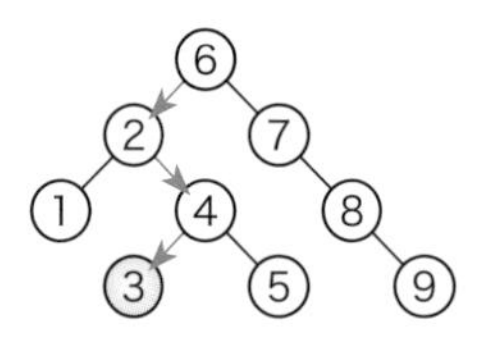

② 親である4の左ポインタをNone にする。

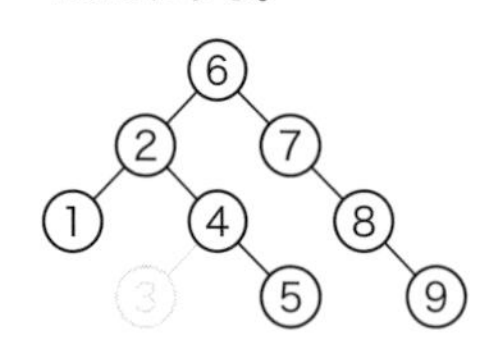

b 9の削除

① 探索と同様にたどる。
削除するノード9の位置でストップする。

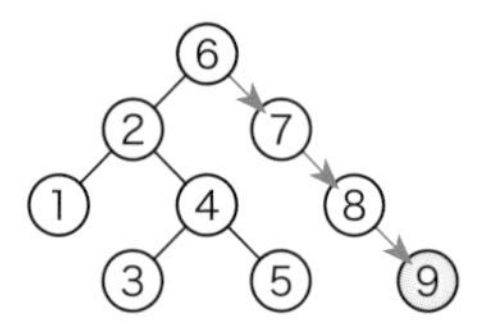

② 親である8の右ポインタをNone にする。

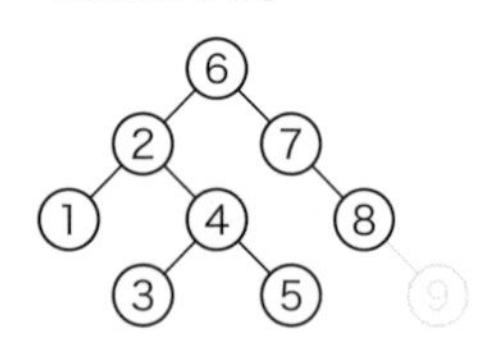

Fig.9-14 子ノードをもたないノードの削除

図bに示す例も同様です。削除するノードを木から切り離すと削除が完了します。

＊

この処理を一般的に表すと、以下のようになります。

- 削除するノードが親ノードの左の子であれば、親の左ポインタを None にする。
- 〃 右の子であれば、親の右ポインタを None にする。

B 一つだけ子ノードをもつノードの削除

Fig.9-15 aに示すのは、一つだけ子ノードをもつノード7を削除する例です。

もともとのノード7の位置にノード8をもってくると削除が行えます。というのも、

『子ノード8を根とする部分木のすべてのキーは、親ノード6よりも大きい。』

という関係が成り立つからです。

具体的な操作としては、削除ノードの親であるノード6の右ポインタが、**削除対象ノードの子ノード8を指すように更新します**。どこからも指されなくなるノード7は、2分探索木から削除されます（ノード6にとっては、孫ノードのポインタが代入されます）。

a 7の削除

① 探索と同様にたどる。
削除するノード7の位置でストップする。

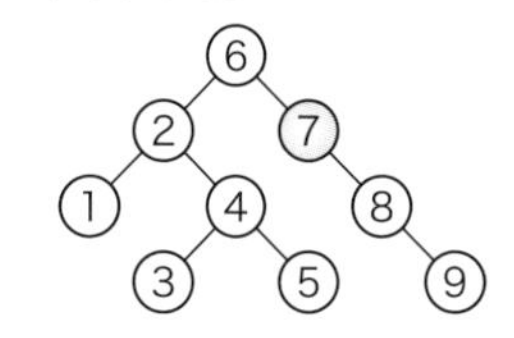

② 親である6の右ポインタが7の子ノード8を指すように更新する。

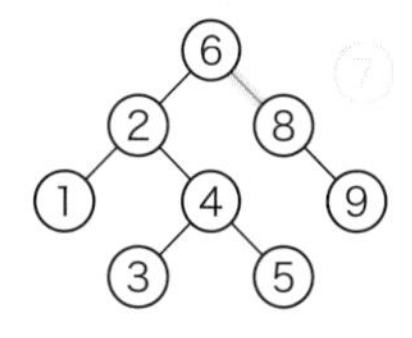

b 1の削除

① 探索と同様にたどる。
削除するノード1の位置でストップする。

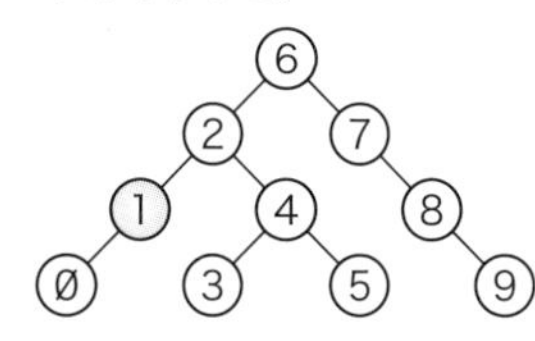

② 親である2の左ポインタが1の子ノード0を指すように更新する。

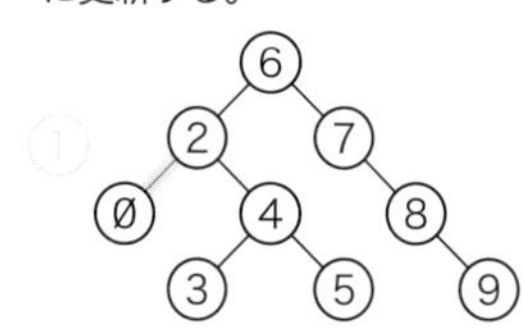

Fig.9-15 一つだけ子ノードをもつノードの削除

左右が逆の図**b**も同様です。削除するノード1の親であるノード2の左ポインタが、**削除対象ノードの子ノード0を指すように更新する**と、削除処理が完了します。

＊

この処理を一般的に表すと、次のようになります。

- 削除するノードが親ノードの左の子であれば、
  親の左ポインタが、削除対象ノードの子を指すように設定する。
- 削除するノードが親ノードの右の子であれば、
  親の右ポインタが、削除対象ノードの子を指すように設定する。

C 二つの子ノードをもつノードの削除

二つの子ノードをもつノードの削除の手続きは複雑です。**Fig.9-16** に示すのは、ノード5を削除する例です。

例 5の削除

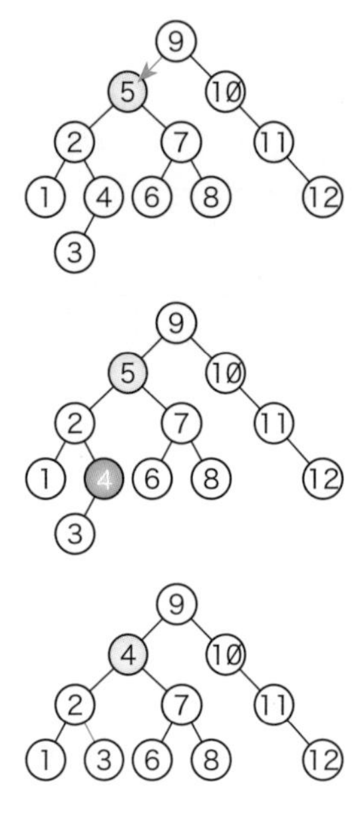

① 探索と同様にたどる。
削除するノード５の位置で
ストップする。

② ５の左部分木（２を根とする部分木）
から最大キーをもつノードを探索
する。
ノード４の位置でストップする。

③ ５の位置に４を移動すると削除は
完了する。
※移動は、以下のように行う。
- ４のデータを５にコピーする。
- ４を木から切り離す。

Fig.9-16　二つの子ノードをもつノードの削除

ノード5の左部分木（ノード2を根とする部分木）上のノードの中で、最大のキーをもつノード4を、ノード5の位置に移動することで削除を行います。

この手続きを一般的に表すと、次のようになります。

---

1 削除するノードの左部分木から、キーが最大のノードを探索する。

2 探索したノードを削除位置に移動する。
　※探索したノードのデータを、削除対象ノードにコピーする。

3 移動したノードを削除する。
　※移動したノードに子がなければ、Aの手順（p.324）で削除する。
　移動したノードに一つだけ子があれば、Bの手順（p.325）で削除する。

＊

キーが `key` であるノードを削除するメソッドが `remove` です。

1 削除するキーを探索します。探索成功時には、`p` は見つけたノードを参照し、`parent` は見つけたノードの親ノードを参照します。

List 9-1 [D]　　chap09/bst.py

```
    def remove(self, key: Any) -> bool:
        """キーがkeyのノードを削除"""
        p = self.root           # 走査中のノード
        parent = None           # 走査中のノードの親ノード
        is_left_child = True    # pはparentの左子ノードか？

        while True:
            if p is None:       # これ以上進めなければ
                return False    # …そのキーは存在しない

            if key == p.key:    # keyとノードpのキーが等しければ
                break           # …探索成功
            else:
                parent = p                          # 枝をくだる前に親を設定
                if key < p.key:                     # keyのほうが小さければ
                    is_left_child = True            # …これからくだるのは左の子
                    p = p.left                      # …左部分木から探索
                else:                               # keyのほうが大きければ
                    is_left_child = False           # …これからくだるのは右の子
                    p = p.right                     # …右部分木から探索

        if p.left is None:                          # pには左の子がない…
            if p is self.root:
                self.root = p.right
            elif is_left_child:
                parent.left  = p.right              # 親の左ポインタが右の子を指す
            else:
                parent.right = p.right              # 親の右ポインタが右の子を指す
        elif p.right is None:                       # pには右の子がない…
            if p is self.root:
                self.root = p.left
            elif is_left_child:
                parent.left  = p.left               # 親の左ポインタが左の子を指す
            else:
                parent.right = p.left               # 親の右ポインタが左の子を指す
        else:
            parent = p
            left = p.left                           # 部分木の中の最大ノード
            is_left_child = True
            while left.right is not None:           # 最大ノードleftを探索
                parent = left
                left = left.right
                is_left_child = False

            p.key = left.key                        # leftのキーをpに移動
            p.value = left.value                    # leftのデータをpに移動
            if is_left_child:
                parent.left  = left.left            # leftを削除
            else:
                parent.right = left.left            # leftを削除
        return True
```

（左側の注記：1 = while ループ部分、2 = if p.left is None ～ elif p.right is None の各分岐、3 = else 部分）

➡

2　AとBの手順を行う部分です。AとBを同じ手続きで行えるのは、削除ノードに左の子がなければ左ポインタがNoneとなっていて、右の子がなければ右ポインタがNoneとなっていることを利用するからです。

3　Cの手順を行う部分です。

ダンプ：dump

すべてのノードをキーの昇順に表示するのがメソッド *dump* です。走査は、**通りがけ順の縦型探索**（p.315）によって行います。

List 9-1 [E] chap09/bst.py

```
    def dump(self) -> None:
        """ダンプ（全ノードをキーの昇順に表示）"""

        def print_subtree(node: Node):
            """nodeを根とする部分木のノードをキーの昇順に表示"""
            if node is not None:
                print_subtree(node.left)                # 左部分木を昇順に表示
                print(f'{node.key}  {node.value}')  # nodeを表示
                print_subtree(node.right)               # 右部分木を昇順に表示

        print_subtree(self.root)
```


このメソッドでは、*root* を引数として、内部関数 *print_subtree* を呼び出しています。

その関数 *print_subtree* は、*node* を根とする部分木のノードをキーの昇順に表示するための再帰的な関数です。

＊

再帰的関数 *print_subtree* の動作を、**Fig.9-17** の例で考えましょう。

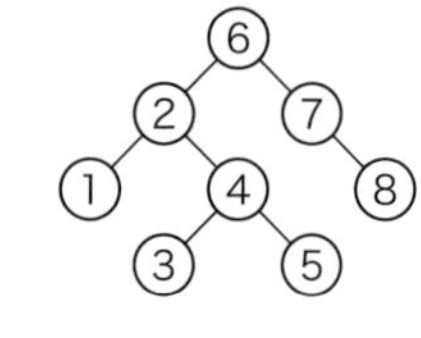

Fig.9-17 2分探索木の一例

関数の冒頭部では、受け取った *node* が None であるかどうかをチェックします。もし None であれば、何もせずに呼出し元に戻ります。

図の場合、この関数は、根であるノード6への参照を仮引数 *node* に受け取っています。

node は None ではないため、メソッドの挙動は、次のようになります。

---

1 ノード2への参照である左ポインタを渡して、関数 *print_subtree* を再帰的に呼び出す。
2 自身のノードのデータである6を表示する。
3 ノード7への参照である右ポインタを渡して、関数 *print_subtree* を再帰的に呼び出す。

再帰呼出しである1と3の動作を一言（ひとこと）で表すことはできません。たとえば1の挙動を示すと、次のようになります。

---

a ノード1への参照である左ポインタを渡して、関数 *print_subtree* を再帰的に呼び出す。
b 自身のノードのデータである2を表示する。
c ノード4への参照である右ポインタを渡して、関数 *print_subtree* を再帰的に呼び出す。

このように再帰呼出しを繰り返すことによって、2分探索木上の全ノードをキーの昇順で表示します。

最小／最大のキー：min_key／max_key

最小のキーを求めて返却するのがメソッド ***min_key*** で、最大のキーを求めて返却するのがメソッド ***max_key*** です。

List 9-1 [F] chap09/bst.py

```
    def min_key(self) -> Any:
        """最小のキー"""
        if self.root is None:
            return None
        p = self.root
        while p.left is not None:
            p = p.left
        return p.key

    def max_key(self) -> Any:
        """最大のキー"""
        if self.root is None:
            return None
        p = self.root
        while p.right is not None:
            p = p.right
        return p.key
```

末端である None に出会うまで、左あるいは右の子をたぐっていくだけのアルゴリズムです。

Column 9-2 キーの降順でのダンプ

メソッド *dump* は、キーの昇順に全ノードを表示します。降順のダンプが必要であれば、メソッド *dump* を List 9C-1 のように変更します。

List 9C-1 chap09/bst2.py

```
    def dump(self, reverse = False) -> None:
        """ダンプ（全ノードをキーの昇順／降順に表示）"""

        def print_subtree(node: Node):
            """nodeを根とする部分木のノードをキーの昇順に表示"""
            if node is not None:
                print_subtree(node.left)              # 左部分木を昇順に表示
                print(f'{node.key}  {node.value}')  # nodeを表示
                print_subtree(node.right)             # 右部分木を昇順に表示

        def print_subtree_rev(node: Node):
            """nodeを根とする部分木のノードをキーの降順に表示"""
            if node is not None:
                print_subtree_rev(node.right)         # 右部分木を降順に表示
                print(f'{node.key}  {node.value}')  # nodeを表示
                print_subtree_rev(node.left)          # 左部分木を降順に表示

        print_subtree_rev(self.root) if reverse else print_subtree(self.root)
```

第2引数 reverse に True を受け取ったときは内部関数 ***print_subtree*** でキーの昇順でのダンプを行い、そうでなければ内部関数 ***print_subtree_rev*** でキーの降順でのダンプを行います。

2分探索木を利用するプログラム

2分探索木クラス *BinarySearchTree* を利用するプログラムを **List 9-2** に示します。

List 9-2 chap09/bst_test.py

```
# ２分探索木クラスBinarySearchTreeの利用例

from enum import Enum
from bst import BinarySearchTree

Menu = Enum('Menu', ['挿入', '削除', '探索', 'ダンプ', 'キー範囲', '終了'])

def select_Menu() -> Menu:
    """メニュー選択"""
    s = [f'({m.value}){m.name}' for m in Menu]
    while True:
        print(*s, sep='   ', end='')
        n = int(input('：'))
        if 1 <= n <= len(Menu):
            return Menu(n)

tree = BinarySearchTree()                         # ２分探索木を生成

while True:
    menu = select_Menu()                          # メニュー選択

    if menu == Menu.挿入:                         # 挿入
        key = int(input('キー：'))
        val = input('値：')
        if not tree.add(key, val):
            print('挿入失敗！')

    elif menu == Menu.削除:                       # 削除
        key = int(input('キー：'))
        tree.remove(key)

    elif menu == Menu.探索:                       # 探索
        key = int(input('キー：'))
        t = tree.search(key)
        if t is not None:
            print(f'そのキーをもつ値は{t}です。')
        else:
            print('該当するデータはありません。')

    elif menu == Menu.ダンプ:                     # ダンプ
        tree.dump()

    elif menu == Menu.キー範囲:                   # キー範囲（最小値と最大値）
        print(f'キーの最小値＝{tree.min_key()}')
        print(f'キーの最大値＝{tree.max_key()}')

    else:                                         # 終了
        break
```

▶ キーの降順でのダンプ（**Column 9-2**：p.329）に対応したプログラムは、'chap09/bst2_test.py' です。

このプログラムで扱っている2分探索木のノードは、以下に示すキーとデータをもちます。

- キー… int 型の整数値。
- 値　… str 型の文字列。

▶ データがキーだけであって、値が存在しない場合は、キーに対する引数と同じものを値として与えます（たとえば、tree.add(key, key) のように呼び出します）。

実行例

```
(1)挿入 (2)削除 (3)探索 (4)ダンプ (5)キー範囲 (6)終了：1
キー：1
値：赤尾                                            {①赤尾}を挿入
(1)挿入 (2)削除 (3)探索 (4)ダンプ (5)キー範囲 (6)終了：1
キー：10
値：小野                                            {⑩小野}を挿入
(1)挿入 (2)削除 (3)探索 (4)ダンプ (5)キー範囲 (6)終了：1
キー：5
値：武田                                            {⑤武田}を挿入
(1)挿入 (2)削除 (3)探索 (4)ダンプ (5)キー範囲 (6)終了：1
キー：12
値：鈴木                                            {⑫鈴木}を挿入
(1)挿入 (2)削除 (3)探索 (4)ダンプ (5)キー範囲 (6)終了：1
キー：14
値：神崎                                            {⑭神崎}を挿入
(1)挿入 (2)削除 (3)探索 (4)ダンプ (5)キー範囲 (6)終了：3
キー：5                                             ⑤を探索
そのキーをもつ値は武田です。
(1)挿入 (2)削除 (3)探索 (4)ダンプ (5)キー範囲 (6)終了：4
1 赤尾
5 武田
10 小野                                             キーの昇順に全ノードを表示
12 鈴木
14 神崎

(1)挿入 (2)削除 (3)探索 (4)ダンプ (5)キー範囲 (6)終了：2
キー：10                                            ⑩を削除
(1)挿入 (2)削除 (3)探索 (4)ダンプ (5)キー範囲 (6)終了：4
1 赤尾
5 武田
12 鈴木                                             キーの昇順に全ノードを表示
14 神崎
(1)挿入 (2)削除 (3)探索 (4)ダンプ (5)キー範囲 (6)終了：5
キーの最小値＝1
キーの最大値＝14
(1)挿入 (2)削除 (3)探索 (4)ダンプ (5)キー範囲 (6)終了：6
```

章末問題

▪ 平成16年度(2004年度)春期 午前 問43

データ構造の一つである木構造に関する記述として、適切なものはどれか。

ア　階層の上位から下位に節点をたどることによって、データを取り出すことができる構造である。

イ　格納した順序でデータを取り出すことができる構造である。

ウ　格納した順序とは逆の順序でデータを取り出すことができる構造である。

エ　データ部と一つのポインタ部で構成されるセルをたどることによって、データを取り出すことができる構造である。

▪ 平成15年度(2003年度)秋期 午前 問12

2分木の走査の方法には、その順序によって次の三つがある。

(1) 前順：節点、左部分木、右部分木の順に走査する。

(2) 間順：左部分木、節点、右部分木の順に走査する。

(3) 後順：左部分木、右部分木、節点の順に走査する。

図に示す2分木に対して前順に走査を行い、節の値を出力した結果はどれか。

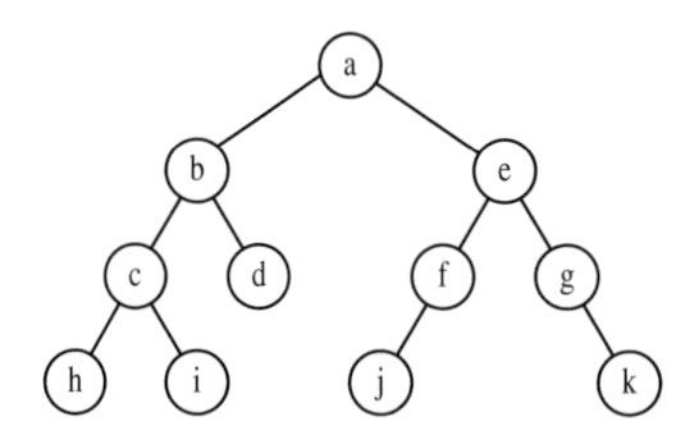

ア　abchidefjgk　　イ　abechidfjgk　　ウ　hcibdajfegk　　エ　hicdbjfkgea

▪ 平成19年度(2007年度)秋期 午前 問12

2分木の各ノードがもつ記号を出力する再帰的なプログラムProc(ノードn)は、次のように定義される。このプログラムを、図の2分木の根(最上位のノード)に適用したときの出力はどれか。

```
Proc(ノード n) {
  n に左の子 l があれば Proc(l) を呼び出す
  n に右の子 r があれば Proc(r) を呼び出す
  n に書かれた記号を出力する
}
```

ア　b－c＊d＋a　　イ　＋a＊－bcd　　ウ　a＋b－c＊d　　エ　abc－d＊＋

▪ 平成17年度(2005年度)秋期 午前 問12

すべての葉が同じ深さをもち、葉以外のすべての節点が二つの子をもつ2分木に関して、節点数と深さの関係を表す式はどれか。ここで、n は節点数、k は根から葉までの深さを表す。例に示す2分木の深さ k は2である。

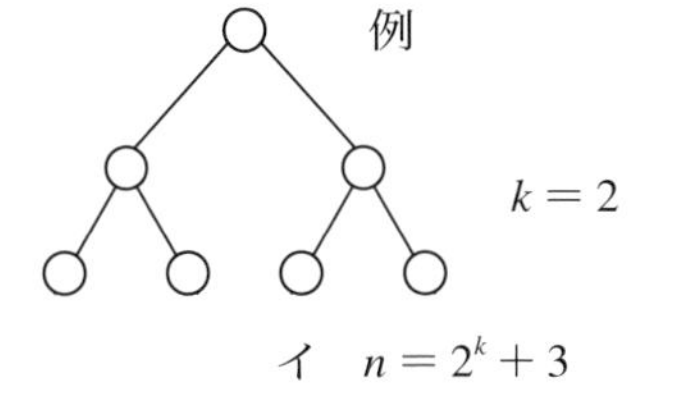

ア　$n = k(k+1)+1$　　イ　$n = 2^k + 3$

ウ　$n = 2^{k+1} - 1$　　エ　$n = (k-1)(k+1)+4$

▪ 平成10年度(1998年度)春期 午前 問14

図1の二分木を配列で表現したものが図2である。[a]に入る値はどれか。

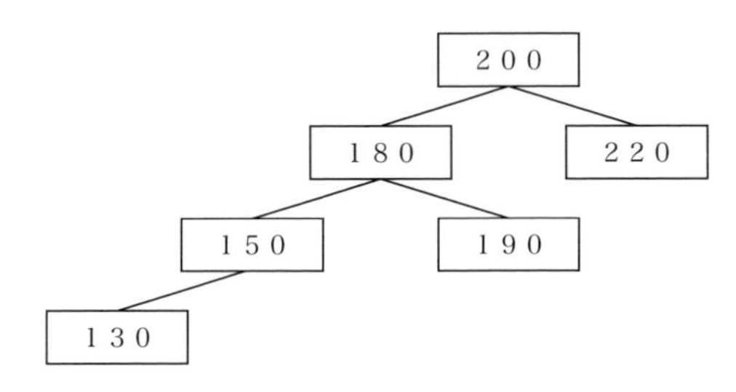

図1　2分木

添字	値	ポインタ1	ポインタ2
1	200	3	2
2	220	0	0
3	180	5	a
4	190	0	0
5	150	6	0
6	130	0	0

図2　二分木の配列表現

ア　2　　イ　3　　ウ　4　　エ　5

▪ 平成17年度(2005年度)春期 午前 問12

2分探索木として適切なものはどれか。ここで、1～9の数字は、各ノード（節）の値を表す。

ア

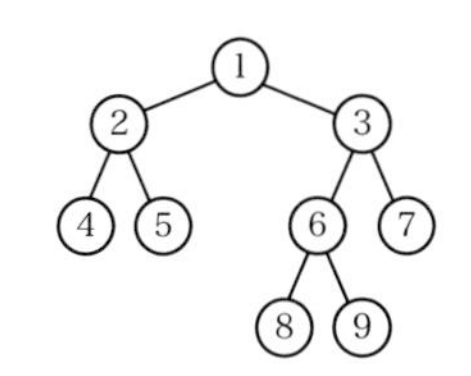

イ

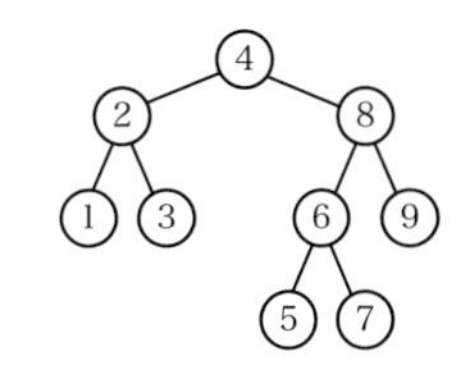

ウ

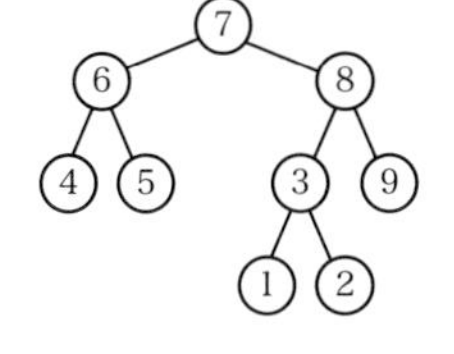

エ

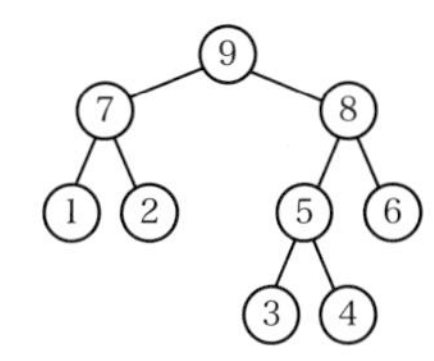

▪ 平成28年度(2016年度)秋期 午前 問6

2分探索木になっている2分木はどれか。

ア

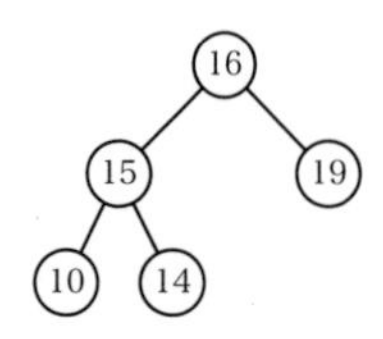

イ

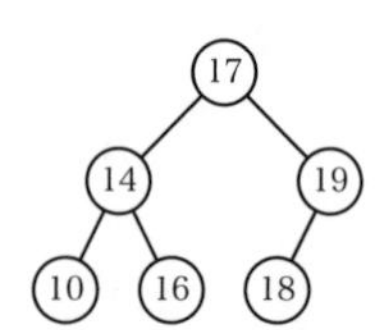

ウ

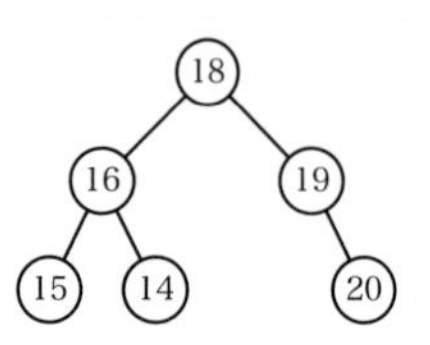

エ

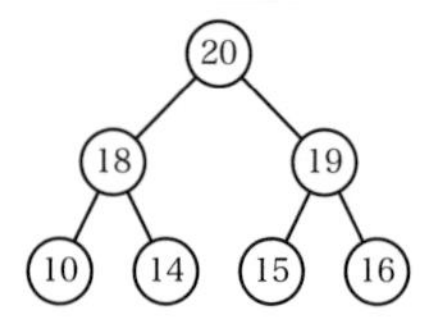

▪ 平成19年度(2007年度)春期 午前 問12

次の2分探索木に12を追加したとき、追加された節12の位置を正しく表している図はどれか。

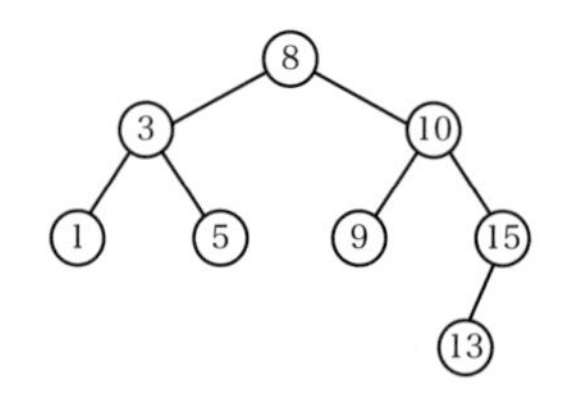

ア

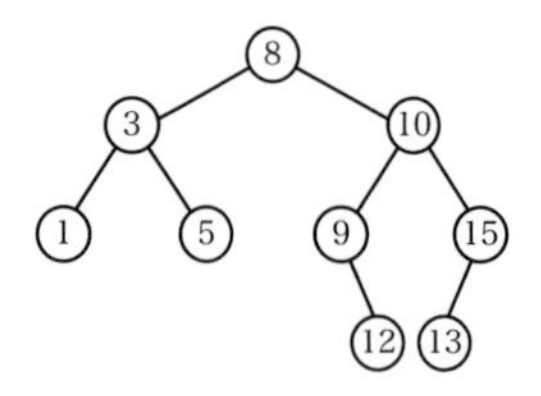

イ

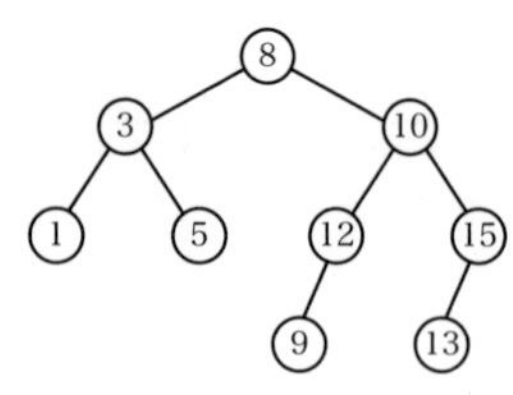

ウ

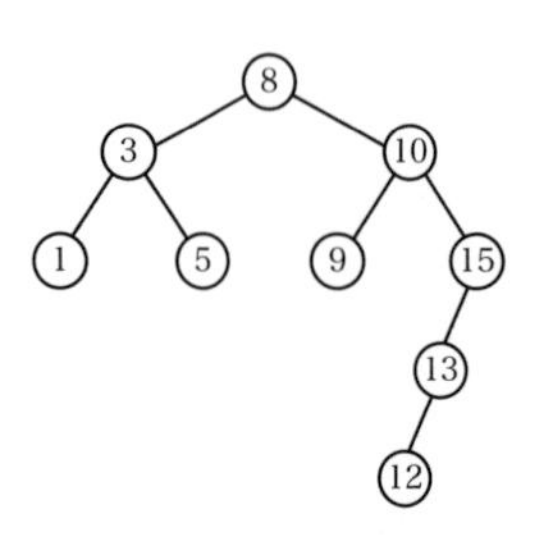

エ

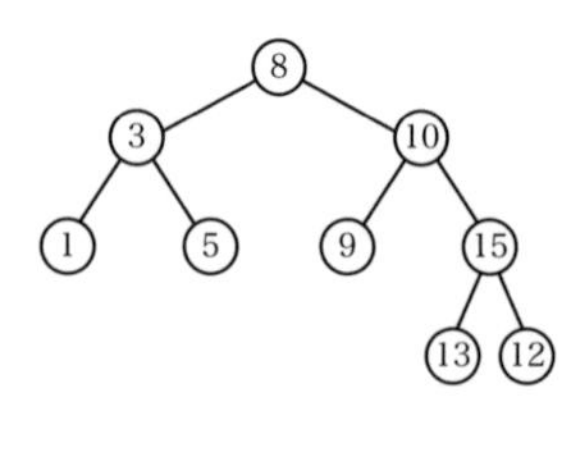

▪ 平成25年度(2013年度)春期 午前 問5

次の2分探索木から要素12を削除したとき、その位置に別の要素を移動するだけで2分探索木を再構成するには、削除された節点の位置にどの要素を移動すればよいか。

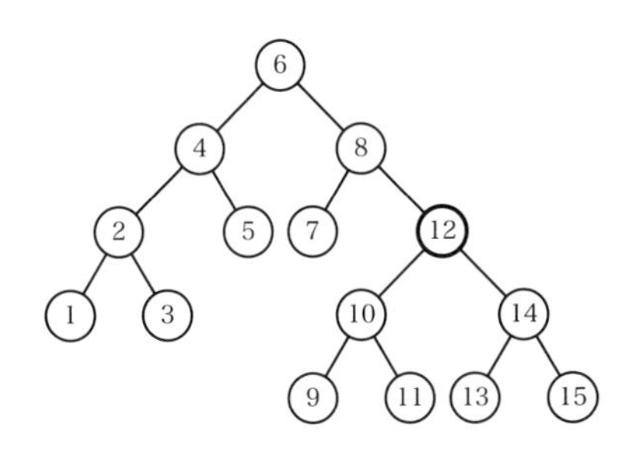

ア 9　　イ 10　　ウ 13　　エ 14

▪ 平成20年度(2008年度)秋期 午前 問12

親の節の値が子の節の値より小さいヒープがある。このヒープへの挿入は、要素を最後部に追加し、その要素が親よりも小さい間、親と子を交換することを繰り返せばよい。次のヒープの＊の位置に要素7を追加したとき、Aの位置に来る要素はどれか。

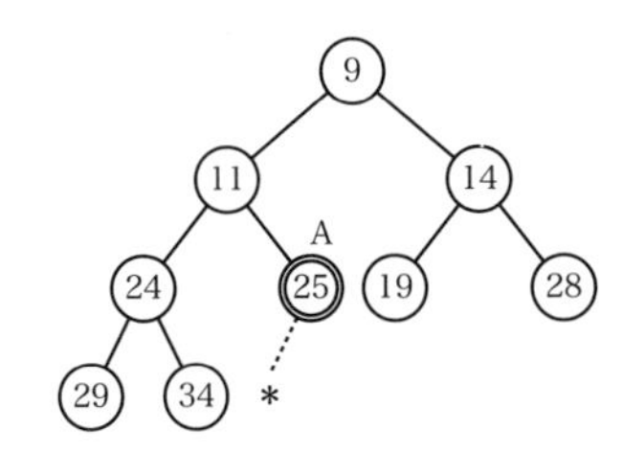

ア 7　　イ 11　　ウ 24　　エ 25

章末問題の解答

第1章

- 平成9年度　1997年度 秋期 午前 問37　ウ
- 平成18年度 2006年度 春期 午前 問36　エ
- 平成16年度 2004年度 秋期 午前 問41　エ
- 平成6年度　1994年度 秋期 午前 問41　ウ
- 平成12年度 2000年度 春期 午前 問16　ウ

第2章

- 令和元年度　2019年度 秋期 午前 問1　エ
- 平成23年度 2011年度 秋期 午前 問7　ア
- 令和元年度　2019年度 秋期 午前 問9　エ

第3章

- 平成24年度 2012年度 秋期 午前 問3　ア
- 平成16年度 2004年度 春期 午前 問15　ウ
- 平成17年度 2005年度 秋期 午前 問14　ア
- 平成19年度 2007年度 秋期 午前 問14　ウ
- 平成11年度 1999年度 春期 午前 問26　イ
- 平成17年度 2005年度 春期 午前 問15　イ
- 平成30年度 2018年度 春期 午前 問7　ウ
- 平成20年度 2008年度 秋期 午前 問30　ア
- 平成26年度 2014年度 秋期 午前 問2　ア
- 平成23年度 2011年度 秋期 午前 問6　エ
- 令和元年度　2019年度 秋期 午前 問10　イ
- 平成16年度 2004年度 春期 午前 問13　ウ
- 平成11年度 1999年度 春期 午前 問31　ウ

第4章

- 平成18年度 2006年度 春期 午前 問12　イ
- 平成11年度 1999年度 秋期 午前 問13　イ
- 平成15年度 2003年度 秋期 午前 問13　イ
- 平成24年度 2012年度 春期 午前 問6　イ
- 平成29年度 2017年度 秋期 午前 問5　ウ
- 平成30年度 2018年度 秋期 午前 問5　ウ
- 平成27年度 2015年度 春期 午前 問5　イ
- 平成17年度 2005年度 春期 午前 問13　ア

第5章

- 平成29年度 2017年度 秋期 午前 問6　イ
- 平成16年度 2004年度 秋期 午前 問42　イ
- 平成8年度　1996年度 秋期 午前 問17　オ
- 令和元年度　2019年度 秋期 午前 問11　ウ
- 平成16年度 2004年度 春期 午前 問14　イ
- 平成28年度 2016年度 秋期 午前 問7　イ
- 平成26年度 2014年度 秋期 午前 問7　エ
- 平成28年度 2016年度 春期 午前 問7　ウ
- 平成9年度　1997年度 秋期 午前 問5　ウ

第6章

- 平成13年度 2001年度 春期 午前 問13　ウ
- 平成19年度 2007年度 春期 午前 問14　ア
- 平成14年度 2002年度 秋期 午前 問13　エ
- 平成14年度 2002年度 春期 午前 問14　ウ
- 平成12年度 2000年度 秋期 午前 問13　ア
- 平成7年度　1995年度 春期 午前 問16　エ
- 平成9年度　1997年度 秋期 午前 問9　ア
- 平成17年度 2005年度 春期 午前 問14　エ
- 平成14年度 2002年度 春期 午前 問13　イ
- 平成30年度 2018年度 秋期 午前 問6　ウ
- 平成8年度　1996年度 秋期 午前 問8　オ

第7章

- 平成26年度 2014年度 春期 午前 問8　ア
- 平成19年度 2007年度 春期 午前 問13　ウ

第8章

- 平成21年度 2009年度 春期 午前 問6　エ
- 平成10年度 1998年度 秋期 午前 問13　イ
- 平成8年度　1996年度 秋期 午前 問12　ア
- 平成18年度 2006年度 秋期 午前 問13　ウ
- 平成17年度 2005年度 秋期 午前 問13　ウ
- 平成22年度 2010年度 春期 午前 問5　ウ

第9章

- 平成16年度 2004年度 春期 午前 問43　ア
- 平成15年度 2003年度 秋期 午前 問12　ア
- 平成19年度 2007年度 秋期 午前 問12　エ
- 平成17年度 2005年度 秋期 午前 問12　ウ
- 平成10年度 1998年度 春期 午前 問14　ウ
- 平成17年度 2005年度 春期 午前 問12　イ
- 平成28年度 2016年度 秋期 午前 問6　イ
- 平成19年度 2007年度 春期 午前 問12　ウ
- 平成25年度 2013年度 春期 午前 問5　ウ
- 平成20年度 2008年度 秋期 午前 問12　イ

各問題の詳細な解説は、下記のホームページでご覧いただけます。

柴田望洋後援会オフィシャルホームページ
http://www.bohyoh.com/

参考文献

1) Python Software Foundation, “Python 3.8.0 documentation”,
https://docs.python.org/3/

2) Python Software Foundation, “Python Developer's Guide”,
https://www.python.org/dev/

3) 萩原宏、西原清一
『現代 データ構造とプログラム技法』, オーム社, 1987

4) 近藤嘉雪
『定本 Cプログラマのためのアルゴリズムとデータ構造』, ソフトバンク, 1998

5) Niklaus Wirth・片山卓也 訳
『アルゴリズム+データ構造=プログラム』, 日本コンピュータ協会, 1979

6) Leendert Ammeraal・小山裕徳 訳
『Cで学ぶデータ構造とプログラム』, オーム社, 1995

7) A.V.Aho, J.E.Hopcroft, J.D.Ullman・大野義夫 訳
『データ構造とアルゴリズム』, 培風館, 1987

8) A.V.Aho, J.E.Hopcroft, J.D.Ullman・野崎昭弘/野下浩平 共訳
『アルゴリズムの設計と解析I』, サイエンス社, 1977

9) Robert Lafore・岩谷宏 訳
『Javaで学ぶアルゴリズムとデータ構造』, ソフトバンクパブリッシング, 1999

10) Andrew Binstock, John Rex・岩谷宏 訳
『C言語で書くアルゴリズム』, ソフトバンク, 1996

11) 杉山行浩
『Cで学ぶデータ構造とアルゴリズム』, 東京電機大学出版局, 1995

12) 奥村晴彦
『C言語による最新アルゴリズム事典』, 技術評論社, 1991

13) 中内伸光
『数学の基礎体力をつけるためのろんりの練習帳』, 共立出版, 2002

14) 柴田望洋『新・明解C言語で学ぶアルゴリズムとデータ構造』, ＳＢクリエイティブ, 2017

15) 柴田望洋『新・明解 Java で学ぶアルゴリズムとデータ構造』, ＳＢクリエイティブ, 2017

16) 柴田望洋『新・明解 Python 入門』, ＳＢクリエイティブ, 2019

索引

記号

数字

アルファベット

A

B

C

D

E

F

T

U

W

かな

あ

い

え

お

す

せ

そ

ね

の

は

ひ

ふ

へ

ほ

ま

み

む

も

や

ゆ

よ

謝辞

本書をまとめるにあたり、ＳＢクリエイティブ株式会社の野沢喜美男編集長には、随分とお世話になりました。

この場をお借りして感謝の意を表します。

著者紹介

しばた　ぼうよう
柴田 望洋

工学博士

福岡工業大学 情報工学部 情報工学科 准教授

福岡陳氏太極拳研究会 会長

■1963年、福岡県に生まれる。九州大学工学部卒業、同大学院工学研究科修士課程・博士後期課程修了後、九州大学助手、国立特殊教育総合研究所研究員を歴任して、1994年より現職。2000年には、分かりやすいC言語教科書・参考書の執筆の業績が認められ、㈳日本工学教育協会より著作賞を授与される。大学での教育研究活動だけでなく、プログラミングや武術（1990年～1992年に全日本武術選手権大会陳式太極拳の部優勝）、健康法の研究や指導に明け暮れる毎日を過ごす。

■**主な著書**（*は共著／★は翻訳書）

『秘伝C言語問答ポインタ編』，ソフトバンク，1991（第2版：2001）
『C：98スーパーライブラリ』，ソフトバンク，1991（新版：1994）
『Cプログラマのための C++ 入門』，ソフトバンク，1992（新装版：1999）
『プログラミング講義 C++』，ソフトバンク，1996（新装版：2000）
『超過去問 基本情報技術者 午前試験』，ソフトバンクパブリッシング，2004
『新版 明解 C++ 入門編』，ソフトバンククリエイティブ，2009
『解きながら学ぶ C++ 入門編*』，ソフトバンククリエイティブ，2010
『新・明解C言語入門編』，SBクリエイティブ，2014
『プログラミング言語C++第4版★』，ビャーネ・ストラウストラップ（著），SBクリエイティブ，2015
『新・明解C言語中級編』，SBクリエイティブ，2015
『C++ のエッセンス★』，ビャーネ・ストラウストラップ（著），SBクリエイティブ，2015
『新・明解C言語実践編』，SBクリエイティブ，2015
『新・解きながら学ぶC言語*』，SBクリエイティブ，2016
『新・明解 Java 入門』，SBクリエイティブ，2016
『新・明解C言語 ポインタ完全攻略』，SBクリエイティブ，2016
『新・明解C言語で学ぶアルゴリズムとデータ構造』，SBクリエイティブ，2017
『新・明解 Java で学ぶアルゴリズムとデータ構造』，SBクリエイティブ，2017
『新・解きながら学ぶ Java*』，SBクリエイティブ，2017
『新・明解 C++ 入門』，SBクリエイティブ，2017
『新・明解 C++ で学ぶオブジェクト指向プログラミング』，SBクリエイティブ，2018
『新・明解 Python 入門』，SBクリエイティブ，2019

本書をお読みいただいたご意見、ご感想を以下の QR コード、URL よりお寄せください。

https://isbn2.sbcr.jp/03199/

新・明解Pythonで学ぶアルゴリズムとデータ構造

2020年 1月18日 初版発行
2024年 7月19日 第4刷発行

著 者 … 柴田 望洋
編 集 … 野沢 喜美男
発行者 … 出井 貴完
発行所 … ＳＢクリエイティブ株式会社
〒105-0001 東京都港区虎ノ門2-2-1
https://www.sbcr.jp/
印 刷 … 昭和情報プロセス株式会社
装 丁 … bookwall

落丁本、乱丁本は小社営業部にてお取り替えいたします。
定価はカバーに記載されております。

Printed In Japan ISBN978-4-8156-0319-9

SBクリエイティブの柴田望洋の著作

アルゴリズムとデータ構造学習の決定版!!

新・明解C言語で学ぶアルゴリズムとデータ構造 第2版

アルゴリズム体験学習ソフトウェアで
アルゴリズムとデータ構造の基本を完全制覇！

2色刷

B5 変形判、432 ページ

三値の最大値を求める初歩的なアルゴリズムに始まって、探索、ソート、再帰、スタック、キュー、線形リスト、2分木などを、学習するためのテキストです。

アルゴリズムの動きが手に取るように分かる〔アルゴリズム体験学習ソフトウェア※〕が、学習を強力にサポートします。数多くの演習問題を解き進めることで、学習内容が身につくように配慮しています。

C言語プログラミング技術の向上だけでなく、**情報処理技術者試験対策**のための一冊としても最適です。

※購入者特典として、出版社サポートサイトからダウンロードできます。

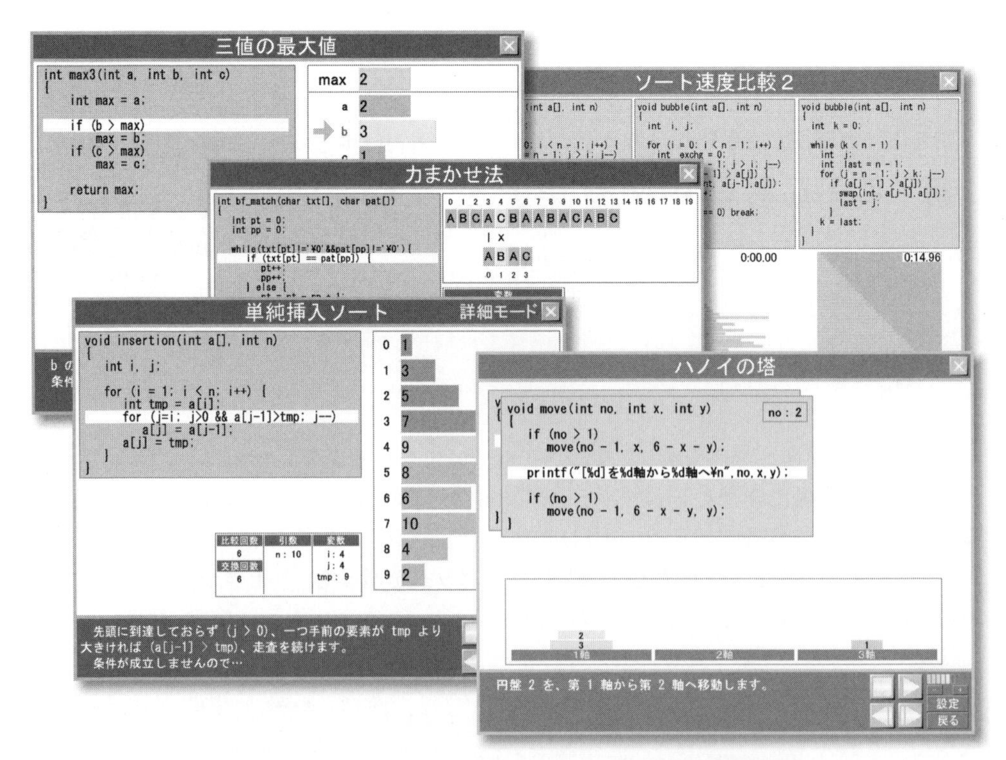

《アルゴリズム体験学習ソフトウェア》の実行画面例

SBクリエイティブの柴田望洋の著作

C++ 入門書の最高峰（バイブル）!!

新・明解 C++ 入門

C++ とプログラミングの基礎を学習するための
プログラムリスト 307 編　図表 245 点

3 色刷

B5 変形判、544 ページ

C 言語をもとに作られたという性格をもつため、ほとんどの C++ 言語の入門書は、読者が『C 言語を知っている』ことを前提としています。

本書は、プログラミング初心者に対して、段階的かつ明快に、語り口調で C++ 言語の基礎とプログラミングの基礎を説いていきます。分かりやすい図表や、豊富なプログラムリストが満載です。

全 14 章におよぶ本書を読み終えたとき、あなたの身体の中には、C++ 言語とプログラミングの基礎が構築されているでしょう。

C++ を使いこなして新たな飛躍を目指そう !!

新・明解C++で学ぶオブジェクト指向プログラミング

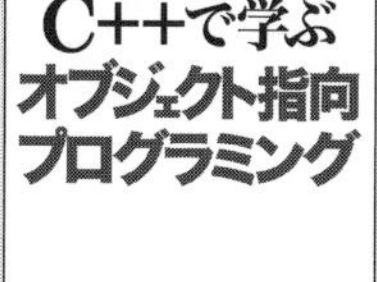

オブジェクト指向プログラミングを学習するための
プログラムリスト 271 編　図表 132 点

2 色刷

B5 変形判、512 ページ

本書は、C++ を用いたオブジェクト指向プログラミングの核心を学習するための教科書です。

まずは、クラスの基礎から学習を始めます。データと、それを扱う手続きをまとめることでクラスを作成します。それから、派生・継承、仮想関数、抽象クラス、例外処理、クラステンプレートなどを学習し、C++ という言語の本質や、オブジェクト指向プログラミングに対する理解を深めていきます。

さらに、最後の三つの章では、ベクトル、文字列、入出力ストリームといった、重要かつ基本的なライブラリについて学習します。

ＳＢクリエイティブの柴田望洋の著作

・・　ホームページのお知らせ　・・・・・・・・・・・・・・・・・・・・・・・・・・・

ご紹介いたしました、すべての著作について、本文の一部やソースプログラムなどを、インターネット上で閲覧したり、ダウンロードしたりできます。

以下のホームページをご覧ください。

柴田望洋後援会オフィシャルホームページ
https://www.bohyoh.com/